풍산자 필수유형

수학Ⅱ

엄선된 필수 유형 학습으로

실력을 올리고 상위권으로 도약하는

〈풍산자 필수유형〉입니다.

멋진 미래는 자신의 꿈의 아름다움을 믿는 이들에게 주어진다.

- Anna Eleanor Roosevelt -

엄선된 유형을 한 권에 가득, **필수 유형서**

풍산자 필수유형

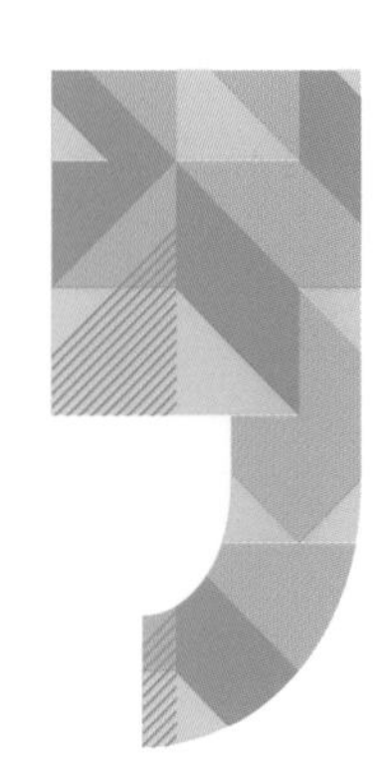

중단원별
꼭 알아야 할 개념을
쉽고 명쾌하게 요약한 내용 정리

유형별 필수 문제의
중요도와 난이도를 제시한
실력을 기르는 유형

핵심적이고 출제 빈도
높은 문제로 구성된
내신을 꽉 잡는 서술형

출제 비중이 높은 사고력과
응용력 문제인
고득점을 향한 도약

출제 의도와 다양한
해결 방법을 이해할 수 있는
친절하고 자세한 풀이

교재 활용 로드맵

꼭 알아야 할 중단원별 개념 정리와 설명	핵심 내용과 문제 해결의 활용 요소를 풍쌤 비법으로 제시
엄선된 문제들의 중요도, 난이도 제시	내신 및 평가원, 교육청 기출 문제를 포함한 엄선된 필수 문제 구성
서술형과 고득점 문항으로 최종 점검	완벽한 시험 대비를 위한 서술형 문항, 사고력과 응용력 강화 문제 제시

머리말

고등학교 수학의 내신이나 수능 기출 문제는 무척 많지만 모두 교과 과정의 개념에서 파생된 문제입니다. 문제를 척 보면 아하! 이것은 무엇을 묻는 문제이구나! 하고 간파할 수 있을까요?

그럴 수 있어야 합니다.

고등학교 수학 문제는 수없이 많지만 그 기저에는 뼈대가 되는 기본 문제 유형이 있습니다. 이 기본 문제 유형을 정복하는 것이 수학 문제 정복의 열쇠입니다.

- 어려운 문제처럼 보이지만 한 단계만 해결하면 쉬운 문제로 변신하는 문제가 있습니다.
- 낯선 문제처럼 보이지만 한 꺼풀만 벗기면 익숙한 문제로 바뀌는 문제가 있습니다.
- 겉모양은 전혀 다른데 본질을 파악하면 사실상 동일한 문제가 있습니다.

가면을 쓰고 다른 문제인 척 가장할 때 속아 넘어 가지 않으려면 어떻게 해야 할까요?

풍산자 필수유형은 어려운 문제를 쉬운 문제로, 낯선 문제를 익숙한 문제로 바꾸는 능력을 기를 수 있도록 구성된 문제기본서입니다. 세상의 모든 수학 문제를 유형별로 정리하고 분석하여 그 뼈대가 되는 문제들로 구성하였습니다.

몇 천 문항씩 되는 많은 문제를 두서없이 풀기보다는 뼈대 문제를 완벽히 이해한다면 어떠한 수학 문제를 만나도 당당하게 맞서는 수학의 고수로 다시 태어날 것입니다.

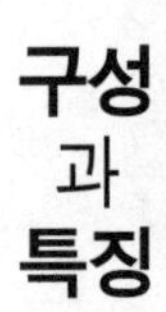

구성
과
특징

꼭 필요한 유형으로만 꽉 채운
풍산자 필수유형!

핵심 내용 요약 정리

중단원별로 꼭 알아야 하는 개념을 간단하고 명쾌하게 요약하였으며, 예, 참고, 주의 등으로 개념을 쉽게 이해할 수 있도록 하였습니다.

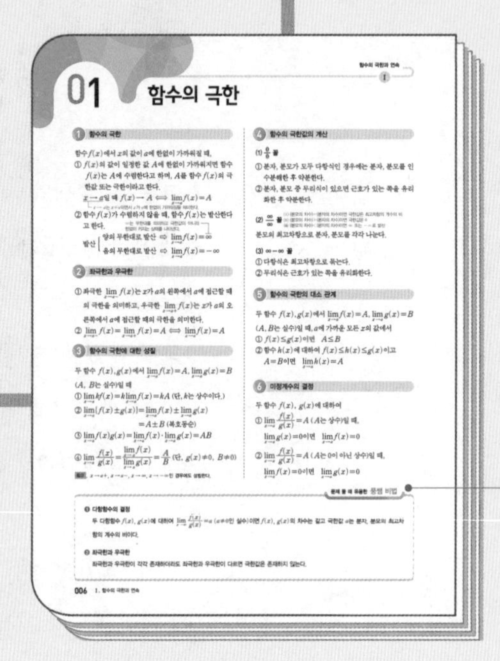

문제 풀 때 유용한 풍쌤 비법

핵심 내용과 연계되어 문제 풀이에 자주 이용되는 개념, 개념을 문제에 적용하는 방법 등을 소개하고 이를 활용할 수 있도록 하였습니다.

실력을 기르는 유형

학습에 필요한 문제들을 유형별로 나누고 유형별 중요도와 문항별 난이도를 제시하여 학습 수준에 맞추어 충분한 연습이 될 수 있도록 구성하였습니다.

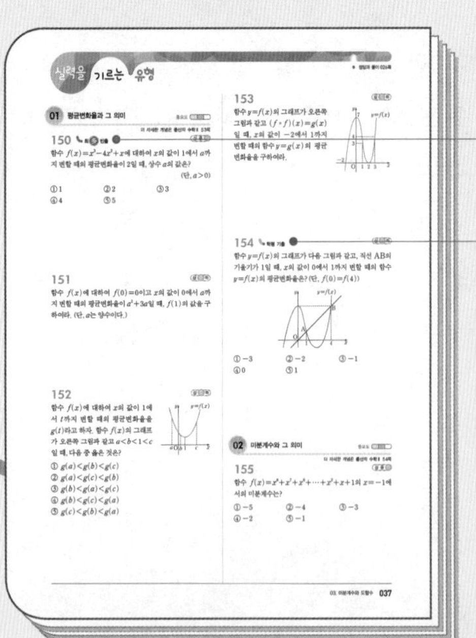

최多빈출

자주 출제되는 유형 중 가장 출제 비중이 높은 문제입니다.

학평 기출

평가원, 교육청의 학력평가 기출 문제 중 자주 출제되는 유형의 문제입니다.

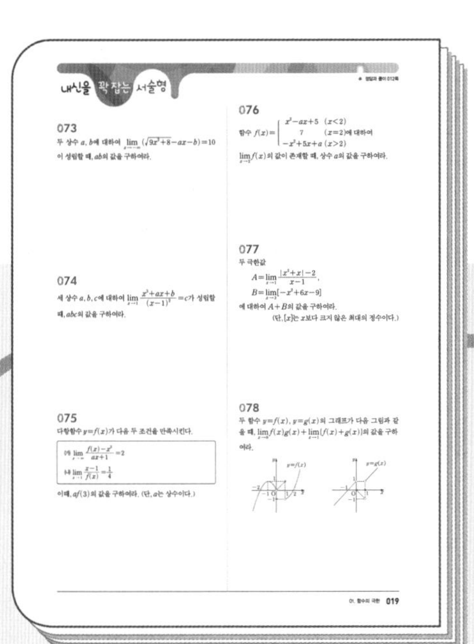

내신을 꽉 잡는 서술형

핵심적이고 출제 빈도가 높은 서술형 기출 문제로 구성하여 강화된 서술형 평가에 대비할 수 있도록 하였습니다.

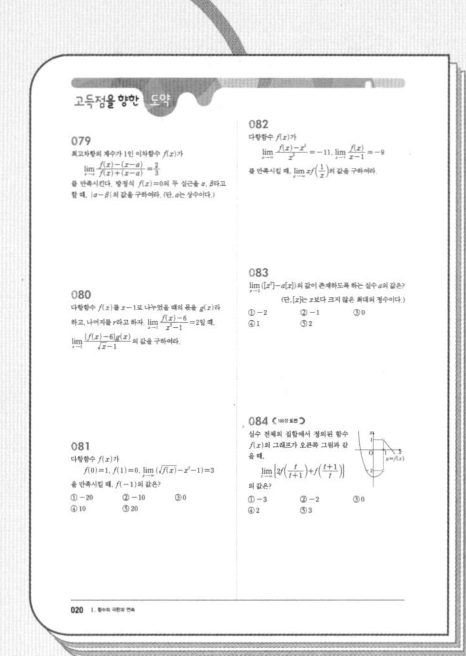

고득점을 향한 도약

난이도가 높고, 출제 비중이 높은 문제로 구성하여 수학적 사고력과 응용력을 기를 수 있도록 하였습니다.

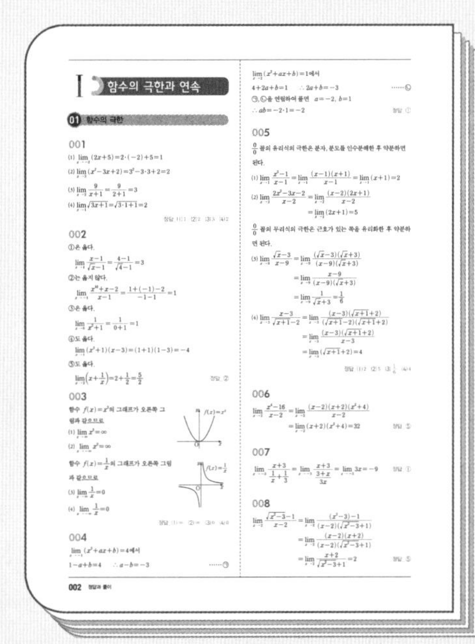

풀이

자세하고 친절한 풀이와 다른 풀이로 문제의 출제 의도와 다양한 해결 방향을 이해할 수 있도록 하였습니다.

차례

Ⅰ 함수의 극한과 연속

Ⅱ 미분

Ⅲ 적분

I

함수의 극한과 연속

01 함수의 극한

1 함수의 극한

함수 $f(x)$에서 x의 값이 a에 한없이 가까워질 때,

① $f(x)$의 값이 일정한 값 A에 한없이 가까워지면 함수 $f(x)$는 A에 수렴한다고 하며, A를 함수 $f(x)$의 극한값 또는 극한이라고 한다.

$x \to a$일 때 $f(x) \to A \iff \lim_{x \to a} f(x) = A$

└ $x \to a$는 $x \neq a$이면서 x가 a에 한없이 가까워짐을 의미한다.

② 함수 $f(x)$가 수렴하지 않을 때, 함수 $f(x)$는 발산한다고 한다.

∞는 무한대를 의미하고 극한값이 아니라 한없이 커지는 상태를 나타낸다.

발산 { 양의 무한대로 발산 ⇨ $\lim_{x \to a} f(x) = \infty$
 음의 무한대로 발산 ⇨ $\lim_{x \to a} f(x) = -\infty$

2 좌극한과 우극한

① 좌극한 $\lim_{x \to a-} f(x)$는 x가 a의 왼쪽에서 a에 접근할 때의 극한을 의미하고, 우극한 $\lim_{x \to a+} f(x)$는 x가 a의 오른쪽에서 a에 접근할 때의 극한을 의미한다.

② $\lim_{x \to a-} f(x) = \lim_{x \to a+} f(x) = A \iff \lim_{x \to a} f(x) = A$

3 함수의 극한에 대한 성질

두 함수 $f(x), g(x)$에서 $\lim_{x \to a} f(x) = A, \lim_{x \to a} g(x) = B$ (A, B는 실수)일 때

① $\lim_{x \to a} kf(x) = k\lim_{x \to a} f(x) = kA$ (단, k는 상수이다.)

② $\lim_{x \to a} \{f(x) \pm g(x)\} = \lim_{x \to a} f(x) \pm \lim_{x \to a} g(x) = A \pm B$ (복호동순)

③ $\lim_{x \to a} f(x)g(x) = \lim_{x \to a} f(x) \cdot \lim_{x \to a} g(x) = AB$

④ $\lim_{x \to a} \dfrac{f(x)}{g(x)} = \dfrac{\lim_{x \to a} f(x)}{\lim_{x \to a} g(x)} = \dfrac{A}{B}$ (단, $g(x) \neq 0$, $B \neq 0$)

참고 $x \to a+$, $x \to a-$, $x \to \infty$, $x \to -\infty$인 경우에도 성립한다.

4 함수의 극한값의 계산

(1) $\dfrac{0}{0}$ 꼴

① 분자, 분모가 모두 다항식인 경우에는 분자, 분모를 인수분해한 후 약분한다.

② 분자, 분모 중 무리식이 있으면 근호가 있는 쪽을 유리화한 후 약분한다.

(2) $\dfrac{\infty}{\infty}$ 꼴

(i) (분모의 차수)=(분자의 차수)이면 극한값은 최고차항의 계수의 비
(ii) (분모의 차수)>(분자의 차수)이면 극한값은 0
(iii) (분모의 차수)<(분자의 차수)이면 ∞ 또는 −∞로 발산

분모의 최고차항으로 분자, 분모를 각각 나눈다.

(3) $\infty - \infty$ 꼴

① 다항식은 최고차항으로 묶는다.

② 무리식은 근호가 있는 쪽을 유리화한다.

5 함수의 극한의 대소 관계

두 함수 $f(x), g(x)$에서 $\lim_{x \to a} f(x) = A, \lim_{x \to a} g(x) = B$ (A, B는 실수)일 때, a에 가까운 모든 x의 값에서

① $f(x) \le g(x)$이면 $A \le B$

② 함수 $h(x)$에 대하여 $f(x) \le h(x) \le g(x)$이고 $A = B$이면 $\lim_{x \to a} h(x) = A$

6 미정계수의 결정

두 함수 $f(x)$, $g(x)$에 대하여

① $\lim_{x \to a} \dfrac{f(x)}{g(x)} = A$ (A는 상수)일 때,
$\lim_{x \to a} g(x) = 0$이면 $\lim_{x \to a} f(x) = 0$

② $\lim_{x \to a} \dfrac{f(x)}{g(x)} = A$ (A는 0이 아닌 상수)일 때,
$\lim_{x \to a} f(x) = 0$이면 $\lim_{x \to a} g(x) = 0$

문제 풀 때 유용한 풍쌤 비법

❶ 다항함수의 결정

두 다항함수 $f(x)$, $g(x)$에 대하여 $\lim_{x \to \infty} \dfrac{f(x)}{g(x)} = a$ ($a \neq 0$인 실수)이면 $f(x)$, $g(x)$의 차수는 같고 극한값 a는 분자, 분모의 최고차항의 계수의 비이다.

❷ 좌극한과 우극한

좌극한과 우극한이 각각 존재하더라도 좌극한과 우극한이 다르면 극한값은 존재하지 않는다.

실력을 기르는 유형

● 정답과 풀이 002쪽

01 간단한 함수의 극한

중요도

더 자세한 개념은 풍산자 수학Ⅱ 12쪽

001

상 중 하

다음 극한값을 구하여라.

(1) $\lim_{x \to -2}(2x+5)$ (2) $\lim_{x \to 3}(x^2-3x+2)$

(3) $\lim_{x \to 2}\frac{9}{x+1}$ (4) $\lim_{x \to 1}\sqrt{3x+1}$

002 최多빈출

상 중 하

다음 중 옳지 않은 것은?

① $\lim_{x \to 4}\frac{x-1}{\sqrt{x}-1}=3$

② $\lim_{x \to -1}\frac{x^{10}+x-2}{x-1}=-1$

③ $\lim_{x \to 0}\frac{1}{x^2+1}=1$

④ $\lim_{x \to 1}(x^2+1)(x-3)=-4$

⑤ $\lim_{x \to 2}\left(x+\frac{1}{x}\right)=\frac{5}{2}$

003

상 중 하

다음 극한을 조사하여라.

(1) $\lim_{x \to \infty}x^2$ (2) $\lim_{x \to -\infty}x^2$

(3) $\lim_{x \to \infty}\frac{1}{x}$ (4) $\lim_{x \to -\infty}\frac{1}{x}$

004

상 중 하

$\lim_{x \to -1}(x^2+ax+b)=4$, $\lim_{x \to 2}(x^2+ax+b)=1$일 때, ab의 값은? (단, a, b는 상수이다.)

① -2 ② -1 ③ 1 ④ 2 ⑤ 3

02 $\frac{0}{0}$ 꼴의 극한

중요도

더 자세한 개념은 풍산자 수학Ⅱ 24쪽

005

상 중 하

다음 극한값을 구하여라.

(1) $\lim_{x \to 1}\frac{x^2-1}{x-1}$ (2) $\lim_{x \to 2}\frac{2x^2-3x-2}{x-2}$

(3) $\lim_{x \to 9}\frac{\sqrt{x}-3}{x-9}$ (4) $\lim_{x \to 3}\frac{x-3}{\sqrt{x+1}-2}$

006

상 중 하

$\lim_{x \to 2}\frac{x^4-16}{x-2}$의 값은?

① 2 ② 4 ③ 8 ④ 16 ⑤ 32

007

상 중 하

$\lim_{x \to -3}\frac{x+3}{\frac{1}{x}+\frac{1}{3}}$의 값은?

① -9 ② -6 ③ -3 ④ 3 ⑤ 6

008 학평 기출

상중하

$\lim_{x\to 2}\frac{\sqrt{x^2-3}-1}{x-2}$의 값은?

① -2 ② -1 ③ 0
④ 1 ⑤ 2

009 최多빈출

상중하

$\lim_{x\to -2}f(x)=\frac{1}{4}$일 때, $\lim_{x\to -2}\frac{(2x+4)f(x)}{\sqrt{x+11}-3}$의 값은?

① 1 ② 2 ③ 3
④ 4 ⑤ 5

010

상중하

$\lim_{x\to 0}\frac{\sqrt{1-x}-\sqrt{1+x}}{\sqrt{4+x}-\sqrt{4-x}}$의 값은?

① -4 ② -2 ③ 0
④ 2 ⑤ 4

011

상중하

$\lim_{x\to a}\frac{x^3-a^3}{x-a}=3$일 때, $\lim_{x\to a}\frac{x^3-ax^2+a^2x-a^3}{x-a}$의 값은?

(단, $a>0$)

① 1 ② 2 ③ 3
④ 4 ⑤ 5

012

상중하

다항함수 $f(x)$에 대하여 $\lim_{x\to 1}\frac{6(x^4-1)}{(x^2-1)f(x)}=3$일 때, $f(1)$의 값은?

① 2 ② 4 ③ 6
④ 8 ⑤ 10

03 $\frac{\infty}{\infty}$ 꼴의 극한

중요도

더 자세한 개념은 풍산자 수학Ⅱ 25쪽

013

상중하

다음 극한을 조사하여라.

(1) $\lim_{x\to\infty}\frac{x-1}{x^2+2x+3}$

(2) $\lim_{x\to\infty}\frac{x^2-3x+2}{x+5}$

(3) $\lim_{x\to\infty}\frac{4x^2+3x+2}{2x^2-4x+3}$

014

상중하

다음 극한값을 구하여라.

(1) $\lim_{x\to\infty}\frac{3x}{\sqrt{x^2+1}+x}$

(2) $\lim_{x\to\infty}\frac{\sqrt{x^2+x}+\sqrt{x^2-1}}{2x-3}$

015

상 중 하

$\lim_{x\to\infty}\frac{\sqrt{x^2+x+1}+3x}{\sqrt{9x^2+1}-x}$의 값은?

① -2　② $-\frac{1}{2}$　③ 0
④ $\frac{1}{2}$　⑤ 2

016

학평 기출

상 중 하

〈보기〉의 극한 중 수렴하는 것을 모두 고른 것은?

보기

ㄱ. $\lim_{x\to\infty}\frac{2x^2+4x+1}{3x^2-2}$　ㄴ. $\lim_{x\to\infty}\frac{2x+3}{2x^2+4}$

ㄷ. $\lim_{x\to\infty}\frac{2x^3-3x}{x^2-1}$

① ㄱ　② ㄴ　③ ㄷ
④ ㄱ, ㄴ　⑤ ㄴ, ㄷ

017

상 중 하

두 상수 a, b에 대하여 $\lim_{x\to\infty}\frac{ax^3+bx^2+2x+5}{2x^2-3x+4}=6$이 성립할 때, $a+b$의 값은?

① 6　② 12　③ 18
④ 24　⑤ 30

018

상 중 하

$\lim_{x\to\infty}\frac{ax-10}{\sqrt{x^2-2x-3}+x}=2$일 때, 상수 a의 값은?

① 2　② 4　③ 6
④ 8　⑤ 10

019

상 중 하

$\lim_{x\to\infty}\frac{f(x)}{x}=a$일 때, $\lim_{x\to\infty}\frac{-5f(x)+1}{2f(x)-3}$의 값은?

(단, a는 0이 아닌 실수이다.)

① $-\frac{5}{2}$　② $-\frac{1}{2}$　③ $\frac{1}{2}$
④ $\frac{5}{2}$　⑤ $\frac{9}{2}$

020

최多빈출

상 중 하

$\lim_{x\to\infty}\left\{\frac{f(x)}{x}+2\right\}=0$일 때, $\lim_{x\to\infty}\frac{8x^2+xf(x)-5}{2x^2-x+f(x)}$의 값은?

① 0　② 1　③ 2
④ 3　⑤ 4

021

상 중 하

$\lim_{x\to\infty}\frac{f(x)}{x}$의 값이 존재할 때, $\lim_{x\to\infty}\frac{2x+\sqrt{x-f(x)}}{x+\sqrt{x^2+2f(x)}}$의 값은?

① $\frac{1}{3}$　② $\frac{1}{2}$　③ 1
④ $\frac{3}{2}$　⑤ 2

04 ∞−∞ 꼴의 극한

중요도

더 자세한 개념은 풍산자 수학Ⅱ 26쪽

022

상 중 하

다음 극한값을 구하여라.

(1) $\lim_{x\to\infty}(\sqrt{x^2+2x}-x)$

(2) $\lim_{x\to\infty}(\sqrt{x^2+3x}-\sqrt{x^2-3x})$

023 최多빈출

상 중 하

$\lim_{x\to\infty}(\sqrt{x^2+ax}-\sqrt{x^2-ax})=4$가 성립하도록 하는 상수 a의 값은?

① -4　② -2　③ 0

④ 2　⑤ 4

024

상 중 하

$\lim_{x\to-\infty}(\sqrt{x^2+3x+2}+x)$의 값은?

① $-\frac{3}{2}$　② $-\frac{1}{2}$　③ $\frac{1}{3}$

④ $\frac{1}{2}$　⑤ $\frac{3}{2}$

05 ∞×0 꼴의 극한

중요도

더 자세한 개념은 풍산자 수학Ⅱ 26쪽

025

상 중 하

다음 극한값을 구하여라.

(1) $\lim_{x\to3}\frac{1}{x-3}\left(\frac{1}{x+1}-\frac{1}{4}\right)$

(2) $\lim_{x\to0}\frac{1}{x}\left(\frac{1}{\sqrt{x+1}}-1\right)$

026

상 중 하

$\lim_{x\to1}\frac{1}{x-1}\left(\frac{x^2+5}{x+1}-3\right)$의 값은?

① $-\frac{1}{2}$　② $-\frac{1}{4}$　③ 0

④ $\frac{1}{4}$　⑤ $\frac{1}{2}$

027

상 중 하

$\lim_{x\to0}\frac{4}{x}\left(\frac{1}{\sqrt{x+4}}-\frac{1}{2}\right)$의 값은?

① -1　② $-\frac{1}{2}$　③ $-\frac{1}{3}$

④ $-\frac{1}{4}$　⑤ $-\frac{1}{5}$

06 미정계수의 결정

중요도

더 자세한 개념은 풍산자 수학Ⅱ 29쪽

028

상 중 하

두 상수 p, q에 대하여 $\lim_{x\to-1}\frac{x^3-x^2+x+p}{x^3+1}=q$가 성립할 때, $p+q$의 값은?

① 1　② 3　③ 5

④ 7　⑤ 9

029

상중하

두 상수 a, b에 대하여 $\lim_{x \to 1} \frac{\sqrt{3x+a}-\sqrt{x+3}}{x^2-1}=b$가 성립할 때, ab의 값은?

① 16 ② 4 ③ 1 ④ $\frac{1}{4}$ ⑤ $\frac{1}{16}$

030

상중하

함수 $f(x)=x^2+ax+b$에 대하여 $\lim_{x \to 1} \frac{f(x)}{x-1}=3$이 성립할 때, $f(2)$의 값은? (단, a, b는 상수이다.)

① 2 ② $\frac{5}{2}$ ③ 3 ④ $\frac{7}{2}$ ⑤ 4

031

상중하

두 상수 a, b에 대하여 $\lim_{x \to 2}\left(\frac{a}{2-x}-\frac{b}{4-x^2}\right)=1$이 성립할 때, ab의 값은?

① 24 ② 32 ③ 48 ④ 56 ⑤ 64

032 학평 기출

상중하

두 상수 a, b에 대하여 $\lim_{x \to 9} \frac{x-a}{\sqrt{x}-3}=b$가 성립할 때, $a+b$의 값을 구하여라.

033 최多빈출

상중하

두 상수 a, b에 대하여 $\lim_{x \to 2} \frac{\sqrt{x+a}-b}{x-2}=\frac{1}{8}$이 성립할 때, $a+b$의 값은?

① 15 ② 16 ③ 17 ④ 18 ⑤ 19

034

상중하

두 상수 a, b에 대하여 $\lim_{x \to -1} \frac{x^2+(a+1)x+a}{x^2-b}=3$이 성립할 때, $a+b$의 값은?

① -8 ② -4 ③ $-\frac{1}{2}$ ④ $-\frac{1}{4}$ ⑤ $-\frac{1}{8}$

07 다항함수의 결정

중요도

더 자세한 개념은 풍산자 수학Ⅱ 29쪽

035

최多빈출 · 풍쌤 비법 ❶ · (상 중 하)

다항함수 $f(x)$가

$$\lim_{x\to\infty}\frac{f(x)}{x^2-x}=10,\ \lim_{x\to3}\frac{f(x)}{x-3}=40$$

을 만족시킬 때, $f(1)$의 값은?

① -40　② -10　③ 0
④ 10　⑤ 40

036

(상 중 하)

다항함수 $f(x)$가

$$\lim_{x\to\infty}\frac{x^2-3x+2}{f(x)}=3,\ \lim_{x\to2}\frac{2x^2-7x+6}{f(x)}=\frac{1}{2}$$

을 만족시킬 때, $f(5)$의 값은?

① 8　② 9　③ 10
④ 11　⑤ 12

037

학평 기출 · (상 중 하)

다항함수 $f(x)$가 다음 두 조건을 만족시킬 때, $f(1)$의 값을 구하여라.

(가) $\lim_{x\to\infty}\frac{f(x)-3x^3}{x^2}=2$

(나) $\lim_{x\to0}\frac{f(x)}{x}=2$

038

(상 중 하)

모든 실수 x에 대하여 함수 $f(x)$가
$(x-2)f(x)=ax^2+bx+c$를 만족시키고
$\lim_{x\to\infty}f(x)=3$일 때, $a+b-c$의 값은?
(단, a, b, c는 상수이다.)

① 7　② 8　③ 9
④ 10　⑤ 11

039

(상 중 하)

$\lim_{x\to1}\frac{f(x)}{x-1}=-1,\ \lim_{x\to2}\frac{f(x)}{x-2}=3$을 만족시키는 다항함수 $f(x)$ 중 차수가 가장 낮은 것을 $g(x)$라고 할 때, $g(3)$의 값은?

① 2　② 4　③ 6
④ 8　⑤ 10

08 좌극한과 우극한

중요도

더 자세한 개념은 풍산자 수학Ⅱ 16쪽

040

(상 중 하)

함수 $y=f(x)$의 그래프가 오른쪽 그림과 같을 때, 다음 극한을 조사하여라.

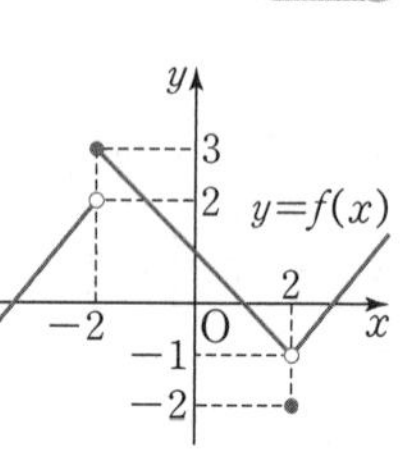

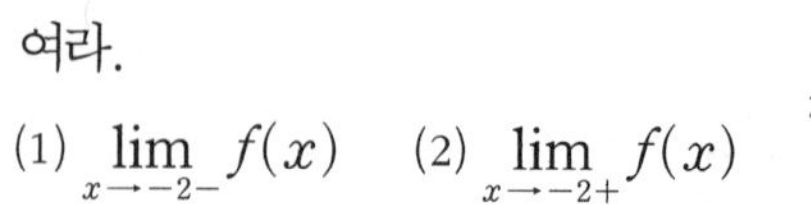

(1) $\lim_{x\to-2-}f(x)$　(2) $\lim_{x\to-2+}f(x)$

(3) $\lim_{x\to2-}f(x)$　(4) $\lim_{x\to2+}f(x)$

(5) $\lim_{x\to-2}f(x)$　(6) $\lim_{x\to2}f(x)$

041

상 중 하

함수 $f(x)=\begin{cases} x^2+1 & (x\neq0) \\ 0 & (x=0) \end{cases}$ 에 대하여 다음 극한값을 구하여라.

(1) $\lim_{x\to0-}f(x)$ (2) $\lim_{x\to0+}f(x)$ (3) $\lim_{x\to0}f(x)$

042 학평 기출

상 중 하

함수 $y=f(x)$의 그래프가 오른쪽 그림과 같을 때,

$\lim_{x\to0-}f(x)+\lim_{x\to1+}f(x)$의 값은?

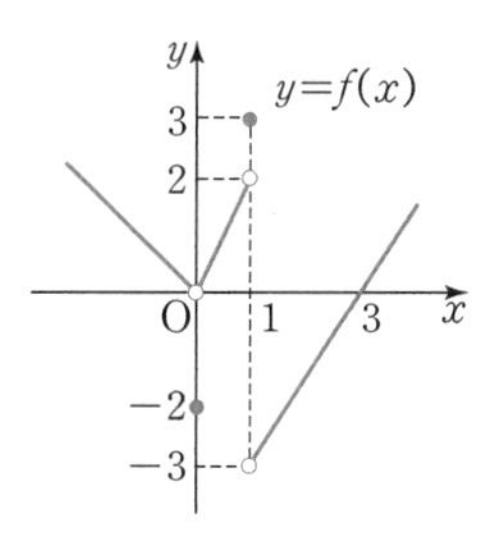

① -1 ② -2
③ -3 ④ -4
⑤ -5

043

상 중 하

함수 $y=f(x)$의 그래프가 오른쪽 그림과 같을 때,

$\lim_{x\to1+}f(x)f(1-x)$의 값은?

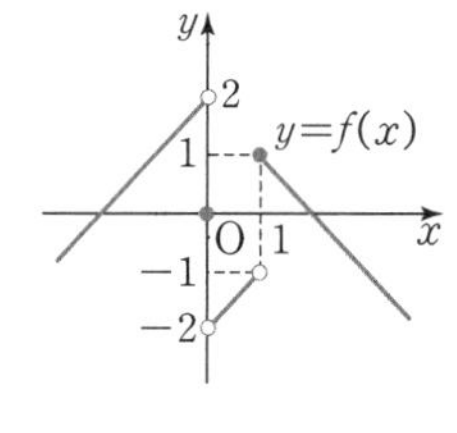

① -2 ② -1
③ 0 ④ 1
⑤ 2

044

상 중 하

함수 $f(x)=\begin{cases} x^2-4x+a & (x<1) \\ 2 & (x=1) \\ -x+b & (x>1) \end{cases}$ 에 대하여

$\lim_{x\to1-}f(x)=-2$, $\lim_{x\to1+}f(x)=2$일 때, $a-b$의 값은?

(단, a, b는 상수이다.)

① -3 ② -2 ③ -1
④ 1 ⑤ 2

045 풍쌤 비법 ❷

상 중 하

$x\geq0$에서 정의된 함수 $y=f(x)$의 그래프가 오른쪽 그림과 같다. 〈보기〉에서 옳은 것을 모두 고른 것은?

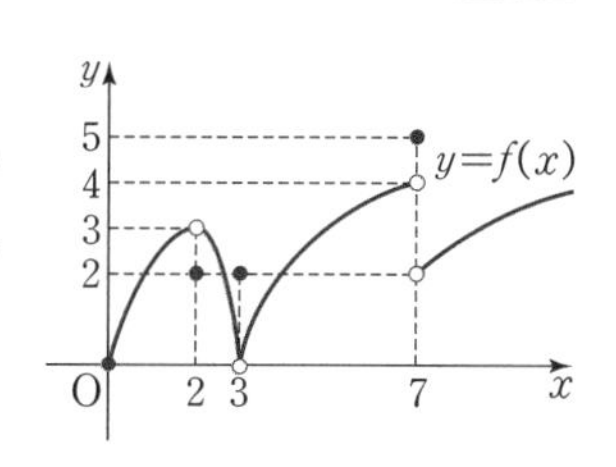

보기

ㄱ. $\lim_{x\to2-}f(x)=\lim_{x\to2+}f(x)=\lim_{x\to2}f(x)=3$

ㄴ. $\lim_{x\to3-}f(x)=\lim_{x\to3+}f(x)=\lim_{x\to3}f(x)=2$

ㄷ. $\lim_{x\to7-}f(x)=\lim_{x\to7+}f(x)=\lim_{x\to7}f(x)=5$

① ㄱ ② ㄴ ③ ㄷ
④ ㄱ, ㄴ ⑤ ㄴ, ㄷ

046

(상 중 하)

함수 $y=f(x)$의 그래프가 오른쪽 그림과 같을 때, 〈보기〉에서 옳은 것을 모두 고른 것은?

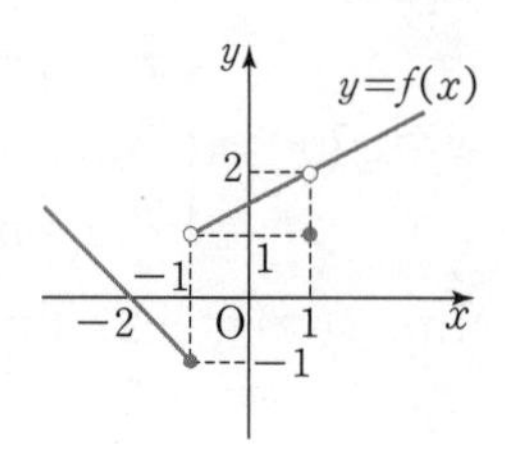

보기

ㄱ. $\lim_{x \to 1} f(x)=2$

ㄴ. $\lim_{x \to -1-} f(x)=1$

ㄷ. $\lim_{x \to 1} f(-x)$의 값이 존재한다.

① ㄱ ② ㄴ ③ ㄷ
④ ㄱ, ㄴ ⑤ ㄴ, ㄷ

047 최多빈출

(상 중 하)

함수 $f(x)=\begin{cases} x^2-x+a & (x \ge 3) \\ ax-a & (x<3) \end{cases}$에 대하여 $\lim_{x \to 3} f(x)$의 값이 존재하기 위한 실수 a의 값은?

① 3 ② 4 ③ 5
④ 6 ⑤ 7

09 가우스 함수의 극한

중요도

더 자세한 개념은 풍산자 수학Ⅱ 16쪽

048

(상 중 하)

다음 중 극한값이 가장 큰 것은?

(단, $[x]$는 x보다 크지 않은 최대의 정수이다.)

① $\lim_{x \to 0-} \frac{x}{[x]}$ ② $\lim_{x \to 0+} \frac{[x]}{x}$

③ $\lim_{x \to 0-} \frac{[x-1]}{x-1}$ ④ $\lim_{x \to 0+} \frac{x-1}{[x-1]}$

⑤ $\lim_{x \to 0+} \frac{x-2}{[x-2]}$

049 학평 기출

(상 중 하)

다음 함수 중 $x=0$에서 극한값이 존재하는 것을 〈보기〉에서 모두 고른 것은?

(단, $[x]$는 x보다 크지 않은 최대의 정수이다.)

보기

ㄱ. $f(x)=\frac{|x|}{x}$

ㄴ. $g(x)=[2x]-[x]$

ㄷ. $h(x)=\frac{[x]}{x+1}$

① ㄱ ② ㄴ ③ ㄷ
④ ㄱ, ㄴ ⑤ ㄴ, ㄷ

050

(상 중 하)

이차함수 $f(x)$의 그래프가 오른쪽 그림과 같고 함수 $f(x)$가 $x=1$에서 최댓값 1을 가질 때, $\lim_{x \to 1}[f(x)]$의 값은?

(단, $[x]$는 x보다 크지 않은 최대의 정수이다.)

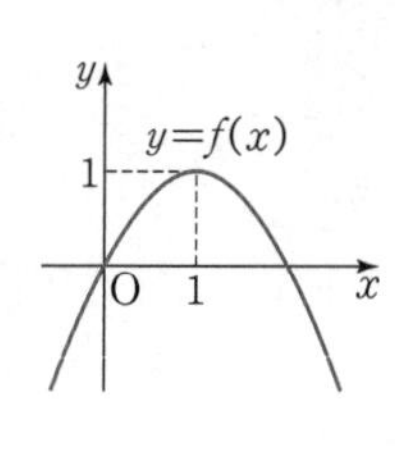

① -2 ② -1 ③ 0
④ 1 ⑤ 2

051

(상 중 하)

$\lim_{x \to \infty} \frac{8}{x}\left[\frac{x}{4}\right]$의 값은?

(단, $[x]$는 x보다 크지 않은 최대의 정수이다.)

① 0 ② 2 ③ 4
④ 8 ⑤ 16

052
상 중 하

$\lim_{x \to \infty} (\sqrt{x^2+[x]}-x)$의 값은?

(단, $[x]$는 x보다 크지 않은 최대의 정수이다.)

① 0　② $\frac{1}{3}$　③ $\frac{1}{2}$

④ 2　⑤ 3

053
상 중 하

$\lim_{x \to a} \frac{x+[x]^2}{[2x]}$의 값이 존재할 때, 정수 a의 값은?

(단, $[x]$는 x보다 크지 않은 최대의 정수이다.)

① 1　② 2　③ 3

④ 4　⑤ 5

10 합성함수의 극한
중요도

더 자세한 개념은 풍산자 수학Ⅱ 16쪽

054 학평 기출
상 중 하

함수 $f(x)$의 그래프가 오른쪽 그림과 같을 때, 〈보기〉에서 옳은 것을 모두 고른 것은?

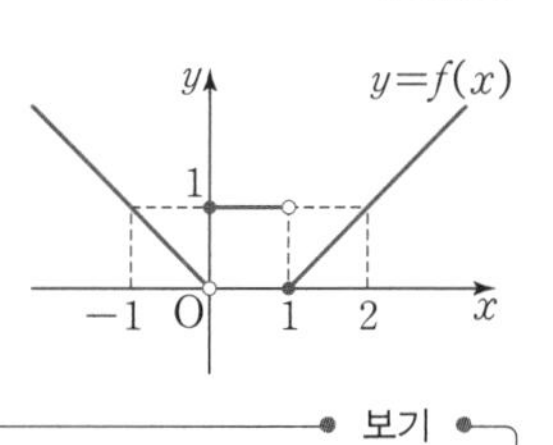

보기

ㄱ. $\lim_{x \to 1} f(x)=0$

ㄴ. $\lim_{x \to 1+} f(f(x))=1$

ㄷ. $\lim_{x \to 1-} f(f(x))=0$

① ㄴ　② ㄷ　③ ㄱ, ㄴ

④ ㄱ, ㄷ　⑤ ㄴ, ㄷ

055 최多빈출
상 중 하

정의역이 $\{x|0 \le x \le 4\}$인 함수 $y=f(x)$의 그래프가 다음 그림과 같다.

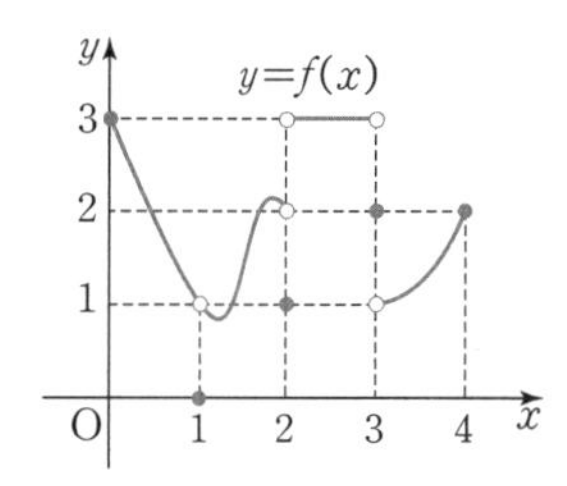

$\lim_{x \to 0+} f(f(x)) + \lim_{x \to 2+} f(f(x))$의 값은?

① 1　② 2　③ 3

④ 4　⑤ 5

056
상 중 하

두 함수 $y=f(x)$, $y=g(x)$의 그래프가 다음 그림과 같다.

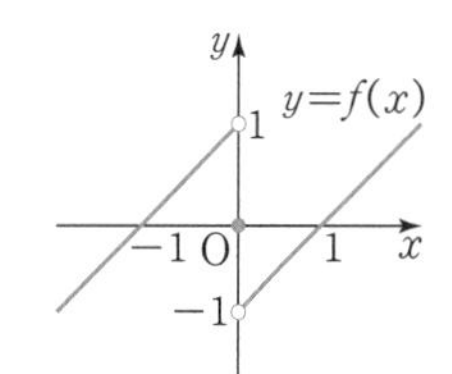

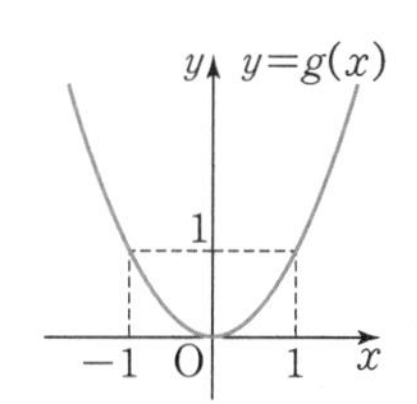

〈보기〉에서 옳은 것을 모두 고른 것은?

보기

ㄱ. $\lim_{x \to 0} f(f(x))=0$

ㄴ. $\lim_{x \to 0} g(f(x))=1$

ㄷ. $\lim_{x \to 0} f(g(x))=0$

① ㄱ　② ㄴ　③ ㄱ, ㄴ

④ ㄱ, ㄷ　⑤ ㄱ, ㄴ, ㄷ

057

상중하

두 함수 $y=f(x)$, $y=g(x)$의 그래프가 다음 그림과 같을 때, $\lim_{x\to1-}f(g(x))+\lim_{x\to-1+}g(f(x))$의 값은?

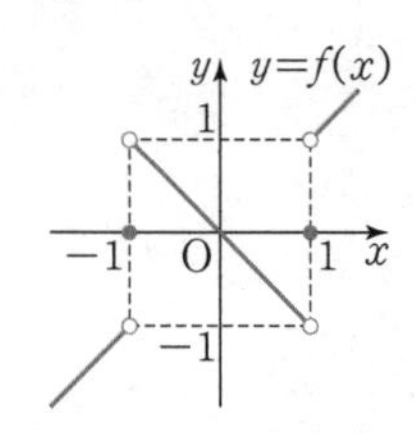

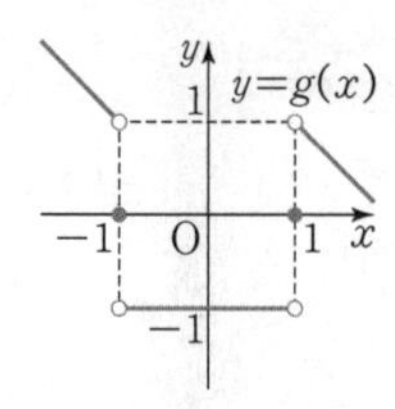

① -2　② -1　③ 0
④ 1　⑤ 2

11 함수의 극한의 성질

중요도

더 자세한 개념은 풍산자 수학Ⅱ 19쪽

058

상중하

두 함수 $f(x)$, $g(x)$에 대하여

$\lim_{x\to5}f(x)=10$, $\lim_{x\to5}g(x)=1$

일 때, 다음 극한값을 구하여라.

(1) $\lim_{x\to5}\{2f(x)+3\}$　(2) $\lim_{x\to5}\{3f(x)-4g(x)\}$

(3) $\lim_{x\to5}\{5f(x)g(x)\}$　(4) $\lim_{x\to5}\frac{6f(x)}{g(x)}$

059

상중하

두 함수 $f(x)$, $g(x)$에 대하여

$\lim_{x\to a}f(x)=5$, $\lim_{x\to a}\{2f(x)-3g(x)\}=4$

일 때, $\lim_{x\to a}g(x)$의 값을 구하여라.

060

상중하

두 함수 $f(x)$, $g(x)$에 대하여

$\lim_{x\to9999}f(x)=3$, $\lim_{x\to9999}g(x)=a$일 때,

$\lim_{x\to9999}\frac{f(x)+3g(x)}{f(x)g(x)-2}=\frac{1}{2}$을 만족시킨다. 이때, 상수 a의 값은?

① -3　② $-\frac{8}{3}$　③ $-\frac{7}{3}$
④ -2　⑤ $-\frac{5}{3}$

061

상중하

두 함수 $f(x)$, $g(x)$에 대하여

$\lim_{x\to3}\{2f(x)+g(x)\}=10$, $\lim_{x\to3}\{f(x)-g(x)\}=2$

일 때, $\lim_{x\to3}\frac{f(x)}{g(x)}$의 값은?

① 1　② 2　③ 3
④ 4　⑤ 5

062

상중하

두 다항함수 $f(x)$, $g(x)$가 다음 두 조건을 만족시킨다.

(가) $f(x)+9g(x)=x^2g(x)$

(나) $\lim_{x\to3}\frac{f(x)}{x-3}=18$

이때, $\lim_{x\to3}g(x)$의 값은?

① 1　② 2　③ 3
④ 4　⑤ 5

063

상 중 하

함수 $f(x)$가 $\lim_{x \to 1} \frac{f(x-1)}{x-1}=5$를 만족시킬 때,

$\lim_{x \to 0} \frac{5x+f(x)}{x^2-2f(x)}$의 값은?

① -1 ② $-\frac{1}{2}$ ③ 0

④ $\frac{1}{2}$ ⑤ 1

064

상 중 하

다항함수 $f(x)$가 $\lim_{x \to 0} \frac{f(x)}{x}=4$를 만족시킬 때,

$\lim_{x \to 2} \frac{f(x-2)}{x^3-8}$의 값은?

① $\frac{1}{5}$ ② $\frac{1}{4}$ ③ $\frac{1}{3}$

④ $\frac{1}{2}$ ⑤ 1

065 최多빈출

상 중 하

함수의 극한에 대하여 〈보기〉에서 옳은 것을 모두 고른 것은?

보기

ㄱ. $\lim_{x \to a} f(x)$, $\lim_{x \to a} g(x)$의 값이 모두 존재하지 않으면 $\lim_{x \to a} \{f(x)+g(x)\}$의 값도 존재하지 않는다.

ㄴ. $\lim_{x \to a} \{f(x)-g(x)\}=0$이면 $\lim_{x \to a} f(x)$와 $\lim_{x \to a} g(x)$의 값이 각각 존재한다.

ㄷ. $\lim_{x \to a} \{f(x)+g(x)\}$와 $\lim_{x \to a} \{f(x)-g(x)\}$의 값이 각각 존재하면 $\lim_{x \to a} f(x)$의 값도 존재한다.

① ㄴ ② ㄷ ③ ㄱ, ㄴ

④ ㄴ, ㄷ ⑤ ㄱ, ㄷ

066 학평 기출

상 중 하

함수의 극한에 대하여 〈보기〉에서 옳은 것을 모두 고른 것은?

보기

ㄱ. $\lim_{x \to a} f(x)=\infty$, $\lim_{x \to a} g(x)=\infty$이면 $\lim_{x \to a} \{f(x)-g(x)\}=0$이다.

ㄴ. $\lim_{x \to a} f(x)=0$, $\lim_{x \to a} g(x)=\infty$이면 $\lim_{x \to a} f(x)g(x)=0$이다.

ㄷ. $\lim_{x \to a} f(x)=\infty$, $\lim_{x \to a} g(x)=100$이면 $\lim_{x \to a} \frac{g(x)}{f(x)}=0$이다.

① ㄱ ② ㄴ ③ ㄷ

④ ㄱ, ㄴ ⑤ ㄴ, ㄷ

067

상 중 하

함수의 극한에 대하여 〈보기〉에서 옳은 것을 모두 고른 것은?

보기

ㄱ. $\lim_{x \to a} f(x)$와 $\lim_{x \to a} \frac{f(x)}{g(x)}$의 값이 각각 존재하면 $\lim_{x \to a} g(x)$의 값도 존재한다. (단, $g(x) \neq 0$)

ㄴ. $\lim_{x \to a} g(x)$와 $\lim_{x \to a} \frac{f(x)}{g(x)}$의 값이 각각 존재하면 $\lim_{x \to a} f(x)$의 값도 존재한다. (단, $g(x) \neq 0$)

ㄷ. $\lim_{x \to a} f(x)$와 $\lim_{x \to a} f(x)g(x)$의 값이 각각 존재하면 $\lim_{x \to a} g(x)$의 값도 존재한다.

① ㄱ ② ㄴ ③ ㄱ, ㄴ

④ ㄴ, ㄷ ⑤ ㄱ, ㄷ

12 함수의 극한의 대소 관계

중요도

더 자세한 개념은 풍산자 수학Ⅱ 31쪽

068

상 중 하

함수 $f(x)$가 $x>1$인 모든 실수 x에 대하여

$$5x^3-x^2+x-3<f(x)<5x^3+x^2-x+3$$

을 만족시킬 때, $\lim_{x\to\infty}\frac{f(x)+2x+1}{x^3+5}$의 값을 구하여라.

069

최多빈출 상 중 하

모든 실수 x에 대하여 함수 $f(x)$가

$$2x-1<f(x)<2x+1$$

을 만족시킬 때, $\lim_{x\to\infty}\frac{\{f(x)\}^2}{x^2+1}$의 값은?

① 0 ② 2 ③ 4
④ 6 ⑤ 8

13 함수의 극한의 활용

중요도

더 자세한 개념은 풍산자 수학Ⅱ 29쪽

070

상 중 하

오른쪽 그림과 같이 곡선 $y=\frac{2}{x}+\sqrt{3}\ (x>0)$과 두 직선 $x=1$, $x=t$의 교점을 각각 A, B라 하고, 점 B에서 직선 $x=1$에 내린 수선의 발을 H라고 하자.

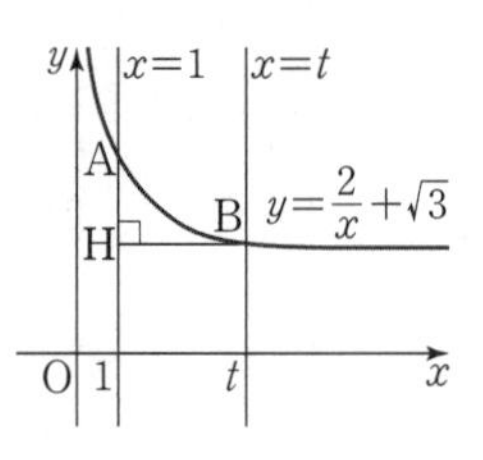

이때, $\lim_{t\to 1}\frac{\overline{\mathrm{AH}}}{\overline{\mathrm{BH}}}$의 값은? (단, $t>1$)

① $\frac{1}{4}$ ② $\frac{1}{2}$ ③ 1
④ $\frac{3}{2}$ ⑤ 2

071

학평 기출 상 중 하

세 함수 $f(x)=\sqrt{x+2}$, $g(x)=-\sqrt{x-2}+2$, $h(x)=x$의 그래프가 오른쪽 그림과 같다. 함수 $y=h(x)$의 그래프 위의 점 $\mathrm{P}(a, a)$를 지나고 x축에 평행한 직선이 함수 $y=f(x)$의 그래프와 만나는 점을 A, 함수 $y=g(x)$의 그래프와 만나는 점을 B라고 하자. 점 B를 지나고 y축에 평행한 직선이 함수 $y=h(x)$의 그래프와 만나는 점을 C라고 할 때, $\lim_{a\to 2-}\frac{\overline{\mathrm{BC}}}{\overline{\mathrm{AB}}}$의 값은?

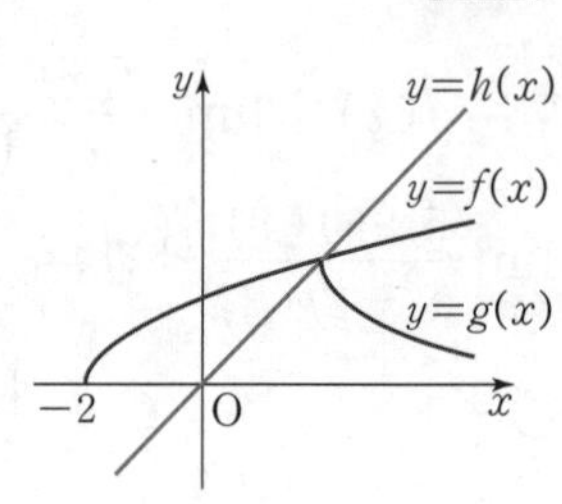

(단, $0<a<2$)

① $\frac{1}{5}$ ② $\frac{1}{4}$ ③ $\frac{1}{3}$
④ $\frac{1}{2}$ ⑤ 1

072

상 중 하

포물선 $y=1-x^2$과 x축의 교점을 A, B, y축의 교점을 C라고 하자. 포물선 위에 있는 제1사분면 위의 동점 P에 대하여 직선 CP와 x축의 교점을 Q, 직선 AP와 점 Q를 지나고 x축에 수직인 직선의 교점을 R라고 할 때,

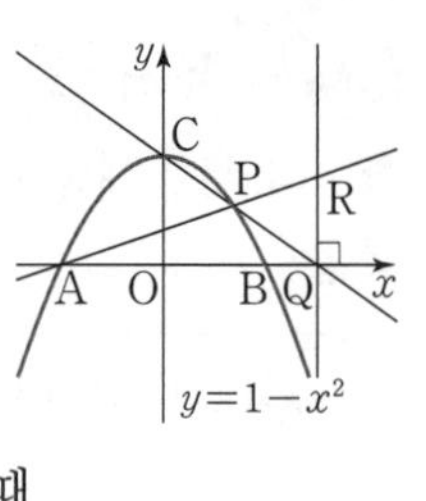

$\lim_{\mathrm{P}\to\mathrm{B}}\frac{\overline{\mathrm{QR}}}{\overline{\mathrm{BQ}}}$의 값은?

① 0 ② $\frac{1}{2}$ ③ 1
④ $\frac{3}{2}$ ⑤ 2

073

두 상수 a, b에 대하여 $\lim_{x\to-\infty}(\sqrt{9x^2+8}-ax-b)=10$
이 성립할 때, ab의 값을 구하여라.

074

세 상수 a, b, c에 대하여 $\lim_{x\to1}\dfrac{x^3+ax+b}{(x-1)^2}=c$가 성립할 때, abc의 값을 구하여라.

075

다항함수 $y=f(x)$가 다음 두 조건을 만족시킨다.

(가) $\lim_{x\to\infty}\dfrac{f(x)-x^2}{ax+1}=2$

(나) $\lim_{x\to1}\dfrac{x-1}{f(x)}=\dfrac{1}{4}$

이때, $af(3)$의 값을 구하여라. (단, a는 상수이다.)

076

함수 $f(x)=\begin{cases} x^2-ax+5 & (x<2) \\ 7 & (x=2) \\ -x^2+5x+a & (x>2) \end{cases}$에 대하여

$\lim_{x\to2}f(x)$의 값이 존재할 때, 상수 a의 값을 구하여라.

077

두 극한값

$$A=\lim_{x\to1}\frac{|x^2+x|-2}{x-1},$$

$$B=\lim_{x\to3}[-x^2+6x-9]$$

에 대하여 $A+B$의 값을 구하여라.

(단, $[x]$는 x보다 크지 않은 최대의 정수이다.)

078

두 함수 $y=f(x)$, $y=g(x)$의 그래프가 다음 그림과 같을 때, $\lim_{x\to0}f(x)g(x)+\lim_{x\to1}\{f(x)+g(x)\}$의 값을 구하여라.

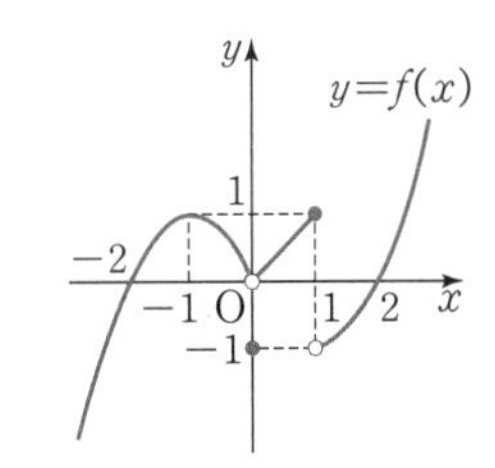

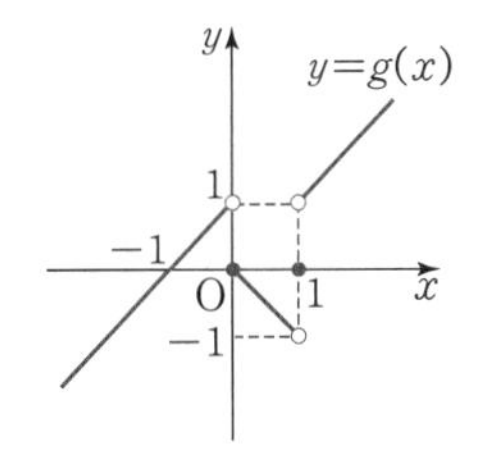

079

최고차항의 계수가 1인 이차함수 $f(x)$가

$$\lim_{x\to a}\frac{f(x)-(x-a)}{f(x)+(x-a)}=\frac{2}{3}$$

를 만족시킨다. 방정식 $f(x)=0$의 두 실근을 α, β라고 할 때, $|\alpha-\beta|$의 값을 구하여라. (단, a는 상수이다.)

080

다항함수 $f(x)$를 $x-1$로 나누었을 때의 몫을 $g(x)$라 하고, 나머지를 r라고 하자. $\lim_{x\to1}\frac{f(x)-6}{x^2-1}=2$일 때, $\lim_{x\to1}\frac{\{f(x)-6\}g(x)}{\sqrt{x}-1}$의 값을 구하여라.

081

다항함수 $f(x)$가

$$f(0)=1,\ f(1)=0,\ \lim_{x\to\infty}(\sqrt{f(x)}-x^2-1)=3$$

을 만족시킬 때, $f(-1)$의 값은?

① -20　② -10　③ 0
④ 10　⑤ 20

082

다항함수 $f(x)$가

$$\lim_{x\to\infty}\frac{f(x)-x^3}{x^2}=-11,\ \lim_{x\to1}\frac{f(x)}{x-1}=-9$$

를 만족시킬 때, $\lim_{x\to\infty}xf\left(\frac{1}{x}\right)$의 값을 구하여라.

083

$\lim_{x\to3}([x^2]-a[x])$의 값이 존재하도록 하는 실수 a의 값은?

(단, $[x]$는 x보다 크지 않은 최대의 정수이다.)

① -2　② -1　③ 0
④ 1　⑤ 2

084 (100점 도전)

실수 전체의 집합에서 정의된 함수 $f(x)$의 그래프가 오른쪽 그림과 같을 때,

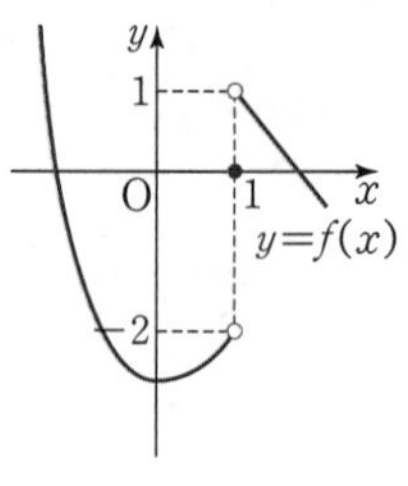

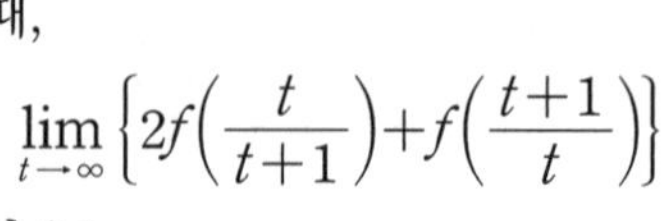

$$\lim_{t\to\infty}\left\{2f\left(\frac{t}{t+1}\right)+f\left(\frac{t+1}{t}\right)\right\}$$

의 값은?

① -3　② -2　③ 0
④ 2　⑤ 3

085 100점 도전

오른쪽 그림과 같이 삼차함수 $y=f(x)$는

$$f(-1)=f(0)=f(2)=2$$

를 만족시킨다. 〈보기〉에서 극한값이 존재하는 것을 모두 고른 것은?

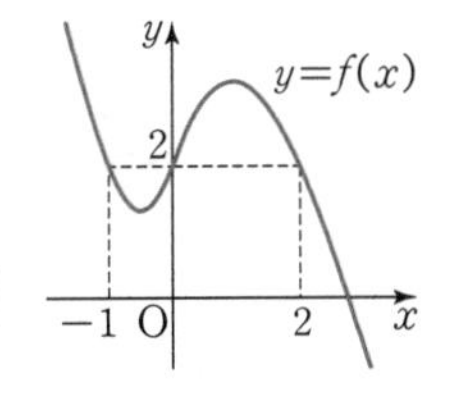

보기

ㄱ. $\lim_{x\to 2}\frac{x-2}{f(x)-2}$　　ㄴ. $\lim_{x\to 2}\frac{f(x)-2}{f(x-2)}$

ㄷ. $\lim_{x\to 2}\frac{f(x-2)}{x-2}$

① ㄱ　② ㄷ　③ ㄱ, ㄴ
④ ㄴ, ㄷ　⑤ ㄱ, ㄴ, ㄷ

086

오른쪽 그림과 같이 한 변의 길이가 2인 정삼각형 ABC의 변 AB 위를 움직이는 점 D에서 변 BC에 내린 수선의 발을 E라고 하자. 점 D가 점 B에 한없이 가까워질 때, $\frac{\triangle CDE}{\overline{BD}}$의 극한값은?

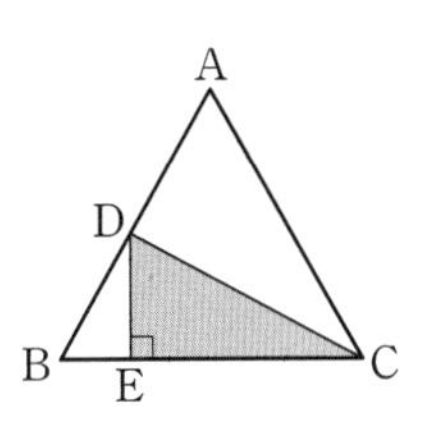

① $\frac{\sqrt{2}}{3}$　② $\frac{\sqrt{3}}{3}$　③ $\frac{\sqrt{2}}{2}$
④ $\frac{\sqrt{3}}{2}$　⑤ $\sqrt{2}$

087

다음 그림과 같이 좌표평면 위의 두 원

$C_1 : x^2+y^2=1$

$C_2 : (x-1)^2+y^2=r^2\ (0<r<\sqrt{2})$

이 제1사분면에서 만나는 점을 P라고 하자. 점 P의 x좌표를 $f(r)$라고 할 때, $\lim_{r\to\sqrt{2}-}\frac{f(r)}{4-r^4}$의 값을 구하여라.

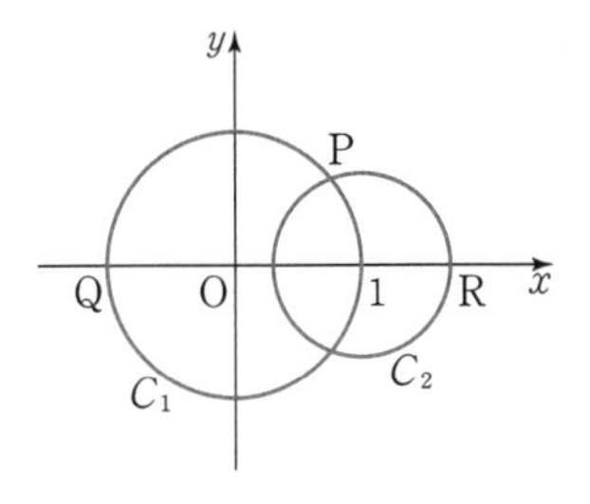

088

오른쪽 그림과 같이 함수 $y=-ax^2+a$의 그래프와 x축으로 둘러싸인 부분에 정사각형이 내접하고 있다. 이 정사각형의 넓이를 $S(a)$라고 할 때, $\lim_{a\to\infty}S(a)$의 값은? (단, $a>0$)

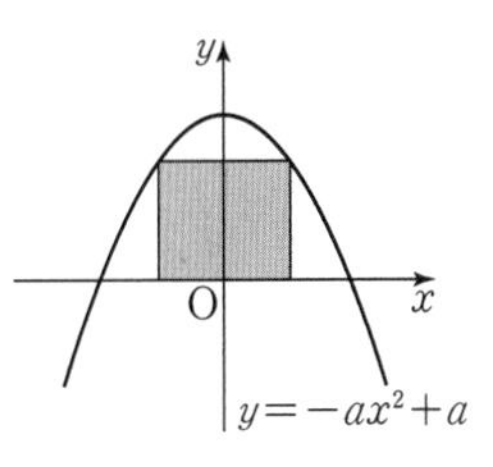

① $\frac{1}{4}$　② $\frac{1}{2}$　③ 1
④ 2　⑤ 4

02 함수의 연속

1 함수의 연속과 불연속

(1) 구간 집합 $\{x|x\le a\}$, $\{x|x<a\}$, $\{x|x\ge a\}$, $\{x|x>a\}$도 모두 구간이며, 기호로 각각 $(-\infty,\ a]$, $(-\infty,\ a)$, $[a,\ \infty)$, $(a,\ \infty)$와 같이 나타낸다. 특히, 실수 전체의 집합은 기호로 $(-\infty,\ \infty)$와 같이 나타낸다.

두 실수 $a, b(a<b)$에 대하여

	닫힌구간	열린구간	반닫힌 구간 또는 반열린 구간	
집합	$\{x\mid a\le x\le b\}$	$\{x\mid a<x<b\}$	$\{x\mid a\le x<b\}$	$\{x\mid a<x\le b\}$
구간	$[a,\ b]$	$(a,\ b)$	$[a,\ b)$	$(a,\ b]$
그림	a ● — ● b	a ○ — ○ b	a ● — ○ b	a ○ — ● b

(2) 함수의 연속

함수 $f(x)$가 실수 a에 대하여 다음 조건을 모두 만족시킬 때, $f(x)$는 $x=a$에서 연속이라고 한다.

(i) 함수 $f(x)$가 $x=a$에서 정의되어 있다.

(ii) 극한값 $\lim_{x\to a}f(x)$가 존재한다.

(iii) $\lim_{x\to a}f(x)=f(a)$

(3) 함수의 불연속

함수 $f(x)$가 $x=a$에서 연속이 아닐 때, $f(x)$는 $x=a$에서 불연속이라고 한다.

참고 직관적으로 함수 $f(x)$가 $x=a$에서 연속이라는 것은 $x=a$에서 함수의 그래프가 끊어지지 않고 이어져 있는 것이고, 불연속이라는 것은 $x=a$에서 함수의 그래프가 끊어져 있는 것이다.

(4) 연속함수

함수 $f(x)$가 어떤 구간에 속하는 모든 실수에 대하여 연속일 때, 함수 $f(x)$는 그 구간에서 연속이라고 한다.
또 어떤 구간에서 연속인 함수를 그 구간에서 연속함수라고 한다.

참고 함수 $f(x)$가
(i) 열린구간 $(a,\ b)$에서 연속이고
(ii) $\lim_{x\to a+}f(x)=f(a)$, $\lim_{x\to b-}f(x)=f(b)$
일 때, 함수 $f(x)$는 닫힌구간 $[a,\ b]$에서 연속이라고 한다.

2 연속함수의 성질

두 함수 $f(x)$, $g(x)$가 $x=a$에서 연속이면 다음 함수도 $x=a$에서 연속이다.

① $cf(x)$ (단, c는 상수이다.) ② $f(x)\pm g(x)$

③ $f(x)g(x)$ ④ $\dfrac{f(x)}{g(x)}$ (단, $g(a)\neq0$)

$g(a)=0$인 경우에 $\dfrac{f(x)}{g(x)}$는 $x=a$에서 연속이 아니다.

3 최대 · 최소 정리

함수 $f(x)$가 닫힌구간 $[a,\ b]$에서 연속이면 $f(x)$는 이 구간에서 반드시 최댓값과 최솟값을 갖는다.

참고 함수 $f(x)$의 정의역이 닫힌구간이 아니거나 함수 $f(x)$가 연속이 아니면 최댓값과 최솟값을 갖지 않을 수도 있다.

4 사잇값의 정리

(1) 사잇값의 정리

함수 $f(x)$가 닫힌구간 $[a,\ b]$에서 연속이고 $f(a)\neq f(b)$이면 $f(a)$와 $f(b)$ 사이의 임의의 값 k에 대하여 $f(c)=k$인 c가 열린구간 $(a,\ b)$에 적어도 하나 존재한다.

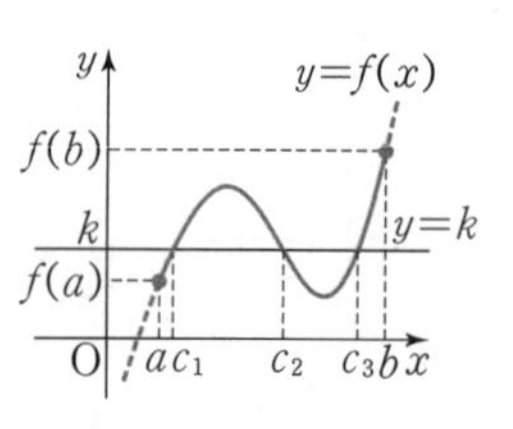

(2) 사잇값의 정리의 활용

함수 $f(x)$가 닫힌구간 $[a,\ b]$에서 연속이고 $f(a)f(b)<0$이면 방정식 $f(x)=0$은 열린구간 $(a,\ b)$에서 적어도 하나의 실근을 갖는다.

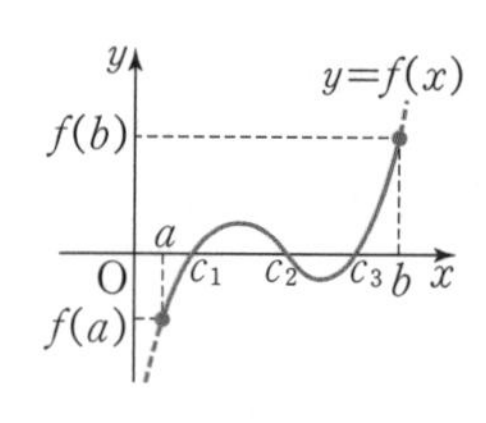

문제 풀 때 유용한 풍쌤 비법

❶ 함수의 그래프가 그림으로 주어진 문제에서
(1) $x=a$에서 극한값이 존재하지 않는 점 ⇨ $x=a$에서 좌극한값과 우극한값이 다른 점을 찾는다.
(2) $x=a$에서 불연속인 점 ⇨ $x=a$에서 그래프가 끊어져 있는 점을 찾는다.

❷ 미정계수의 결정
함수 $f(x)=\begin{cases} g(x) & (x\neq a) \\ k & (x=a)\end{cases}$($k$는 상수)가 모든 실수 x에서 연속이 되려면 $\lim_{x\to a}g(x)=k$이어야 한다.
(단, 함수 $g(x)$는 $x\neq a$인 모든 실수 x에서 연속이다.)

실력을 기르는 유형

● 정답과 풀이 016쪽

01 함수의 연속의 의미

중요도

더 자세한 개념은 풍산자 수학Ⅱ 37쪽

089 상중하

다음 함수가 $x=0$에서 연속인지 불연속인지 조사하여라.

(1) $f(x)=x^2$

(2) $f(x)=|x|$

(3) $f(x)=\begin{cases} \dfrac{x^2-x}{x} & (x\neq0) \\ 1 & (x=0) \end{cases}$

090 상중하

다음 함수가 연속인 x의 값의 범위를 구간의 기호를 사용하여 나타내어라.

(1) $y=x^2-5$

(2) $f(x)=\sqrt{x-2}$

(3) $y=2$

(4) $f(x)=\begin{cases} x+1 & (x\geq0) \\ x-1 & (x<0) \end{cases}$

(5) $f(x)=\dfrac{|x|}{x}$

091 상중하

모든 실수 x에서 연속인 함수인 것을 〈보기〉에서 모두 고른 것은?

보기

ㄱ. $f(x)=\dfrac{3x}{x^2+3}$

ㄴ. $g(x)=\begin{cases} x^2 & (x\geq0) \\ x & (x<0) \end{cases}$

ㄷ. $h(x)=\begin{cases} \dfrac{x^2-4}{x+2} & (x\neq-2) \\ -1 & (x=-2) \end{cases}$

① ㄱ ② ㄱ, ㄴ ③ ㄱ, ㄷ
④ ㄴ, ㄷ ⑤ ㄱ, ㄴ, ㄷ

092 상중하

함수 $y=f(x)$의 그래프가 구간 $[-1,\ 3]$에서 오른쪽 그림과 같을 때, 〈보기〉에서 옳은 것을 모두 고른 것은?

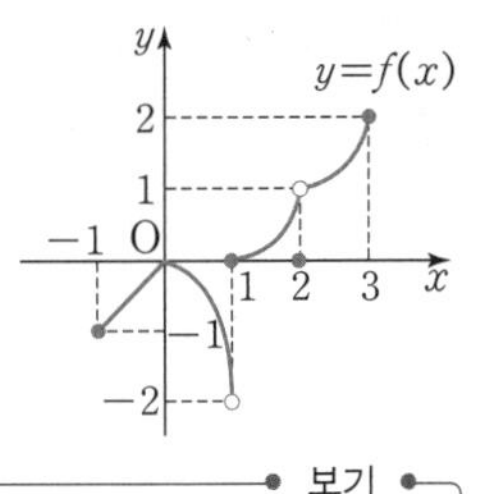

보기

ㄱ. $\lim_{x\to0}f(x)=f(0)$

ㄴ. $x=1$에서 불연속이다.

ㄷ. $x=2$에서 연속이다.

① ㄱ ② ㄱ, ㄴ ③ ㄱ, ㄷ
④ ㄴ, ㄷ ⑤ ㄱ, ㄴ, ㄷ

093 최多빈출 상중하

$0<x<4$에서 정의된 함수 $y=f(x)$의 그래프가 오른쪽 그림과 같을 때, 〈보기〉에서 옳은 것을 모두 고른 것은?

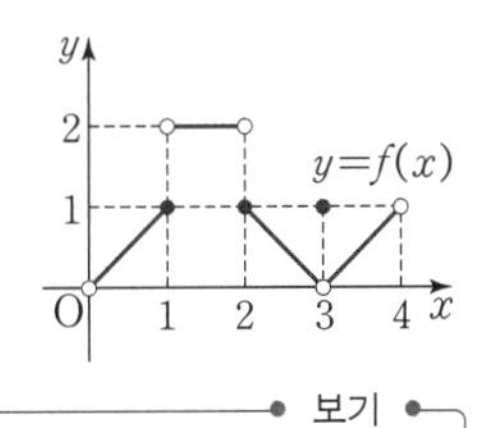

보기

ㄱ. $\lim_{x\to3}f(x)=1$

ㄴ. $x=1$에서 함수 $f(x)$의 극한값은 존재하지 않는다.

ㄷ. 함수 $f(x)$는 3개의 점에서 불연속이다.

① ㄱ ② ㄴ ③ ㄷ
④ ㄱ, ㄷ ⑤ ㄴ, ㄷ

094 학평 기출

(상 중 하)

함수 $y=f(x)$의 그래프가 오른쪽 그림과 같을 때, 〈보기〉에서 옳은 것을 모두 고른 것은?

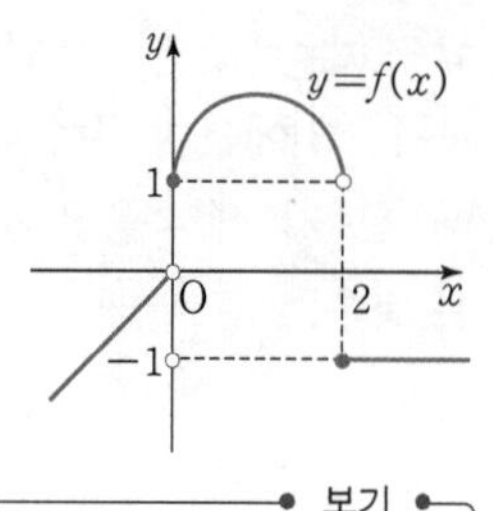

보기

ㄱ. $\lim_{x \to 0+} f(x)=1$

ㄴ. $\lim_{x \to 2-} f(x)=-1$

ㄷ. 함수 $|f(x)|$는 $x=2$에서 연속이다

① ㄱ ② ㄴ ③ ㄱ, ㄷ
④ ㄴ, ㄷ ⑤ ㄱ, ㄴ, ㄷ

095 풍쌤 비법 ❶

(상 중 하)

$-2<x<2$에서 정의된 함수 $y=f(x)$의 그래프가 다음 그림과 같을 때, 불연속인 점의 개수는 a, 함수의 극한값이 존재하지 않는 점의 개수는 b이다. 이때, ab의 값은?

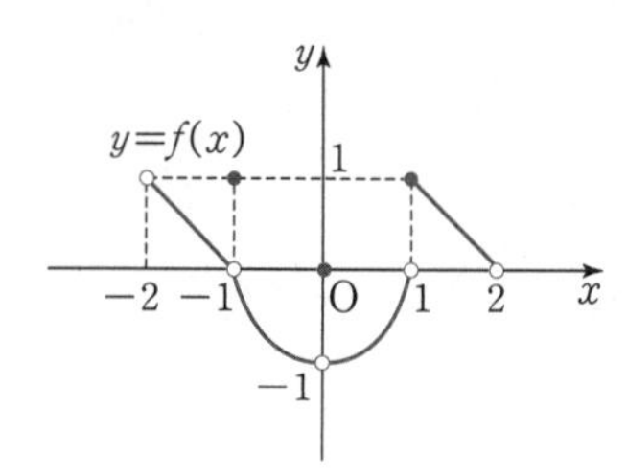

① 1 ② 2 ③ 3
④ 4 ⑤ 5

02 합성함수의 연속

중요도

더 자세한 개념은 풍산자 수학Ⅱ 37쪽

096

(상 중 하)

두 함수 $y=f(x)$, $y=g(x)$의 그래프가 다음 그림과 같다.

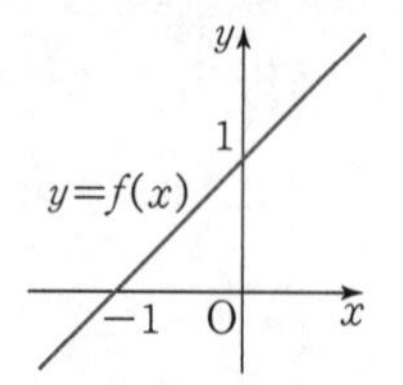

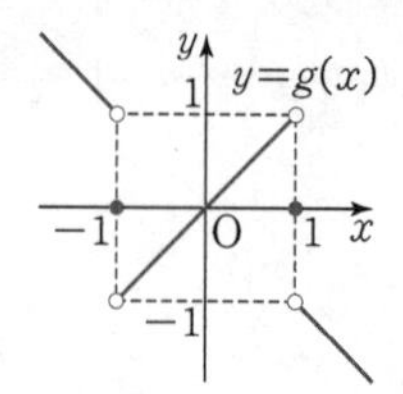

〈보기〉에서 옳은 것을 모두 고른 것은?

보기

ㄱ. $\lim_{x \to 0} g(f(x))=0$

ㄴ. $\lim_{x \to -1} g(f(x))=0$

ㄷ. 함수 $g(f(x))$는 $x=0$에서 불연속이고, $x=-1$에서 연속이다.

① ㄱ ② ㄴ ③ ㄷ
④ ㄴ, ㄷ ⑤ ㄱ, ㄴ, ㄷ

097

(상 중 하)

두 함수 $y=f(x)$, $y=g(x)$의 그래프가 다음 그림과 같다.

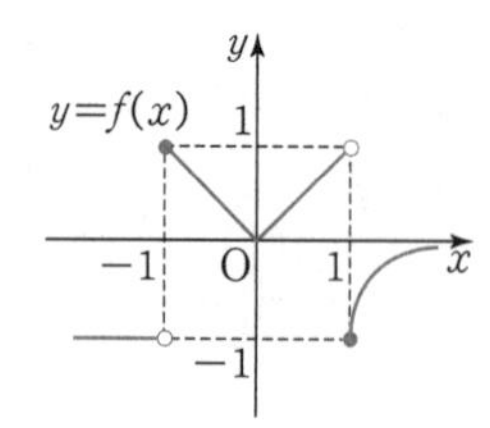

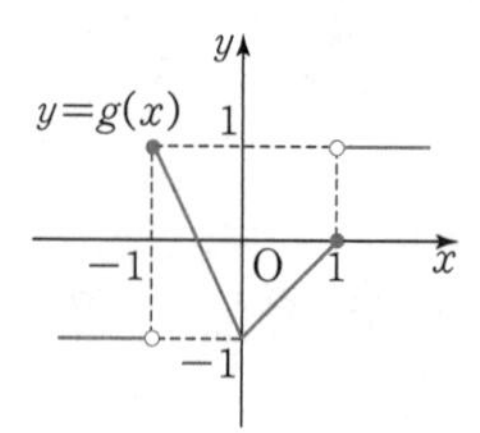

〈보기〉에서 옳은 것을 모두 고른 것은?

보기

ㄱ. 함수 $f(x)-g(x)$는 $x=-1$에서 연속이다.

ㄴ. 함수 $f(x)g(x)$는 $x=-1$에서 연속이다.

ㄷ. 함수 $(f \circ g)(x)$는 $x=1$에서 연속이다.

① ㄱ ② ㄷ ③ ㄱ, ㄴ
④ ㄴ, ㄷ ⑤ ㄱ, ㄴ, ㄷ

098
(상 중 하)

두 함수 $y=f(x)$, $y=g(x)$의 그래프가 다음 그림과 같다.

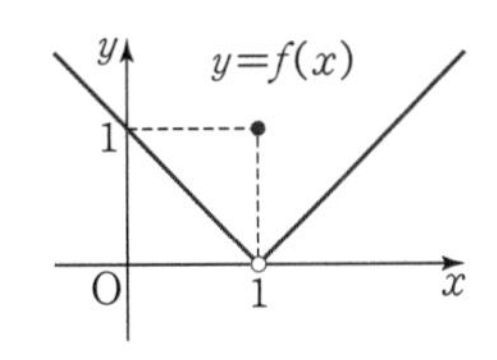

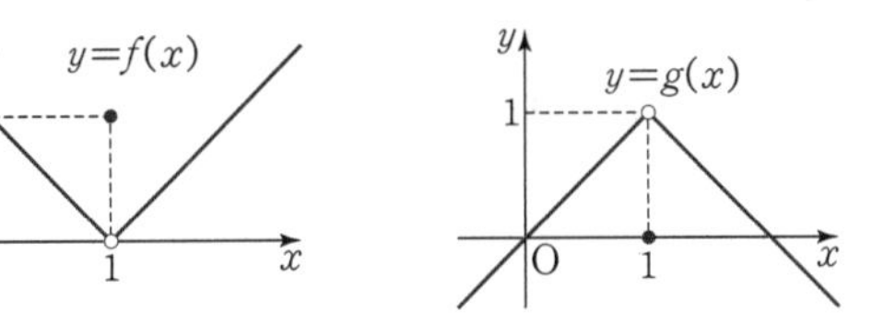

다음 〈보기〉의 함수 중 $x=1$에서 연속인 것을 모두 고른 것은?

보기

ㄱ. $f(x)g(x)$ ㄴ. $g(f(x))$ ㄷ. $f(g(x))$

① ㄱ ② ㄴ ③ ㄷ
④ ㄱ, ㄴ ⑤ ㄱ, ㄴ, ㄷ

03 함수의 연속과 미정계수

중요도

더 자세한 개념은 풍산자 수학Ⅱ 37쪽

099 풍쌤 비법 ❷
(상 중 하)

함수 $f(x)=\begin{cases} 2x-5 & (x\geq 2) \\ -x+a & (x<2) \end{cases}$가 실수 전체의 집합에서 연속이 되도록 하는 상수 a의 값을 구하여라.

100 최多빈출
(상 중 하)

함수 $f(x)=\begin{cases} \dfrac{x^2-1}{x-1} & (x\neq 1) \\ a & (x=1) \end{cases}$가 $x=1$에서 연속이 되도록 하는 상수 a의 값을 구하여라.

101
(상 중 하)

함수 $f(x)=\begin{cases} x^2-3x+b & (-1<x<2) \\ ax+1 & (x\leq -1 \text{ 또는 } x\geq 2) \end{cases}$이 실수 전체의 집합에서 연속이 되도록 상수 a, b의 값을 정할 때, ab의 값은?

① 1 ② 2 ③ 3
④ 4 ⑤ 5

102
(상 중 하)

함수 $f(x)=\begin{cases} \dfrac{a\sqrt{x+6}-b}{x-3} & (x\neq 3) \\ 2 & (x=3) \end{cases}$가 $x=3$에서 연속이 되도록 상수 a, b의 값을 정할 때, $a+b$의 값은?

① 12 ② 24 ③ 36
④ 48 ⑤ 60

103
(상 중 하)

함수 $f(x)=\begin{cases} \dfrac{x^2+ax+8}{x+2} & (x\neq -2) \\ b & (x=-2) \end{cases}$가 모든 실수 x에서 연속이 되도록 상수 a, b의 값을 정할 때, $a+b$의 값은?

① 10 ② 9 ③ 8
④ 7 ⑤ 6

104 학평 기출

상중하

함수 $f(x)$가 $f(x)=\begin{cases} a & (x\le 1) \\ -x+2 & (x>1) \end{cases}$ 일 때, 〈보기〉에서 옳은 것을 모두 고른 것은? (단, a는 상수이다.)

보기

ㄱ. $\lim_{x\to 1+} f(x)=1$

ㄴ. $a=0$이면 함수 $f(x)$는 $x=1$에서 연속이다.

ㄷ. 함수 $y=(x-1)f(x)$는 실수 전체의 집합에서 연속이다.

① ㄱ ② ㄴ ③ ㄱ, ㄷ
④ ㄴ, ㄷ ⑤ ㄱ, ㄴ, ㄷ

105

상중하

다항함수 $g(x)$에 대하여 $f(x)=\begin{cases} \dfrac{g(x)}{x-1} & (x\ne 1) \\ a & (x=1) \end{cases}$ 로 정의된 함수 $f(x)$가 모든 실수 x에서 연속일 때, 〈보기〉에서 옳은 것을 모두 고른 것은? (단, a는 상수이다.)

보기

ㄱ. $\lim_{x\to 1} f(x)=a$

ㄴ. $\lim_{x\to 1} g(x)=1$

ㄷ. $\lim_{x\to 1} \dfrac{f(x)g(x)}{x^2-1}=a^2$

① ㄱ ② ㄴ ③ ㄱ, ㄷ
④ ㄴ, ㄷ ⑤ ㄱ, ㄴ, ㄷ

106 최多빈출

상중하

함수 $f(x)=\begin{cases} x^2-x+a & (x\ge -2) \\ x+b & (x<-2) \end{cases}$ 가 $x=-2$에서 연속이 되도록 상수 a, b의 값을 정할 때, $a-b$의 값은?

① -8 ② -4 ③ 2
④ 4 ⑤ 8

107

상중하

함수 $f(x)=\begin{cases} x(x-1) & (|x|>1) \\ -x^2+ax+b & (|x|\le 1) \end{cases}$ 가 모든 실수 x에서 연속이 되도록 상수 a, b의 값을 정할 때, ab의 값은?

① -2 ② -1 ③ 0
④ 1 ⑤ 2

108 학평 기출

상중하

함수 $f(x)=\begin{cases} x^2-1 & (a\le x\le b) \\ 3 & (x<a \text{ 또는 } x>b) \end{cases}$ 이 실수 전체의 집합에서 연속이 되도록 하는 상수 a, b에 대하여 $a-b$의 값은? (단, $a<b$)

① -4 ② -2 ③ 0
④ 2 ⑤ 4

● 정답과 풀이 018쪽

109

상중하

$x>0$인 모든 실수 x에서 연속인 함수 $f(x)$가

$$(x^2+x-2)f(x)=x+2\sqrt{x}-3$$

을 만족시킬 때, $f(1)$의 값은?

① $\frac{1}{3}$ ② $\frac{1}{2}$ ③ $\frac{2}{3}$
④ $\frac{5}{6}$ ⑤ 1

110

상중하

어느 도시의 수도 사업 본부에서 가정용 수도 요금을 계산할 때, 기본 요금에 추가로 수돗물의 사용량에 따라 다른 요금을 부과하는 누진 요금 체계를 적용하고 있고, 누진 요금 체계는 다음 표와 같다.

사용 구분(m^3)	$1\ m^3$ 당 단가(원)	수도 요금 공제액(원)
30 이하	320	0
30 초과 ~ 40 이하	510	5700
40 초과 ~ 50 이하	570	a
50 초과	790	19100

그런데 한 달에 $30\ m^3$를 사용한 가정과 $30.1\ m^3$를 사용한 가정은 수돗물의 사용량의 차는 $0.1\ m^3$이지만 서로 다른 단가를 적용하므로 수도 요금의 차이가 많이 나게 된다. 따라서 위의 표는 수도 요금 공제액만큼을 감안하여 실제로 수도 요금이 연속함수가 되도록 하고 있다. 어느 가정에서 한 달에 사용한 수돗물의 양을 $x\ m^3$, 수도 요금을 $f(x)$원이라고 할 때, 함수 $f(x)$가 연속이 되도록 하는 상수 a의 값은?

① 7900 ② 8100 ③ 8300
④ 8500 ⑤ 8700

04 가우스 함수의 연속성

중요도

더 자세한 개념은 풍산자 수학Ⅱ 37쪽

111

상중하

함수 $f(x)=[x]^2+[x]$가 $x=n$에서 연속일 때, 정수 n의 값은? (단, $[x]$는 x보다 크지 않은 최대의 정수이다.)

① -2 ② -1 ③ 0
④ 1 ⑤ 2

112

상중하

함수 $f(x)=[x]^2+(ax+b)[x]$가 모든 실수 x에서 연속이 되도록 상수 a, b의 값을 정할 때, a^2+b^2의 값은?

(단, $[x]$는 x보다 크지 않은 최대의 정수이다.)

① 1 ② 2 ③ 5
④ 8 ⑤ 13

113

상중하

다음 <보기>의 함수 중 $x=1$에서 연속인 것을 모두 고른 것은? (단, $[x]$는 x보다 크지 않은 최대의 정수이다.)

보기

ㄱ. $f(x)=x[x-1]$
ㄴ. $g(x)=(x-1)[x]$
ㄷ. $h(x)=[x(x-1)^2]$

① ㄱ ② ㄴ ③ ㄷ
④ ㄱ, ㄴ ⑤ ㄴ, ㄷ

114

(상)중하

구간 $(-2,\ 2)$에서 정의된 함수 $f(x)=[x]$에 대하여 함수 $g(x)$를 $g(x)=f(x)+f(-x)$로 정의할 때, 〈보기〉에서 옳은 것을 모두 고른 것은?

(단, $[x]$는 x보다 크지 않은 최대의 정수이다.)

보기

ㄱ. $\lim_{x \to 0} f(-x)$의 값이 존재한다.

ㄴ. $\lim_{x \to 0} g(x)$의 값이 존재한다.

ㄷ. 함수 $g(x)$는 $x=0$에서 연속이다.

① ㄱ ② ㄴ ③ ㄱ, ㄷ
④ ㄴ, ㄷ ⑤ ㄱ, ㄴ, ㄷ

05 $f(x+p)=f(x)$를 만족시키는 함수의 연속성 중요도

더 자세한 개념은 풍산자 수학Ⅱ 41쪽

115 최多빈출

상(중)하

모든 실수 x에서 연속인 함수 $f(x)$가 다음 두 조건을 모두 만족시킬 때, $f(10)$의 값은?

(가) 구간 $[0,\ 4]$에서 $f(x)=\begin{cases} 3x & (0 \le x < 1) \\ x^2+ax+b & (1 \le x \le 4) \end{cases}$

(나) 모든 실수 x에 대하여 $f(x+4)=f(x)$

① -1 ② 0 ③ 1
④ 2 ⑤ 3

06 관계식을 만족시키는 함수의 연속성 중요도

더 자세한 개념은 풍산자 수학Ⅱ 37쪽

116 학평 기출

상중(하)

임의의 실수 x, y에 대하여 함수 $f(x)$가 다음 두 조건을 모두 만족시킨다.

(가) $f(x+y)=f(x)+f(y)+a$

(나) $\lim_{x \to 2} \frac{f(x-2)}{x-2}=1$

$f(x)$가 $x=0$에서 연속일 때, 상수 a의 값은?

① -2 ② -1 ③ 0
④ 1 ⑤ 2

117

(상)중하

모든 실수 x에서 연속인 함수 $f(x)$가

$f(0)=2,\ f(2x)=f(x)$

를 만족시킬 때, $f(2)$의 값은?

① 1 ② 2 ③ 3
④ 4 ⑤ 5

118

상중하

다음은 모든 실수 x, y에 대하여 $f(x)$가

$$f(x+y)=f(x)+f(y)+xy$$

를 만족시킬 때, $f(x)$가 $x=0$에서 연속이면 $f(x)$는 모든 실수 x에서 연속임을 증명한 것이다.

증명

$x=y=0$이면 $f(0)=f(0)+f(0)$이므로

$f(0)=$ (가)

$f(x)$가 $x=0$에서 연속이므로

$\lim_{x \to 0} f(x)=$ (나)

임의의 실수 a와 h에 대하여 $x=a+h$라고 하면

$$\begin{aligned}\lim_{x \to a} f(x) &= \lim_{h \to 0} f(a+h)\\ &= \lim_{h \to 0}\{f(a)+f(h)+ah\}\\ &= f(a)+\text{(다)}\\ &= f(a)\end{aligned}$$

따라서 임의의 실수 a에 대하여 $f(x)$는 $x=a$에서 연속이므로 모든 실수 x에서 연속이다.

위의 증명에서 (가), (나), (다)에 알맞은 것은?

	(가)	(나)	(다)
①	0	$f(a)$	$\lim_{h \to 0} f(h)-1$
②	0	$f(0)$	$\lim_{h \to 0} f(h)$
③	0	$f(0)$	$\lim_{h \to 0} f(h)+1$
④	1	$f(a)$	$\lim_{h \to 0} f(h)-1$
⑤	1	$f(0)$	$\lim_{h \to 0} f(h)$

07 연속함수의 성질

중요도

더 자세한 개념은 풍산자 수학Ⅱ 41쪽

119

상중하

다음 함수의 연속성을 조사하여라.

(1) $y=\dfrac{x}{x^2+1}$ (2) $y=\dfrac{2x+1}{x^2-4x+3}$

120

상중하

두 함수 $f(x)=x^2-7x+12$, $g(x)=x^2+2x+2$에 대하여 함수 $\dfrac{g(x)}{f(x)}$가 $x=a$에서 불연속일 때, 모든 상수 a의 값의 합을 구하여라.

121

상중하

함수 $f(x)$가 $x=a$에서 연속일 때, 다음 함수 중 $x=a$에서 반드시 연속이라고 할 수 없는 것은? (단, $f(a)\neq 0$)

① $y=\{f(x)\}^2$ ② $y=\dfrac{1}{f(x)}$

③ $y=f(f(x))$ ④ $y=x^2+f(x)$

⑤ $y=5f(x)$

122 학평 기출

(상중하)

실수 전체의 집합에서 연속인 함수 $f(x)$가

$$\lim_{x\to 2}\frac{(x^2-4)f(x)}{x-2}=12$$

를 만족시킬 때, $f(2)$의 값은?

① 1 ② 2 ③ 3
④ 4 ⑤ 5

123

(상중하)

함수의 연속에 대하여 〈보기〉에서 옳은 것을 모두 고른 것은? (단, a는 상수이다.)

보기

ㄱ. 두 함수 $y=f(x)$와 $y=g(x)$가 모든 실수 x에서 연속이면 $y=f(g(x))$도 모든 실수 x에서 연속이다.

ㄴ. 두 함수 $y=f(x)$와 $y=f(x)g(x)$가 $x=a$에서 연속이면 $y=g(x)$도 $x=a$에서 연속이다.

ㄷ. 함수 $y=|f(x)|$가 $x=0$에서 연속이면 $y=f(x)$도 $x=0$에서 연속이다.

① ㄱ ② ㄴ ③ ㄱ, ㄴ
④ ㄱ, ㄷ ⑤ ㄱ, ㄴ, ㄷ

124

(상중하)

두 함수 $f(x)$, $g(x)$에 대하여 〈보기〉에서 옳은 것을 모두 고른 것은?

보기

ㄱ. $f(x)=\begin{cases}1 & (x\ge 0)\\ -1 & (x<0)\end{cases}$, $g(x)=|x|$일 때, $y=(g\circ f)(x)$는 $x=0$에서 연속이다.

ㄴ. $y=(g\circ f)(x)$가 $x=0$에서 연속이면 $y=f(x)$는 $x=0$에서 연속이다.

ㄷ. $y=(f\circ f)(x)$가 $x=0$에서 연속이면 $y=f(x)$는 $x=0$에서 연속이다.

① ㄱ ② ㄴ ③ ㄱ, ㄴ
④ ㄱ, ㄷ ⑤ ㄴ, ㄷ

08 최대 · 최소 정리

중요도

더 자세한 개념은 풍산자 수학Ⅱ 42쪽

125 최多빈출

(상중하)

함수 $f(x)=\begin{cases}\dfrac{1}{x} & (x\ne 0)\\ 0 & (x=0)\end{cases}$은 구간 S에서 최댓값과 최솟값을 갖는다. 다음 〈보기〉에서 S가 될 수 있는 것을 모두 골라라.

보기

ㄱ. $[-1,\ 1]$ ㄴ. $[0,\ 1]$ ㄷ. $[1,\ 2]$

126

(상중하)

구간 $[3,\ 5]$에서 함수 $f(x)=\dfrac{3x+1}{x-2}$의 최댓값을 M, 최솟값을 m이라고 할 때, $M-m$의 값을 구하여라.

127

(상중하)

구간 $[-2,\ 3]$에서 정의된 함수 $y=f(x)$의 그래프가 오른쪽 그림과 같을 때, 〈보기〉에서 옳은 것을 모두 고른 것은?

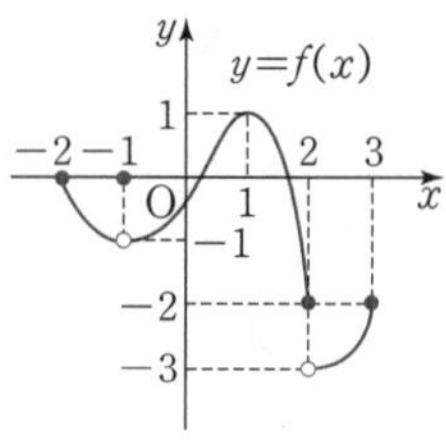

보기

ㄱ. 불연속이 되는 x의 값은 2개이다.

ㄴ. 구간 $[-2,\ 1]$에서 최솟값을 갖는다.

ㄷ. 구간 $[-2,\ 2]$에서 최댓값을 갖는다.

① ㄱ ② ㄴ ③ ㄱ, ㄴ
④ ㄱ, ㄷ ⑤ ㄴ, ㄷ

● 정답과 풀이 021쪽

09 사잇값의 정리

중요도

더 자세한 개념은 풍산자 수학Ⅱ 43쪽

128 학평 기출

상 중 하

다음은 함수 $f(x)$가 구간 $[a, b]$에서 연속이고 $f(a)=b$, $f(b)=a$이면 $f(c)=c$ $(a<c<b)$인 c가 존재함을 증명한 것이다.

증명

$g(x)=f(x)-x$로 놓으면 $f(x)$가 구간 $[a, b]$에서 연속이므로 $g(x)$는 구간 $[a, b]$에서 (가) 이다.
그런데 $g(a)g(b)$ (나) 0이므로 (다) (의) 정리에 의해 $g(c)=0$인 c가 a, b 사이에 적어도 하나 존재한다.
따라서 $f(c)=c$인 c가 a, b 사이에 존재한다.

위의 증명에서 (가), (나), (다)에 알맞은 것은?

	(가)	(나)	(다)
①	불연속	$>$	사잇값
②	불연속	$<$	최대 · 최소
③	연속	$>$	사잇값
④	연속	$<$	사잇값
⑤	연속	$<$	최대 · 최소

129

상 중 하

방정식 $3x^3+2x+a=0$이 1보다 크고 2보다 작은 오직 하나의 실근을 가질 때, 상수 a의 값의 범위를 구하여라.

130 학평 기출

상 중 하

방정식 $x^3+4x-6=0$이 오직 하나의 실근 a를 가질 때, 다음 중 a가 속하는 구간은?

① $(-2, -1)$　② $(-1, 0)$
③ $(0, 1)$　④ $(1, 2)$
⑤ $(2, 3)$

131

상 중 하

연속함수 $f(x)$에 대하여

$f(-3)=-8$, $f(-2)=-5$, $f(-1)=1$,
$f(0)=-1$, $f(1)=-2$, $f(2)=7$

일 때, 방정식 $f(x)=0$은 구간 $(-3, 2)$에서 적어도 몇 개의 실근을 갖는가?

① 1개　② 2개　③ 3개
④ 4개　⑤ 5개

10 사잇값의 정리의 활용

중요도

더 자세한 개념은 풍산자 수학Ⅱ 43쪽

132

상 중 하

연속함수 $f(x)$가 $f(0)=a$, $f(1)=a-3$을 만족시킬 때, 방정식 $f(x)-x=0$이 0과 1 사이에서 적어도 하나의 실근을 갖도록 하는 실수 a의 값의 범위를 구하여라.

133 최多빈출

상 중 하

방정식 $10x^{10}+10x=a$는 오직 하나의 실근을 갖는다. 이 실근이 -1보다 크고 1보다 작도록 하는 정수 a의 개수는?

① 17　② 18　③ 19
④ 20　⑤ 21

134
상중하

연속함수 $f(x)$가 $f(1)=a^2+2a+2$, $f(2)=a+2$를 만족시킬 때, 방정식 $f(x)=2x$가 1과 2 사이에서 적어도 하나의 실근을 갖도록 하는 양수 a의 값의 범위는?

① $0<a<2$ ② $1<a<3$
③ $2<a<4$ ④ $3<a<5$
⑤ $4<a<6$

135 최多빈출
상중하

연속함수 $f(x)$에 대하여 $f(0)f(-1)<0$, $f(3)f(4)>0$, $f(-2)f(-3)<0$이고 $f(x)=f(-x)$일 때, 구간 $(-4,\ 4)$에서 방정식 $f(x)=0$의 실근의 개수의 최솟값은?

① 2 ② 3 ③ 4
④ 5 ⑤ 6

136
상중하

삼차방정식 $(x-a)(x+a)^2+x^2=0$의 근에 대한 다음 설명 중 옳은 것은? (단, $a>0$)

① 오직 한 개의 실근을 갖는다.
② 한 개의 음의 실근과 중근인 양의 실근을 갖는다.
③ 한 개의 양의 실근과 중근인 음의 실근을 갖는다.
④ 한 개의 음의 실근과 서로 다른 두 개의 양의 실근을 갖는다.
⑤ 한 개의 양의 실근과 서로 다른 두 개의 음의 실근을 갖는다.

137
상중하

어떤 건물의 벽시계는 잘 맞지 않아서 어느 해 3월 1일에는 정시보다 5분 빨랐고, 그 해 4월 1일에는 정시보다 2분이 늦었다. 또 그 해 5월 1일에는 정시보다 4분이 빨랐으며 그 해 6월 1일에는 정시보다 6분이 늦었다. 3개월 동안 이 시계는 정시를 바르게 나타내는 순간이 적어도 몇 번 나타나는지 구하여라.

138
상중하

2년 전 주행이의 몸무게는 60 kg이었고, 1년 전에는 72 kg이었다. 현재 주행이의 몸무게가 65 kg이라고 할 때, 지난 2년 동안 주행이의 몸무게에 대한 다음 설명 중 옳지 않은 것은?

① 몸무게가 62 kg인 때가 적어도 한 번 있었다.
② 몸무게가 64 kg인 때가 적어도 두 번 있었다.
③ 몸무게가 66 kg인 때가 적어도 두 번 있었다.
④ 몸무게가 68 kg인 때가 적어도 두 번 있었다.
⑤ 몸무게가 70 kg인 때가 적어도 두 번 있었다.

139

두 함수

$$f(x)=\begin{cases} x^2-4x+6 & (x<2) \\ 1 & (x\geq 2) \end{cases},\ g(x)=ax+1$$

에 대하여 함수 $\dfrac{g(x)}{f(x)}$가 실수 전체의 집합에서 연속일 때, 상수 a의 값을 구하여라.

140

연속함수 $f(x)$가 모든 실수 x에 대하여

$$(\sqrt{9+x}-\sqrt{9-x})f(x)=8x^2+24x+a$$

를 만족시킬 때, $f(0)$의 값을 구하여라.

(단, a는 실수이다.)

141

모든 실수 x에서 연속인 함수 $f(x)$가 다음 두 조건을 모두 만족시킬 때, $f(2018)$의 값을 구하여라.

> (가) 구간 $[0,\ 4]$에서 $f(x)=\begin{cases} \frac{1}{2}x & (0\leq x<2) \\ ax+b & (2\leq x\leq 4) \end{cases}$
>
> (나) 모든 실수 x에 대하여 $f(x-1)=f(x+3)$

142

다항함수 $f(x)$에 대하여 함수

$$g(x)=\begin{cases} \dfrac{f(x)-x^3}{(x-1)^2} & (x\neq 1) \\ k & (x=1) \end{cases}$$

가 모든 실수 x에서 연속이고 $\lim\limits_{x\to\infty} g(x)=4$일 때, 상수 k의 값을 구하여라.

143

정의역이 $\{x\,|\,0\leq x\leq 3\}$인 함수 $y=-(x^2-4x+5)^2+2(x^2-4x+5)+5$의 최댓값을 M, 최솟값을 m이라고 할 때, $M+m$의 값을 구하여라.

144

연속함수 $f(x)$가 모든 실수 x에 대하여 $f(x)=-f(-x)$를 만족시키고 $f(1)f(2)<0$, $f(3)f(4)<0$일 때, 방정식 $f(x)=0$은 적어도 몇 개의 근을 갖는지 구하여라.

고득점을 향한 도약

● 정답과 풀이 024쪽

145

함수 $f(x)$의 그래프가 오른쪽 그림과 같다. 함수

$g(x)=(x+a)f(x)$

가 $x=1$에서 연속일 때, 상수 a의 값은?

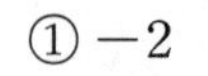

① -2　② -1　③ 0

④ 1　⑤ 2

146

$x=a$에서 두 함수 $f(x)=\dfrac{x^3+2x+1}{x^2-1}$, $g(x)=x+4$는 연속이지만 합성함수 $(f\circ g)(x)$는 불연속이 되도록 하는 모든 a의 값의 합은?

① -10　② -8　③ -6

④ -4　⑤ -2

147 (100점 도전)

다항함수 $f(x)$와 함수 $g(x)=\begin{cases}[x] & (-1\le x\le 1)\\ 0 & (x<-1 \text{ 또는 } x>1)\end{cases}$

이 다음 두 조건을 모두 만족시킬 때, $f(2)$의 값을 구하여라. (단, $[x]$는 x보다 크지 않은 최대의 정수이다.)

> (가) $\displaystyle\lim_{x\to\infty}\frac{f(x)}{x^3+x-1}=5$
>
> (나) 모든 실수 x에서 함수 $f(x)g(x)$는 연속이다.

148

함수 $f(x)$는 구간 $[0,\ 1]$에서 연속이고 최댓값 1, 최솟값 0을 갖는다. 〈보기〉에서 옳은 것을 모두 고른 것은?

> 보기
>
> ㄱ. 방정식 $f(x)=\frac{1}{2}$의 실근이 구간 $(0,\ 1)$에서 적어도 하나 존재한다.
>
> ㄴ. 방정식 $f(x)=x$의 실근이 구간 $(0,\ 1)$에서 적어도 하나 존재한다.
>
> ㄷ. 방정식 $f(x)=\frac{1}{3}x+\frac{1}{3}$의 실근이 구간 $(0,\ 1)$에서 적어도 하나 존재한다.

① ㄱ　② ㄴ　③ ㄱ, ㄴ

④ ㄱ, ㄷ　⑤ ㄱ, ㄴ, ㄷ

149

모든 실수에서 정의된 함수 $f(x)$가 다음 세 조건을 모두 만족시킬 때, 다음 중 옳지 않은 것은?

> (가) $f(x)$는 연속함수이고 $f(x)=f(-x)$이다.
>
> (나) $|x|>5$이면 $f(x)=0$이다.
>
> (다) $|x|<5$이면 $|f(x)|\le 10$이고 $f(x)=10$이 되는 x는 오직 한 개 있다.

① $f(5)=f(-5)=0$이다.

② $f(x)$는 $x=0$일 때 최대이다.

③ $f(x)=5$가 되는 x는 두 개 이상 있다.

④ $f(x)$가 최소가 되는 x는 오직 한 개 있다.

⑤ 모든 실수 x에 대하여 $f(x+5)f(x-5)=0$이다.

II

미분

03 미분계수와 도함수

1 평균변화율

(1) 평균변화율

함수 $y=f(x)$에서 x의 값이 a에서 b까지 변할 때의 평균변화율은

$$\frac{\Delta y}{\Delta x}=\frac{f(b)-f(a)}{b-a}=\frac{f(a+\Delta x)-f(a)}{\Delta x}$$

x의 값의 변화량 $b-a$를 x의 증분, y의 값의 변화량 $f(b)-f(a)$를 y의 증분이라 하고, 이들을 각각 Δx, Δy와 같이 나타낸다.

(2) 평균변화율의 기하적 의미

함수 $y=f(x)$의 평균변화율은 그래프 위의 두 점 $(a, f(a))$, $(b, f(b))$를 지나는 직선의 기울기와 같다.

2 미분계수

(1) 미분계수(순간변화율)

함수 $y=f(x)$의 $x=a$에서의 미분계수는

$$f'(a)=\lim_{\Delta x\to 0}\frac{\Delta y}{\Delta x}=\lim_{x\to a}\frac{f(x)-f(a)}{x-a}$$
$$=\lim_{h\to 0}\frac{f(a+h)-f(a)}{h}$$

(2) 미분계수의 기하적 의미

$x=a$에서의 미분계수 $f'(a)$는 곡선 $y=f(x)$ 위의 점 $(a, f(a))$에서의 접선의 기울기와 같다.

3 미분가능성과 연속성

(1) 미분가능

함수 $f(x)$의 $x=a$에서의 미분계수 $f'(a)$가 존재할 때, 함수 $f(x)$는 $x=a$에서 미분가능하다고 한다.

(2) 미분가능성과 연속성

함수 $f(x)$가 $x=a$에서 미분가능하면 $f(x)$는 $x=a$에서 연속이다.

참고 위의 역은 성립하지 않는다. 즉, 미분가능하면 반드시 연속이지만 연속이라고 해서 반드시 미분가능한 것은 아니다.

4 도함수와 미분법

(1) 도함수

미분가능한 함수 $y=f(x)$의 도함수는

$$f'(x)=\lim_{h\to 0}\frac{f(x+h)-f(x)}{h}$$

이때, 함수 $y=f(x)$의 도함수 $f'(x)$를 구하는 것을 함수 $y=f(x)$를 x에 대하여 미분한다고 하고, 그 계산법을 미분법이라고 한다.

참고 함수 $y=f(x)$의 도함수 $f'(x)$를 y', $\frac{dy}{dx}$, $\frac{d}{dx}f(x)$로 나타내기도 한다.

(2) 미분법의 공식

① $y=k$ (k는 상수)일 때, $y'=0$
② $y=x^n$ (n은 자연수)일 때, $y'=nx^{n-1}$
③ $y=kf(x)$ (k는 상수)일 때, $y'=kf'(x)$
④ $y=f(x)+g(x)$일 때, $y'=f'(x)+g'(x)$
⑤ $y=f(x)-g(x)$일 때, $y'=f'(x)-g'(x)$

(3) 곱의 공식

① $y=f(x)g(x)$일 때, $y'=f'(x)g(x)+f(x)g'(x)$
② $y=f(x)g(x)h(x)$일 때,
$$y'=f'(x)g(x)h(x)+f(x)g'(x)h(x)+f(x)g(x)h'(x)$$

참고 함수 $f(x)$가 미분가능할 때, $y=\{f(x)\}^n$ (n은 자연수)이면 $y'=n\{f(x)\}^{n-1}f'(x)$

문제 풀 때 유용한 풍쌤 비법

❶ 미분계수를 나타내는 식의 변형

미분계수를 나타내는 식을 변형할 때에는 색칠한 부분을 같은 꼴로 만들어 준다.

$$\lim_{h\to 0}\frac{f(a+ph)-f(a)}{h}=\lim_{h\to 0}\frac{f(a+ph)-f(a)}{ph}\cdot p=pf'(a)$$ (단, p는 실수이다.)

❷ 연속성과 미분가능성

함수 $f(x)$의 연속성과 미분가능성을 조사하려면 다음을 조사하면 된다.

(1) $x=a$에서 연속 ⇨ $\lim_{x\to a}f(x)=f(a)$가 성립

(2) $x=a$에서 미분가능 ⇨ $f'(a)=\lim_{x\to a}\frac{f(x)-f(a)}{x-a}$의 값이 존재

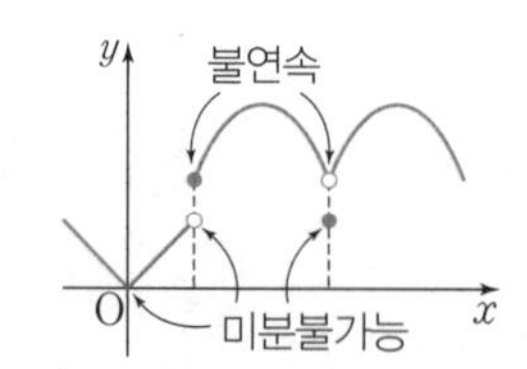

실력을 기르는 유형

● 정답과 풀이 026쪽

01 평균변화율과 그 의미

중요도

더 자세한 개념은 풍산자 수학Ⅱ 53쪽

150 최多빈출

상 중 하

함수 $f(x)=x^3-4x^2+x$에 대하여 x의 값이 1에서 a까지 변할 때의 평균변화율이 2일 때, 상수 a의 값은? (단, $a>0$)

① 1 ② 2 ③ 3
④ 4 ⑤ 5

151

상 중 하

함수 $f(x)$에 대하여 $f(0)=0$이고 x의 값이 0에서 a까지 변할 때의 평균변화율이 a^2+3a일 때, $f(1)$의 값을 구하여라. (단, a는 양수이다.)

152

상 중 하

함수 $f(x)$에 대하여 x의 값이 1에서 t까지 변할 때의 평균변화율을 $g(t)$라고 하자. 함수 $f(x)$의 그래프가 오른쪽 그림과 같고 $a<b<1<c$일 때, 다음 중 옳은 것은?

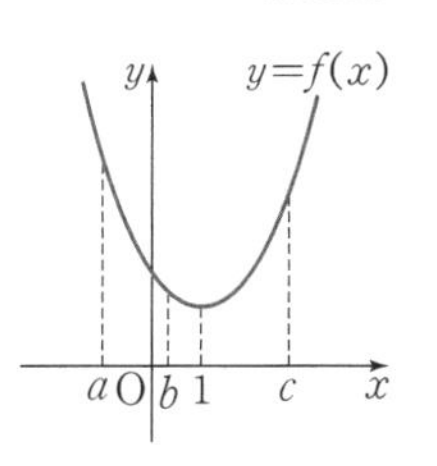

① $g(a)<g(b)<g(c)$
② $g(a)<g(c)<g(b)$
③ $g(b)<g(a)<g(c)$
④ $g(b)<g(c)<g(a)$
⑤ $g(c)<g(b)<g(a)$

153

상 중 하

함수 $y=f(x)$의 그래프가 오른쪽 그림과 같고 $(f\circ f)(x)=g(x)$일 때, x의 값이 -2에서 1까지 변할 때의 함수 $y=g(x)$의 평균변화율을 구하여라.

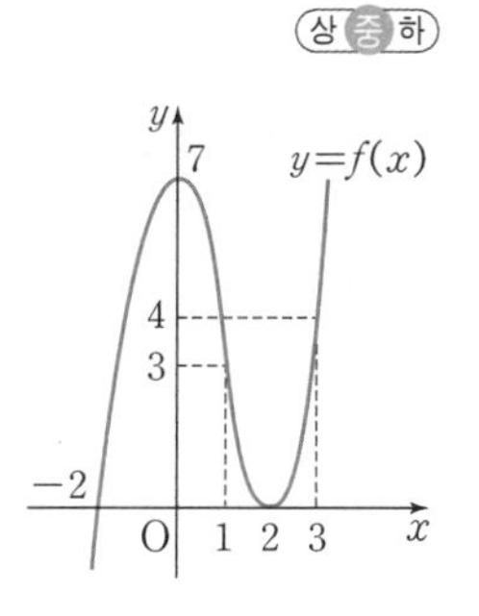

154 학평 기출

상 중 하

함수 $y=f(x)$의 그래프가 다음 그림과 같고, 직선 AB의 기울기가 1일 때, x의 값이 0에서 1까지 변할 때의 함수 $y=f(x)$의 평균변화율은? (단, $f(0)=f(4)$)

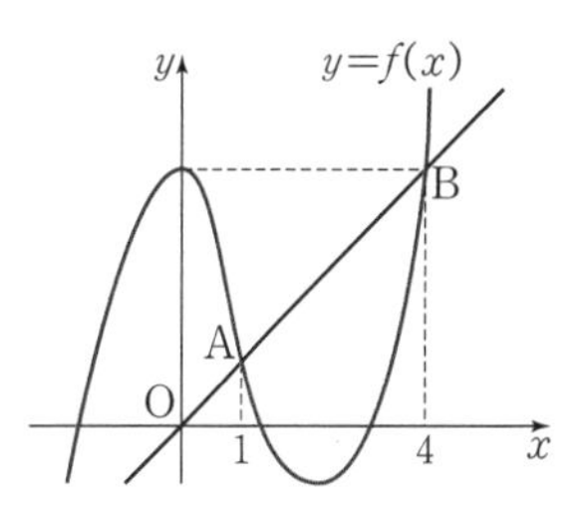

① -3 ② -2 ③ -1
④ 0 ⑤ 1

02 미분계수와 그 의미

중요도

더 자세한 개념은 풍산자 수학Ⅱ 54쪽

155

상 중 하

함수 $f(x)=x^8+x^7+x^6+\cdots+x^2+x+1$의 $x=-1$에서의 미분계수는?

① -5 ② -4 ③ -3
④ -2 ⑤ -1

156

(상 중 하)

함수 $f(x)=ax^2+bx+c$가

$f(2)=6,\ f'(0)=2,\ f'(1)=4$

를 만족시킬 때, $a^2+b^2+c^2$의 값은?

(단, a, b, c는 상수이다.)

① 5 ② 6 ③ 7 ④ 8 ⑤ 9

157

(상 중 하)

함수 $f(x)=x^2-2x$에 대하여 x의 값이 -1에서 a까지 변할 때의 평균변화율과 $x=2$에서의 미분계수가 같을 때, 상수 a의 값은? (단, $a>-1$)

① 1 ② 2 ③ 3 ④ 4 ⑤ 5

158 학평 기출

(상 중 하)

오른쪽 그림은 두 함수 $y=f(x)$, $y=x$의 그래프이다. $0<a<b$일 때, 〈보기〉에서 옳은 것을 모두 고른 것은?

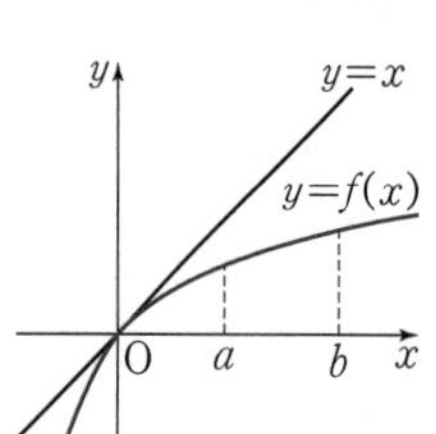

보기

ㄱ. $\dfrac{f(a)}{a}<\dfrac{f(b)}{b}$

ㄴ. $f(b)-f(a)>b-a$

ㄷ. $f'(a)>f'(b)$

① ㄱ ② ㄴ ③ ㄷ ④ ㄱ, ㄴ ⑤ ㄴ, ㄷ

03 미분계수의 정의를 이용한 극한값의 계산

중요도

더 자세한 개념은 풍산자 수학Ⅱ 57쪽

159

(상 중 하)

함수 $f(x)=x^4+4x^2+1$에 대하여

$\displaystyle\lim_{h\to 0}\frac{f(1+2h)-f(1)}{h}$의 값은?

① 12 ② 16 ③ 20 ④ 24 ⑤ 28

160 학평 기출

(상 중 하)

함수 $f(x)=x^2-6x+5$에 대하여

$$\lim_{h\to 0}\frac{f(a+h)-f(a-h)}{h}=8$$

을 만족시키는 상수 a의 값은?

① 5 ② 6 ③ 7 ④ 8 ⑤ 9

161 최多빈출 풍쌤 비법 ❶

(상 중 하)

다항함수 $f(x)$에 대하여 $f'(a)=\dfrac{2}{3}$일 때,

$$\lim_{h\to 0}\frac{f(a-3h)-f(a)}{h}+\lim_{h\to 0}\frac{f(a+h^2)-f(a)}{h}$$

의 값은?

① -2 ② -1 ③ 0 ④ 1 ⑤ 2

162

(상 중 하)

함수 $f(x)=x+x^3+x^5$, $g(x)=x^2+x^4+x^6$에 대하여 $\lim_{h \to 0} \frac{f(1+2h)-g(1-h)}{3h}$의 값은?

① 6 ② 7 ③ 8
④ 9 ⑤ 10

163

(상 중 하)

다항함수 $f(x)$에 대하여

$$\lim_{x \to 1} \frac{f(x)-f(1)}{x-1}=4$$

일 때, $\lim_{h \to 0} \frac{f(1+3h)-f(1)}{2h}$의 값은?

① 2 ② 4 ③ 6
④ 8 ⑤ 10

164

(상 중 하)

다항함수 $f(x)$에 대하여

$$\lim_{h \to 0} \frac{f(1+h)-f(1-h)}{h}=6$$

일 때, $\lim_{x \to 1} \frac{x^2-1}{f(x)-f(1)}$의 값은?

① $\frac{1}{3}$ ② $\frac{2}{3}$ ③ 1
④ $\frac{4}{3}$ ⑤ $\frac{5}{3}$

165 최多빈출

(상 중 하)

다항함수 $f(x)$에 대하여 $f(3)=4$, $f'(3)=2$일 때, $\lim_{x \to 3} \frac{xf(3)-3f(x)}{x-3}$의 값은?

① -1 ② -2 ③ -3
④ -4 ⑤ -5

166

(상 중 하)

다항함수 $f(x)$에 대하여 $\lim_{x \to a} \frac{x^2f(a)-a^2f(x)}{x-a}$를 $f(a)$, $f'(a)$를 이용하여 나타낸 것으로 옳은 것은?

① $f(a)-a^2f'(a)$ ② $f'(a)-a^2f(a)$
③ $2af(a)-a^2f'(a)$ ④ $2af(a)+a^2f'(a)$
⑤ $2af'(a)-a^2f(a)$

167

(상 중 하)

함수 $f(x)=x^4+ax+b$에 대하여 $\lim_{x \to 1} \frac{f(x)}{x-1}=9$일 때, ab의 값은? (단, a, b는 상수이다.)

① -30 ② -25 ③ 10
④ 15 ⑤ 20

168

(상 중 하)

다항함수 $f(x)$에 대하여

$$\lim_{n \to \infty} n\left\{f\left(x+\frac{1}{n}\right)-f\left(x-\frac{1}{n}\right)\right\}=4x^2+2x-8$$

일 때, $f'(1)$의 값을 구하여라.

169 (상 중 하)

$\lim_{x \to -1} \frac{x^8-2x-3}{x+1}$ 의 값은?

① -10 ② -11 ③ -12
④ -13 ⑤ -14

170 (상 중 하)

$\lim_{x \to 1} \frac{x^n+x^2+x-3}{x-1}=15$를 만족시키는 자연수 n의 값은?

① 10 ② 11 ③ 12
④ 13 ⑤ 14

04 도함수의 계산

중요도

더 자세한 개념은 풍산자 수학Ⅱ 63쪽

171 (상 중 하)

다음은 함수 $f(x)=x^n$(n은 자연수)에 대하여 $f'(x)=nx^{n-1}$임을 증명한 것이다.

증명

$$f'(a)=\lim_{x \to a} \frac{f(x)-f(a)}{x-a}$$
$$=\lim_{x \to a} \frac{x^n-a^n}{x-a}$$
$$=\lim_{x \to a} \frac{(x-a)(\boxed{(가)})}{x-a}$$
$$=\lim_{x \to a} (\boxed{(가)})=\boxed{(나)}$$
$$\therefore f'(x)=nx^{n-1}$$

위의 증명에서 (가), (나)에 알맞은 것은?

	(가)	(나)
①	$x^{n-1}+a^{n-1}$	na^{n-1}
②	$x^{n-1}+a^{n-1}$	nx^{n-1}
③	$x^{n-1}+x^{n-2}+x^{n-3}+\cdots+x$	na^{n-1}
④	$x^{n-1}+x^{n-2}a+x^{n-3}a^2+\cdots+a^{n-1}$	na^{n-1}
⑤	$x^{n-1}+x^{n-2}a+x^{n-3}a^2+\cdots+a^{n-1}$	nx^{n-1}

172 (상 중 하)

함수 $f(x)=(2x^2-k)(x^2+x-2)$에 대하여 $f'(2)=67$일 때, 상수 k의 값은?

① 1 ② 2 ③ 3
④ 4 ⑤ 5

173 (상 중 하)

미분가능한 두 함수 $f(x), g(x)$에 대하여 $f(x)=(x+1)^2g(x)$이고 $g(2)=-3$, $g'(2)=5$일 때, $f'(2)$의 값은?

① 25 ② 27 ③ 29
④ 31 ⑤ 33

174 최多빈출 (상 중 하)

함수 $f(x)=(x^2-3x+4)^5$에 대하여 $\lim_{x \to 2} \frac{f(x)-f(2)}{x^2-4}$의 값은?

① 10 ② 20 ③ 30
④ 40 ⑤ 50

175 (상 중 하)

함수 $f(x)=(x^2+1)^4$에 대하여 $\lim_{h \to 0} \frac{f(1+h)-f(1)}{16h}$의 값은?

① 1 ② 2 ③ 3
④ 4 ⑤ 5

176

(상 중 하)

다항함수 $f(x)$에 대하여 $\lim_{x \to 1} \frac{f(x)-2}{x-1}=3$이고 $g(x)=\{f(x)\}^3$일 때, $g'(1)$의 값은?

① 30 ② 32 ③ 34
④ 36 ⑤ 38

177 최多빈출

(상 중 하)

두 다항함수 $f(x)$, $g(x)$가

$$\lim_{x \to 5} \frac{f(x)-3}{x-5}=2,\ \lim_{x \to 5} \frac{g(x)-1}{x-5}=1$$

을 만족시킬 때, 함수 $y=f(x)g(x)$의 $x=5$에서의 미분계수는?

① 5 ② 6 ③ 7
④ 8 ⑤ 9

178

(상 중 하)

다항함수 $f(x)$에 대하여 $f(2)=3$, $f'(2)=1$일 때, $\lim_{x \to 2} \frac{(x^2+2)f(x)-6f(2)}{x-2}$의 값은?

① 14 ② 16 ③ 18
④ 20 ⑤ 22

179

(상 중 하)

다항식 $x^{10}-2x^3+1$을 $(x+1)^2$으로 나누었을 때의 나머지를 $R(x)$라고 할 때, $R(-2)$의 값은?

① 4 ② 8 ③ 12
④ 18 ⑤ 20

180

(상 중 하)

x에 대한 다항식 $2x^4+px^2+qx+6$을 $(x-1)^2$으로 나누었을 때의 나머지가 $5x-4$일 때, 다항식 $6x^5+2px+q$를 $x-1$로 나누었을 때의 나머지를 구하여라. (단, p, q는 상수이다.)

05 미분가능성과 연속성

중요도

더 자세한 개념은 풍산자 수학Ⅱ 60쪽

181

(상 중 하)

함수 $y=f(x)$의 그래프가 다음 그림과 같을 때, 열린구간 $(-4,\ 3)$에서 함수 $f(x)$가 불연속인 점의 개수를 m, 미분가능하지 않은 점의 개수를 n이라고 하자. $m+n$의 값은?

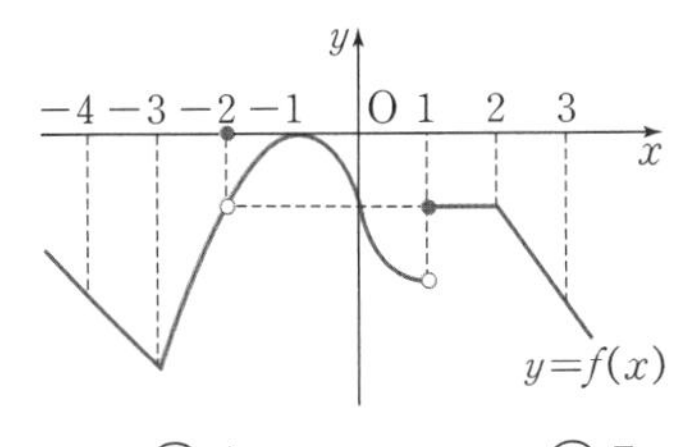

① 3 ② 4 ③ 5
④ 6 ⑤ 7

182

상중하

다음은 함수 $f(x)=3x-|x-1|$이 $x=1$에서 연속이지만 미분가능하지 않음을 증명한 것이다.

> 증명
>
> $\lim_{x\to 1}f(x)=f(1)=3$이므로 함수 $f(x)$는 $x=1$에서 연속이다. 한편
>
> $$\lim_{x\to 1+}\frac{f(x)-f(1)}{x-1}=\boxed{(가)}$$
>
> $$\lim_{x\to 1-}\frac{f(x)-f(1)}{x-1}=\boxed{(나)}$$
>
> 이므로 $\lim_{x\to 1}\frac{f(x)-f(1)}{x-1}$의 값이 존재하지 않는다.
>
> 따라서 함수 $f(x)=3x-|x-1|$은 $x=1$에서 미분가능하지 않다.

위의 증명에서 (가), (나)에 알맞은 것을 차례대로 나열한 것은?

① 3, 3 ② 1, 4 ③ 4, 1
④ 2, 4 ⑤ 4, 2

183 풍쌤 비법 ❷

상중하

$x=0$에서 연속이지만 미분가능하지 않은 것을 〈보기〉에서 모두 고른 것은?

> 보기
>
> ㄱ. $f(x)=1$
>
> ㄴ. $g(x)=\begin{cases}\frac{|x|}{x} & (x\neq 0)\\ 0 & (x=0)\end{cases}$
>
> ㄷ. $h(x)=x^2-4|x|+3$

① ㄱ ② ㄴ ③ ㄷ
④ ㄱ, ㄴ ⑤ ㄴ, ㄷ

184 학평 기출

상중하

함수 $f(x)$가 다음과 같다.

$$f(x)=\begin{cases}\frac{1}{2}(x^3-3x) & (x\le -1 \text{ 또는 } x\ge 0)\\ \frac{1}{2}(x^3-3x)-1 & (-1<x<0)\end{cases}$$

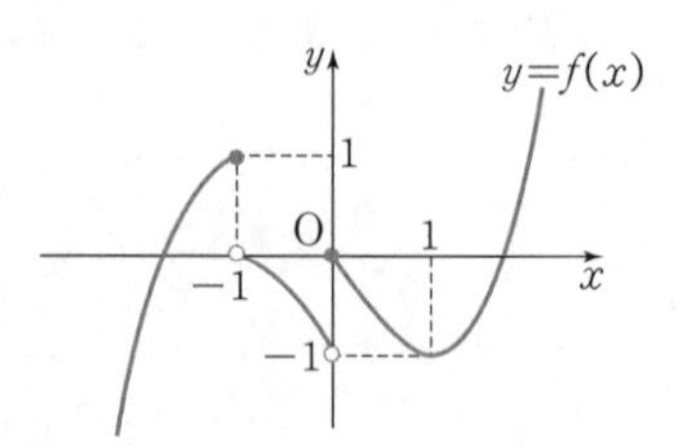

〈보기〉에서 옳은 것을 모두 고른 것은?

> 보기
>
> ㄱ. 함수 $f(x)$는 $x=0$에서 미분가능하다.
>
> ㄴ. $\lim_{x\to 0}f'(x)=-\frac{3}{2}$
>
> ㄷ. $\lim_{x\to -1+}f(f'(x))=0$

① ㄱ ② ㄴ ③ ㄷ
④ ㄱ, ㄷ ⑤ ㄴ, ㄷ

185

상중하

함수 $f(x)=\begin{cases}a(x+3)^2+b & (x\ge -1)\\ x^3 & (x<-1)\end{cases}$이 $x=-1$에서 미분가능할 때, $f(1)$의 값은? (단, a, b는 상수이다.)

① 4 ② 5 ③ 6
④ 7 ⑤ 8

186 최多빈출

상중하

함수 $f(x)=\begin{cases}x^3+ax & (x<1)\\ bx^2+x+1 & (x\ge 1)\end{cases}$이 모든 실수 x에서 미분가능할 때, $a+b$의 값은? (단, a, b는 상수이다.)

① 5 ② 6 ③ 7
④ 8 ⑤ 9

187

상중하

함수 $f(x)=|x-1|(x-3a)$가 $x=1$에서 미분가능하도록 하는 상수 a의 값은?

① $\frac{1}{4}$　② $\frac{1}{3}$　③ $\frac{1}{2}$　④ 1　⑤ 2

188

학평 기출　상중하

오른쪽 그림은 함수 $y=1$과 함수 $y=0$의 그래프의 일부분이다. $0\le x\le 1$에서 정의된 함수 $y=ax^3+bx^2+cx+1$의 그래프를 이용하여 연결한 그래프 전체를 나타내는 함수가 구간 $(-\infty,\ \infty)$에서 미분가능하도록 상수 a, b, c의 값을 정할 때, $a^2+b^2+c^2$의 값은?

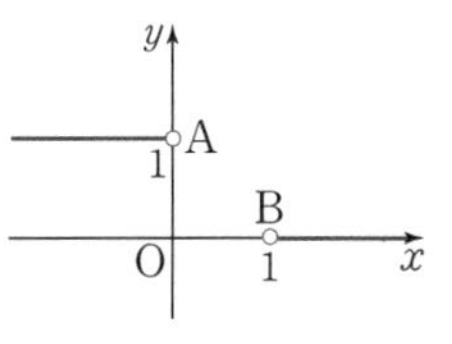

① 11　② 12　③ 13　④ 14　⑤ 15

06 관계식과 미분

중요도

더 자세한 개념은 풍산자 수학Ⅱ 63쪽

189

상중하

미분가능한 함수 $f(x)$가 모든 실수 x, y에 대하여

$$f(x+y)=f(x)+f(y)+3xy$$

를 만족시키고 $f'(0)=1$일 때, $f'(1)$의 값은?

① 0　② 1　③ 2　④ 3　⑤ 4

190

상중하

미분가능한 함수 $f(x)$가 다음 두 조건을 모두 만족시킨다.

> (가) 임의의 양수 x, y에 대하여 $f(xy)=f(x)+f(y)$
> (나) $f'(1)=a$ (단, a는 상수이다.)

이때, 함수 $f(x)$의 도함수 $f'(x)$를 구하는 과정은 다음과 같다.

> $f(1)=$ (가) 이므로 $f'(1)=\lim_{h\to 0}\frac{f(1+h)}{h}=a$
>
> $\therefore f'(x)=\lim_{h\to 0}\frac{f\left(x\left(1+\frac{h}{x}\right)\right)-f(x)}{h}$
>
> $=\lim_{h\to 0}\frac{f(\text{(나)})}{h}=\lim_{h\to 0}\left\{\frac{f(\text{(나)})}{\frac{h}{x}}\cdot\frac{1}{x}\right\}$
>
> $=$ (다) $\cdot\frac{1}{x}$

위의 과정에서 (가), (나), (다)에 알맞은 것은?

	(가)	(나)	(다)
①	0	$\frac{h}{x}$	a
②	0	$\frac{h}{x}$	$2a$
③	0	$1+\frac{h}{x}$	a
④	0	$1+\frac{h}{x}$	$2a$
⑤	1	$1+\frac{h}{x}$	$2a$

191

상중하

미분가능한 함수 $f(x)$가 모든 실수 x, y에 대하여

$$f(x+y)=f(x)+f(y)+xyf(x+y)$$

를 만족시키고 $f'(0)=a$일 때, 다음 중 $f'(x)$와 같은 것은?

① $xf(x)$　② $-xf(x)$　③ $xf(x)+a$　④ $xf(x)-a$　⑤ a

192 상중하

미분가능한 함수 $f(x)$가 모든 실수 x, y에 대하여

$$f(-x)=f(x)$$

를 만족시키고 $f'(2)=3$일 때, $f'(-2)$의 값은?

① -3 ② -2 ③ 0
④ 2 ⑤ 3

193 상중하

미분가능한 함수 $f(x)$가 모든 실수 x에 대하여

$$f(-ax)=-af(x)$$

를 만족시킬 때, 다음 중 $f'(x)$와 같은 것은? (단, $a\neq0$)

① $af'(ax)$ ② $\frac{1}{a}f'(x)$ ③ $af'(x)$
④ $f'(-ax)$ ⑤ $\frac{1}{a}f'(-ax)$

07 미분계수를 포함한 함수

중요도

더 자세한 개념은 풍산자 수학Ⅱ 69쪽

194 상중하

다항함수 $f(x)$가 $f(x)=2x^3+4f'(1)x$를 만족시킬 때, $f'(-1)$의 값은?

① -1 ② -2 ③ -3
④ -4 ⑤ -5

195 상중하

다항함수 $f(x)$가 $f(x)=3x^2-2f'(2)x$를 만족시킬 때, $f'(3)$의 값은?

① 8 ② 9 ③ 10
④ 11 ⑤ 12

08 도함수를 포함한 함수

중요도

더 자세한 개념은 풍산자 수학Ⅱ 69쪽

196 최多빈출 상중하

이차함수 $f(x)$가 모든 실수 x에 대하여

$$f(x)=xf'(x)-x^2$$

을 만족시키고 $f'(1)=3$일 때, $f(2)$의 값은?

① 2 ② 4 ③ 6
④ 8 ⑤ 10

197 상중하

두 다항함수 $f(x), g(x)$가 모든 실수 x에 대하여

$$\{f(x)+g(x)\}'=x^3+3x-2$$

를 만족시키고 $f(x)=g'(x)$일 때, $f(1)$의 값을 구하여라.

198 상중하

다항함수 $f(x)$가 모든 실수 x에 대하여

$$f(x)f'(x)=4x+6$$

을 만족시킬 때, $f(1)f(2)$의 값은?

① 20 ② 25 ③ 30
④ 35 ⑤ 40

● 정답과 풀이 032쪽

199

함수 $f(x)=ax^2+bx+1$에 대하여 x의 값이 -1에서 0까지 변할 때의 평균변화율은 -1이고 $x=-1$에서의 순간변화율은 1일 때, $a+b$의 값을 구하여라.

(단, a, b는 상수이다.)

200

함수 $f(x)=2ax^2-bx+2$가 다음 두 조건을 모두 만족시킬 때, $a+b$의 값을 구하여라. (단, a, b는 상수이다.)

(가) $\lim_{x \to 1} \frac{f(x^2)-f(1)}{x-1}=4$

(나) $\lim_{x \to 3} \frac{x-3}{f(x)-f(3)}=\frac{1}{10}$

201

다항함수 $f(x)$가 $\lim_{h \to 0} \frac{f(1+2h)-3}{h}=4$를 만족시킬 때, 함수 $y=(x^2+1)f(x)$의 $x=1$에서의 미분계수를 구하여라.

202

두 다항함수 $f(x)$, $g(x)$가 다음 두 조건을 모두 만족시킬 때, $g'(0)$의 값을 구하여라.

(가) $f(0)=1$, $f'(0)=-6$, $g(0)=4$

(나) $\lim_{x \to 0} \frac{f(x)g(x)-4}{x}=0$

203

함수 $f(x)=\begin{cases} x^2 & (x \le 3) \\ -\frac{1}{2}(x-a)^2+b & (x>3) \end{cases}$가 모든 실수 x에서 미분가능할 때, $a+b$의 값을 구하여라.

(단, a, b는 상수이다.)

204

자연수 n에 대하여 x의 값이 n에서 $n+1$까지 변할 때의 함수 $f(x)$의 평균변화율은 $n+1$이다. 이때, x의 값이 1에서 100까지 변할 때의 함수 $f(x)$의 평균변화율은?

① 51 ② 52 ③ 53
④ 54 ⑤ 55

205

미분가능한 함수 $f(x)$가

$$f(1)=0,\ \lim_{x\to1}\frac{\{f(x)\}^2-2f(x)}{1-x}=10$$

을 만족시킬 때, $f'(1)$의 값은?

① 1 ② 2 ③ 3
④ 4 ⑤ 5

206

미분가능한 함수 $f(x)$가

$$\lim_{x\to2}\frac{f(x)}{x-2}=3,\ \lim_{x\to0}\frac{f(x)}{x}=2$$

를 만족시킬 때, $\lim_{x\to2}\frac{f(f(x))}{x-2}$의 값은?

① 0 ② 1 ③ 2
④ 3 ⑤ 6

207

다항식 $f(x)$에 대하여 $\lim_{x\to2}\frac{f(x)-a}{x-2}=4$이고, $f(x)$를 $(x-2)^2$으로 나눈 나머지를 $bx+3$이라고 할 때, $a+b$의 값을 구하여라. (단, a, b는 상수이다.)

208 (100점 도전)

삼차함수 $y=f(x)$가 서로 다른 세 실수 a, b, c에 대하여 $f(a)=f(b)=0$, $f'(a)=f'(c)=0$을 만족시킨다. c를 a와 b를 이용하여 나타낸 것으로 옳은 것은?

① $a+b$ ② $\frac{a+b}{2}$ ③ $\frac{a+b}{3}$
④ $\frac{a+2b}{3}$ ⑤ $\frac{2a+b}{3}$

209

함수 $f(x)=[2x](x^2+ax+b)$가 $x=1$에서 미분가능할 때, $f(2)$의 값을 구하여라. (단, a, b는 상수이고, $[x]$는 x보다 크지 않은 최대의 정수이다.)

210

함수 $f(x)$가 $x=0$에서 연속이지만 미분가능하지 않다고 하자. 이때, $x=0$에서 미분가능한 함수를 〈보기〉에서 모두 고른 것은?

보기

ㄱ. $y=xf(x)$

ㄴ. $y=x^2f(x)$

ㄷ. $y=\dfrac{1}{1+xf(x)}$

① ㄱ ② ㄴ ③ ㄷ
④ ㄱ, ㄴ ⑤ ㄱ, ㄴ, ㄷ

211

다음 그림과 같이 구간 $[0,\ 5]$를 정의역으로 하는 두 함수 $f(x)$, $g(x)$에 대하여 〈보기〉에서 옳은 것을 모두 고른 것은?

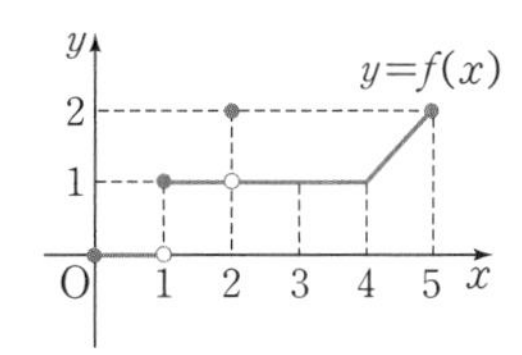

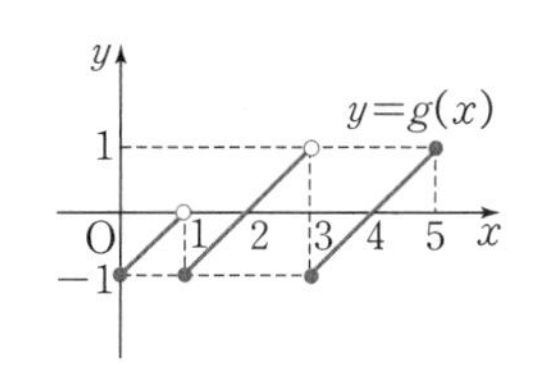

보기

ㄱ. 함수 $\dfrac{g(x)}{f(x)}$는 $x=2$에서 연속이다.

ㄴ. 함수 $(g\circ f)(x)$는 $x=1$에서 불연속이다.

ㄷ. 함수 $f(x)g(x)$는 $x=4$에서 미분가능하다.

① ㄱ ② ㄴ ③ ㄱ, ㄷ
④ ㄴ, ㄷ ⑤ ㄱ, ㄴ, ㄷ

212 100점 도전

함수 $f(x)=\begin{cases} 1-x & (x<0) \\ x^2-1 & (0\le x<1) \\ \dfrac{2}{3}(x^3-1) & (x\ge 1) \end{cases}$에 대하여 〈보기〉에서 옳은 것을 모두 고른 것은?

보기

ㄱ. $f(x)$는 $x=1$에서 미분가능하다.

ㄴ. $|f(x)|$는 $x=0$에서 미분가능하다.

ㄷ. $x^kf(x)$가 $x=0$에서 미분가능하도록 하는 최소의 자연수 k는 2이다.

① ㄱ ② ㄴ ③ ㄱ, ㄷ
④ ㄴ, ㄷ ⑤ ㄱ, ㄴ, ㄷ

213

다항함수 $f(x)$가 다음 두 조건을 모두 만족시킬 때, $f'(1)$의 값을 구하여라.

(가) $\displaystyle\lim_{x\to\infty}\frac{\{f(x)\}^2-f(x^2)}{x^3f(x)}=3$

(나) $\displaystyle\lim_{x\to 0}\frac{f'(x)}{x}=6$

04 도함수의 활용 (1)

1 접선의 방정식

(1) 접선의 기울기

곡선 $y=f(x)$ 위의 점 $\mathrm{P}(a,\ f(a))$에서의 접선의 기울기는 $x=a$에서의 미분계수 $f'(a)$와 같다.

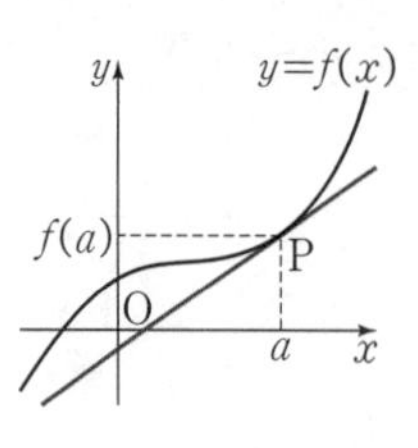

(2) 접선의 방정식

곡선 $y=f(x)$ 위의 점 $\mathrm{P}(a,\ f(a))$에서의 접선의 방정식은

$y-f(a)=f'(a)(x-a)$

2 접선의 방정식을 구하는 방법

(1) 곡선 $y=f(x)$ 위의 접점 $(a,\ f(a))$가 주어진 경우

① 접선의 기울기 $f'(a)$를 구한다.

② 접선의 방정식 $y-f(a)=f'(a)(x-a)$를 구한다.

(2) 곡선 $y=f(x)$에 접하는 접선의 기울기 m이 주어진 경우

① 접점의 좌표를 $(a,\ f(a))$로 놓는다.

② $f'(a)=m$임을 이용하여 a의 값을 구한다.

③ 접선의 방정식 $y-f(a)=m(x-a)$를 구한다.

(3) 곡선 $y=f(x)$ 밖의 한 점 $(m,\ n)$이 주어진 경우

① 접점의 좌표를 $(a,\ f(a))$로 놓는다.

② $y-f(a)=f'(a)(x-a)$에 점 $(m,\ n)$의 좌표를 대입하여 a의 값을 구한다.

③ 접선의 방정식 $y-f(a)=f'(a)(x-a)$를 구한다.

3 공통인 접선

두 곡선 $y=f(x)$, $y=g(x)$가 $x=a$에서 공통인 접선을 가지면

$f(a)=g(a)$, $f'(a)=g'(a)$

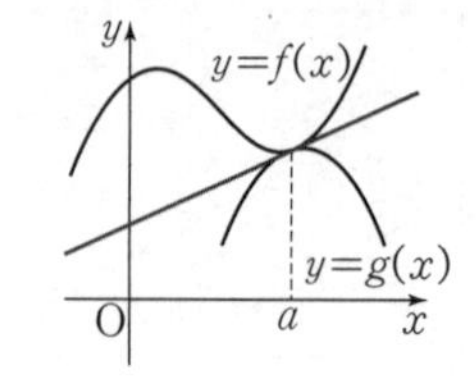

4 평균값 정리

(1) 롤의 정리

함수 $f(x)$가 닫힌구간 $[a,\ b]$에서 연속이고 열린구간 $(a,\ b)$에서 미분가능할 때, $f(a)=f(b)$이면

$f'(c)=0$인 c가 a와 b 사이에 적어도 하나 존재한다.

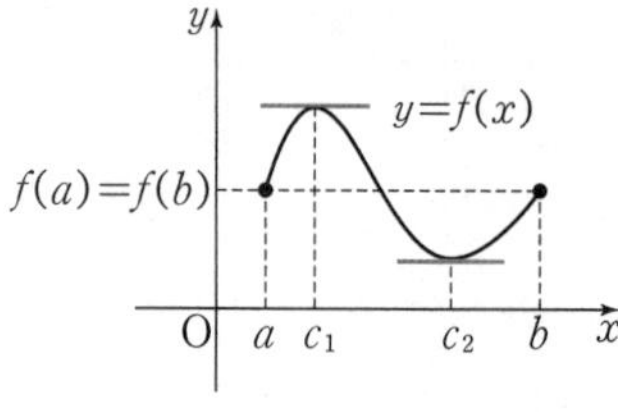

참고 롤의 정리는 열린구간 $(a,\ b)$에서 곡선 $y=f(x)$의 접선 중 x축과 평행한 것이 적어도 하나 존재함을 의미한다.

(2) 평균값 정리

함수 $f(x)$가 닫힌구간 $[a,\ b]$에서 연속이고 열린구간 $(a,\ b)$에서 미분가능하면

$$\frac{f(b)-f(a)}{b-a}=f'(c)$$

인 c가 a와 b 사이에 적어도 하나 존재한다.

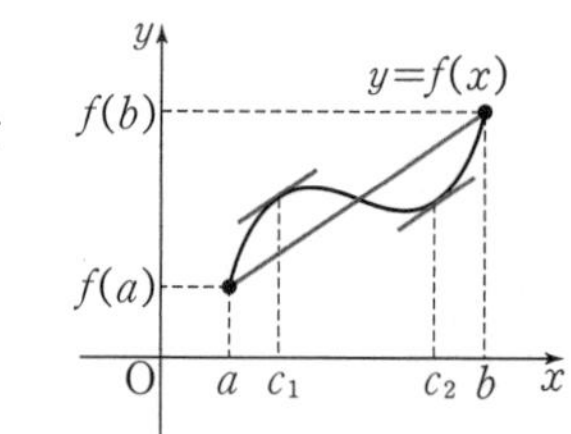

참고 • 평균값 정리는 열린구간 $(a,\ b)$에서 곡선 $y=f(x)$의 접선 중 두 점 $(a,\ f(a))$, $(b,\ f(b))$를 연결하는 직선과 평행한 것이 적어도 하나 존재함을 의미한다.
• 평균값 정리에서 $f(a)=f(b)$인 경우가 롤의 정리이다.

문제 풀 때 유용한 풍쌤 비법

❶ 접선에 수직인 직선의 방정식

곡선 $y=f(x)$ 위의 점 $(a,\ f(a))$를 지나고, 이 점에서의 접선에 수직인 직선의 방정식은

$y-f(a)=-\dfrac{1}{f'(a)}(x-a)$ (단, $f'(a)\neq0$)

❷ 두 곡선의 접선

두 곡선 $y=f(x)$, $y=g(x)$가

(1) 점 $(a,\ b)$에서 접하면 $f(a)=g(a)=b$, $f'(a)=g'(a)$

(2) 점 $(a,\ b)$에서 만나고 이 점에서 두 곡선에 그은 접선이 서로 수직이면 $f(a)=g(a)=b$, $f'(a)g'(a)=-1$

실력을 기르는 유형

● 정답과 풀이 036쪽

01 접선의 기울기

중요도

더 자세한 개념은 풍산자 수학Ⅱ 77쪽

214 (상 중 하)

함수 $f(x)=x^4-4x^3+6x^2+4$의 그래프 위의 점 $(a,\ b)$에서의 접선의 기울기가 4일 때, a^2+b^2의 값은?

① 10　② 20　③ 30　④ 40　⑤ 50

215 (상 중 하)

함수 $f(x)=\frac{1}{3}x^3-\frac{1}{2}ax^2+1$의 그래프 위의 $x=-1$인 점에서의 접선과 $x=3$인 점에서의 접선이 평행할 때, 상수 a의 값은?

① 1　② 2　③ 3　④ 4　⑤ 5

216 (상 중 하)

곡선 $y=x^3-ax+b$ 위의 점 $(1,\ 1)$에서의 접선과 수직인 직선의 기울기가 $-\frac{1}{2}$일 때, $a+b$의 값을 구하여라.

(단, a, b는 상수이다.)

217 최多빈출 (상 중 하)

곡선 $y=f(x)$ 위의 $x=2$인 점에서의 접선의 기울기가 6일 때, $\lim_{h \to 0}\frac{f(2-2h)-f(2)}{h}$의 값은?

① -12　② -3　③ 0　④ 3　⑤ 12

218 (상 중 하)

곡선 $y=f(x)$ 위의 $x=a$인 점에서의 접선의 기울기가 a^2-a+7일 때, $\lim_{x \to 1}\frac{f(x^2)-f(1)}{x-1}$의 값을 구하여라.

219 (상 중 하)

함수 $f(x)=x^3-6x^2+16x-1$의 그래프의 접선의 기울기의 최솟값은?

① 1　② 2　③ 3　④ 4　⑤ 5

220 최多빈출 (상 중 하)

함수 $f(x)=-x^3+9x^2-20x+1$의 그래프의 접선의 기울기의 최댓값을 M, 이때의 접점의 좌표를 $(a,\ b)$라고 할 때, $a+b+M$의 값은?

① 1　② 2　③ 3　④ 4　⑤ 5

02 곡선 위의 점이 주어진 접선의 방정식 중요도

더 자세한 개념은 풍산자 수학Ⅱ 77쪽

221
상 중 하

곡선 $y=x^3-3x$ 위의 점 $(2,\ 2)$에서의 접선의 방정식이 $y=ax+b$일 때, $a-b$의 값은? (단, a, b는 상수이다.)

① 15　② 20　③ 25
④ 30　⑤ 35

222
상 중 하

곡선 $y=(x^2+1)(x-2)$ 위의 $x=2$인 점에서의 접선이 점 $(3,\ a)$를 지날 때, 상수 a의 값은?

① 1　② 2　③ 3
④ 4　⑤ 5

223
상 중 하

곡선 $y=x^3-3x^2-6x+8$ 위의 두 점 $(1,\ 0)$, $(4,\ 0)$에서 접선을 그을 때, 두 접선의 교점은 $(a,\ b)$이다. 이때, $a+b$의 값은?

① -20　② -15　③ -10
④ -5　⑤ 0

224
학평 기출　상 중 하

함수 $f(x)$가 $f(x)=(x-3)^2$일 때, 함수 $g(x)$의 도함수가 $f(x)$이고 곡선 $y=g(x)$ 위의 점 $(2,\ g(2))$에서의 접선의 y절편이 -5일 때, 이 접선의 x절편은?

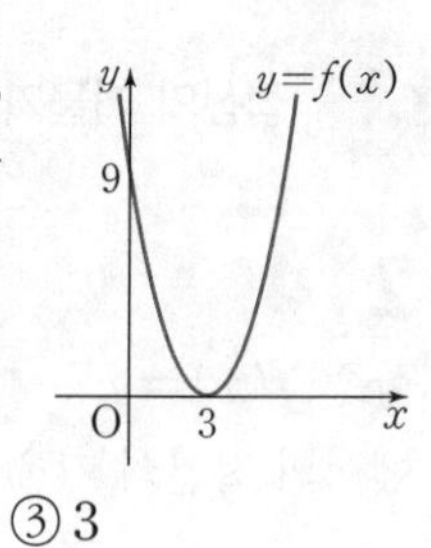

① 1　② 2　③ 3
④ 4　⑤ 5

225
최多빈출　풍쌤 비법 ❶　상 중 하

곡선 $y=x(x+1)(2-x)$ 위의 점 $(2,\ 0)$을 지나고 이 점에서의 접선에 수직인 직선의 방정식을 $y=mx+n$이라고 할 때, $m+n$의 값은? (단, m, n은 상수이다.)

① $-\frac{1}{2}$　② $-\frac{1}{3}$　③ $-\frac{1}{6}$
④ $\frac{1}{3}$　⑤ $\frac{1}{2}$

226
상 중 하

곡선 $y=x^3-2$ 위의 점 $\mathrm{P}(a,\ 6)$에서의 접선의 방정식을 $y=mx+n$이라고 할 때, $a+m+n$의 값은?

(단, m, n은 상수이다.)

① -1　② -2　③ -3
④ -4　⑤ -5

227
상 중 하

곡선 $y=\frac{1}{3}x^3+px+q$ 위의 점 $(1,\ -1)$에서의 접선이 원점을 지날 때, $p+3q$의 값은? (단, p, q는 상수이다.)

① 0 ② 1 ③ 2
④ 3 ⑤ 4

228
상 중 하

곡선 $y=x^3-3x-4$ 위의 점 $(-1,\ -2)$에서의 접선이 이 곡선과 다시 만나는 점을 P라고 할 때, 점 P에서의 접선의 방정식은?

① $y=0$ ② $y=x-2$
③ $y=x+2$ ④ $y=9x-20$
⑤ $y=9x+20$

229
상 중 하

곡선 $y=-x^3+15x-22$ 위의 점 $(2,\ 0)$에서의 접선과 x축, y축으로 둘러싸인 부분의 넓이는?

① 6 ② 8 ③ 10
④ 12 ⑤ 14

230 학평 기출
상 중 하

오른쪽 그림과 같이 곡선 $y=x^3-5x$ 위의 점 $A(1,\ -4)$에서의 접선이 점 A가 아닌 점 B에서 곡선과 만난다. 선분 AB의 길이는?

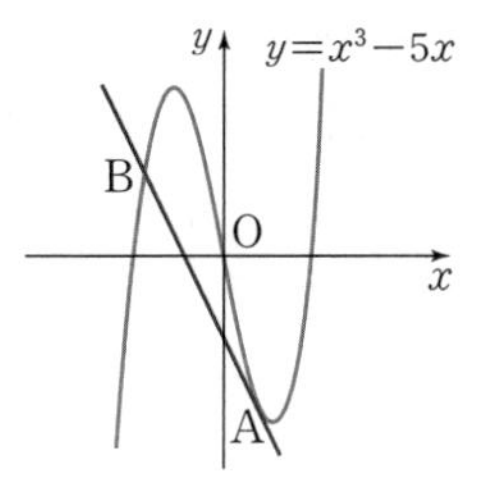

① $\sqrt{30}$ ② $\sqrt{35}$
③ $2\sqrt{10}$ ④ $3\sqrt{5}$
⑤ $5\sqrt{2}$

231
상 중 하

곡선 $y=x^3+ax^2-2ax+a+2$는 a의 값에 관계없이 항상 일정한 점 P를 지난다. 이때, 점 P에서의 접선의 방정식은?

① $y=-3x-5$ ② $y=-x+2$
③ $y=x-2$ ④ $y=3x$
⑤ $y=5x+3$

232 최多빈출
상 중 하

다항함수 $f(x)$가 $\lim_{x\to 2}\frac{f(x)-3}{x-2}=5$를 만족시킬 때, 곡선 $y=f(x)$ 위의 점 $(2,\ f(2))$에서의 접선의 방정식은 $ax+by=7$이다. 이때, ab의 값은? (단, a, b는 상수이다.)

① -5 ② -3 ③ 0
④ 3 ⑤ 5

233

상중하

다음 그림과 같이 곡선 $y=x(x-3)(x+1)$ 위의 점 $\mathrm{A}(-1,\ 0)$과 원점 O에서 각각 그은 두 접선의 교점을 P라 하고, 점 A에서 그은 접선이 y축과 만나는 점을 B라고 하자. 삼각형 AOP의 넓이를 S, 삼각형 OBP의 넓이를 T라고 할 때, $49ST$의 값은?

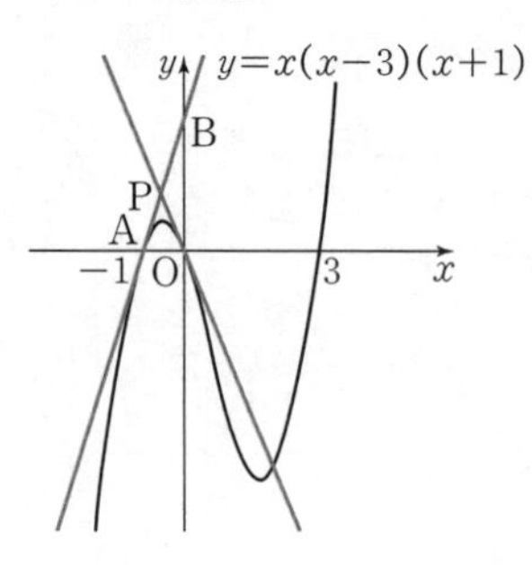

① 12 ② 24 ③ 36
④ 48 ⑤ 60

234 학평 기출

상중하

오른쪽 그림과 같이 곡선 $y=x^4$ 위의 점 $\mathrm{P}(1,\ 1)$에서의 접선을 $y=g(x)$라고 하자. 점 P를 지나고 x축에 평행한 직선 위에 점 $\mathrm{Q}(t,\ t^4)$에서 내린 수선의 발을 H라 하고, 선분 QH와 직선 $y=g(x)$의 교점을 R라고 하자. 이때, $\lim\limits_{t\to1}\dfrac{\overline{\mathrm{QR}}}{\overline{\mathrm{RH}}}$의 값은?

(단, $t>1$)

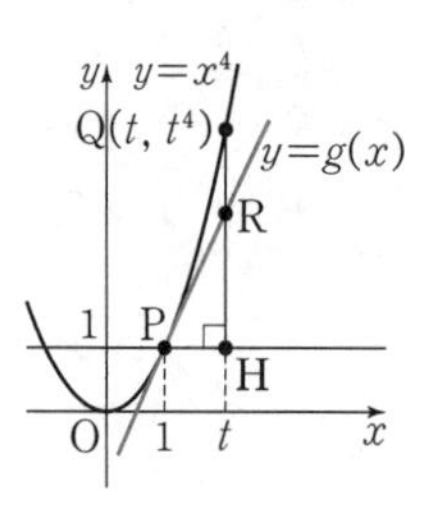

① 0 ② $\frac{1}{4}$ ③ $\frac{1}{2}$
④ $\frac{3}{4}$ ⑤ 1

03 기울기가 주어진 접선의 방정식

중요도

더 자세한 개념은 풍산자 수학Ⅱ 78쪽

235

상중하

곡선 $y=x^3-3x^2+4x+1$에 접하는 직선 중 x축의 양의 방향과 $45°$의 각을 이루는 접선의 x절편은?

① -3 ② -2 ③ -1
④ 1 ⑤ 2

236

상중하

곡선 $y=2x^2-x+3$에 접하고 직선 $x+3y+3=0$에 수직인 직선이 x축과 만나는 점의 좌표가 $(\alpha,\ 0)$일 때, 6α의 값은?

① -2 ② -1 ③ 0
④ 1 ⑤ 2

237 최多빈출

상중하

곡선 $y=x^3-4x-5$에 접하고 직선 $y=-x-7$에 평행한 직선의 방정식은 $ax+y=b$이다. 이때, $a-b$의 값은?

(단, a, b는 상수이다.)

① 1 ② 2 ③ 3
④ 4 ⑤ 5

● 정답과 풀이 038쪽

238

(상중하)

곡선 $y=-\frac{1}{3}x^3+3$에 접하고 기울기가 -1인 두 직선 사이의 거리는?

① $\frac{\sqrt{2}}{3}$ ② $\frac{2\sqrt{2}}{3}$ ③ $\sqrt{2}$
④ $\frac{4\sqrt{2}}{3}$ ⑤ $\frac{5\sqrt{2}}{3}$

239

(상중하)

곡선 $y=-x^2+4x$와 직선 $y=-x+4$의 두 교점을 각각 A, B라고 하자. 포물선 위의 점 P가 포물선을 따라 점 A에서 B까지 움직이고, 삼각형 ABP의 넓이가 최대일 때 점 P의 좌표는 (α, β)이다. 이때, $\alpha+2\beta$의 값은?

① 9 ② 10 ③ 11
④ 12 ⑤ 13

240 학평 기출

(상중하)

곡선 $y=\frac{1}{3}x^3+\frac{11}{3}$ $(x>0)$ 위를 움직이는 점 P와 직선 $x-y-10=0$ 사이의 거리를 최소가 되게 하는 곡선 위의 점 P의 좌표를 (a, b)라고 할 때, $a+b$의 값을 구하여라.

04 곡선 밖의 한 점이 주어진 접선의 방정식 중요도

더 자세한 개념은 풍산자 수학Ⅱ 79쪽

241

(상중하)

좌표평면 위의 원점에서 곡선 $y=x^3-2x^2+x+8$에 접선을 그을 때, 접점의 좌표는?

① $(-2, -10)$ ② $(-1, 4)$
③ $(0, 8)$ ④ $(1, 9)$
⑤ $(2, 10)$

242

(상중하)

점 $(0, 3)$에서 곡선 $y=x^3-3x^2+2$에 그은 두 개의 접선의 기울기를 각각 m_1, m_2라고 할 때, m_2-m_1의 값은? (단, $m_1<m_2$)

① $\frac{15}{4}$ ② $\frac{9}{2}$ ③ $\frac{21}{4}$
④ 6 ⑤ $\frac{27}{4}$

243

(상중하)

점 $A(1, -1)$에서 곡선 $y=x^2+2$에 그은 두 접선의 접점을 각각 B, C라고 할 때, 삼각형 ABC의 넓이는?

① 8 ② 12 ③ 16
④ 32 ⑤ 42

244
(상중하)

양수 a에 대하여 점 $(a,\ 0)$에서 곡선 $y=3x^3$에 그은 접선과 점 $(0,\ a)$에서 곡선 $y=3x^3$에 그은 접선이 서로 평행할 때, $90a$의 값을 구하여라.

245
(상중하)

점 $(4,\ 1)$을 지나고 곡선 $y=x^3-3x+1$에 접하는 직선은 3개이다. 이때, 세 접점의 x좌표의 합은?

① 5 ② 6 ③ 7
④ 8 ⑤ 9

05 곡선과 직선이 접할 조건
중요도

더 자세한 개념은 풍산자 수학Ⅱ 80쪽

246 풍쌤 비법 ❷
(상중하)

직선 $y=3x-k$가 곡선 $y=-x^3+3x^2-5$에 접할 때, 상수 k의 값은?

① -6 ② -4 ③ -2
④ 4 ⑤ 6

247 최多빈출
(상중하)

곡선 $y=x^3+ax^2+ax+1$과 직선 $y=x+1$이 접하도록 하는 모든 상수 a의 값의 합은?

① 1 ② 2 ③ 3
④ 4 ⑤ 5

06 두 곡선이 접할 조건
중요도

더 자세한 개념은 풍산자 수학Ⅱ 81쪽

248
(상중하)

두 곡선 $y=x^3+ax+3$, $y=x^2+2$가 한 점에서 접할 때, 상수 a의 값은?

① -2 ② -1 ③ 0
④ 1 ⑤ 2

249
(상중하)

두 곡선 $f(x)=x^2+ax+b$, $g(x)=-x^3+c$가 점 $(1,\ 2)$에서 공통인 접선을 가질 때, $f(-1)+g(-1)$의 값은? (단, a, b, c는 상수이다.)

① 10 ② 12 ③ 14
④ 16 ⑤ 18

07 두 곡선의 접선이 수직으로 만날 조건 중요도

더 자세한 개념은 풍산자 수학Ⅱ 81쪽

250 풍쌤 비법 ❷ (상중하)

두 곡선 $f(x)=ax^3+b$, $g(x)=x^2+cx$의 교점 $(-1,\ 0)$에서의 접선이 서로 수직일 때, $9abc$의 값은?
(단, a, b, c는 상수이다.)

① -2 ② -1 ③ 0
④ 1 ⑤ 2

251 (상중하)

두 곡선 $f(x)=x^2+\frac{1}{2}$, $g(x)=-2x^2+ax$의 교점에서의 접선이 서로 수직일 때, 양수 a의 값은?

① $\frac{1}{2}$ ② $\frac{3}{2}$ ③ $\frac{5}{2}$
④ $\frac{7}{2}$ ⑤ $\frac{9}{2}$

08 두 곡선의 공통인 접선 중요도

더 자세한 개념은 풍산자 수학Ⅱ 81쪽

252 최多빈출 (상중하)

두 곡선 $y=x^3$, $y=-x^2+5x+m$이 제1사분면 위의 점 P에서 공통인 접선 $y=ax+b$를 가질 때, $m+a+b$의 값은? (단, a, b, m은 상수이다.)

① -6 ② -4 ③ -2
④ 1 ⑤ 3

253 (상중하)

두 곡선 $f(x)=x^3-1$, $g(x)=x^3+3$에 공통으로 접하는 직선의 방정식을 $y=h(x)$라고 할 때, $h(3)$의 값은?

① 10 ② 12 ③ 14
④ 16 ⑤ 18

09 접선과 원 중요도

더 자세한 개념은 풍산자 수학Ⅱ 81쪽

254 학평 기출 (상중하)

오른쪽 그림과 같이 중심이 y축 위에 있는 원이 곡선 $y=x^4$과 점 $\mathrm{P}(1,\ 1)$에서 접할 때, 원의 반지름의 길이는?

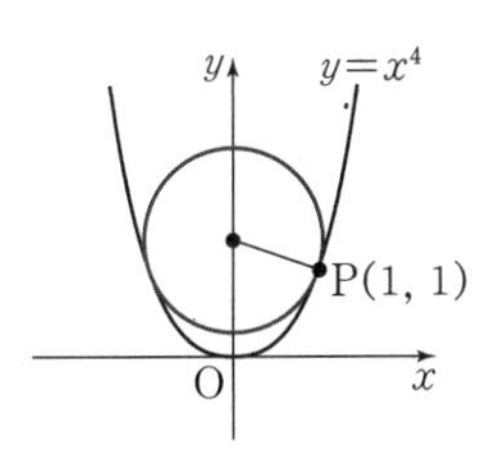

① $\frac{\sqrt{17}}{4}$ ② $\frac{3\sqrt{2}}{4}$
③ $\frac{\sqrt{19}}{4}$ ④ $\frac{\sqrt{5}}{2}$
⑤ $\frac{\sqrt{21}}{4}$

255 (상중하)

오른쪽 그림과 같이 중심의 좌표가 $\mathrm{C}(0,\ 3)$인 원이 곡선 $y=\frac{1}{2}x^2$과 서로 다른 두 점에서 접할 때, 원의 반지름의 길이는?

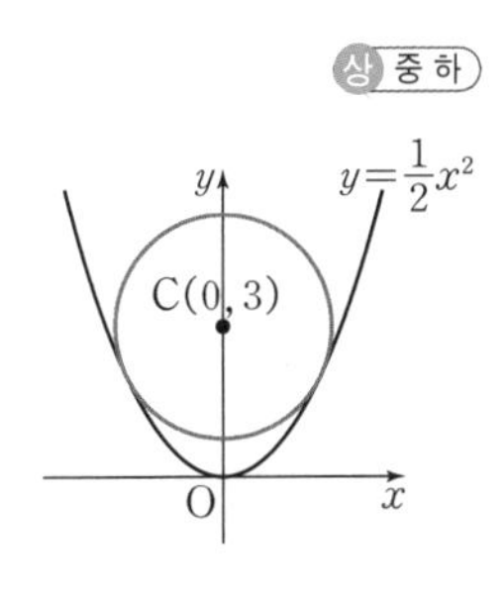

① $\sqrt{2}$ ② $\sqrt{3}$
③ 2 ④ $\sqrt{5}$
⑤ $\sqrt{6}$

10 롤의 정리

중요도

더 자세한 개념은 풍산자 수학Ⅱ 83쪽

256

상 중 하

함수 $f(x)=2x(6-x)+3$에 대하여 구간 $[0,\ 6]$에서 롤의 정리를 만족시키는 상수 c의 값은?

① 1 ② 2 ③ 3 ④ 4 ⑤ 5

257

상 중 하

다음 〈보기〉의 함수 중 구간 $[0,\ 1]$에서 롤의 정리가 성립하는 것을 모두 고른 것은?

보기

ㄱ. $f(x)=x^3(1-x)$

ㄴ. $f(x)=\left|x-\frac{1}{2}\right|$

ㄷ. $f(x)=\frac{|x+3|}{x+3}$

① ㄱ ② ㄴ ③ ㄱ, ㄷ ④ ㄴ, ㄷ ⑤ ㄱ, ㄴ, ㄷ

11 평균값 정리

중요도

더 자세한 개념은 풍산자 수학Ⅱ 85쪽

258

상 중 하

함수 $f(x)=x^3+2x$에 대하여 구간 $[0,\ 3]$에서 평균값 정리를 만족시키는 상수 c의 값은?

① $\frac{\sqrt{2}}{2}$ ② $\frac{\sqrt{3}}{2}$ ③ 1 ④ $\sqrt{2}$ ⑤ $\sqrt{3}$

259

상 중 하

함수 $f(x)$가 $x\geq0$에서 연속이고 $x>0$에서 미분가능하며 $\lim_{x\to\infty}f'(x)=b$일 때, $\lim_{x\to\infty}\{f(x+a)-f(x)\}$의 값은? (단, $a>0$)

① a ② b ③ $a+b$ ④ ab ⑤ $\frac{b}{a}$

260

상 중 하

함수 $f(x)=2x^2$에서 $f(a+h)-f(a)=hf'(a+kh)$를 만족시키는 k의 값은? (단, $h>0$, $0<k<1$)

① $\frac{2}{3}$ ② $\frac{1}{2}$ ③ $\frac{1}{3}$ ④ $\frac{1}{4}$ ⑤ $\frac{1}{8}$

261

상 중 하

다항함수 $y=f(x)$의 그래프가 다음 그림과 같을 때, 열린구간 $(a,\ c)$에서 평균값 정리를 만족시키는 실수 x는 p개, 열린구간 $(a,\ b)$에서 롤의 정리를 만족시키는 실수 x는 q개가 있다. 이때, $p+q$의 값은? (단, $a<0<b<c$)

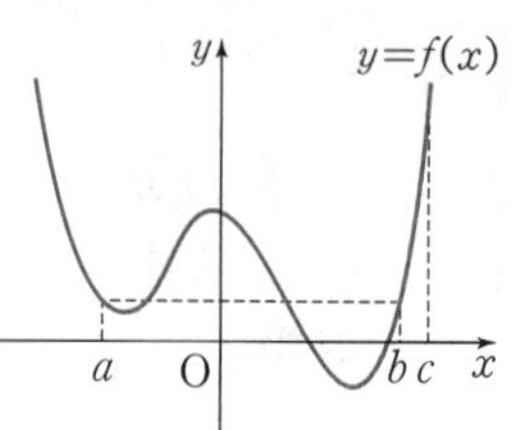

① 3 ② 4 ③ 5 ④ 6 ⑤ 7

내신을 꽉 잡는 서술형

262

곡선 $y=x^3-2x^2+k$ 위의 $x=1$인 점을 지나고 이 점에서의 접선에 수직인 직선의 y절편이 1일 때, 상수 k의 값을 구하여라.

263

두 다항함수 $f(x)$, $g(x)$가 다음 두 조건을 모두 만족시킨다.

> (가) $g(x)=x^3f(x)-7$
> (나) $\lim_{x\to2}\frac{f(x)-g(x)}{x-2}=2$

곡선 $y=g(x)$ 위의 점 $(2, g(2))$에서의 접선의 방정식이 $y=ax+b$일 때, a^2+b^2의 값을 구하여라.
(단, a, b는 상수이다.)

264

곡선 $y=x^3-3x^2+7x+2$의 접선 중 기울기가 최소인 직선이 점 (a, a)를 지날 때, 상수 a의 값을 구하여라.

265

점 $(-1, 4)$에서 곡선 $y=x^3-5x^2+6x$에 그은 접선 중 기울기가 유리수인 접선의 방정식을 $y=ax+b$라고 할 때, ab의 값을 구하여라. (단, a, b는 상수이다.)

266

오른쪽 그림과 같이 두 곡선 $y=\frac{1}{2}x^2+k$, $y=-x^4+2x^2-1$이 서로 다른 두 점에서 접하고 두 교점에서 각각 공통인 접선을 가질 때, 상수 k의 값을 구하여라.

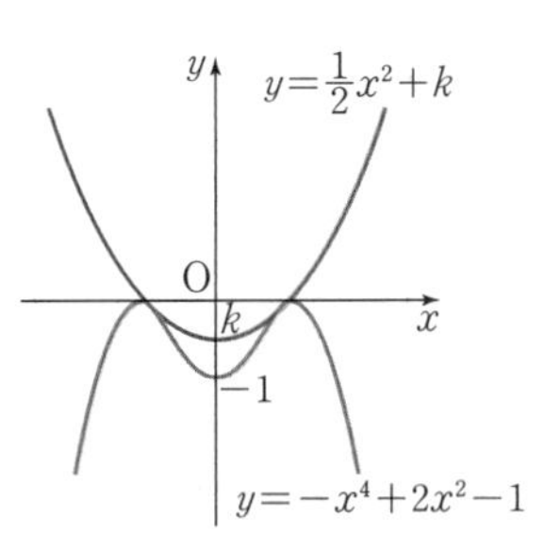

267

함수 $f(x)$가 $f(x)=x^2-x$이고 닫힌구간 $[1, 4]$에 속하는 서로 다른 임의의 두 실수 x_1, x_2에 대하여 $\frac{f(x_2)-f(x_1)}{x_2-x_1}=k$일 때, 실수 k의 값의 범위를 구하여라. (단, $x_1<x_2$)

고득점을 향한 도약

268

미분가능한 함수 $y=f(x)$의 그래프 위의 한 점 $\mathrm{P}(2,\ 1)$에서의 접선의 방정식이 $y=3x-5$이다. 이때,
$\lim_{n\to\infty}\frac{n}{2}\left\{f\left(2+\frac{1}{3n}\right)-f(2)\right\}$의 값은?

① 1　② $\frac{1}{2}$　③ $\frac{1}{3}$
④ $\frac{1}{4}$　⑤ $\frac{1}{5}$

269

곡선 $y=x^3+ax^2+x+1$ 위의 어떤 점에서도 기울기가 -1인 접선을 그을 수 없도록 하는 실수 a의 값의 범위는?

① $-\sqrt{6}<a<\sqrt{6}$　② $-\sqrt{6}\le a\le\sqrt{6}$
③ $-\sqrt{3}<a<\sqrt{3}$　④ $-\sqrt{3}\le a\le\sqrt{3}$
⑤ $-\sqrt{2}\le a\le\sqrt{2}$

270

오른쪽 그림과 같이 삼차항의 계수가 1인 삼차함수 $y=f(x)$의 그래프와 직선 $y=x$가 세 점 A, B, C에서 만난다. $\overline{\mathrm{AB}}:\overline{\mathrm{BC}}=1:2$이고 점 A에서 접선의 기울기가 4일 때, 점 C에서 접선의 기울기를 구하여라.

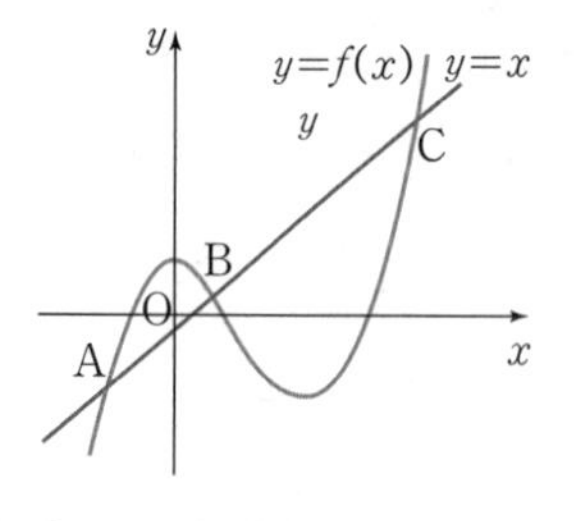

271

삼차함수 $f(x)=x^3-3x^2+2x-2$의 그래프 위의 서로 다른 두 점 P, Q에서의 접선이 서로 평행하면 선분 PQ의 중점은 항상 점 $(a,\ b)$이다. 이때, $a+b$의 값은?

① -2　② -1　③ 0
④ 1　⑤ 2

272 (100점 도전)

두 함수 $f(x)=x^2$과 $g(x)=-(x-3)^2+k\ (k>0)$에 대하여 곡선 $y=f(x)$ 위의 점 $\mathrm{P}(1,\ 1)$에서의 접선을 l이라고 하자. 직선 l에 곡선 $y=g(x)$가 접할 때의 접점을 Q, 곡선 $y=g(x)$와 x축이 만나는 두 점을 각각 R, S라고 할 때, 삼각형 QRS의 넓이는?

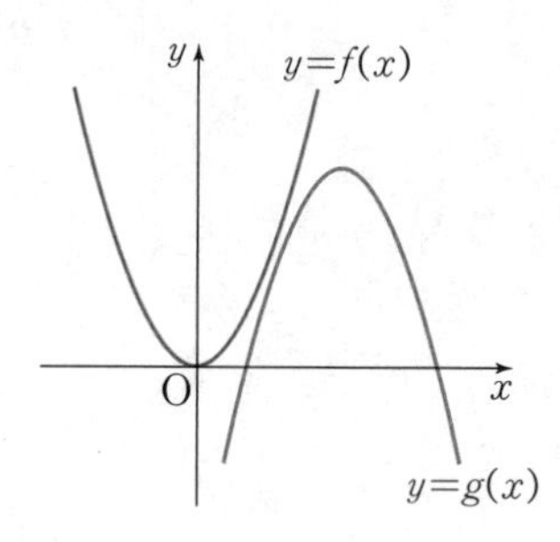

① 1　② $\frac{7}{2}$　③ 3
④ $\frac{11}{2}$　⑤ 6

● 정답과 풀이 043쪽

273

이차 이상의 다항함수 $f(x)$에 대하여 곡선 $y=f(x)$ 위의 점 $(x_1,\ f(x_1))$에서의 접선의 방정식을 $y=g(x)$라 하고 $F(x)=f(x)-g(x)$라고 할 때, 〈보기〉에서 옳은 것을 모두 고른 것은?

보기

ㄱ. $F(x_1)=0$

ㄴ. $F'(x_1)=0$

ㄷ. $F(x)$는 $(x-x_1)^2$을 인수로 갖는다.

① ㄱ ② ㄴ ③ ㄱ, ㄴ
④ ㄴ, ㄷ ⑤ ㄱ, ㄴ, ㄷ

274

곡선 $y=x^3$ 위의 점 $\mathrm{P}(t,\ t^3)$에서의 접선과 원점 사이의 거리를 $f(t)$라고 하자. $\lim\limits_{t\to\infty}\dfrac{f(t)}{t}=\alpha$일 때, 30α의 값을 구하여라.

275

양수 k에 대하여 곡선 $f(x)=x^2-2kx+k^2-1$이 y축과 만나는 점을 P, 직선 $x=2k$와 만나는 점을 Q라고 하자. 두 점 P, Q에서의 이 곡선에 대한 접선이 x축과 만나는 점을 각각 A, B라고 할 때, 선분 AB의 길이의 최솟값을 구하여라.

276

함수 $f(x)=x^3-6x^2+11x$와 구간 $[0,\ 2]$에 속하는 서로 다른 임의의 두 수 $a, b\ (a<b)$에 대하여 평균변화율 $\dfrac{f(b)-f(a)}{b-a}$의 집합을 구하면?

① $\{x\,|\,-1<x<2\}$ ② $\{x\,|\,-1<x<11\}$
③ $\{x\,|\,0\le x\le 9\}$ ④ $\{x\,|\,0\le x<11\}$
⑤ $\{x\,|\,2<x\le 11\}$

277 (100점 도전)

다항함수 $f(x)$에 대하여 $f(2)=0$, $f(3)=1$, $f(5)=9$일 때, 〈보기〉에서 옳은 것을 모두 고른 것은?

보기

ㄱ. $f'(x)=3$인 x가 열린구간 $(2,\ 5)$에 적어도 하나 존재한다.

ㄴ. $f'(x)=4$인 x가 열린구간 $(3,\ 5)$에 적어도 하나 존재한다.

ㄷ. $g(x)=f(x)-x+1$에 대하여 $g'(x)=0$인 x가 열린구간 $(2,\ 3)$에 적어도 하나 존재한다.

① ㄱ ② ㄴ ③ ㄱ, ㄷ
④ ㄴ, ㄷ ⑤ ㄱ, ㄴ, ㄷ

05 도함수의 활용 (2)

1 함수의 증가와 감소

(1) 함수의 증가와 감소

함수 $f(x)$가 어떤 구간의 임의의 두 실수 x_1, x_2에 대하여

① $x_1<x_2$일 때 $f(x_1)<f(x_2)$이면 함수 $f(x)$는 그 구간에서 증가한다고 한다.

② $x_1<x_2$일 때 $f(x_1)>f(x_2)$이면 함수 $f(x)$는 그 구간에서 감소한다고 한다.

(2) 함수의 증가와 감소의 판정

함수 $f(x)$가 어떤 구간에서 미분가능하고 그 구간에서

① $f'(x)>0$이면 함수 $f(x)$는 그 구간에서 증가한다.

② $f'(x)<0$이면 함수 $f(x)$는 그 구간에서 감소한다.

참고 위의 역은 성립하지 않는다. 예를 들어 $f(x)=x^3$은 구간 $(-\infty, \infty)$에서 증가하지만 $f'(0)=0$이다.

2 함수의 극대와 극소

함수 $f(x)$가 $x=a$를 포함하는 어떤 열린 구간에 속하는 모든 x에 대하여

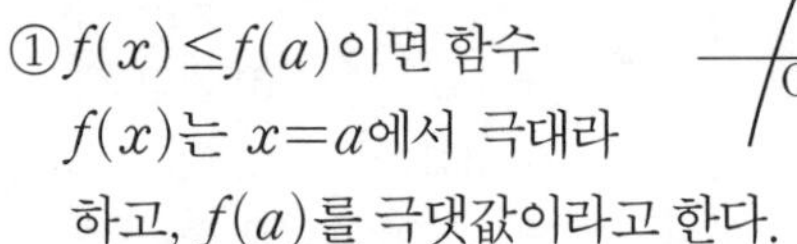

① $f(x)\le f(a)$이면 함수 $f(x)$는 $x=a$에서 극대라 하고, $f(a)$를 극댓값이라고 한다.

② $f(x)\ge f(a)$이면 함수 $f(x)$는 $x=a$에서 극소라 하고, $f(a)$를 극솟값이라고 한다.

이때, 극댓값과 극솟값을 통틀어 극값이라고 한다.

3 함수의 극대와 극소의 판정

(1) 극값과 미분계수

미분가능한 함수 $f(x)$가 $x=a$에서 극값을 가지면 $f'(a)=0$이다.

(2) 극대와 극소의 판정

미분가능한 함수 $f(x)$에 대하여 $f'(a)=0$이고, $x=a$의 좌우에서 $f'(x)$의 부호가

① 양$(+)$에서 음$(-)$으로 바뀌면 $f(x)$는 $x=a$에서 극대이고, 극댓값은 $f(a)$이다.

② 음$(-)$에서 양$(+)$으로 바뀌면 $f(x)$는 $x=a$에서 극소이고, 극솟값은 $f(a)$이다.

참고 함수 $f(x)$가 $x=a$에서 극값을 가져도 $f'(a)$의 값이 존재하지 않을 수 있다. 예를 들어 $f(x)=|x|$는 $x=0$에서 극소이지만 $\lim_{x\to 0+}\frac{|x|}{x}=1$, $\lim_{x\to 0-}\frac{|x|}{x}=-1$이므로 $f'(0)$의 값은 존재하지 않는다.

4 함수의 그래프와 함수의 최대 · 최소

(1) 함수의 그래프

함수 $f(x)$의 그래프의 개형은 함수의 증가와 감소, 극대와 극소, 좌표축과의 교점 등을 이용하여 그릴 수 있다.

(2) 함수의 최댓값과 최솟값

함수 $f(x)$가 닫힌구간 $[a, b]$에서 연속일 때, 최댓값과 최솟값은 다음과 같이 구한다.

[1단계] 주어진 구간에서 함수 $f(x)$의 극댓값과 극솟값을 구한다.

[2단계] 양 끝점에서의 함숫값 $f(a)$, $f(b)$를 구한다.

[3단계] 극댓값, 극솟값, $f(a)$, $f(b)$ 중에서 가장 큰 값이 최댓값이고 가장 작은 값이 최솟값이다.

참고 닫힌구간 $[a, b]$에서 연속함수 $f(x)$의 극값이 오직 하나 존재할 때
극값이 극댓값이면 (극댓값)=(최댓값), 극솟값이면 (극솟값)=(최솟값)

(3) 함수의 최대 · 최소의 활용

길이, 넓이, 부피 등의 최댓값 또는 최솟값은 다음과 같이 구한다.

[1단계] 변수를 설정한다. ⇨ 식을 세운다. ⇨ 변수의 범위를 정한다.

[2단계] 구한 식의 최댓값 또는 최솟값을 구한다.

문제 풀 때 유용한 풍쌤 비법

❶ 함수 $f(x)$가 어떤 구간에서 미분가능하고, 이 구간에서
(1) 함수 $f(x)$가 증가하면 이 구간에서 $f'(x)\ge 0$
(2) 함수 $f(x)$가 감소하면 이 구간에서 $f'(x)\le 0$

❷ 미분가능한 함수 $f(x)$에 대하여 $f'(a)=0$이어도 $x=a$의 좌우에서 $f'(x)$의 부호가 바뀌지 않으면 극값이 아니다.

● 정답과 풀이 046쪽

01 함수의 증가와 감소

중요도

더 자세한 개념은 풍산자 수학Ⅱ 89쪽

278 상 중 하

다음 함수의 증가, 감소를 조사하여라.

(1) $f(x)=x^2-6x+8$

(2) $f(x)=-2x^2+4x-2$

(3) $f(x)=x^3+3x^2+3x+4$

(4) $f(x)=-x^3+6x^2-13x+1$

279 상 중 하

함수 $f(x)=\frac{1}{3}x^3-\frac{1}{2}ax^2+bx+2$가 감소하는 구간이 $[2,\ 3]$일 때, ab의 값은? (단, a, b는 상수이다.)

① 10 ② 20 ③ 30
④ 40 ⑤ 50

280 최多빈출 상 중 하

함수 $f(x)=-2x^3+3x^2+px-5$가 증가하는 x의 값의 범위가 $-1\leq x\leq q$일 때, $p+q$의 값을 구하여라.

(단, p는 상수이다.)

281 상 중 하

한 제약회사에서 새로운 두통약을 개발하여 임상 실험을 한 결과 두통약을 먹은 지 t시간 후의 약효 $f(t)$는

$$f(t)=-\frac{2}{3}t^3+3t^2+20t$$

임을 알았다. 이때, 약효가 증가하는 것은 이 두통약을 먹은 후 몇 시간 동안인가? (단, $0\leq t\leq 8$)

① 1시간 ② 2시간 ③ 3시간
④ 4시간 ⑤ 5시간

282 학평 기출 상 중 하

다항함수 $y=f(x)$의 도함수 $y=f'(x)$의 그래프가 다음 그림과 같을 때, 함수 $f(x)$가 증가하는 구간을 〈보기〉에서 모두 고른 것은?

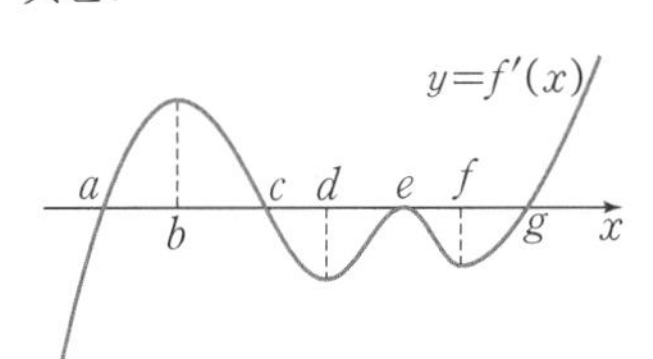

보기

ㄱ. $x\leq b$ ㄴ. $a\leq x\leq c$ ㄷ. $d\leq x\leq e$
ㄹ. $x\geq f$ ㅁ. $x\geq g$

① ㄱ, ㄷ ② ㄴ, ㅁ ③ ㄷ, ㅁ
④ ㄱ, ㄷ, ㄹ ⑤ ㄴ, ㄷ, ㅁ

283

(상중하)

다항함수 $f(x)$의 도함수 $y=f'(x)$의 그래프가 그림과 같을 때, 다음 중 옳은 것은?

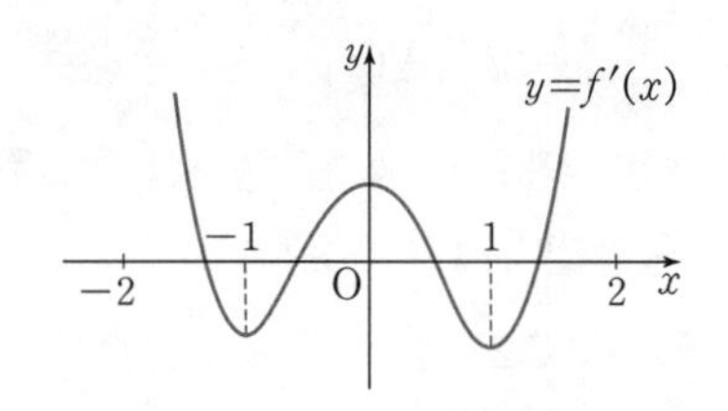

① $f(x)$는 구간 $(-\infty,\ -1]$에서 감소한다.
② $f(x)$는 구간 $[-1,\ 0]$에서 증가한다.
③ $f(x)$는 구간 $[0,\ 1]$에서 증가한다.
④ $f(x)$는 구간 $[1,\ 2]$에서 감소한다.
⑤ $f(x)$는 구간 $[2,\ \infty]$에서 증가한다.

02 삼차함수가 증가 또는 감소하기 위한 조건

중요도

더 자세한 개념은 풍산자 수학Ⅱ 91쪽

284

풍쌤 비법 ❶

(상중하)

함수 $f(x)=x^3-ax^2+(a+6)x+5$가 구간 $(-\infty,\ \infty)$에서 증가하도록 하는 상수 a의 값의 범위는?

① $-4\le a\le 5$　② $-3\le a\le 6$
③ $-2\le a\le 7$　④ $-1\le a\le 8$
⑤ $0\le a\le 9$

285

(상중하)

함수 $f(x)=-x^3+3x^2+ax-2$가 실수 전체의 집합에서 감소하도록 하는 정수 a의 최댓값은?

① -6　② -3　③ 0
④ 3　⑤ 6

286

(상중하)

함수 $f(x)=\frac{1}{3}x^3-ax^2+(2a-1)x+4$가 실수 전체의 집합에서 증가하도록 하는 정수 a의 값은?

① -2　② -1　③ 0
④ 1　⑤ 2

287

최多빈출

(상중하)

함수 $f(x)=-3x^3+ax^2-9x+7$이 구간 $(-\infty,\ \infty)$에서 감소하도록 하는 실수 a의 최댓값을 M, 최솟값을 m이라고 할 때, $M+m$의 값은?

① -2　② -1　③ 0
④ 1　⑤ 2

288

(상중하)

삼차함수 $f(x)=\frac{1}{3}x^3-ax^2-(a-6)x-2$가 $x_1<x_2$인 임의의 두 실수 x_1, x_2에 대하여 $f(x_1)<f(x_2)$를 만족시키는 정수 a의 개수를 구하여라.

289
(상중하)

함수 $f(x)=x^3+(a-1)x^2+(a-1)x+1$에 대하여 명제 '임의의 두 실수 x_1, x_2에 대하여 $x_1 \neq x_2$이면 $f(x_1) \neq f(x_2)$이다.' 가 참일 때, 실수 a의 최댓값과 최솟값의 합은?

① 3 ② 4 ③ 5
④ 6 ⑤ 7

290
(상중하)

실수 전체에서 정의된 함수 $f(x)=x^3+ax^2+ax+1$의 역함수가 존재하도록 하는 실수 a의 값의 범위는?

① $-2 \le a \le 1$ ② $-1 \le a \le 2$
③ $0 \le a \le 3$ ④ $1 \le a \le 4$
⑤ $2 \le a \le 5$

291
(상중하)

함수 $f(x)=ax^3-3(a^2+1)x^2+12ax$가 일대일함수가 되도록 하는 모든 상수 a의 값의 합은? (단, $a \neq 0$)

① -2 ② -1 ③ 0
④ 1 ⑤ 2

292 최多빈출
(상중하)

함수 $f(x)=-x^3+2x^2+ax-2$가 구간 $[1, 2]$에서 증가하도록 하는 실수 a의 최솟값은?

① 1 ② 2 ③ 3
④ 4 ⑤ 5

293
(상중하)

함수 $f(x)=x^3-ax^2+1$이 구간 $[1, 2]$에서 감소하고 구간 $[3, \infty)$에서 증가하도록 하는 실수 a의 값의 범위는 $p \le a \le q$이다. $p+q$의 값을 구하여라.

294
(상중하)

함수 $f(x)=-\frac{1}{6}x^3+ax+3$이 $2 \le x \le 3$에서 증가하고, $x \ge 4$에서 감소하기 위한 모든 정수 a의 값의 합은?

① 20 ② 23 ③ 26
④ 29 ⑤ 32

03 함수의 극대와 극소

중요도

더 자세한 개념은 풍산자 수학Ⅱ 93쪽

295

(상 중 하)

함수 $f(x)=2x^3-9x^2+12x+2$의 극댓값을 M, 극솟값을 m이라고 할 때, Mm의 값은?

① 12 ② 26 ③ 34 ④ 42 ⑤ 58

296

(상 중 하)

함수 $f(x)=2x^3-6x+3$의 그래프에서 극대가 되는 점과 극소가 되는 점 사이의 거리는?

① 2 ② $2\sqrt{13}$ ③ $2\sqrt{15}$ ④ 4 ⑤ $2\sqrt{17}$

297

(상 중 하)

함수 $y=|2x^3-3x^2-12x|$의 극대 또는 극소가 되는 점의 개수는?

① 3 ② 4 ③ 5 ④ 6 ⑤ 7

298

(상 중 하)

함수 $f(x)=x^3-6x^2+9x+a$의 극솟값이 3일 때, 상수 a의 값은?

① 0 ② 3 ③ 6 ④ 9 ⑤ 12

299

(상 중 하)

함수 $f(x)=-x^3+\frac{9}{2}x^2-6x+a$의 극댓값과 극솟값의 절댓값이 같고 그 부호가 서로 다를 때, $|4a|$의 값을 구하여라. (단, a는 상수이다.)

300 최多빈출

(상 중 하)

함수 $f(x)=\frac{1}{3}x^3-9a^2x$의 극댓값과 극솟값의 차가 36일 때, 양수 a의 값은?

① 1 ② $\frac{1}{2}$ ③ $\frac{1}{4}$ ④ $\frac{1}{8}$ ⑤ $\frac{1}{16}$

301 학평 기출

상중하

함수 $f(x)=x^3-3x^2+a$의 모든 극값의 곱이 -4일 때, 상수 a의 값은?

① 2　② 4　③ 6
④ 8　⑤ 10

302

상중하

함수 $f(x)=-x^3+ax^2+bx+1$이 $x=1$에서 극솟값을 갖고 $x=3$에서 극댓값을 가질 때, 극댓값과 극솟값의 합을 구하여라. (단, a, b는 상수이다.)

303 최多빈출

상중하

함수 $f(x)=x^3+ax^2+bx-2$가 $x=-3$에서 극댓값 25를 가질 때, 함수 $f(x)$의 극솟값은? (단, a, b는 상수이다.)

① -10　② -7　③ -4
④ -1　⑤ 2

304

상중하

두 다항함수 $f(x)$와 $g(x)$가 모든 실수 x에 대하여 $g(x)=(x^3+2)f(x)$를 만족시킨다. $g(x)$가 $x=1$에서 극솟값 36을 가질 때, $f(1)-f'(1)$의 값을 구하여라.

305

상중하

함수 $f(x)=ax^3+bx^2+cx+d$가 $x=0$에서 극솟값 2를 갖고, 곡선 $y=f(x)$ 위의 점 $(-1,\ 6)$에서의 접선의 기울기가 -6일 때, 함수 $f(x)$의 극댓값은?

(단, $a\neq0$, a, b, c, d는 상수이다.)

① 6　② 7　③ 8
④ 9　⑤ 10

306

상중하

함수 $f(x)=x^4-2x^2+k$의 그래프에서 극대 또는 극소가 되는 세 점을 꼭짓점으로 하는 삼각형의 넓이를 구하여라. (단, $k>0$)

04 삼 · 사차함수의 극값에 대한 조건

중요도

더 자세한 개념은 풍산자 수학Ⅱ 93쪽

307 최多빈출

상중하

다음 중 함수 $f(x)=x^3+3ax^2+(6-3a)x+7$이 극댓값과 극솟값을 모두 갖도록 하는 실수 a의 값이 아닌 것은?

① -3 ② 0 ③ 3
④ 6 ⑤ 9

308

상중하

함수 $f(x)=\frac{2}{3}x^3+ax^2+8x+5$가 극값을 갖도록 하는 실수 a의 값의 범위는 $a<\alpha$ 또는 $a>\beta$이다. 이때, $\alpha^2+\beta^2$의 값은?

① 32 ② 34 ③ 36
④ 38 ⑤ 40

309

상중하

함수 $f(x)=2x^3+kx^2+kx+2$가 극댓값을 갖도록 하는 자연수 k의 최솟값은?

① 5 ② 6 ③ 7
④ 8 ⑤ 9

310

상중하

함수 $f(x)=x^3+ax^2+3ax-6$이 극값을 갖지 않도록 하는 정수 a의 개수는?

① 7 ② 8 ③ 9
④ 10 ⑤ 11

311

상중하

함수 $f(x)=-x^3-ax^2+(a-6)x+8$이 극값을 갖지 않도록 하는 실수 a의 최댓값과 최솟값의 합은?

① -1 ② -2 ③ -3
④ -4 ⑤ -5

312

상중하

함수 $f(x)=\frac{1}{3}x^3+ax^2+3ax+5$가 $|x|<1$에서 극댓값과 극솟값을 모두 갖도록 하는 실수 a의 값의 범위는?

① $-\frac{1}{5}<a<0$ ② $-1<a<\frac{1}{5}$
③ $-1<a<1$ ④ $0<a<\frac{1}{5}$
⑤ $a<0$ 또는 $a>3$

313

상중하

함수 $f(x)=2x^3-6x^2+ax-1$이 $0<x<3$에서 극댓값과 극솟값을 모두 갖도록 하는 정수 a의 개수는?

① 1 ② 2 ③ 3
④ 4 ⑤ 5

314

상중하

함수 $f(x)=x^3-a^2x^2+ax$가 $0<x<1$에서 극댓값을 갖고, $x>1$에서 극솟값을 갖도록 하는 실수 a의 값의 범위는?

① $a<\frac{2}{3}$ ② $0<a<\frac{1}{2}$
③ $a>\frac{3}{2}$ ④ $1<a<\frac{5}{2}$
⑤ $-1<a<2$

315

상중하

함수 $f(x)=-x^4+2x^3-ax^2$이 극솟값을 갖도록 하는 자연수 a의 개수는?

① 1 ② 2 ③ 3
④ 4 ⑤ 5

316 최多빈출

상중하

함수 $f(x)=x^4-4(a-1)x^3+2(a^2-1)x^2$이 극댓값을 갖지 않기 위한 실수 a의 값이 될 수 없는 것은?

① -2 ② -1 ③ 1
④ $\frac{3}{2}$ ⑤ 2

05 $y=f(x)$의 그래프의 해석

중요도

더 자세한 개념은 풍산자 수학Ⅱ 100쪽

317

상중하

함수 $f(x)=ax^3+bx^2+cx+d$의 그래프가 오른쪽 그림과 같을 때, 상수 a, b, c, d의 부호를 정하여라. (단, $f'(-1)=f'(2)=0$)

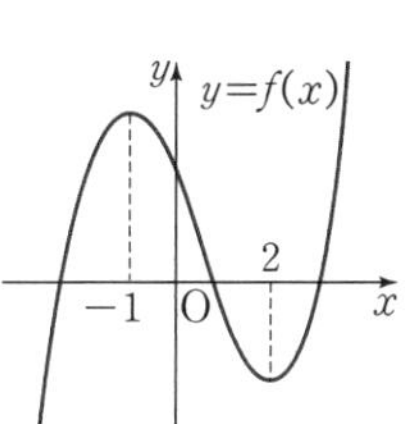

318

(상 중 하)

함수 $f(x)=ax^3+bx^2+cx+d$의 그래프가 오른쪽 그림과 같을 때, 다음 중 옳은 것은?
(단, $f'(\alpha)=f'(\beta)=0$, a, b, c, d는 상수이다.)

① $b=0$　② $c=0$　③ $ab>0$
④ $cd>0$　⑤ $b^2<3ac$

319

(상 중 하)

함수 $f(x)=ax^3+bx^2+cx+d$의 그래프가 오른쪽 그림과 같을 때, 함수 $g(x)=ax^2+bx+c$의 그래프의 개형이 될 수 있는 것은? (단, a, b, c, d는 상수이다.)

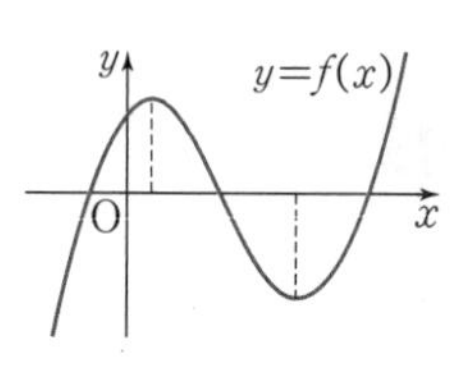

①
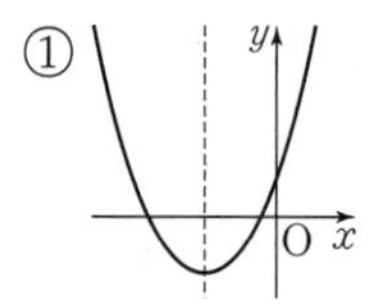

②
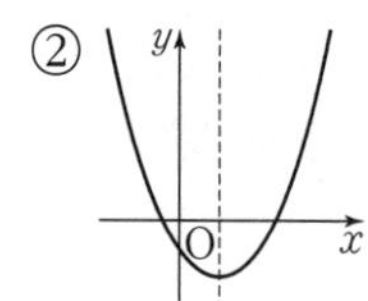

③
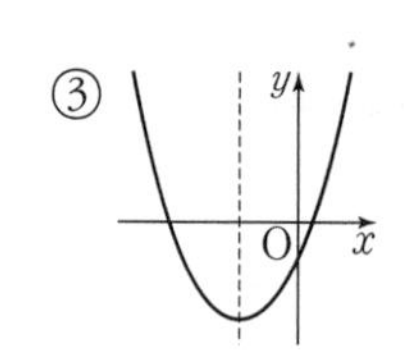

④

⑤
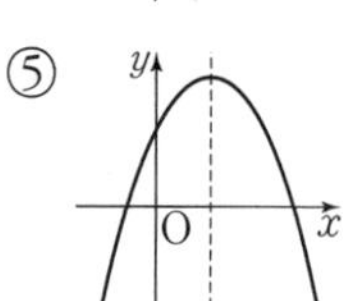

320

(상 중 하)

$a<x<g$에서 정의된 함수 $y=f(x)$의 그래프가 그림과 같을 때, 다음 중 옳지 않은 것은?

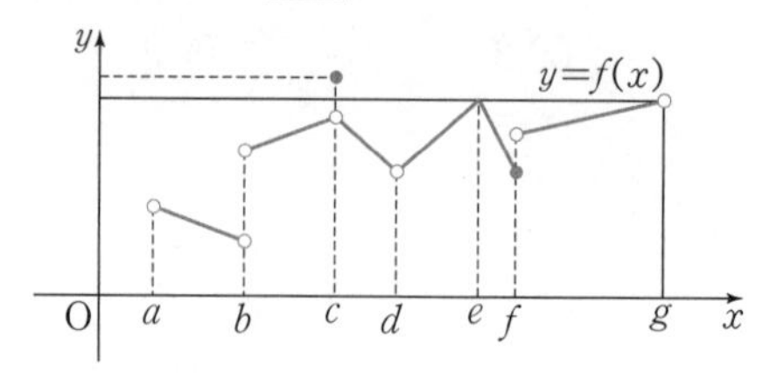

① 함숫값이 정의되지 않는 x좌표는 2개이다.
② 극한값이 존재하지 않는 x좌표는 4개이다.
③ 미분가능하지 않은 점은 모두 5개이다.
④ $x=e$에서 극댓값을 갖는다.
⑤ 최댓값은 $f(c)$이다.

321 학평 기출

(상 중 하)

$\alpha<x<\beta$에서 정의된 함수 $y=f(x)$의 그래프가 오른쪽 그림과 같을 때, 〈보기〉에서 옳은 것을 모두 고른 것은?

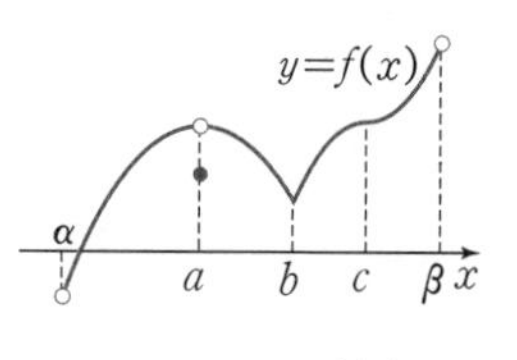

보기

ㄱ. $y=f(x)$는 $x=a$에서 미분가능하고, $x=b$에서 미분가능하지 않다.
ㄴ. $x=a$에서 불연속이지만 접선이 존재한다.
ㄷ. 구간 (a, b)에서 $f'(x)<0$이다.

① ㄴ　② ㄷ　③ ㄱ, ㄴ
④ ㄴ, ㄷ　⑤ ㄱ, ㄴ, ㄷ

06 $y=f'(x)$의 그래프를 이용한 $y=f(x)$의 해석 중요도

더 자세한 개념은 풍산자 수학Ⅱ 100쪽

322 풍쌤 비법 ❷ (상중하)

구간 $[a,\ b]$에서 함수 $y=f(x)$의 도함수 $y=f'(x)$의 그래프가 다음 그림과 같을 때, 함수 $y=f(x)$가 극대 또는 극소가 되는 점의 개수는?

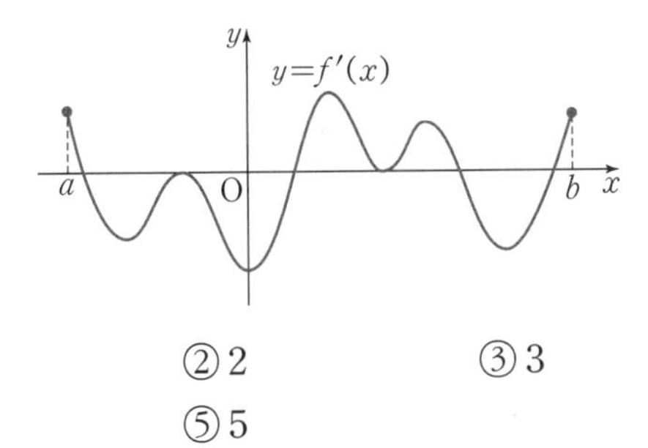

① 1 ② 2 ③ 3
④ 4 ⑤ 5

323 최多빈출 (상중하)

닫힌 구간 $[a,\ b]$에서 함수 $y=f(x)$의 도함수 $y=f'(x)$의 그래프가 다음 그림과 같다. 함수 $y=f(x)$의 그래프에서 극대가 되는 점의 개수를 m, 극소가 되는 점의 개수를 n이라고 할 때, $m+n$의 값을 구하여라.

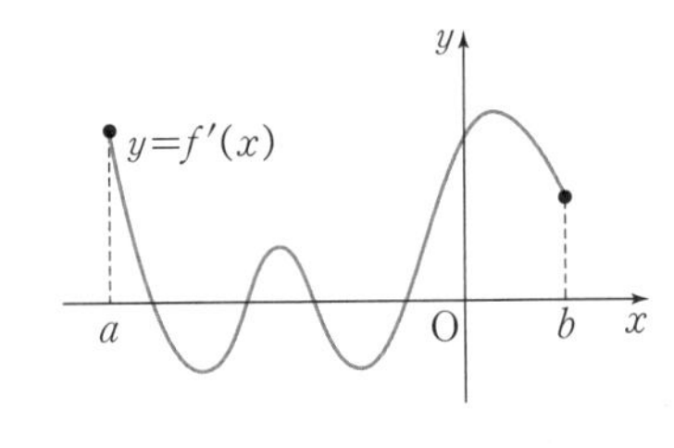

324 (상중하)

미분가능한 함수 $y=f(x)$의 도함수 $y=f'(x)$의 그래프가 오른쪽 그림과 같을 때, 다음 중 $y=f(x)$의 그래프의 개형이 될 수 있는 것은? (단, $f(0)=0$)

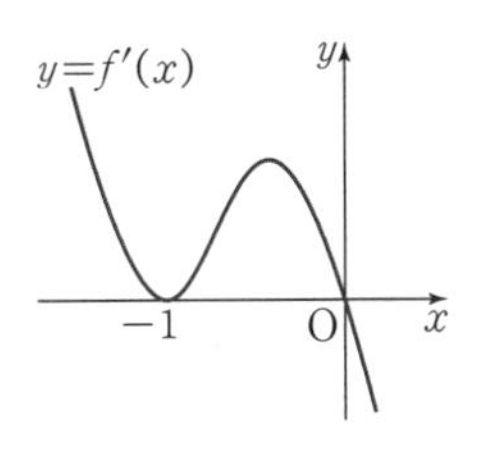

①
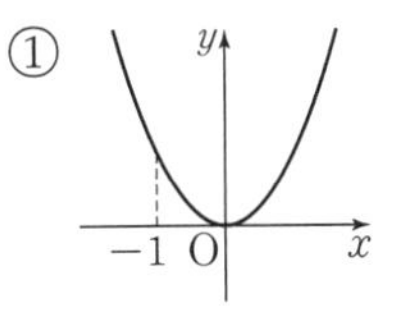

②
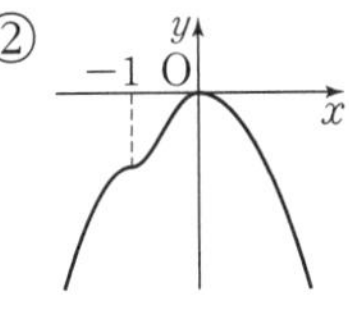

③
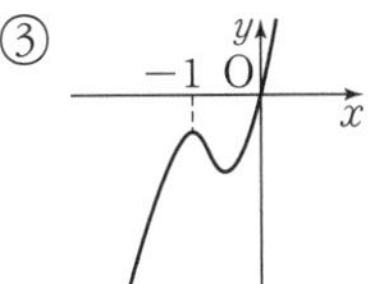

④
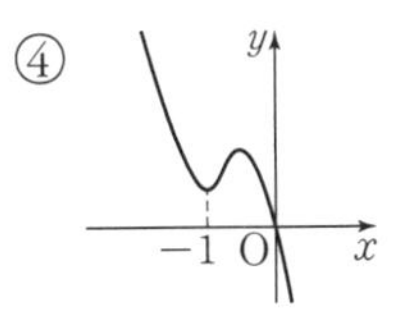

⑤
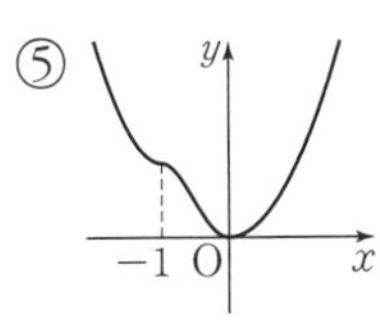

325 학평 기출 (상중하)

함수 $f(x)$의 도함수 $f'(x)$가 $f'(x)=x^2-1$이고 함수 $g(x)=f(x)-kx$가 $x=-3$에서 극값을 가질 때, 상수 k의 값은?

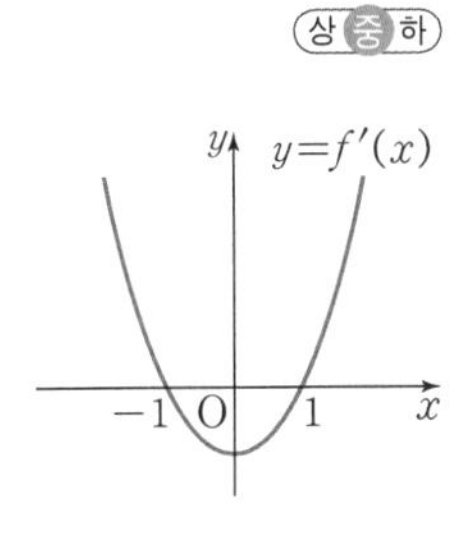

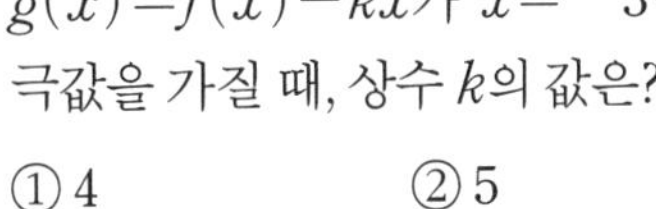

① 4 ② 5
③ 6 ④ 7
⑤ 8

326

(상 중 하)

삼차함수 $f(x)=x^3+ax^2+bx+c$의 도함수 $f'(x)$에 대하여 $y=f'(x)$의 그래프가 오른쪽 그림과 같다. 함수 $f(x)$의 극솟값이 $\frac{9}{2}$일 때, $f(x)$의 극댓값을 구하여라. (단, a, b, c는 상수이다.)

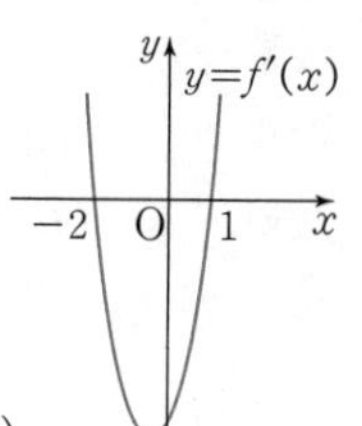

327

(상 중 하)

다항함수 $y=f(x)$의 도함수 $y=f'(x)$의 그래프가 그림과 같을 때, 다음 중 옳은 것은?

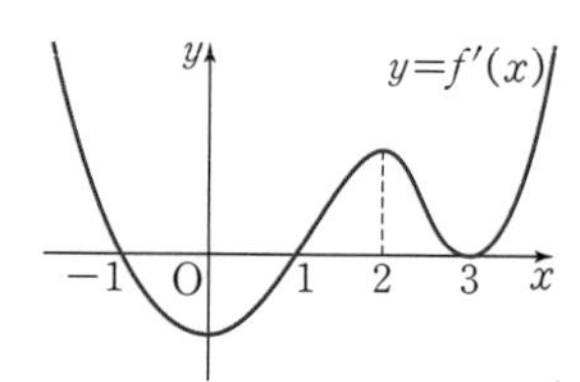

① $f(x)$는 $x=-1$에서 극소이다.
② $f(x)$는 $x=2$에서 극대이다.
③ $f(x)$는 모두 2개의 극값을 갖는다.
④ $f(x)$는 구간 $[0,\ 2]$에서 증가한다.
⑤ 방정식 $f(x)=0$은 $x=3$에서 중근을 갖는다.

07 함수의 최대 · 최소

중요도

더 자세한 개념은 풍산자 수학Ⅱ 105쪽

328

(상 중 하)

구간 $[-2,\ 1]$에서 함수 $f(x)=-2x^3-3x^2+1$의 최댓값을 M, 최솟값을 m이라고 할 때, $M-m$의 값은?

① 6　② 7　③ 8
④ 9　⑤ 10

329

(상 중 하)

함수 $f(x)=2x^3-9x^2+12x-2$의 구간 $(0,\ 2)$에서의 최댓값과 최솟값은?

① 최댓값 : 3, 최솟값 : 2
② 최댓값 : 3, 최솟값 : -2
③ 최댓값 : 3, 최솟값 : 없다.
④ 최댓값 : 없다, 최솟값 : 2
⑤ 최댓값 : 없다, 최솟값 : -2

330

(상 중 하)

$0\le x\le 4$에서 함수

$$y=-(x^2-4x+2)^3+12(x^2-4x+2)-1$$

의 최댓값과 최솟값의 합은?

① -2　② -1　③ 0
④ 1　⑤ 2

● 정답과 풀이 053쪽

331 최多빈출
상중하

구간 $[1,\ 4]$에서 함수 $f(x)=x^3-3x^2+a$의 최댓값과 최솟값의 합이 22일 때, 상수 a의 값을 구하여라.

332
상중하

$0\le x\le 3$에서 함수 $f(x)=2ax^3-3ax^2+b$의 최솟값이 7, 최댓값이 35일 때, $a+b$의 값은?

(단, $a>0$, a, b는 상수이다.)

① 6　② 7　③ 8
④ 9　⑤ 10

333
상중하

구간 $[-1,\ 2]$에서 함수 $f(x)=2x^3-3x^2+k$의 최솟값이 -2일 때, 최댓값은? (단, k는 상수이다.)

① 6　② 7　③ 8
④ 9　⑤ 10

334 최多빈출
상중하

구간 $[0,\ 4]$에서 함수 $f(x)=x^3-ax^2+b$가 $x=2$일 때 최솟값 10을 갖는다. 이때, 함수 $f(x)$의 최댓값은?

(단, a, b는 상수이다.)

① 10　② 20　③ 30
④ 40　⑤ 50

335
상중하

함수 $f(x)=x^3+ax^2+b$에 대하여 $f'(1)=9$이고, 구간 $[0,\ 2]$에서 함수 $f(x)$의 최댓값이 26일 때, 함수 $f(x)$의 최솟값은? (단, a, b는 상수이다.)

① 2　② 4　③ 6
④ 8　⑤ 10

336
상중하

구간 $[-1,\ 2]$에서 함수 $f(x)=-x^3+3x+2$에 대하여 합성함수 $(f\circ f)(x)$의 최솟값은?

① -60　② -55　③ -50
④ -45　⑤ -40

● 정답과 풀이 054쪽

08 최대 · 최소의 활용

중요도

더 자세한 개념은 풍산자 수학Ⅱ 107쪽

337

상중하

오른쪽 그림과 같이 곡선 $y=9-x^2$과 x축과의 교점을 각각 P, Q라고 할 때, 선분 PQ와 이 곡선으로 둘러싸인 부분에 내접하는 사다리꼴의 넓이의 최댓값을 구하여라.

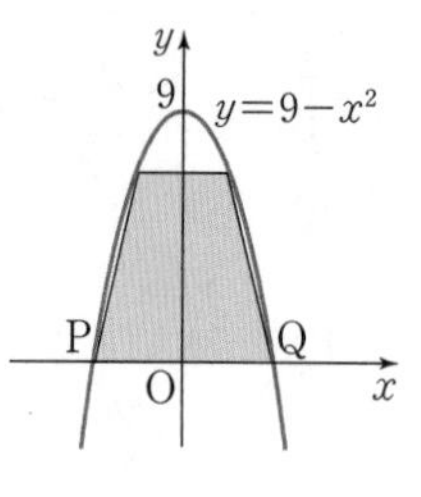

338

상중하

곡선 $y=x^2$ 위의 점 중에서 점 P(9, 8)과의 거리가 최소인 점을 Q(a, b)라고 할 때, $10a+b$의 값을 구하여라.

(단, a, b는 상수이다.)

339

상중하

한 변의 길이가 24인 정삼각형 모양의 종이를 오른쪽 그림과 같이 세 꼭짓점 주위에서 합동인 사각형으로 자른 후, 뚜껑이 없는 삼각기둥 모양의 상자를 만들려고 한다. 이때, 상자의 부피의 최댓값은?

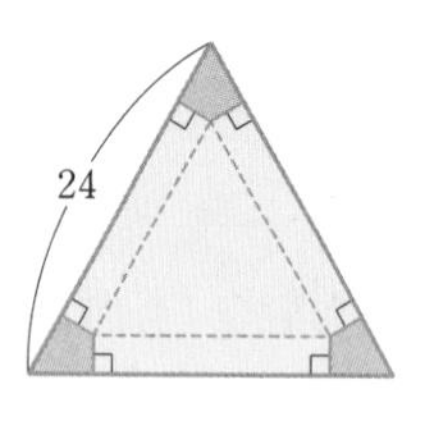

① 196 ② 225 ③ 256
④ 289 ⑤ 324

340

상중하

다음 그림과 같이 한 변의 길이가 $10\sqrt{2}$인 정사각형 모양의 종이에서 어두운 부분을 잘라 내고 남은 부분으로 뚜껑이 없는 밑면이 정사각형인 직육면체 모양의 상자를 만들려고 한다. 이 상자의 부피가 최대가 되도록 하는 밑면의 한 변의 길이 x의 값은?

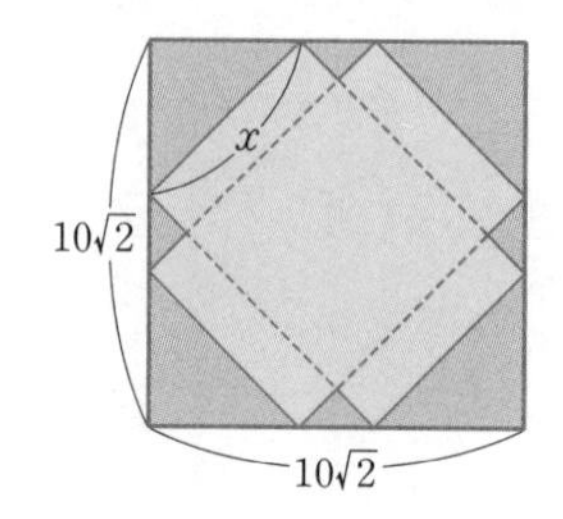

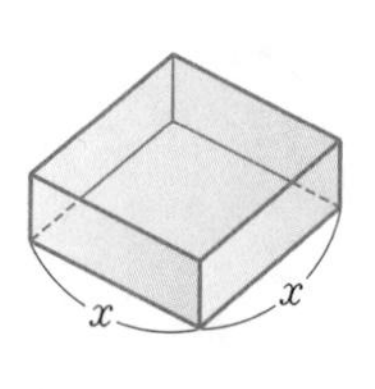

① 6 ② $\frac{19}{3}$ ③ $\frac{20}{3}$
④ 7 ⑤ $\frac{22}{3}$

341

상중하

오른쪽 그림과 같이 밑면인 원의 반지름의 길이가 10 cm, 높이가 20 cm인 원뿔의 내부에 원기둥을 내접시키려고 한다. 원기둥의 부피를 최대가 되도록 할 때, 원기둥의 밑면의 반지름의 길이는?

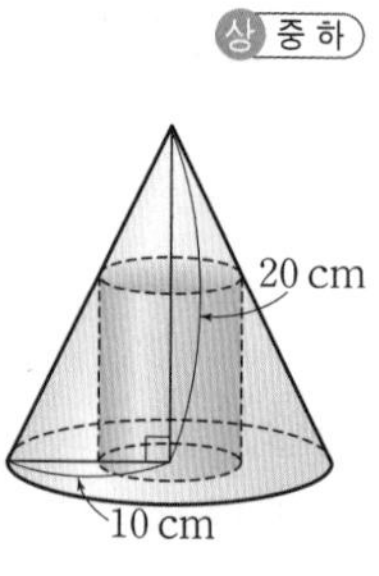

① 6 cm ② $\frac{19}{3}$ cm ③ $\frac{20}{3}$ cm
④ 7 cm ⑤ $\frac{22}{3}$ cm

내신을 꽉 잡는 서술형

● 정답과 풀이 056쪽

342

함수 $f(x)=x^3+6x^2+15|x-2a|+3$이 실수 전체의 집합에서 증가하도록 하는 실수 a의 최댓값을 구하여라.

343

함수 $f(x)=ax^3-2x^2+3ax-2$일 때, $x_1<x_2$인 임의의 두 실수 x_1, x_2에 대하여 $f(x_1)<f(x_2)$가 성립하도록 하는 상수 a의 값의 범위를 구하여라.

344

다음 세 조건을 모두 만족시키는 삼차함수 $f(x)$의 극댓값을 구하여라.

(가) 곡선 $y=f(x)$는 원점에 대하여 대칭이다.
(나) 함수 $f(x)$는 $x=-1$에서 극댓값을 갖는다.
(다) 곡선 $y=f(x)$ 위의 $x=3$인 점에서의 접선의 기울기는 24이다.

345

실수 전체의 집합에서 정의된 미분가능한 함수 $f(x)$가 다음 두 조건을 모두 만족시킨다.

(가) 임의의 두 실수 x, y에 대하여

$$f(x-y)=f(x)-f(y)+xy(x-y)$$

(나) $f'(0)=8$

함수 $f(x)$가 $x=a$에서 극댓값을 갖고 $x=b$에서 극솟값을 가질 때, a^2+b^2의 값을 구하여라.

346

구간 $[0,\ 2]$에서 함수 $f(x)=\frac{1}{3}x^3+px^2+qx+1$이 $x=1$에서 극솟값 $-\frac{2}{3}$를 가질 때, 함수 $f(x)$의 최댓값을 구하여라. (단, p, q는 상수이다.)

347

오른쪽 그림과 같이 곡선 $y=-x^2+6x$와 x축으로 둘러싸인 도형에 내접하고 한 변이 x축 위에 있는 직사각형 ABCD의 넓이가 최대일 때, 점 A의 x좌표는 $p-\sqrt{q}$이다. 자연수 p, q의 합 $p+q$의 값을 구하여라.

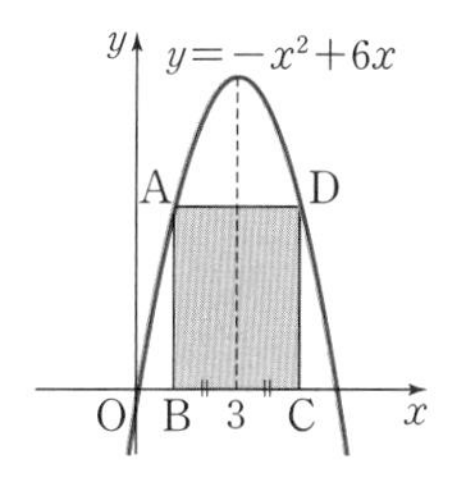

고득점을 향한 도약

348

미분가능한 두 함수 $f(x)$, $g(x)$에 대하여 $f(1)=g(1)$이고, 모든 실수 x에 대하여 $f'(x)>g'(x)$일 때, 〈보기〉에서 옳은 것을 모두 고른 것은?

보기
ㄱ. $f(-2)<g(-2)$　　ㄴ. $f(-1)>g(-1)$
ㄷ. $f(2)<g(2)$　　ㄹ. $f(3)>g(3)$

① ㄱ, ㄷ　② ㄱ, ㄹ　③ ㄴ, ㄷ
④ ㄴ, ㄹ　⑤ ㄷ, ㄹ

349

함수 $f(x)=-\frac{1}{3}x^3+ax^2+(b^2-1)x+1$에 대하여 x의 값에 관계없이 $(g \circ f)(x)=x$를 만족시키는 함수 $g(x)$가 존재하도록 실수 a, b의 값을 정할 때, a^2+b^2의 최댓값은?

① 1　② 2　③ 3
④ 4　⑤ 5

350

함수 $f(x)=-x^3-(a+1)x^2-(2a-1)x-3$에 대하여 곡선 $y=f(x)$의 극대가 되는 점이 x축 위에 있을 때, 상수 a의 값은? (단, $a>2$)

① 3　② 4　③ 5
④ 6　⑤ 7

351 (100점 도전)

다항함수 $y=f(x)$가 세 실수 a, b, c $(a<b<c)$에 대하여 부등식 $\frac{f(c)-f(a)}{c-a}<0<\frac{f(b)-f(a)}{b-a}$를 만족시킨다. 이때, 〈보기〉에서 옳은 것을 모두 고른 것은?

보기
ㄱ. $f(c)<f(a)<f(b)$
ㄴ. 함수 $y=f(x)$는 구간 (a, c)에서 극댓값을 갖는다.
ㄷ. $f'(c)<f'(b)<f'(a)$

① ㄱ　② ㄴ　③ ㄷ
④ ㄱ, ㄴ　⑤ ㄱ, ㄷ

352

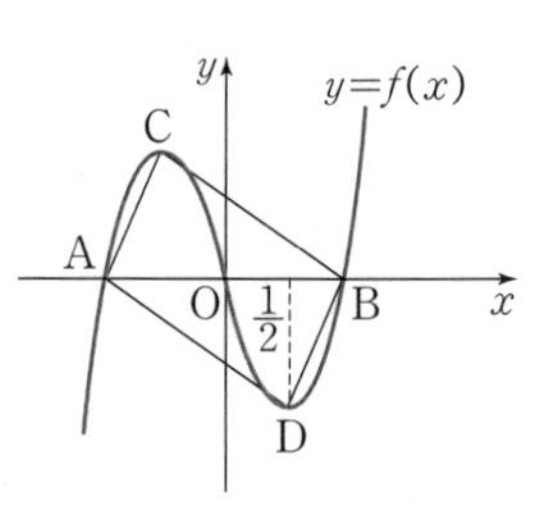

오른쪽 그림은 원점 O에 대하여 대칭인 삼차함수 $f(x)$의 그래프이다. 곡선 $y=f(x)$와 x축이 만나는 점 중 원점이 아닌 점을 각각 A, B라 하고, 함수 $f(x)$의 극대, 극소인 점을 각각 C, D라고 하자. 점 D의 x좌표가 $\frac{1}{2}$이고 사각형 ADBC의 넓이가 $\sqrt{3}$일 때, 함수 $f(x)$의 극댓값은?

① 1　② $\frac{4}{3}$　③ $\frac{5}{3}$
④ $\frac{\sqrt{3}}{2}$　⑤ $\sqrt{2}$

353

삼차함수 $f(x)$는 극값을 갖고 두 실수 a, b에 대하여 다음을 만족시킨다. (단, $0<a<b$)

$$\lim_{x\to a}\frac{f(x)}{x-a}=1,\ \lim_{x\to b}\frac{f(x)-1}{x-b}=2$$

이때, 함수 $y=f(x)$의 그래프의 개형이 될 수 있는 것은?

①
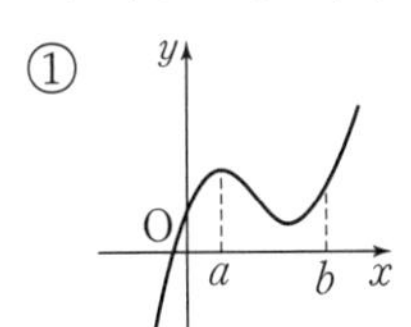

②
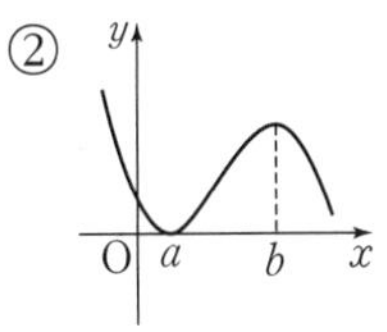

③
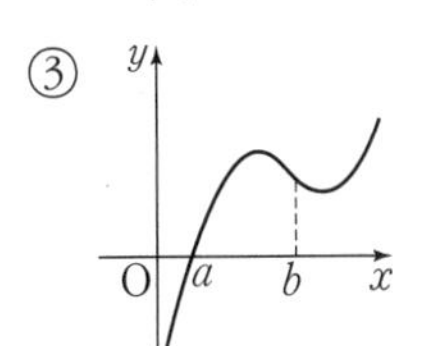

④
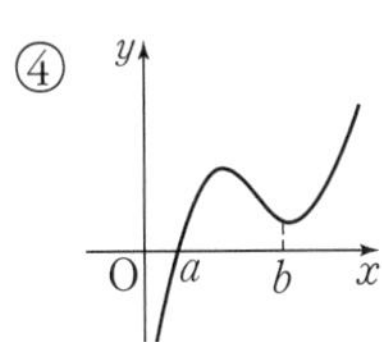

⑤
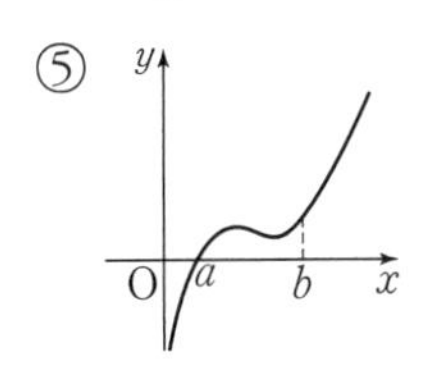

354

함수 $y=f(x)$의 그래프가 그림과 같다. 함수 $g(x)$의 도함수 $g'(x)=-f(-x)$일 때, 〈보기〉에서 옳은 것을 모두 고른 것은?

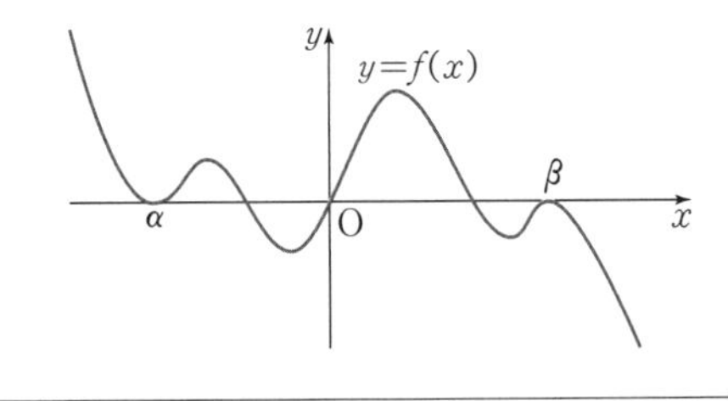

보기

ㄱ. $g'(x)$는 $x=-\alpha$에서 극대이다.

ㄴ. $g(x)$는 $x=-\beta$에서 극대이다.

ㄷ. $g(x)$는 $x=0$에서 극대이다.

① ㄱ ② ㄴ ③ ㄷ
④ ㄱ, ㄴ ⑤ ㄱ, ㄷ

355

직선 $x=a$가 곡선 $f(x)=x^3-ax^2-100x+10$의 극대가 되는 점과 극소가 되는 점 사이를 지날 때, 정수 a의 개수를 구하여라.

356

구간 $[a, \infty)$에서 함수 $f(x)=x^3-3x+5$의 최솟값이 3일 때, 실수 a의 최댓값을 구하여라.

357 100점 도전

오른쪽 그림과 같이 밑면의 반지름의 길이가 6, 높이가 9인 원뿔의 내부에 밑면이 정사각형인 직육면체를 내접시킬 때, 직육면체의 부피의 최댓값은?

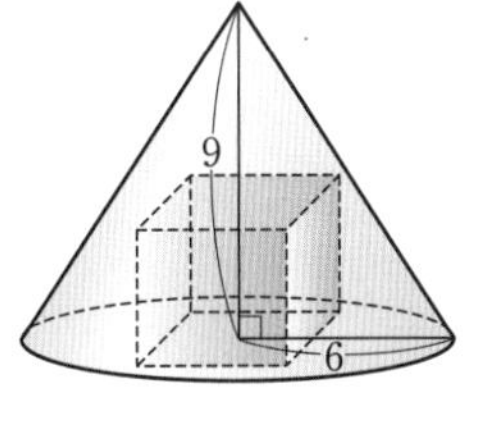

① 90 ② 92 ③ 94
④ 96 ⑤ 98

06 도함수의 활용 (3)

1 방정식의 실근과 함수의 그래프

① 방정식 $f(x)=0$의 실근은 함수 $y=f(x)$의 그래프와 x축의 교점의 x좌표와 같다.
② 방정식 $f(x)=g(x)$의 실근은 두 함수 $y=f(x)$, $y=g(x)$의 그래프의 교점의 x좌표와 같다.

2 삼차방정식의 근의 판별

삼차함수 $f(x)=ax^3+bx^2+cx+d\ (a>0)$가 극값을 가질 때, 삼차방정식 $ax^3+bx^2+cx+d=0$의 근을 판별하는 방법은 다음과 같다.

서로 다른 세 실근	서로 다른 두 실근 (중근과 다른 한 실근)	한 실근과 두 허근
(그래프)	(그래프)	(그래프)
(극댓값)×(극솟값)<0	(극댓값)×(극솟값)=0	(극댓값)×(극솟값)>0

3 부등식에의 활용

① 어떤 구간에서 부등식 $f(x)\ge 0$임을 보일 때,
⇨ 그 구간에서 ($f(x)$의 최솟값)≥ 0임을 보인다.
② $x\ge a$에서 부등식 $f(x)>0$임을 보일 때,
⇨ $x\ge a$에서 $f(x)$가 증가하고 $f(a)>0$임을 보인다.

참고 두 함수 $f(x)$, $g(x)$에 대하여 어떤 구간에서 부등식 $f(x)\ge g(x)$임을 보일 때, $h(x)=f(x)-g(x)$로 놓고 그 구간에서 $h(x)\ge 0$임을 보인다.

4 속도와 가속도

(1) 속도와 속력, 가속도

수직선 위를 움직이는 점 P의 시각 t에서의 위치를 $x=f(t)$라고 할 때

① 시각 $t=a$에서 시각 $t=b$까지의 평균속도

$$\frac{\Delta x}{\Delta t}=\frac{f(b)-f(a)}{b-a}$$ ➡ 평균속도는 평균변화율

② 시각 t에서의 속도 - 속도의 절댓값 $|v|$를 속력이라고 한다.

$$v=\lim_{\Delta t\to 0}\frac{\Delta x}{\Delta t}=\frac{dx}{dt}=f'(t)$$ ➡ 속도는 위치의 변화율

③ 시각 t에서의 가속도

$$a=\lim_{\Delta t\to 0}\frac{\Delta v}{\Delta t}=\frac{dv}{dt}=v'(t)$$ ➡ 가속도는 속도의 변화율

참고 위치 x →(미분) 속도 v →(미분) 가속도 a

(2) 시각에 대한 변화율

어떤 물체의 시각 t에서의 길이를 l, 넓이를 S, 부피를 V라고 할 때, 시간이 Δt만큼 경과한 후 길이, 넓이, 부피가 각각 $\Delta l, \Delta S, \Delta V$만큼 변했다고 하면

① 시각 t에서의 길이의 변화율은

$$\lim_{\Delta t\to 0}\frac{\Delta l}{\Delta t}=\frac{dl}{dt}$$ ➡ 길이의 변화율은 길이의 미분

② 시각 t에서의 넓이의 변화율은

$$\lim_{\Delta t\to 0}\frac{\Delta S}{\Delta t}=\frac{dS}{dt}$$ ➡ 넓이의 변화율은 넓이의 미분

③ 시각 t에서의 부피의 변화율은

$$\lim_{\Delta t\to 0}\frac{\Delta V}{\Delta t}=\frac{dV}{dt}$$ ➡ 부피의 변화율은 부피의 미분

문제 풀 때 유용한 풍쌤 비법

❶ 수직선 위를 움직이는 점 P의 시각 t의 위치가 $x=f(t)$일 때, 시각 t에서의 점 P의 속도를 $v=f'(t)$라고 하면
(1) $v>0$이면 점 P가 양의 방향으로 움직인다.
(2) $v<0$이면 점 P가 음의 방향으로 움직인다.
(3) $v=0$이면 점 P가 운동 방향을 바꾸거나 운동을 정지한다.

❷ 수직으로 던져 올린 물체의 운동에서
(1) 최고점에 도달할 때 ⇨ 속도 $v=0$
(2) 땅에 떨어질 때 ⇨ 높이 $h=0$

실력을 기르는 유형

● 정답과 풀이 060쪽

01 삼차방정식의 근의 판별

중요도

더 자세한 개념은 풍산자 수학Ⅱ 111쪽

358

상 중 하

x에 대한 방정식 $4x^3-3x-k=0$이 서로 다른 세 실근을 갖도록 하는 상수 k의 값의 범위는?

① $k<-1$ ② $k>0$ ③ $k>1$
④ $-1<k<1$ ⑤ $1<k<2$

359

상 중 하

함수 $f(x)=2x^3+3x^2-12x-16$의 그래프를 y축의 방향으로 k만큼 평행이동시킨 그래프가 나타내는 식이 $y=g(x)$이고 방정식 $g(x)=0$이 중근과 다른 한 실근을 가질 때, 상수 k의 값을 구하여라.

360 최多빈출

상 중 하

x에 대한 삼차방정식 $2x^3+6x^2-18x+a-3=0$이 한 실근과 두 허근을 갖도록 하는 자연수 a의 최솟값은?

① 11 ② 12 ③ 13
④ 14 ⑤ 15

361

상 중 하

x에 대한 삼차방정식 $x^3-ax^2+ax+b=0$이 모든 b의 값에 대하여 오직 한 개의 실근을 갖도록 하는 a의 값의 범위는? (단, a, b는 상수이다.)

① $-2\le a\le 1$ ② $-1\le a\le 2$
③ $0\le a\le 3$ ④ $1\le a\le 4$
⑤ $2\le a\le 5$

362

상 중 하

곡선 $y=2x^3-3x^2-5x$와 직선 $y=7x+a$가 서로 다른 두 점에서 만나도록 하는 모든 실수 a의 값의 합은?

① -11 ② -12 ③ -13
④ -14 ⑤ -15

363

상 중 하

두 곡선 $y=x^3-3x^2+5x$, $y=3x^2-4x+m$이 서로 다른 세 점에서 만나도록 하는 상수 m의 값의 범위는?

① $0<m<6$ ② $0<m<4$
③ $-1<m<4$ ④ $-1<m<3$
⑤ $-3<m<3$

364
(상중하)

점 $(2,\ 0)$에서 곡선 $y=x^3+3ax-2$에 오직 한 개의 접선을 그을 수 있도록 하는 자연수 a의 최솟값은?

① 1 ② 2 ③ 3
④ 4 ⑤ 5

365
(상중하)

점 $(1,\ a)$에서 곡선 $y=x^3-x+2$에 그은 접선이 두 개가 되도록 하는 상수 a의 값의 합을 구하여라.

366 학평 기출
(상중하)

두 함수

$f(x)=3x^3-x^2-3x,\ g(x)=x^3-4x^2+9x+a$

에 대하여 방정식 $f(x)=g(x)$가 서로 다른 두 개의 양의 실근과 한 개의 음의 실근을 갖도록 하는 모든 정수 a의 개수는?

① 6 ② 7 ③ 8
④ 9 ⑤ 10

367 최多빈출
(상중하)

x에 대한 삼차방정식 $x^3-12x^2+36x+a=0$이 서로 다른 세 양의 실근을 갖도록 하는 정수 a의 개수는?

① 31 ② 32 ③ 33
④ 34 ⑤ 35

368
(상중하)

x에 대한 삼차방정식 $2x^3-3x^2+a=0$의 근에 대한 설명 중 〈보기〉에서 옳은 것을 모두 고른 것은?

(단, a는 상수이다.)

보기

ㄱ. $a=\frac{1}{3}$이면 서로 다른 세 개의 실근을 갖는다.

ㄴ. $a=1$이면 서로 다른 두 개의 실근을 갖는다.

ㄷ. $a=\sqrt{3}$이면 한 개의 실근을 갖는다.

① ㄱ ② ㄴ ③ ㄱ, ㄷ
④ ㄴ, ㄷ ⑤ ㄱ, ㄴ, ㄷ

02 사차방정식의 근의 판별

중요도

더 자세한 개념은 풍산자 수학Ⅱ 111쪽

369 학평 기출
(상중하)

두 함수 $y=x^4-4x+a$, $y=-x^2+2x-a$의 그래프가 오직 한 점에서 만날 때, 실수 a의 값은?

① 1 ② 2 ③ 3
④ 4 ⑤ 5

370
(상중하)

두 곡선 $y=x^4+2x^3-x^2+3$, $y=-x^4+2x^3+3x^2+k$가 만나서 생기는 교점의 개수가 최대가 되도록 하는 실수 k의 값의 범위를 구하여라.

371

(상중하)

사차함수 $y=f(x)$의 도함수 $y=f'(x)$의 그래프가 오른쪽 그림과 같을 때, 사차방정식 $f(x)=0$이 서로 다른 네 실근을 갖는다. 다음 중 항상 옳은 것은?

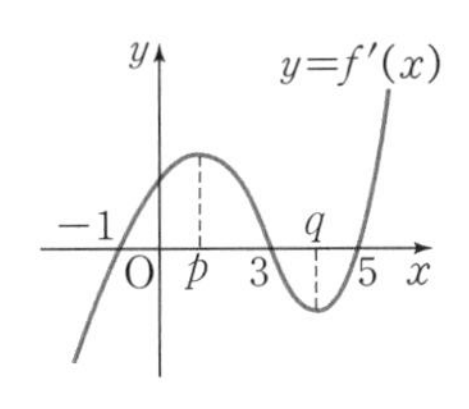

① $f(-1)<0$, $f(3)<0$, $f(5)<0$
② $f(-1)<0$, $f(3)>0$, $f(5)<0$
③ $f(-1)>0$, $f(3)<0$, $f(5)>0$
④ $f(-1)>0$, $f(3)>0$, $f(5)<0$
⑤ $f(-1)f(3)f(5)<0$

372

(상중하)

x에 대한 사차방정식 $x^4-6x^2+a=0$이 서로 다른 네 실근을 갖도록 하는 실수 a의 값의 범위는?

① $-9<a<0$　② $-4<a<0$
③ $0<a<9$　④ $1<a<10$
⑤ $9<a<13$

373

(상중하)

x에 대한 사차방정식 $3x^4+8x^3-6x^2-24x+a=0$이 서로 다른 세 실근을 갖도록 하는 모든 실수 a의 값의 합은?

① -21　② -22　③ -23
④ -24　⑤ -25

374

(상중하)

x에 대한 사차방정식 $3x^4-4x^3-12x^2+a=0$이 서로 다른 두 실근을 갖도록 하는 자연수 a의 개수는?

① 25　② 26　③ 27
④ 28　⑤ 29

03 부등식이 항상 성립할 조건

중요도

더 자세한 개념은 풍산자 수학Ⅱ 113쪽

375 최多빈출

(상중하)

$-1\le x\le 1$일 때, 부등식 $\frac{1}{3}x^3-3x\ge -2x+k$가 항상 성립하도록 하는 상수 k의 최댓값은?

① -1　② $-\frac{2}{3}$　③ $-\frac{1}{3}$
④ 0　⑤ $\frac{1}{3}$

376

(상중하)

$x\ge 0$일 때, 부등식 $2x^3-5x^2-4x+a\ge 0$이 항상 성립하도록 하는 상수 a의 최솟값은?

① 4　② 6　③ 8
④ 10　⑤ 12

377 최多빈출

상중하

$-1\le x\le 2$일 때, 부등식 $x^3-3x+k+1\le 0$이 항상 성립하도록 하는 상수 k의 최댓값은?

① -3 ② -1 ③ 1
④ 3 ⑤ 5

378

상중하

$x<1$일 때, 부등식 $4x^3+3x^2-6x+k<0$이 항상 성립하도록 하는 상수 k의 값의 범위는?

① $k<-5$ ② $-5<k<0$ ③ $k\ge 0$
④ $-5<k<5$ ⑤ $-5<k\le 0$

379

상중하

모든 실수 x에 대하여 부등식 $x^4-4p^3x+12>0$이 성립하도록 하는 자연수 p의 개수는?

① 1 ② 2 ③ 3
④ 4 ⑤ 5

380

상중하

두 함수 $f(x)=x^3+a$, $g(x)=3x^2$에 대하여 $x\ge 2$일 때, $f(x)\ge g(x)$가 항상 성립하도록 하는 실수 a의 값의 범위는?

① $a\ge -4$ ② $a\ge 3$ ③ $a\ge 4$
④ $a\le 3$ ⑤ $a\le 4$

381

상중하

두 함수 $f(x)=-x^4+4x^2+16x-12$, $g(x)=x^2+6x+k$가 임의의 실수 x_1, x_2에 대하여 $f(x_1)\le g(x_2)$를 만족시킬 때, 실수 k의 최솟값을 구하여라.

382

상중하

$x>0$일 때, 곡선 $f(x)=x^3-3x^2+a-2$가 항상 직선 $y=2$보다 위쪽에 있도록 하는 실수 a의 값의 범위를 구하여라.

04 부등식의 증명

중요도

더 자세한 개념은 풍산자 수학Ⅱ 113쪽

383

상중하

다음은 자연수 n에 대하여 $x>1$일 때, 부등식 $x^{n+1}+n>(n+1)x$가 성립함을 증명한 것이다.

증명

$f(x)=x^{n+1}+n-(n+1)x$로 놓으면

$f'(x)=(n+1)x^n-(n+1)=(n+1)(x^n-1)$

$x>1$일 때, $f'(x)$ (가) 0이므로 구간 $(1, \infty)$에서

$f(x)$는 (나) 한다.

또, $f(1)=0$이므로 $x>1$일 때 $f(x)$ (다) 0

$\therefore x^{n+1}+n>(n+1)x$

위의 증명에서 (가), (나), (다)에 알맞은 것은?

	(가)	(나)	(다)		(가)	(나)	(다)
①	$>$	증가	$>$	②	$\ge$	증가	$<$
③	$<$	감소	$>$	④	$\le$	감소	$<$
⑤	$=$	감소	$<$				

384

상중하

다음은 $x>1$이고 n이 2 이상의 자연수일 때, 두 다항식 x^n, $n(x-1)$의 대소를 비교하는 과정이다.

> $f(x)=x^n-n(x-1)$로 놓으면
> $f'(x)=nx^{n-1}-n=n(x^{n-1}-1)$
> $x>1$일 때 $f'(x)$ (가) 0이므로 $f(x)$는 (나) 한다.
> 이때, $f(1)=1$이므로 $x>1$일 때
> x^n (다) $n(x-1)$

위의 과정에서 (가), (나), (다)에 알맞은 것은?

	(가)	(나)	(다)
①	$>$	증가	$>$
②	$>$	증가	$<$
③	$>$	감소	$>$
④	$<$	증가	$>$
⑤	$<$	감소	$<$

385

상중하

다음은 2 이상의 자연수 n에 대하여 $x>0$일 때, 부등식 $x^n \geq nx+$ (나) 이 성립함을 증명한 것이다.

> 증명
>
> $f(x)=x^n-nx\,(x>0)$로 놓으면
> $f'(x)=nx^{n-1}-n=n(x^{n-1}-1)$
> $=n(x-1)(x^{n-2}+x^{n-3}+\cdots+x+1)$
> 따라서 $f(x)$는 $x=$ (가) 에서 극소이며 최소이다.
> 즉, $f(x)\geq f(1)=$ (나) 이므로
> $x^n-nx\geq$ (나)
> 따라서 n이 2 이상의 자연수일 때, $x>0$인 모든 실수 x에 대하여 부등식 $x^n\geq nx+$ (나) 이 성립한다.

위의 증명에서 (가), (나)에 알맞은 것은?

	(가)	(나)
①	0	$1-n$
②	1	$1-n$
③	1	$n-1$
④	2	$1-n$
⑤	2	$n-1$

386 학평 기출

상중하

다음은 $a>0$, $b>0$이고, n이 2 이상의 자연수일 때, 부등식

$$(a+b)^n \leq 2^{n-1}(a^n+b^n)$$

이 성립함을 증명한 것이다.

> 증명
>
> $f(x)=2^{n-1}(x^n+1)-(x+1)^n$으로 놓으면
> $f'(x)=n\{($ (가) $)^{n-1}-(x+1)^{n-1}\}$
> $f'(x)=0$에서 $x=$ (나) 이므로 $f(x)$는 $x=$ (나) 에서 극소이면서 최소이다.
> $\therefore f(x)\geq 0$ (단, 등호는 $x=$ (나) 일 때 성립한다.)
> 즉, $(x+1)^n\leq 2^{n-1}(x^n+1)$
> 위의 부등식에 $x=$ (다) 를 대입하고, 양변에 (라) 를 곱하면
> $(a+b)^n\leq 2^{n-1}(a^n+b^n)$

위의 증명에서 (가), (나), (다), (라)에 알맞은 것은?

	(가)	(나)	(다)	(라)
①	2	2	ab	$\dfrac{1}{a^n}$
②	x	1	$a+b$	$\dfrac{1}{b^n}$
③	$2x$	1	$\dfrac{a}{b}$	b^n
④	$2x$	2	$\dfrac{a}{b}$	a^n
⑤	$4x$	2	$\dfrac{a}{b}$	b^n

05 속도와 가속도: 직선 운동

중요도

더 자세한 개념은 풍산자 수학Ⅱ 116쪽

387 학평 기출

상중하

수직선 위를 움직이는 점 P의 시각 t에서의 위치 x가 $x=-t^2+4t$이다. $t=a$에서 점 P의 속도가 0일 때, 상수 a의 값은?

① 1 ② 2 ③ 3 ④ 4 ⑤ 5

388 최多빈출

상중하

원점을 출발하여 수직선 위를 움직이는 점 P의 시각 t에서의 위치 x가 $x=t^3-3t^2$일 때, 속도가 45인 순간의 점 P의 가속도는?

① 16 ② 20 ③ 24
④ 28 ⑤ 32

389

상중하

원점을 출발하여 수직선 위를 움직이는 점 P의 시각 t에서의 위치 x는 $x=t^3-3t^2-4t$이다. $0\le t\le 3$에서 점 P의 속도의 최댓값을 a, 속력의 최댓값을 b라고 할 때, $a+b$의 값은?

① 11 ② 12 ③ 13
④ 14 ⑤ 15

390

상중하

원점을 출발하여 수직선 위를 움직이는 점 P의 시각 t에서의 위치 x는 $x=\frac{1}{3}t^3-\frac{7}{2}t^2+10t$이다. 점 P가 출발한 후 처음으로 운동 방향을 바꿀 때의 점 P의 가속도는?

① -1 ② -2 ③ -3
④ -4 ⑤ -5

391

상중하

직선 궤도를 달리는 어떤 열차는 제동을 걸고 나서 t초 동안에 $\left(20t-\frac{1}{10}ct^2\right)$ m만큼 달린다고 알려져 있다. 기관사가 200 m 앞에 있는 정지선을 발견하고 열차를 멈추기 위하여 제동을 걸었다. 이때, 정지선을 넘지 않고 멈추기 위한 양수 c의 최솟값은?

① 1 ② 2 ③ 3
④ 4 ⑤ 5

392

상중하

원점을 출발하여 수직선 위를 움직이는 점 P의 시각 t에서의 위치 x는 $x=t^2+at+b$이다. 점 P가 운동 방향을 바꾸는 시각이 $t=3$일 때, 점 P가 다시 원점을 지나가게 되는 시각은? (단, a, b는 상수이다.)

① $\frac{3}{2}$ ② 3 ③ $\frac{9}{2}$
④ 5 ⑤ 6

393

상중하

원점을 출발하여 수직선 위를 움직이는 점 P의 시각 t에서의 위치 $f(t)$가 $f(t)=2t^3-9t^2+12t$일 때, 점 P에 대한 설명 중 〈보기〉에서 옳은 것을 모두 고른 것은?

보기

ㄱ. 출발할 때의 속도는 12이다.
ㄴ. 움직이는 동안 방향을 세 번 바꾼다.
ㄷ. 출발 후 다시 원점을 지나지 않는다.

① ㄱ ② ㄴ ③ ㄱ, ㄷ
④ ㄴ, ㄷ ⑤ ㄱ, ㄴ, ㄷ

394 학평 기출 풍쌤 비법 ❶ 상 중 하

수직선 위를 움직이는 두 점 P, Q의 시각 t일 때의 위치는 각각 $f(t)=2t^2-2t$, $g(t)=t^2-8t$이다. 두 점 P와 Q가 서로 반대 방향으로 움직이는 시각 t의 범위는?

① $\frac{1}{2}<t<4$ ② $1<t<5$ ③ $2<t<5$
④ $\frac{3}{2}<t<6$ ⑤ $2<t<8$

395 상 중 하

수직선 위를 움직이는 두 점 P, Q의 시각 t에서의 위치는 각각 $f(t)=\frac{1}{3}t^3-2t$, $g(t)=t^2+t$이다. 두 점 P, Q의 속도가 같아지는 순간 두 점 P, Q 사이의 거리는?

① 5 ② 6 ③ 7
④ 8 ⑤ 9

396 최多빈출 상 중 하

원점을 동시에 출발하여 수직선 위를 움직이는 두 점 P, Q의 t분 후의 좌표를 각각 x_1, x_2라고 하면 $x_1=3t^2-18t$, $x_2=t^2-10t$이다. $0<t\leq 10$일 때, 두 점 P, Q가 같은 방향으로 움직인 시간은 몇 분 동안인가?

① 4분 ② 5분 ③ 6분
④ 7분 ⑤ 8분

397 상 중 하

원점을 출발하여 수직선 위를 움직이는 두 점 P, Q의 t초 후의 위치가 각각 t^3-2t, $2t^2+6t$라고 한다. 두 점 P, Q가 출발한 후 다시 만날 때의 속도를 각각 v_P, v_Q라고 할 때, $|v_P-v_Q|$의 값은?

① 24 ② 26 ③ 28
④ 30 ⑤ 32

398 상 중 하

지상에서 쏘아 올린 로켓의 t시간 후의 높이를 h km라고 하면 $h=600t-5t^2-\frac{1}{3}t^3$인 관계가 성립한다. 이 로켓이 최고 높이에 도달하였을 때의 가속도는?

(단, 단위는 km/시^{2}이다.)

① -50 ② -40 ③ -30
④ -20 ⑤ -10

399 풍쌤 비법 ❷ 상 중 하

지면과 수직 방향으로 위를 향하여 처음 속도 100 m/초로 쏘아 올린 물체의 t초 후의 높이를 h m라고 할 때, $h=100t-5t^2$인 관계가 성립한다. 이때, 〈보기〉에서 옳은 것을 모두 고른 것은?

보기
ㄱ. 물체의 가속도는 항상 일정하다.
ㄴ. 물체는 쏘아 올린 지 20초 후에 다시 땅에 떨어진다.
ㄷ. 이 물체는 최고 400 m까지 올라간다.

① ㄱ ② ㄷ ③ ㄱ, ㄴ
④ ㄴ, ㄷ ⑤ ㄱ, ㄴ, ㄷ

06 속도와 가속도: 위치, 속도 그래프의 해석 중요도

더 자세한 개념은 풍산자 수학Ⅱ 116쪽

400 학평 기출 (상중하)

원점을 출발하여 수직선 위를 움직이는 점 P의 시각 t에서의 위치 x가 삼차함수 $f(t)$로 주어지고 $x=f(t)$의 그래프가 오른쪽 그림과 같다. $t>0$일 때, 점 P에 대하여 〈보기〉에서 옳은 것을 모두 고른 것은?

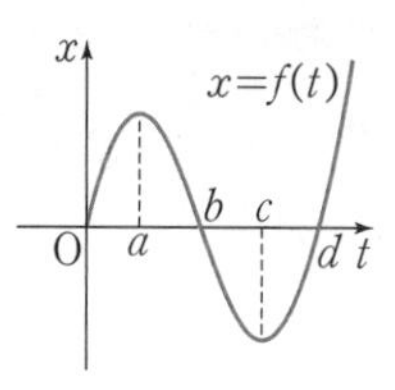

보기

ㄱ. 운동 방향을 두 번 바꾼다.
ㄴ. 원점을 처음으로 다시 지날 때의 속도는 $f'(b)$이다.
ㄷ. 운동 방향을 처음으로 바꿀 때의 가속도는 음수이다.

① ㄱ ② ㄴ ③ ㄷ
④ ㄴ, ㄷ ⑤ ㄱ, ㄴ, ㄷ

401 (상중하)

원점을 출발하여 수직선 위를 8초 동안 움직이는 점 P의 t초 후의 위치 $x(t)$의 그래프가 그림과 같다.

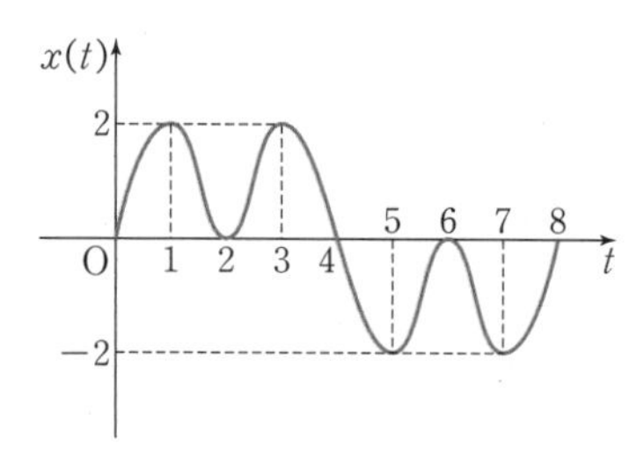

이때, 다음 중 옳지 않은 것은?

① 1초 후 운동 방향이 바뀐다.
② 8초 동안 운동 방향이 6번 바뀐다.
③ 출발 후 4초까지는 수직선의 양의 방향으로 움직인다.
④ 출발 후 5초 후의 위치와 7초 후의 위치는 같다.
⑤ 출발 후 4초 후의 속력이 출발 후 2초 후의 속력보다 크다.

402 (상중하)

다음 그림은 원점을 출발하여 오른쪽으로 움직이기 시작한 수직선 위의 점 P의 t초에서의 속도 $v(t)$의 그래프이다. 점 P에 대하여 〈보기〉에서 옳은 것을 모두 고른 것은?

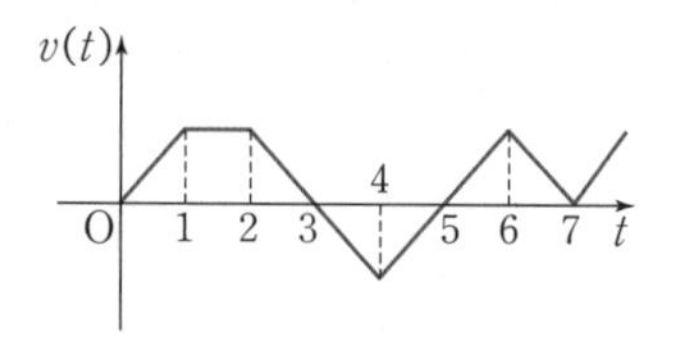

보기

ㄱ. 점 P는 출발한 후 7초가 될 때까지 운동 방향을 두 번 바꾼다.
ㄴ. 점 P는 출발한 후 1초와 2초 사이에서 멈추었다.
ㄷ. 점 P가 처음으로 운동 방향을 바꾼 후 원점에 가장 가까울 때에는 $t=6$일 때이다.
ㄹ. 점 P는 출발한 후 2초와 3초 사이에서 가속도가 일정하다.

① ㄱ ② ㄱ, ㄴ ③ ㄱ, ㄹ
④ ㄴ, ㄷ ⑤ ㄱ, ㄴ, ㄷ

07 시각에 대한 길이, 넓이, 부피의 변화율 중요도

더 자세한 개념은 풍산자 수학Ⅱ 119쪽

403 (상중하)

시간에 따라 길이가 변하는 고무줄이 있다. 시각 t에서의 고무줄의 길이 l이 $l=t^2+2t+3$일 때, $t=2$에서의 고무줄의 길이의 변화율은?

① 3 ② 4 ③ 5
④ 6 ⑤ 7

404 상중하

다음 그림과 같이 키가 180 cm인 사람이 지상에서 3 m 높이의 가로등 바로 밑에서 일직선으로 80 m/분의 속력으로 걸어갈 때, 그림자 길이의 증가율은?

(단, 단위는 m/분이다.)

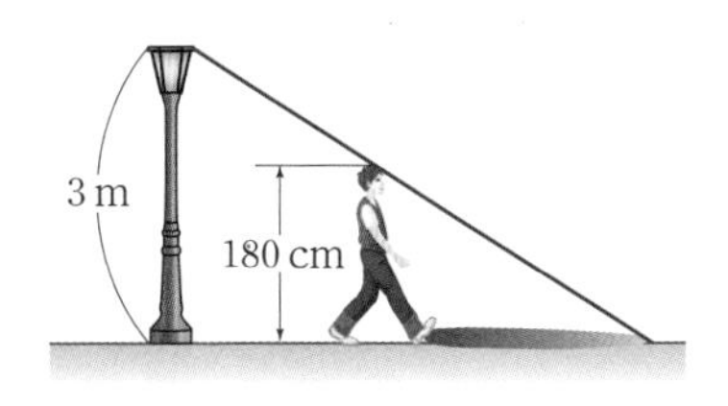

① 100 ② 105 ③ 110
④ 115 ⑤ 120

405 상중하

수면이 잔잔한 호수에 돌을 던지면 순차적으로 동심원들이 생기며, 이 원들의 반지름의 길이는 매초 0.5 m의 비율로 늘어난다. 돌을 던진 지 6초 후 가장 바깥쪽의 원의 넓이의 변화율은? (단, 단위는 m^2/초이다.)

① π ② 2π ③ 3π
④ 4π ⑤ 5π

406 상중하

가로의 길이가 10 cm, 세로의 길이가 30 cm인 직사각형이 있다. 가로의 길이는 매초 3 cm의 비율로 늘어나고, 세로의 길이는 매초 2 cm의 비율로 줄어든다. 이 도형이 정사각형이 될 때의 넓이의 변화율은?

(단, 단위는 cm^2/초이다.)

① 16 ② 18 ③ 20
④ 22 ⑤ 24

407 상중하

반지름의 길이가 2 cm인 구 모양의 풍선이 있다. 이 풍선의 반지름의 길이가 매초 1 cm의 비율로 늘어나도록 바람을 불어 넣을 때, 풍선의 반지름의 길이가 6 cm가 되는 순간의 부피의 변화율은? (단, 단위는 cm^3/초이다.)

① 16π ② 36π ③ 64π
④ 100π ⑤ 144π

408 상중하

밑면은 한 변의 길이가 2 cm인 정사각형이고 높이가 10 cm인 정사각기둥이 있다. 이 정사각기둥의 밑면의 가로와 세로의 길이는 각각 매초 1 cm의 비율로 길어지고 높이는 매초 1 cm의 비율로 짧아질 때, 5초 후의 정사각기둥의 부피의 변화율은? (단, 단위는 cm^3/초이다.)

① 12 ② 15 ③ 18
④ 21 ⑤ 24

409 최多빈출 상중하

오른쪽 그림과 같이 윗면의 반지름의 길이가 6 cm, 깊이가 12 cm인 원뿔 모양의 빈 그릇이 있다. 이 그릇에 수면의 높이가 매초 2 cm의 속도로 올라가도록 물을 채울 때, 물을 채우기 시작하여 4초가 되는 순간의 부피의 변화율은?

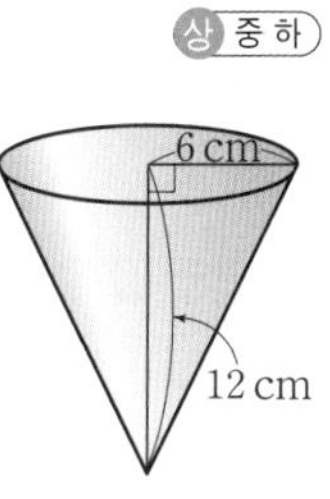

(단, 단위는 cm^3/초이다.)

① 31π ② 32π ③ 33π
④ 34π ⑤ 35π

410

곡선 $y=-x^3+1$과 직선 $y=-3x+k$가 접하도록 하는 모든 실수 k의 값의 합을 구하여라.

411

점 $(2,\ k)$에서 곡선 $y=x^3-2x-5$에 서로 다른 세 개의 접선을 그을 수 있도록 하는 정수 k의 개수를 구하여라.

412

두 함수 $f(x)=x^4-4x$, $g(x)=-x^2+2x-a$에 대하여 $y=f(x)$의 그래프가 $y=g(x)$의 그래프보다 항상 위쪽에 있도록 하는 자연수 a의 최솟값을 구하여라.

413

원점을 출발하여 수직선 위를 움직이는 점 P의 시각 t에서의 위치 x가 $x=t^4-12t^2+kt+10$일 때, 출발한 후 점 P의 운동 방향이 두 번만 바뀌도록 하는 정수 k의 최댓값을 구하여라. (단, k는 실수이고, $\sqrt{2}=1.4142$로 계산한다.)

414

원점을 출발하여 수직선 위를 움직이는 두 점 P, Q의 시각 t에서의 위치를 각각 x, y라고 할 때 $x=t^2-2t$, $y=t^2-4t$이고, 두 점 P, Q가 서로 반대 방향으로 움직이는 시각은 $\alpha<t<\beta$이다. 이때, $t=\alpha\beta$에서의 두 점 P, Q 사이의 거리를 구하여라.

415

수직선 위를 움직이는 점 P의 시각 t에서의 위치를 $f(t)$라고 할 때, $f(t)=t^2+at+b$로 나타내어진다.

$\lim_{t\to1}\frac{f(t)}{t-1}=3$일 때, $t=2$에서의 점 P의 위치와 속도를 구하여라. (단, a, b는 상수이다.)

고득점을 향한 도약

416

삼차함수 $f(x)$의 극댓값과 극솟값이 각각 5, 1일 때, 방정식 $f(x)-2=k$가 서로 다른 세 실근을 갖기 위한 정수 k의 최솟값과 최댓값의 합은?

① 1 ② 2 ③ 3
④ 4 ⑤ 5

417

삼차함수 $f(x)$의 도함수 $y=f'(x)$의 그래프가 오른쪽 그림과 같이 두 점 $(\alpha,\ 0)$, $(\beta,\ 0)$을 지난다. $f(\alpha)=3$, $f(\beta)=-2$일 때, 방정식 $\{f(x)\}^2+2f(x)=3$의 서로 다른 실근의 개수는?

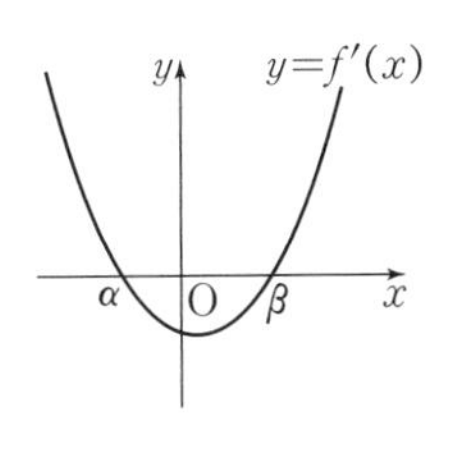

① 1 ② 2 ③ 3
④ 4 ⑤ 5

418 (100점 도전)

다음 그림과 같이 두 삼차함수 $f(x)$, $g(x)$의 도함수 $y=f'(x)$, $y=g'(x)$의 그래프가 만나는 서로 다른 두 점의 x좌표는 a, b $(0<a<b)$이다. 함수 $h(x)$를 $h(x)=f(x)-g(x)$라고 할 때, 〈보기〉에서 옳은 것을 모두 고른 것은? (단, $f'(0)=7$, $g'(0)=2$)

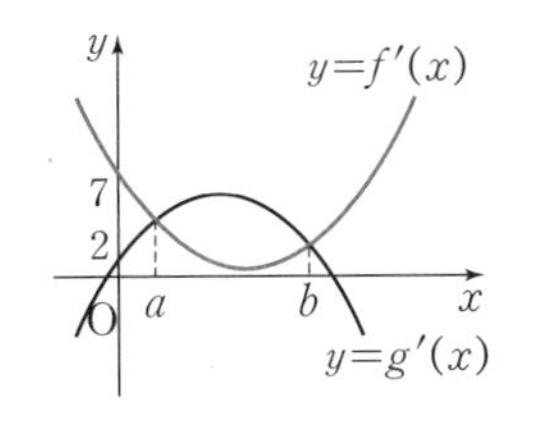

보기

ㄱ. 함수 $h(x)$는 $x=a$에서 극댓값을 갖는다.
ㄴ. $h(b)=0$이면 방정식 $h(x)=0$의 서로 다른 실근의 개수는 2이다.
ㄷ. $0<\alpha<\beta<b$인 두 실수 α, β에 대하여 $h(\beta)-h(\alpha)<5(\beta-\alpha)$이다.

① ㄱ ② ㄷ ③ ㄱ, ㄴ
④ ㄴ, ㄷ ⑤ ㄱ, ㄴ, ㄷ

419

세 실수 a, b, c에 대하여 사차함수 $f(x)$의 도함수 $f'(x)$가 $f'(x)=(x-a)(x-b)(x-c)$일 때, 〈보기〉에서 옳은 것을 모두 고른 것은?

보기

ㄱ. $a=b=c$이면 방정식 $f(x)=0$은 실근을 갖는다.
ㄴ. $a=b\neq c$이고 $f(a)<0$이면 방정식 $f(x)=0$은 서로 다른 두 실근을 갖는다.
ㄷ. $a<b<c$이고 $f(b)<0$이면 방정식 $f(x)=0$은 서로 다른 두 실근을 갖는다.

① ㄱ ② ㄴ ③ ㄷ
④ ㄱ, ㄷ ⑤ ㄴ, ㄷ

420

$x>1$일 때, 부등식 $x^{n+1}-(n+1)x\geq n(n-7)$이 항상 성립하도록 하는 자연수 n의 개수는?

① 3　② 4　③ 5
④ 6　⑤ 7

421

오른쪽 그림은 수직선 위를 움직이는 점 P의 시각 t에서의 속도 $v(t)$를 나타내는 그래프이다.

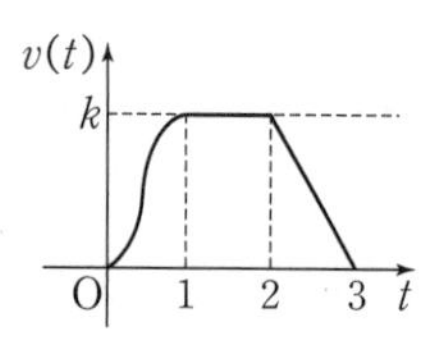

$v(t)$는 $t=2$를 제외한 열린 구간 $(0,\ 3)$에서 미분가능한 함수이고, $v(t)$의 그래프는 열린 구간 $(0,\ 1)$에서 원점과 점 $(1,\ k)$를 잇는 직선과 한 점에서 만난다. 다음 중 점 P의 시각 t에서의 가속도 $a(t)$를 나타내는 그래프의 개형으로 가장 알맞은 것은?

①
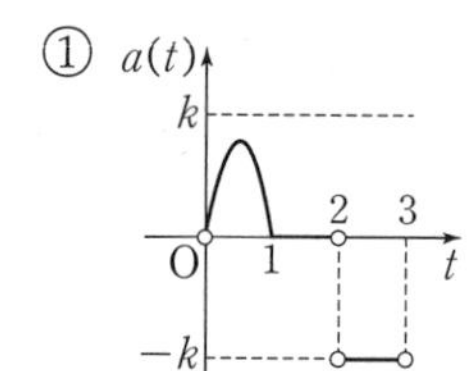

②
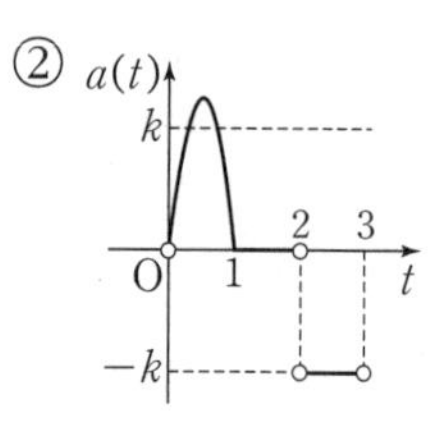

③
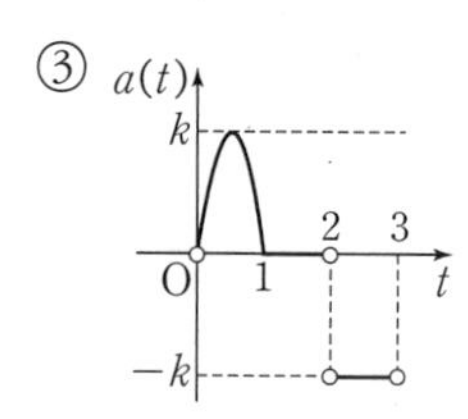

④
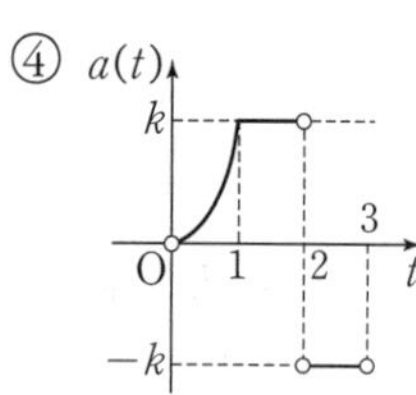

⑤
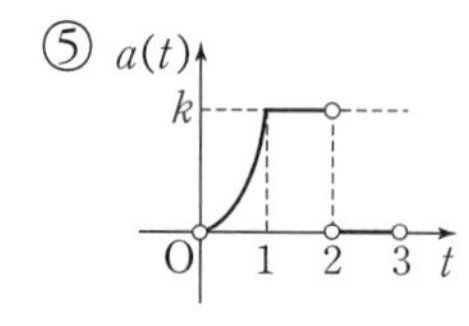

422

다음 그림과 같이 편평한 바닥에 60°로 기울어진 경사면과 반지름의 길이가 0.5 m인 공이 있다. 이 공의 중심은 경사면과 바닥이 만나는 점에서 바닥에 수직으로 높이가 21 m인 위치에 있다.

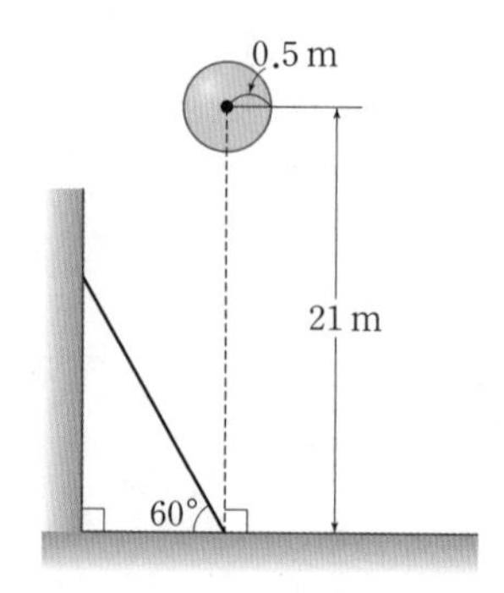

이 공을 자유낙하시킬 때, t초 후 공의 중심의 높이를 $h(t)$ m라고 하면 $h(t)=21-5t^2$이라고 한다. 공이 경사면과 처음으로 충돌하는 순간, 공의 속도는?

(단, 경사면의 두께와 공기의 저항은 무시한다.)

① −20 m/초　② −17 m/초
③ −15 m/초　④ −12 m/초
⑤ −10 m/초

423

반지름의 길이가 3 cm인 구의 내부에 부피가 최대가 되는 원뿔이 내접하고, 구의 반지름의 길이가 커지면 그에 따라 원뿔의 크기도 커지며 그 부피는 구의 내접하는 원뿔의 부피 중 최대가 된다고 한다. 구의 반지름의 길이를 매초 1 cm의 비율로 늘여 나갈 때, 구의 반지름의 길이가 9 cm가 되는 순간 원뿔의 부피의 증가율은?

(단, 단위는 cm³/초이다.)

① 36π　② 48π　③ 68π
④ 80π　⑤ 96π

III

적분

07 부정적분

1 부정적분

(1) 부정적분의 정의

① 함수 $F(x)$의 도함수가 $f(x)$일 때, 즉 $F'(x)=f(x)$일 때, $F(x)$를 $f(x)$의 부정적분이라 하고, $F(x)$를 기호로 $\int f(x)dx$와 같이 나타낸다.

② 함수 $f(x)$의 부정적분 중 하나를 $F(x)$라고 하면

$$\int f(x)dx=F(x)+C \iff F'(x)=f(x)$$

이때, 상수 C를 적분상수라고 한다.

적분한다. / 미분한다.

$$\int f(x)\,dx=F(x)+C$$ (단, C는 적분상수이다.)

참고 $\int f(x)dx$를 '적분 $f(x)dx$' 또는 '인티그럴(integral) $f(x)dx$'라고 읽는다. 또 $f(x)$의 부정적분을 구하는 것을 $f(x)$를 적분한다고 하며, 그 계산법을 적분법이라고 한다.

(2) 부정적분과 미분의 관계

① $\int\left\{\frac{d}{dx}f(x)\right\}dx=f(x)+C$ (단, C는 적분상수이다.)

② $\frac{d}{dx}\left\{\int f(x)dx\right\}=f(x)$

주의 $\int\left\{\frac{d}{dx}f(x)\right\}dx\neq\frac{d}{dx}\left\{\int f(x)dx\right\}$

2 부정적분의 기본 공식

① $\int k\,dx=kx+C$ (단, k는 상수, C는 적분상수이다.)

② $\int x^n dx=\frac{1}{n+1}x^{n+1}+C$

(단, n은 0 또는 자연수, C는 적분상수이다.)

③ $\int (ax+b)^n dx=\frac{1}{a}\cdot\frac{1}{n+1}(ax+b)^{n+1}+C$

(단, $a\neq 0$, n은 자연수, C는 적분상수이다.)

참고 $\int 1dx$는 보통 $\int dx$로 나타낸다.

3 부정적분의 기본 성질

두 함수 $f(x)$, $g(x)$의 부정적분이 존재할 때

① $\int kf(x)dx=k\int f(x)dx$ (단, k는 상수이다.)

② $\int\{f(x)+g(x)\}dx=\int f(x)dx+\int g(x)dx$

③ $\int\{f(x)-g(x)\}dx=\int f(x)dx-\int g(x)dx$

참고 부정적분의 성질은 세 개 이상의 함수에 대해서도 성립한다.
또 적분상수가 여러 개 있을 때에는 이들을 묶어서 하나의 적분상수 C로 나타낸다.

문제 풀 때 유용한 풍쌤 비법

❶ 곡선 $y=f(x)$ 위의 임의의 점 $(x, f(x))$에서의 접선의 기울기는 $f'(x)$이므로 $f(x)=\int f'(x)dx$이다.

❷ 구간에 따라 도함수가 다르면 구간을 나누어 적분한다.

연속함수 $f(x)$의 도함수 $f'(x)$가 $f'(x)=\begin{cases} g(x) & (x\geq a) \\ h(x) & (x<a)\end{cases}$이면

$$\Rightarrow f(x)=\begin{cases}\int g(x)dx & (x\geq a) \\ \int h(x)dx & (x<a)\end{cases}$$

이때, 함수 $f(x)$는 $x=a$에서 $\lim_{x\to a+}\int g(x)dx=\lim_{x\to a-}\int h(x)dx=f(a)$

실력을 기르는 유형

● 정답과 풀이 071쪽

01 부정적분의 정의

중요도

더 자세한 개념은 풍산자 수학Ⅱ 129쪽

424 상 중 하

다음 등식을 만족시키는 함수 $f(x)$를 구하여라.

(단, C는 상수이다.)

(1) $\int f(x)dx=x^2-3x+C$

(2) $\int f(x)dx=2x^3-3x^2+4x+C$

425 최多빈출 상 중 하

함수 $f(x)$에 대하여 $\int (x+3)f(x)dx=2x^3-54x+C$ 일 때, $f(4)$의 값은? (단, C는 상수이다.)

① 4 ② 5 ③ 6
④ 7 ⑤ 8

426 상 중 하

함수 $f(x)=\int (x^2-x+6)dx$일 때,

$\lim_{h\to 0}\frac{f(2+h)-f(2-h)}{h}$의 값은?

① 8 ② 10 ③ 12
④ 14 ⑤ 16

427 상 중 하

함수 $f(x)$의 부정적분 중 하나가 $2x^3-\frac{a}{2}x^2+x$이고 $f'(2)=3$일 때, $f(2)$의 값은? (단, a는 상수이다.)

① -13 ② -14 ③ -15
④ -16 ⑤ -17

428 상 중 하

함수 $f(x)$에 대하여

$$\int f(x)dx=x^3-4x^2+4x+C$$

가 성립한다. $f(\alpha)=0$, $f(\beta)=0$일 때, $\alpha+\beta$의 값은?

(단, α, β, C는 상수이다.)

① $\frac{2}{3}$ ② $\frac{4}{3}$ ③ 2
④ $\frac{8}{3}$ ⑤ $\frac{10}{3}$

02 부정적분과 미분의 관계

중요도

더 자세한 개념은 풍산자 수학Ⅱ 134쪽

429 상 중 하

모든 실수 x에 대하여

$$\frac{d}{dx}\int (2x^2+ax-1)dx=bx^2+3x+c$$

가 성립할 때, abc의 값은? (단, a, b, c는 상수이다.)

① -9 ② -6 ③ -3
④ 6 ⑤ 9

430 최多빈출

상중하

함수 $f(x)=\int\left\{\frac{d}{dx}(2x^2-3x)\right\}dx$에 대하여 $f(1)=0$일 때, $f(2)$의 값은?

① -3　② -1　③ 1
④ 3　⑤ 5

431

상중하

함수 $f(x)=\int\left\{\frac{d}{dx}(x^2-5x+4)\right\}dx$에 대하여 방정식 $f(x)=0$의 모든 근의 곱이 -2일 때, $f(1)$의 값은?

① -6　② -3　③ -1
④ 2　⑤ 5

03 다항함수의 부정적분과 그 성질

중요도

더 자세한 개념은 풍산자 수학Ⅱ 131쪽

432

상중하

자연수 n에 대하여 함수

$$f(x)=\int dx+2\int x\,dx+3\int x^2dx+\cdots+n\int x^{n-1}dx$$

이고 $f(0)=0$일 때, 다음 중 $f(1)$을 나타낸 것은?

① $n-1$　② n　③ $n+1$
④ $\frac{n}{2}$　⑤ $\frac{n(n+1)}{2}$

433

상중하

함수 $f(x)$에 대하여 $f'(x)=ax+2$이고 $f(1)=2$일 때, 방정식 $f(x)=0$의 모든 근의 곱은?

(단, $a\neq0$, a는 상수이다.)

① -2　② -1　③ 0
④ 1　⑤ 2

434

상중하

함수 $f(x)=\int\left(\frac{1}{2}x-2\right)^3dx$에 대하여 $f(2)=\frac{3}{2}$일 때, $f(0)$의 값은?

① 5　② 6　③ 7
④ 8　⑤ 9

435

상중하

함수

$$f(x)=\int(x+1)(x^2-x+1)dx-\frac{1}{4}\int x(2x-1)^2dx$$

에 대하여 $f(0)=0$일 때, $24f(1)$의 값은?

① 28　② 29　③ 30
④ 31　⑤ 32

● 정답과 풀이 071쪽

436

(상중하)

함수 $f(x)=\int \frac{6x^2+x-2}{2x-1}dx$에 대하여 $f(1)=4$일 때, $f(-1)$의 값은?

① -2 ② -1 ③ 0
④ 1 ⑤ 2

437

최多빈출 (상중하)

함수 $f(x)=\int \frac{x^3-2x}{x-1}dx+\int \frac{2x-1}{x-1}dx$에 대하여 $f(1)=2$일 때, $f(0)$의 값은?

① $-\frac{1}{3}$ ② $-\frac{1}{6}$ ③ 0
④ $\frac{1}{6}$ ⑤ $\frac{1}{3}$

438

(상중하)

다항함수 $f(x)$의 도함수가 $f'(x)=3x(x-4)$이고 $f(x)$의 극댓값이 5일 때, 극솟값은?

① 0 ② -5 ③ -16
④ -27 ⑤ -32

04 부정적분과 그래프

중요도

더 자세한 개념은 풍산자 수학Ⅱ 135쪽

439

학평 기출 (상중하)

다항함수 $f(x)$의 도함수 $f'(x)$가 $f'(x)=6x^2+4$이고 함수 $y=f(x)$의 그래프가 점 $(0,\ 6)$을 지날 때, $f(1)$의 값을 구하여라.

440

풍쌤 비법 ❶ (상중하)

두 점 $(1,\ -3)$, $(-2,\ 6)$을 지나는 곡선 $y=f(x)$ 위의 임의의 점 $(x,\ y)$에서의 접선의 기울기가 x^2에 정비례할 때, $f(0)$의 값은?

① -2 ② -1 ③ 0
④ 1 ⑤ 2

441

(상중하)

곡선 $y=f(x)$는 점 $(-2,\ 3)$을 지나고 이 곡선 위의 임의의 점 $(x,\ y)$에서의 접선의 기울기는 $6x^2+2x+3$이다. 곡선 $y=f(x)$ 위의 $x=1$인 점에서의 접선의 방정식이 $y=ax+b$일 때, $a-b$의 값은? (단, a, b는 상수이다.)

① -1 ② -2 ③ -3
④ -4 ⑤ -5

442

상중하

점 $(2,\ 1)$을 지나는 곡선 $y=f(x)$ 위의 임의의 점 $(x,\ y)$에서의 접선의 기울기가 $2x+1$일 때, 곡선 $y=f(x)$와 x축이 만나는 두 점을 P, Q라고 하자. 이때, 선분 PQ의 길이를 구하여라.

443

상중하

함수 $f(x)$의 도함수 $f'(x)$는 이차항의 계수가 2인 이차함수이고, $y=f'(x)$의 그래프가 오른쪽 그림과 같다. 함수 $f(x)$의 극댓값을 M, 극솟값을 m이라고 할 때, $M-m$의 값은?

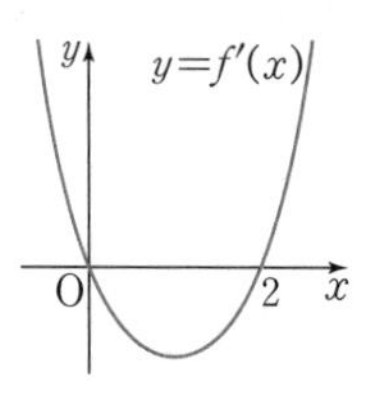

① $\frac{5}{3}$ ② 2 ③ $\frac{7}{3}$
④ $\frac{8}{3}$ ⑤ 3

444

상중하

함수 $f(x)$의 도함수 $f'(x)$에 대하여 $y=f'(x)$의 그래프가 오른쪽 그림과 같은 포물선이고 $f(x)$의 극댓값이 1, 극솟값이 -3일 때, $f(2)$의 값은?

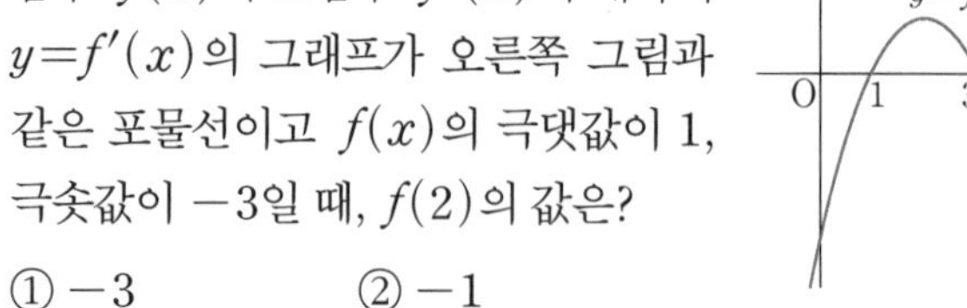

① -3 ② -1
③ 1 ④ 2
⑤ 3

445

상중하

함수 $f(x)$의 최댓값이 6이고 곡선 $y=f(x)$ 위의 임의의 점 $(x,\ f(x))$에서의 접선의 기울기가 $-2x+4$일 때, $f(0)$의 값은?

① 0 ② 1 ③ 2
④ 3 ⑤ 4

05 부정적분과 특정한 식

중요도

더 자세한 개념은 풍산자 수학Ⅱ 135쪽

446 최多빈출

상중하

다항함수 $f(x)$와 그 부정적분 $F(x)$ 사이에

$$F(x)=xf(x)-4x^2(x+1)$$

인 관계가 성립한다. $f(1)=10$일 때, 방정식 $f(x)=0$의 두 근의 곱은?

① $-\frac{4}{3}$ ② $-\frac{2}{3}$ ③ $\frac{1}{6}$
④ $\frac{2}{3}$ ⑤ $\frac{4}{3}$

447

상중하

다항함수 $f(x)$가

$$\int f(x)dx=xf(x)+2x^3-2x^2$$

을 만족시키고 $f(1)=4$일 때, $f(2)$의 값은?

① -2 ② -1 ③ 0
④ 1 ⑤ 2

448

(상 중 하)

함수 $f(x)=4x-4$의 한 부정적분을 $F(x)$라고 할 때, 모든 실수 x에 대하여 부등식 $F(x)\geq 0$이 성립한다. 이때, 다음 중 $F(0)$의 값이 될 수 없는 것은?

① 1　② 2　③ 3
④ 4　⑤ 5

449

학평 기출 (상 중 하)

미분가능한 함수 $f(x)$가 임의의 실수 x, y에 대하여

$$f(x+y)=f(x)+f(y)-xy$$

를 만족시키고 $f'(0)=6$일 때, $f(2)$의 값은?

① 6　② 7　③ 8
④ 9　⑤ 10

450

(상 중 하)

함수 $y=f(x)$에서 x의 증분을 Δx, Δx에 대한 y의 증분을 Δy라고 할 때, $\Delta y=(ax+1)\Delta x-(\Delta x)^2$이 성립한다. $f(0)=1$, $f(1)=0$일 때, $f(-1)$의 값은?

(단, a는 상수이다.)

① -3　② -2　③ -1
④ 0　⑤ 1

451

최多빈출 풍쌤 비법 ❷ (상 중 하)

함수 $f(x)$의 도함수 $f'(x)$가

$$f'(x)=\begin{cases} k & (x<-1) \\ 4x-1 & (x>-1) \end{cases}$$

이고 $f(-2)=1$, $f(0)=2$이다. 함수 $f(x)$가 $x=-1$에서 연속일 때, $f(-3)$의 값을 구하여라.

(단, k는 상수이다.)

452

(상 중 하)

연속함수 $f(x)$의 도함수 $f'(x)$에 대하여 $y=f'(x)$의 그래프가 오른쪽 그림과 같고 $f(2)=1$일 때, $f(-2)$의 값은? (단, 곡선 부분은 이차함수의 그래프의 일부이다.)

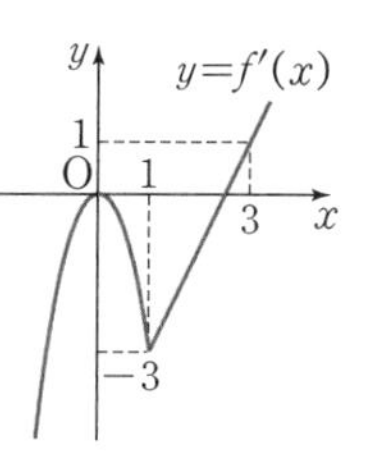

① 11　② 12　③ 13
④ 14　⑤ 15

453

(상 중 하)

함수 $f(x)$를 적분하는 문제를 잘못하여 미분하였더니 $4x^2+4x+1$이었다. $f(x)$를 옳게 적분한 식을 $F(x)$라고 하면 $f(1)=2$, $F(1)=2$일 때, $6F(0)$의 값은?

① 11　② 13　③ 15
④ 17　⑤ 19

454

두 다항함수 $f(x)$, $g(x)$가 다음 두 조건을 모두 만족시킨다.

(가) $\frac{d}{dx}\{f(x)+g(x)\}=2x+1$

(나) $\frac{d}{dx}\{f(x)g(x)\}=3x^2-4x+1$

$f(0)=1, g(0)=-2$일 때, $f(1)$의 값을 구하여라.

455

$f'(x)=x^2+4x-5$, $f(3)=13$을 만족시키는 함수 $f(x)$에 대하여 방정식 $f(x)=0$의 모든 근의 곱을 구하여라.

456

곡선 $y=f(x)$ 위의 임의의 점 $\mathrm{P}(x, y)$에서의 접선의 기울기가 $3x^2-12$이고 함수 $f(x)$의 극솟값이 3일 때, 함수 $f(x)$의 극댓값을 구하여라.

457

미분가능한 함수 $f(x)$가 모든 실수 x, y에 대하여

$$f(x+y)=f(x)+f(y)-2xy-2$$

를 만족시키고 $f'(0)=1$일 때, 방정식 $f(x)=0$의 두 근을 α, β라고 하자. 이때, $\alpha^2+\beta^2$의 값을 구하여라.

458

실수 전체의 집합에서 연속인 함수 $f(x)$에 대하여 $f(0)=0$이고 $f'(x)=x+|x-1|$일 때, $f(2)$의 값을 구하여라.

459

다항함수 $f(x)$가 다음 두 조건을 모두 만족시킬 때, $f(1)$의 값을 구하여라.

(가) $\lim_{h \to 0} \frac{f(x+2h)-f(x)}{h}=6x^2-8x$

(나) 방정식 $f(x)=0$의 모든 근의 곱은 3이다.

● 정답과 풀이 076쪽

460

다음 〈보기〉에서 옳은 것을 모두 고른 것은?

보기

ㄱ. $\int f(x)g(x)dx=\left\{\int f(x)dx\right\}\left\{\int g(x)dx\right\}$

ㄴ. $\int f(x)dx=\int f(t)dt$

ㄷ. $\int f(x)dx=\int g(x)dx$이면 $f(x)=g(x)$

① ㄱ ② ㄷ ③ ㄱ, ㄴ
④ ㄱ, ㄷ ⑤ ㄴ, ㄷ

461

함수 $f(x)=\int(x-2)(x+2)(x^2+4)dx$에 대하여 $f(0)=\frac{4}{5}$일 때, $\lim_{x\to1}\frac{xf(x)-f(1)}{x^2-1}$의 값은?

① -30 ② -25 ③ -20
④ -15 ⑤ -10

462

함수 $f(x)=3x^2-12x+1$의 부정적분 $F(x)$에 대하여 $F(x)$가 $f'(x)$로 나누어떨어질 때, 방정식 $F(x)=0$의 세 실근 α, β, γ에 대하여 $\alpha^3+\beta^3+\gamma^3$의 값을 구하여라.

463

사차함수 $f(x)$의 도함수 $y=f'(x)$의 그래프가 오른쪽 그림과 같고, $f'(-\sqrt{2})=f'(0)=f'(\sqrt{2})=0$이다. $f(0)=1$, $f(\sqrt{2})=-3$일 때, $f(m)f(m+1)<0$을 만족시키는 모든 정수 m의 값의 합은?

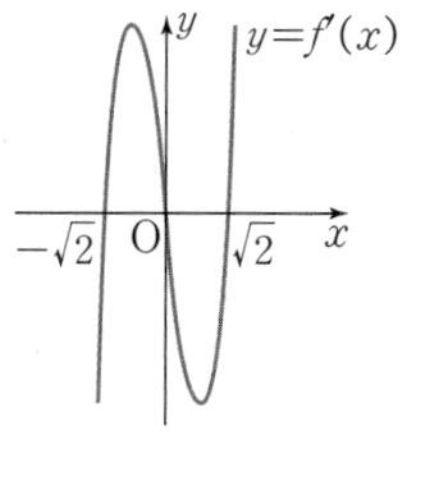

① -2 ② -1 ③ 0
④ 1 ⑤ 2

464 100점 도전

함수 $y=f(x)$가 모든 실수에서 연속이고, $|x|\neq1$인 모든 실수 x에 대하여 $f'(x)$가

$$f'(x)=\begin{cases} x^2 & (|x|<1) \\ -1 & (|x|>1) \end{cases}$$

일 때, 〈보기〉에서 옳은 것을 모두 고른 것은?

보기

ㄱ. 함수 $y=f(x)$는 $x=-1$에서 극값을 갖는다.

ㄴ. 모든 실수 x에 대하여 $f(x)=f(-x)$이다.

ㄷ. $f(0)=0$이면 $f(1)>0$이다.

① ㄱ ② ㄴ ③ ㄱ, ㄴ
④ ㄱ, ㄷ ⑤ ㄱ, ㄴ, ㄷ

08 정적분

1 정적분의 정의

(1) 정적분의 정의

① 함수 $f(x)$가 구간 $[a,\ b]$에서 연속일 때, $f(x)$의 한 부정적분 $F(x)$에 대하여 $F(b)-F(a)$를 $f(x)$의 a에서 b까지의 정적분이라고 한다.

② $\int_a^b f(x)dx=\Big[F(x)\Big]_a^b=F(b)-F(a)$

└ a를 아래끝, b를 위끝이라고 한다.

참고 $\int_a^b f(x)dx=\int_a^b f(y)dy=\int_a^b f(t)dt$

(2) 적분과 미분의 관계

함수 $f(x)$가 닫힌구간 $[a,\ b]$에서 연속일 때,

$\frac{d}{dx}\int_a^x f(t)dt=f(x)$ (단, $a<x<b$)

2 정적분의 기본 성질

세 실수 a, b, c를 포함하는 닫힌구간에서 두 함수 $f(x)$, $g(x)$가 연속일 때

① $\int_a^b kf(x)dx=k\int_a^b f(x)dx$ (단, k는 상수이다.)

② $\int_a^b \{f(x)+g(x)\}dx=\int_a^b f(x)dx+\int_a^b g(x)dx$

③ $\int_a^b \{f(x)-g(x)\}dx=\int_a^b f(x)dx-\int_a^b g(x)dx$

④ $\int_a^c f(x)dx+\int_c^b f(x)dx=\int_a^b f(x)dx$ — a, b, c의 대소에 관계없이 성립한다.

3 우함수 · 기함수의 정적분

함수 $f(x)$가 닫힌구간 $[-a,\ a]$에서 연속일 때

① $f(x)$가 우함수, 즉 $f(-x)=f(x)$이면 — 우함수의 그래프는 y축에 대하여 대칭이다.

$\int_{-a}^a f(x)dx=2\int_0^a f(x)dx$

② $f(x)$가 기함수, 즉 $f(-x)=-f(x)$이면 — 기함수의 그래프는 원점에 대하여 대칭이다.

$\int_{-a}^a f(x)dx=0$

4 정적분으로 정의된 함수

(1) 정적분으로 정의된 함수의 미분

① $\frac{d}{dx}\int_a^x f(t)dt=f(x)$ (단, a는 상수이다.)

② $\frac{d}{dx}\int_x^{x+a} f(t)dt=f(x+a)-f(x)$

(단, a는 상수이다.)

(2) 정적분으로 정의된 함수의 극한

① $\lim_{x\to 0}\frac{1}{x}\int_a^{x+a} f(t)dt=f(a)$

② $\lim_{x\to a}\frac{1}{x-a}\int_a^x f(t)dt=f(a)$

문제 풀 때 유용한 풍쌤 비법

❶ 구간에 따라 함수가 다르면 구간을 나누어 적분한다.

(1) 절댓값 기호 안의 식의 값이 0이 되게 하는 x의 값을 구한 후, x의 값을 경계로 적분 구간을 나누어 정적분의 값을 구한다.

(2) 연속함수 $f(x)=\begin{cases} g(x) & (x\geq b) \\ h(x) & (x<b)\end{cases}$에 대하여 $a<b<c$일 때 ⇨ $\int_a^c f(x)dx=\int_a^b h(x)dx+\int_b^c g(x)dx$

(3) 그래프의 꺾인 점을 기준으로 각 구간에서의 함수의 식을 찾아 정적분의 값을 구한다.

❷ 정적분으로 정의된 함수 구하기

(1) $f(x)=g(x)+\int_a^b f(t)dt$ (a, b는 상수) 꼴 ⇨ $\int_a^b f(t)dt=k$ (k는 상수)로 놓고 $f(x)=g(x)+k$임을 이용하여 k의 값을 구한다.

(2) $\frac{d}{dx}\int_a^x f(t)dt=f(x)$, $\int_a^a f(x)dx=0$임을 이용한다.

● 정답과 풀이 078쪽

01 정적분의 정의

중요도

더 자세한 개념은 풍산자 수학Ⅱ 140쪽

465 최多빈출
상 중 하

정적분 $\int_{1}^{4}(t-2)(4t-2)dt$의 값은?

① 21 ② 22 ③ 23
④ 24 ⑤ 25

466
상 중 하

정적분 $\int_{0}^{1}\left(\frac{x^4}{x^2+1}-\frac{1}{x^2+1}\right)dx$의 값은?

① $-\frac{5}{6}$ ② $-\frac{2}{3}$ ③ $\frac{1}{2}$
④ $\frac{2}{3}$ ⑤ $\frac{5}{6}$

467
상 중 하

$\int_{0}^{1}(ax^2+1)dx=6$일 때, 상수 a의 값은?

① 7 ② 9 ③ 11
④ 13 ⑤ 15

468
상 중 하

함수 $f(x)=6x^2+2ax$가 $\int_{0}^{1}f(x)dx=f(1)$을 만족시킬 때, 상수 a의 값은?

① -4 ② -2 ③ 0
④ 2 ⑤ 4

469
상 중 하

함수 $f(x)=ax+b$에 대하여

$$\int_{0}^{1}f(x)dx=1,\ \int_{0}^{1}xf(x)dx=2$$

가 성립할 때, $a+b$의 값은? (단, a, b는 상수이다.)

① 8 ② 9 ③ 10
④ 11 ⑤ 12

470 학평 기출
상 중 하

함수 $y=4x^3-12x^2$의 그래프를 y축의 방향으로 k만큼 평행이동한 그래프를 나타내는 함수를 $y=f(x)$라고 하자. $\int_{0}^{3}f(x)dx=0$을 만족시키는 상수 k의 값을 구하여라.

471
(상중하)

부등식 $\int_{1}^{2}(3x^2+2ax+2)dx>6$을 만족시키는 정수 a의 최솟값은?

① -2 ② -1 ③ 0
④ 1 ⑤ 2

472
(상중하)

오른쪽 그림과 같이 삼차함수 $y=f(x)$가 $f(-1)=f(1)=f(2)=0$, $f(0)=2$를 만족시킬 때, $\int_{0}^{2}f'(x)dx$의 값은?

① -2 ② -1 ③ 0
④ 1 ⑤ 2

02 정적분의 성질과 계산

중요도

더 자세한 개념은 풍산자 수학Ⅱ 143쪽

473
(상중하)

정적분 $\int_{-1}^{2}(x^2+1)dx-2\int_{-1}^{2}(x-x^2)dx$의 값은?

① 8 ② 9 ③ 10
④ 11 ⑤ 12

474 최多빈출
(상중하)

정적분 $\int_{0}^{6}\frac{x^3}{x-2}dx-\int_{0}^{6}\frac{8}{x-2}dx$의 값은?

① 130 ② 132 ③ 134
④ 136 ⑤ 138

475
(상중하)

임의의 실수 x에 대하여 연속인 두 함수 $f(x)$, $g(x)$가

$$\int_{0}^{a}\{f(x)+g(x)\}dx=7,\ \int_{0}^{a}\{f(x)-g(x)\}dx=3$$

을 만족시킬 때, $\int_{0}^{a}\{3f(x)+g(x)\}dx$의 값을 구하여라.

476
(상중하)

정적분 $\int_{2}^{4}(x+1)(x^2-x+1)dx+\int_{4}^{3}(x^3+1)dx$의 값은?

① $\frac{67}{4}$ ② 17 ③ $\frac{69}{4}$
④ $\frac{35}{2}$ ⑤ $\frac{71}{4}$

477
(상중하)

$\int_{0}^{a}(2x-3)dx+\int_{a}^{2a}(2x-3)dx=4$를 만족시키는 양수 a의 값은?

① $\frac{1}{2}$ ② 1 ③ $\frac{3}{2}$
④ 2 ⑤ $\frac{5}{2}$

478 최多빈출 상중하

함수 $f(x)=5x^4+2x$에 대하여 정적분

$$\int_1^4 f(x)dx-\int_2^4 f(x)dx+\int_{-2}^1 f(x)dx$$

의 값은?

① 4 ② 8 ③ 16
④ 32 ⑤ 64

479 상중하

다항함수 $f(x)$에 대하여

$$\int_{-2}^1 f(x)dx=8,\ \int_0^{10} f(x)dx=16,\ \int_1^{10} f(x)dx=12$$

를 만족시킬 때, 정적분 $\int_{-2}^0 \{f(x)-4x^3\}dx$의 값을 구하여라.

480 상중하

정적분 $\int_1^{-2}(3x^2+2x)dx+\int_{-2}^0(3t^2+2t)dt$의 값은?

① -2 ② -1 ③ 0
④ 1 ⑤ 2

481 상중하

정적분

$$\int_{-2}^{-1}(x^3-2x+1)dx+\int_{-1}^0(y^3-2y+1)dy+\int_0^1(z^3-2z+1)dz$$

의 값은?

① $\frac{5}{4}$ ② $\frac{7}{4}$ ③ $\frac{9}{4}$
④ $\frac{11}{4}$ ⑤ $\frac{13}{4}$

482 풍쌤 비법 ❶ 상중하

정적분 $\int_{-2}^1(|x|+x+1)^2dx$의 값은?

① 5 ② $\frac{16}{3}$ ③ $\frac{17}{3}$
④ 6 ⑤ $\frac{19}{3}$

483 학평 기출 상중하

$0<k<6$일 때, 함수 $f(k)=\int_0^6|x-k|dx$의 최솟값은?

① 7 ② 8 ③ 9
④ 10 ⑤ 11

484
(상 중 하)

미분가능한 함수 $f(x)$에 대하여 $f(0)=1$, $f'(x)=2|x-1|$일 때, $f(2)$의 값은?

① 1　② 2　③ 3　④ 4　⑤ 5

485 학평 기출
(상 중 하)

오른쪽 그림과 같이 삼차함수 $y=f(x)$가 극댓값 $f(1)=1$과 극솟값 $f(3)=-3$을 가지며, $f(0)=-3$이다. 이때 $\int_0^3 |f'(x)|dx$의 값은?

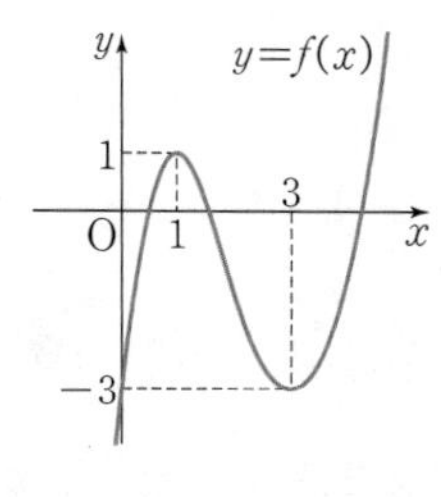

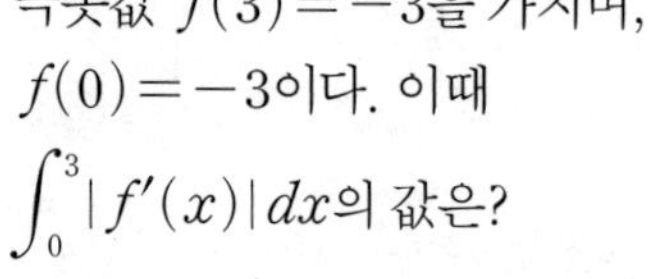

① 6　② 7　③ 8　④ 9　⑤ 10

486 풍쌤 비법 ❶
(상 중 하)

함수 $f(x)=\begin{cases} -x+3 & (x\le 2) \\ 3x-5 & (x\ge 2) \end{cases}$ 일 때, 정적분 $\int_1^5 f(x)dx$의 값은?

① 12　② 14　③ 16　④ 18　⑤ 20

487
(상 중 하)

함수 $f(x)=\begin{cases} 3x^2+2ax & (x<1) \\ 2x+b & (x\ge 1) \end{cases}$가 모든 실수 x에서 미분가능할 때, 정적분 $\int_{-1}^2 f(x)dx$의 값은?

(단, a, b는 상수이다.)

① 0　② 2　③ 4　④ 6　⑤ 8

488 최多빈출 풍쌤 비법 ❶
(상 중 하)

함수 $y=f(x)$의 그래프가 오른쪽 그림과 같을 때, 정적분 $\int_0^2 xf(x)dx$의 값은?

① $\frac{2}{3}$　② $\frac{11}{12}$　③ $\frac{13}{12}$　④ $\frac{17}{12}$　⑤ $\frac{5}{3}$

489
(상 중 하)

정적분 $\int_{\frac{1}{2}}^{\frac{3}{2}} [x](x-1)dx$의 값은?

(단, $[x]$는 x보다 크지 않은 최대의 정수이다.)

① $\frac{1}{8}$　② $\frac{1}{4}$　③ $\frac{1}{2}$　④ 1　⑤ 2

03 우함수와 기함수의 정적분

중요도

더 자세한 개념은 풍산자 수학Ⅱ 147쪽

490 최多빈출

상 중 하

정적분

$$\int_{-1}^{0}(2x^3-6x^2-3x+2)dx+\int_{0}^{1}(2t^3-6t^2-3t+2)dt$$

의 값은?

① -2 ② -1 ③ 0
④ 1 ⑤ 2

491

상 중 하

실수 a에 대하여 $\int_{-a}^{a}(3x^2+2x)dx=\frac{1}{4}$일 때, $20a$의 값을 구하여라.

492

상 중 하

다항함수 $f(x)$가 다음 두 조건을 모두 만족시킬 때, 정적분 $\int_{-5}^{5}f(x)dx$의 값은?

(가) 임의의 실수 x에 대하여 $f(-x)=f(x)$
(나) $\int_{-2}^{0}f(x)dx=6$, $\int_{2}^{5}f(x)dx=9$

① 10 ② 20 ③ 30
④ 40 ⑤ 50

493

상 중 하

두 다항함수 $f(x)$, $g(x)$가 다음 두 조건을 모두 만족시킬 때, 정적분 $\int_{-2}^{0}\{f(x)+g(x)\}dx$의 값은?

(가) 임의의 실수 x에 대하여
$f(-x)=f(x)$, $g(-x)=-g(x)$
(나) $\int_{0}^{2}f(x)dx=2$, $\int_{0}^{2}g(x)dx=3$

① -5 ② -1 ③ 0
④ 1 ⑤ 5

494

상 중 하

다항함수 $f(x)$가 모든 실수 x에 대하여 $f(-x)=f(x)$를 만족시키고 $\int_{-1}^{1}f(x)dx=5$일 때, 정적분 $\int_{-1}^{1}(x^3-x+1)f(x)dx$의 값을 구하여라.

04 $f(x)=f(x+p)$를 만족시키는 함수의 정적분

중요도

더 자세한 개념은 풍산자 수학Ⅱ 149쪽

495

상 중 하

연속함수 $f(x)$가 임의의 실수 x에 대하여 $f(x)=f(x+3)$을 만족시키고 $\int_{-1}^{2}f(x)dx=2$일 때, 정적분 $\int_{-4}^{5}f(x)dx$의 값을 구하여라.

496

(상중하)

연속함수 $f(x)$가 $f(x)=f(x+4)$를 만족시킬 때, 다음 중 정적분 $\int_1^2 f(x)dx$와 같은 것은?

① $\int_{2008}^{2009} f(x)dx$　② $-\int_{2008}^{2009} f(x)dx$
③ $\int_{2009}^{2010} f(x)dx$　④ $-\int_{2009}^{2010} f(x)dx$
⑤ $\int_{2010}^{2011} f(x)dx$

497

최多빈출 (상중하)

모든 실수 x에 대하여 연속인 함수 $f(x)$가 다음 두 조건을 모두 만족시킬 때, 정적분 $\int_1^5 f(x)dx$의 값은?

> (가) 임의의 실수 x에 대하여 $f(x+2)=f(x)$
> (나) $-1\le x\le 1$일 때, $f(x)=1-x^2$

① $\frac{5}{3}$　② 2　③ $\frac{7}{3}$
④ $\frac{8}{3}$　⑤ 3

05 정적분으로 정의된 함수 또는 등식

중요도

더 자세한 개념은 풍산자 수학Ⅱ 151쪽

498

풍쌤 비법 ❷ (상중하)

함수 $f(x)=2x+\int_0^2 f(t)dt$일 때, $f(2)$의 값은?

① 0　② 2　③ 4
④ 6　⑤ 8

499

학평 기출 (상중하)

함수 $f(x)=\frac{12}{7}x^2-2x\int_1^2 f(x)dx+\left\{\int_1^2 f(x)dx\right\}^2$일 때, $5\int_1^2 f(x)dx$의 값은?

① 10　② 15　③ 20
④ 25　⑤ 30

500

(상중하)

두 함수 $f(x)$, $g(x)$가

$$f(x)=3x^2+\int_0^1 (2x+1)f(t)dt,\ g(x)=x+5$$

일 때, 부등식 $f(x)<g(x)$를 만족시키는 정수 x의 개수는?

① 0　② 1　③ 2
④ 3　⑤ 4

501

(상중하)

함수 $f(x)=\int_1^x (4t^3-t^2+3)dt$일 때, $f'(1)+f(1)$의 값은?

① 2　② 4　③ 6
④ 8　⑤ 10

502

(상)(중)(하)

다항함수 $f(x)$가 모든 실수 x에 대하여

$$\int_{-1}^{x} f(t)dt=\frac{1}{3}x^3-\frac{1}{2}x^2-2x-\frac{7}{6}$$

을 만족시킬 때, 함수 $y=f(x)$의 그래프가 x축과 만나는 모든 점의 x좌표의 곱은?

① -2　② -1　③ 0　④ 1　⑤ 2

503

최多빈출　풍쌤 비법 ❷　(상)(중)(하)

다항함수 $f(x)$가 모든 실수 x에 대하여

$$\int_{1}^{x} f(t)dt=x^3+2ax^2-ax$$

를 만족시킬 때, $f(2)$의 값은? (단, a는 상수이다.)

① 5　② 6　③ 7　④ 8　⑤ 9

504

(상)(중)(하)

다항함수 $f(x)$가 모든 실수 x에 대하여

$$\int_{a}^{x} f(t)dt=2x^3-5x^2+2x$$

를 만족시킬 때, $f(a)$의 값은?

(단, a는 0이 아닌 정수이다.)

① 5　② 6　③ 7　④ 8　⑤ 9

505

학평 기출　(상)(중)(하)

다항함수 $f(x)$가 모든 실수 x에 대하여

$$\int_{1}^{x} f(t)dt=xf(x)-3x^4+2x^2$$

을 만족시킬 때, $f(0)$의 값은?

① 1　② 2　③ 3　④ 4　⑤ 5

506

(상)(중)(하)

다항함수 $f(x)$가 $x^2f(x)=4x^5+x^4+2\int_{1}^{x} tf(t)dt$를 만족시킬 때, $3f(0)$의 값은?

① -11　② -12　③ -13　④ -14　⑤ -15

507

(상)(중)(하)

다항함수 $f(x)$가 $\int_{0}^{x}(x-t)f(t)dt=\frac{1}{3}x^3+\frac{1}{4}x^2$을 만족시킬 때, $f(3)$의 값은?

① 5　② $\frac{11}{2}$　③ 6　④ $\frac{13}{2}$　⑤ 7

508
(상중하)

다항함수 $f(x)$가

$$\int_0^x (x-t)f(t)dt=\frac{1}{6}x^4+\frac{2}{3}x^3+\frac{1}{2}x^2$$

을 만족시킬 때, 함수 $f(x)$의 최솟값은?

① -3 ② -2 ③ -1
④ 0 ⑤ 1

509
(상중하)

미분가능한 함수 $f(x)$가

$$\int_{-2}^x (x-t)f(t)dt=x^3+ax^2-4$$

를 만족시키고 $f(2)=b$일 때, $b-a$의 값은?

(단, a는 상수이다.)

① 7 ② 9 ③ 11
④ 13 ⑤ 15

510
(상중하)

다항함수 $f(x)$에 대하여 $f(0)=2$, $f(1)=5$이고 $G(x)=\int_0^x (x-t)f'(t)dt$일 때, $G'(1)$의 값은?

① -6 ② -3 ③ 0
④ 3 ⑤ 6

511 최多빈출
(상중하)

함수 $f(x)=\int_0^x (6t^2-6t-12)dt$가 $x=a$에서 극솟값 b를 가질 때, ab의 값은?

① -40 ② -30 ③ -20
④ -10 ⑤ 0

512
(상중하)

오른쪽 그림은 이차함수 $y=f(x)$의 그래프이다. 함수 $g(x)$를

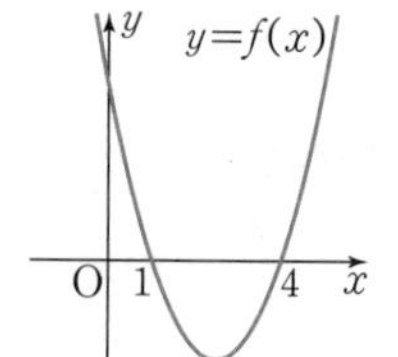

$$g(x)=\int_x^{x+1} f(t)dt$$

라고 할 때, $g(x)$의 최솟값은?

① $g(1)$ ② $g(2)$ ③ $g\left(\frac{5}{2}\right)$
④ $g\left(\frac{7}{2}\right)$ ⑤ $g(4)$

513
(상중하)

함수 $f(x)=\int_x^{x+1} |t|dt$일 때, $\lim_{h\to 0}\frac{f(3+2h)-f(3)}{h}$의 값은?

① 1 ② 2 ③ 3
④ 4 ⑤ 5

06 정적분으로 정의된 함수의 극한

중요도

더 자세한 개념은 풍산자 수학Ⅱ 154쪽

514

상 중 하

함수 $f(x)=x^3-3x^2-3x-1$일 때,

$\lim_{x \to -1} \frac{1}{x^2-1} \int_{-1}^{x} f(t)dt$의 값은?

① -2 ② $-\frac{1}{2}$ ③ 0

④ $\frac{1}{2}$ ⑤ 1

515 학평 기출

상 중 하

$\lim_{x \to 2} \frac{1}{x^2-4} \int_{2}^{x} (t^2+3t-2)dt$의 값을 구하여라.

516

상 중 하

미분가능한 함수 $f(x)$가 $f(1)=2$, $f'(1)=3$을 만족시킬 때, $\lim_{x \to 1} \frac{1}{x-1} \int_{1}^{x^2} \{f(t)\}^2 f'(t)dt$의 값은?

① 21 ② 22 ③ 23

④ 24 ⑤ 25

517

상 중 하

$\lim_{h \to 0} \frac{1}{h} \int_{3}^{3-2h} (2x^2-a)dx=2$를 만족시키는 상수 a의 값은?

① 15 ② 16 ③ 17

④ 18 ⑤ 19

518

상 중 하

$\lim_{h \to 0} \frac{1}{h} \int_{0}^{10h} |x-10|dx$의 값은?

① -100 ② -10 ③ 0

④ 10 ⑤ 100

519 최多빈출

상 중 하

$\lim_{h \to 0} \frac{1}{h} \int_{2-h}^{2+2h} (x^2+ax+1)dx=21$을 만족시키는 상수 a의 값은?

① 0 ② $\frac{1}{4}$ ③ $\frac{1}{3}$

④ $\frac{1}{2}$ ⑤ 1

520

상 중 하

함수 $f(x)=\int_{0}^{x} (3t-1)^3 dt$일 때,

$\lim_{h \to 0} \frac{1}{h^2+2h} \int_{1-h}^{1+2h} f(t)dt$의 값은?

① $\frac{7}{8}$ ② $\frac{9}{8}$ ③ $\frac{11}{8}$

④ $\frac{13}{8}$ ⑤ $\frac{15}{8}$

● 정답과 풀이 084쪽

521

삼차함수 $f(x)$와 이차함수 $g(x)$가 $f(-1)=g(-1)$, $f(0)=g(0)+4$, $f(1)=g(1)$, $f(4)=g(4)$를 만족시킬 때, 정적분 $\int_{-1}^{2} f(x)dx-\int_{-1}^{2} g(x)dx$의 값을 구하여라.

522

두 함수 $f(x)$, $g(x)$가 $f(-x)=-f(x)$, $g(-x)=-g(x)$를 만족할 때, 합성함수 $g(f(x))$에 대하여

$$\int_{-\frac{a}{2}}^{\frac{a}{4}} g(f(x))dx=A,\ \int_{\frac{a}{4}}^{a} g(f(x))dx=B$$

라고 하면 $\int_{\frac{a}{2}}^{a} g(f(x))dx=aA+bB$가 성립한다. 이때, 두 실수 a, b에 대하여 a^2+b^2의 값을 구하여라.

523

연속함수 $f(x)$가 다음 두 조건을 모두 만족시킬 때, $\int_{-1}^{3} f(x)dx$의 값을 구하여라.

> (가) 임의의 실수 x에 대하여 $f(2+x)=f(2-x)$
> (나) $\int_{1}^{2} f(x)dx=4$, $\int_{3}^{5} f(x)dx=10$

524

다항함수 $f(x)$가 모든 실수 x에 대하여

$$\int_{1}^{x} tf(t)dt=3x^4-2ax^2+3$$

을 만족시킬 때, $\int_{1}^{3} f(t)dt$의 값을 구하여라.

(단, a는 상수이다.)

525

함수 $f(x)=x^2-ax+\int_{1}^{x} g(t)dt$가 $(x-1)^2$으로 나누어떨어질 때, 다항식 $g(x)$를 $x-1$로 나눈 나머지를 구하여라. (단, a는 상수이다.)

526

함수 $f(x)=x^3-4x+a$가 $\lim_{x \to 1} \frac{1}{x-1}\int_{1}^{x^3} f(t)dt=9$를 만족시킬 때, 상수 a의 값을 구하여라.

527

5차 이하의 다항함수 $f(x)$가

$$\int_{-1}^{1} f(x)dx = af\left(-\sqrt{\frac{3}{5}}\right) + bf(0) + af\left(\sqrt{\frac{3}{5}}\right)$$

을 만족시킬 때, a, b의 값을 차례대로 나열한 것은?

(단, a, b는 상수이다.)

① $\frac{4}{9}, \frac{10}{9}$ ② $\frac{5}{9}, \frac{8}{9}$ ③ $\frac{2}{3}, \frac{2}{3}$
④ $\frac{7}{9}, \frac{4}{9}$ ⑤ $\frac{8}{9}, \frac{2}{9}$

528 (100점 도전)

최고차항의 계수가 양수인 삼차함수 $f(x)$가 다음 두 조건을 모두 만족시킨다.

> (가) 함수 $f(x)$는 $x=0$에서 극댓값, $x=k$에서 극솟값을 갖는다.
> (나) 1보다 큰 모든 실수 t에 대하여
> $\int_{0}^{t} |f'(x)|dx = f(t) + f(0)$이다.

<보기>에서 옳은 것을 모두 고른 것은?

> 보기
> ㄱ. $\int_{0}^{k} f'(x)dx < 0$
> ㄴ. $0 < k \leq 1$
> ㄷ. 함수 $f(x)$의 극솟값은 0이다.

① ㄱ ② ㄷ ③ ㄱ, ㄴ
④ ㄴ, ㄷ ⑤ ㄱ, ㄴ, ㄷ

529

두 다항함수 $f(x), g(x)$가 모든 실수 x에 대하여 $f(-x) = -f(x), g(-x) = g(x)$를 만족시킨다. 함수 $h(x) = f(x)g(x)$에 대하여

$$\int_{-3}^{3} (x+5)h'(x)dx = 10$$

일 때, $h(3)$의 값은?

① 1 ② 2 ③ 3
④ 4 ⑤ 5

530

양수 a에 대하여 함수 $f(x)$가 다음 두 조건을 모두 만족시킨다.

> (가) $\int_{0}^{1} f(t)dt = 1$
> (나) 모든 실수 x에 대하여
> $\int_{0}^{x} f(t)dt = \frac{x^2}{9}\int_{0}^{a} f(t)dt$

이때, $f(a)$의 값은?

① 3 ② 6 ③ 9
④ 12 ⑤ 15

09 정적분의 활용

1 곡선과 좌표축 사이의 넓이

(1) x축 적분꼴

함수 $y=f(x)$가 구간 $[a, b]$에서 연속일 때, 곡선 $y=f(x)$와 x축 및 두 직선 $x=a$, $x=b$로 둘러싸인 부분의 넓이 S는

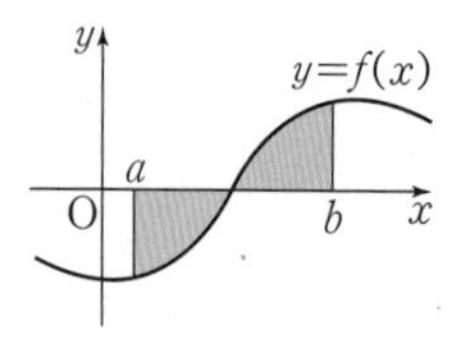

$$S=\int_a^b |f(x)|dx$$

$|f(x)|=\begin{cases} f(x) & (f(x)\ge 0) \\ -f(x) & (f(x)<0) \end{cases}$

(2) y축 적분꼴

함수 $x=f(y)$가 구간 $[a, b]$에서 연속일 때, 곡선 $x=f(y)$와 y축 및 두 직선 $y=a, y=b$로 둘러싸인 부분의 넓이 S는

$$S=\int_a^b |f(y)|dy$$

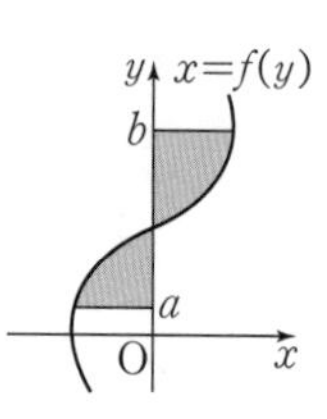

2 두 곡선 사이의 넓이

(1) x축 적분꼴

두 함수 $y=f(x)$와 $y=g(x)$가 구간 $[a, b]$에서 연속일 때, 두 곡선 $y=f(x), y=g(x)$ 및 두 직선 $x=a$, $x=b$로 둘러싸인 부분의 넓이 S는

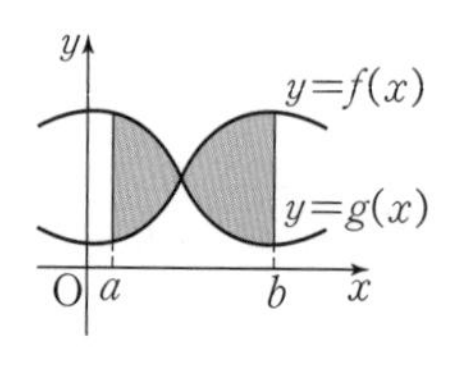

$$S=\int_a^b |f(x)-g(x)|dx \leftarrow \int_a^b \{(\text{위쪽의 식})-(\text{아래쪽의 식})\}dx$$

(2) y축 적분꼴

두 함수 $x=f(y)$와 $x=g(y)$가 구간 $[a, b]$에서 연속일 때, 두 곡선 $x=f(y), x=g(y)$ 및 두 직선 $y=a, y=b$로 둘러싸인 부분의 넓이 S는

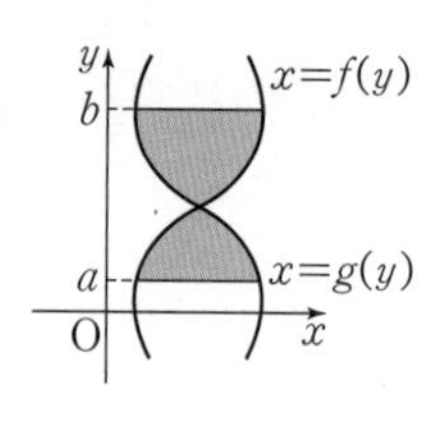

$$S=\int_a^b |f(y)-g(y)|dy \leftarrow \int_a^b \{(\text{오른쪽의 식})-(\text{왼쪽의 식})\}dy$$

3 속도와 거리

수직선 위를 움직이는 점 P의 시각 t에서의 속도를 $v(t)$, 위치를 $x(t)$라고 하면

① $t=0$에서의 점 P의 위치가 $x(0)$일 때, $t=a$에서 점 P의 위치 $x(a)$는

$$x(a)=x(0)+\int_0^a v(t)dt$$

② $t=a$에서 $t=b$까지 점 P의 위치의 변화량은

$$\int_a^b v(t)dt$$

③ $t=a$에서 $t=b$까지 점 P가 움직인 거리는

$$\int_a^b |v(t)|dt$$

주의 속도를 정적분하면 위치의 변화량이 되고, 절댓값을 취해 정적분하면 움직인 거리가 된다. 따라서 위치의 변화량은 음수일 수 있지만 움직인 거리는 항상 양수이다.

문제 풀 때 유용한 풍쌤 비법

❶ 포물선과 직선으로 둘러싸인 부분의 넓이

(1) 포물선과 x축

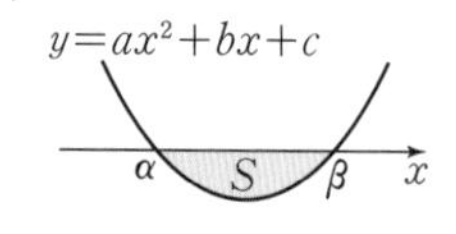

⇨ $S=\left|\frac{a}{6}(\beta-\alpha)^3\right|$

(2) 포물선과 직선

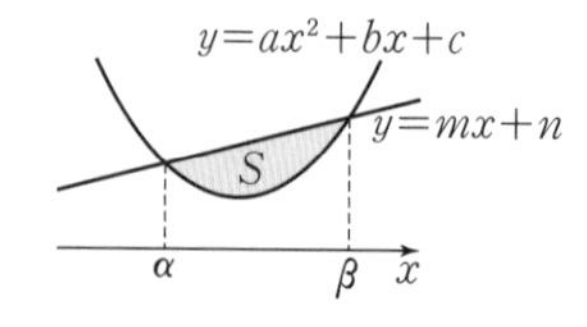

⇨ $S=\left|\frac{a}{6}(\beta-\alpha)^3\right|$

(3) 포물선과 포물선

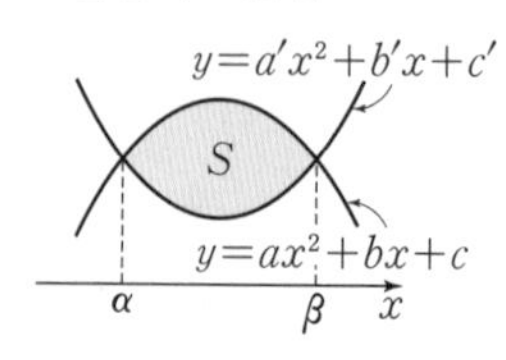

⇨ $S=\left|\frac{a-a'}{6}(\beta-\alpha)^3\right|$

❷ 수직선 위를 움직이는 점 P의 시각 t에서의 속도 $v(t)$의 그래프가 주어질 때

(1) $v(t)$의 값의 부호가 바뀌는 지점에서 점 P의 운동 방향이 바뀐다.

(2) $t=0$에서 $t=b$까지 점 P의 위치의 변화량은 S_1-S_2

(3) $t=0$에서 $t=b$까지 점 P가 움직인 거리는 S_1+S_2

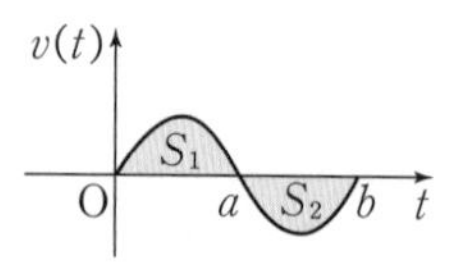

● 정답과 풀이 087쪽

01 곡선과 좌표축 사이의 넓이

중요도

더 자세한 개념은 풍산자 수학Ⅱ 162쪽

531 최多빈출

상 중 하

곡선 $y=6(x+1)(x-3)$과 x축 및 두 직선 $x=1, x=2$로 둘러싸인 부분의 넓이는?

① 21 ② 22 ③ 23
④ 24 ⑤ 25

532

상 중 하

함수 $f(x)=\begin{cases} -x^2+2x & (x\le1) \\ -x+2 & (x\ge1) \end{cases}$의 그래프와 x축으로 둘러싸인 부분의 넓이가 $\frac{q}{p}$일 때, $p+q$의 값은?

(단, p와 q는 서로소인 자연수이다.)

① 11 ② 12 ③ 13
④ 14 ⑤ 15

533 최多빈출

상 중 하

곡선 $y=x^2(x-1)$과 x축 및 두 직선 $x=0$, $x=3$으로 둘러싸인 부분의 넓이를 S라고 할 때, $12S$의 값은?

① 131 ② 133 ③ 135
④ 137 ⑤ 139

534

상 중 하

함수 $f(x)=x^3-9x$의 그래프와 x축으로 둘러싸인 부분의 넓이는?

① $\frac{77}{2}$ ② 39 ③ $\frac{79}{2}$
④ 40 ⑤ $\frac{81}{2}$

535 학평 기출

상 중 하

함수 $f(x)$의 도함수 $f'(x)$가
$f'(x)=x^2-1$이고
$f(0)=0$일 때, 곡선 $y=f(x)$와 x축으로 둘러싸인 부분의 넓이는?

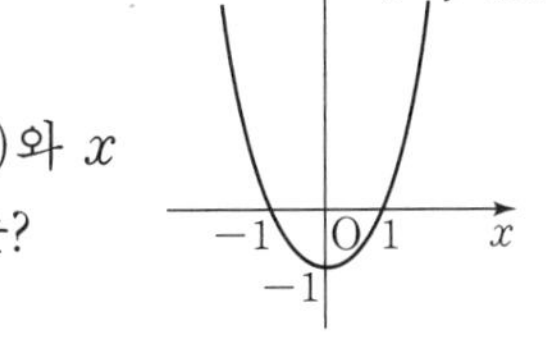

① $\frac{9}{8}$ ② $\frac{5}{4}$
③ $\frac{11}{8}$ ④ $\frac{3}{2}$
⑤ $\frac{13}{8}$

536

상 중 하

곡선 $y=\sqrt{4-ax}$와 x축 및 y축으로 둘러싸인 부분의 넓이가 $\frac{1}{3}$일 때, 양수 a의 값은?

① 8 ② 12 ③ 16
④ 20 ⑤ 24

537
상 중 하

곡선 $y=\sqrt{x}+1$과 x축, y축 및 직선 $x=4$로 둘러싸인 부분의 넓이는?

① $\frac{26}{3}$ ② 9 ③ $\frac{28}{3}$
④ $\frac{29}{3}$ ⑤ 10

02 두 곡선 사이의 넓이

중요도

더 자세한 개념은 풍산자 수학Ⅱ 165쪽

538 최多빈출
상 중 하

두 곡선 $y=x^3-2x$, $y=-x^2$으로 둘러싸인 부분의 넓이는?

① $\frac{19}{6}$ ② $\frac{31}{12}$ ③ $\frac{17}{6}$
④ $\frac{37}{12}$ ⑤ $\frac{10}{3}$

539
상 중 하

함수 $f(x)=x^3+4$의 그래프와 $f(x)$의 도함수 $f'(x)$의 그래프로 둘러싸인 부분의 넓이 S가 $S=\frac{q}{p}$일 때, $p+q$의 값을 구하여라.

(단, p와 q는 서로소인 자연수이다.)

540
상 중 하

두 곡선 $y=\sqrt{x}+2$, $y=2\sqrt{x}$와 y축으로 둘러싸인 부분의 넓이는?

① $\frac{5}{3}$ ② 2 ③ $\frac{7}{3}$
④ $\frac{8}{3}$ ⑤ 3

541 최多빈출
상 중 하

오른쪽 그림과 같이 곡선 $y=x^3$과 이 곡선 위의 점 $(-1,\ -1)$에서의 접선으로 둘러싸인 부분의 넓이는?

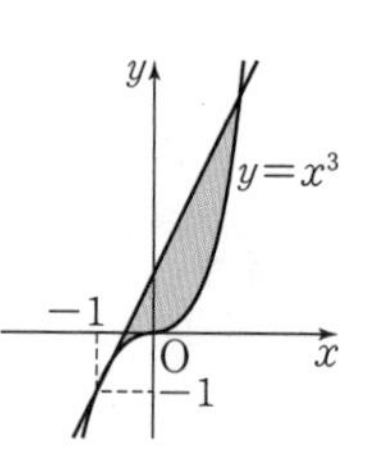

① $\frac{27}{4}$ ② $\frac{29}{4}$
③ $\frac{31}{4}$ ④ $\frac{33}{4}$
⑤ $\frac{35}{4}$

542
상 중 하

오른쪽 그림과 같이 포물선 $y=x^2-4x+3$과 이 곡선 위의 두 점 $(0,\ 3)$, $(4,\ 3)$에서의 접선으로 둘러싸인 부분의 넓이는?

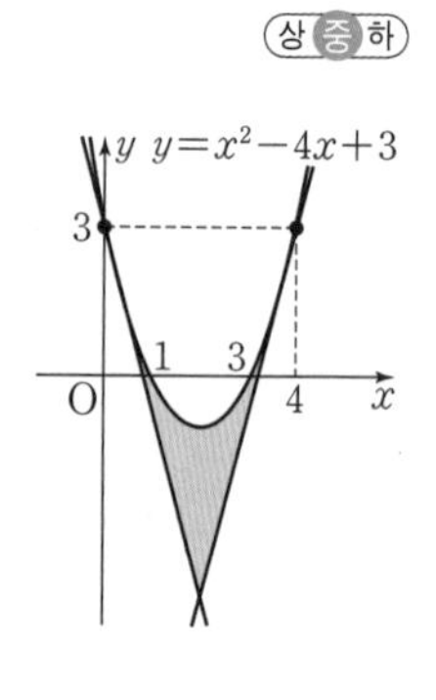

① 4 ② $\frac{13}{3}$
③ $\frac{14}{3}$ ④ 5
⑤ $\frac{16}{3}$

543
(상 중 하)

$0 \le x \le 3$에서 곡선 $y=|x^2-2x|$와 x축 및 직선 $x=3$으로 둘러싸인 부분의 넓이는?

① $\frac{7}{3}$ ② $\frac{8}{3}$ ③ 3
④ $\frac{10}{3}$ ⑤ $\frac{11}{3}$

544
(상 중 하)

두 함수 $y=|x|$, $y=-x^2+2$의 그래프로 둘러싸인 부분의 넓이는?

① $\frac{7}{6}$ ② $\frac{4}{3}$ ③ $\frac{11}{6}$
④ $\frac{7}{3}$ ⑤ $\frac{11}{3}$

545 학평 기출
(상 중 하)

오른쪽 그림은 두 곡선 $y=x^2$, $y=\frac{1}{4}x^2$과 꼭짓점의 좌표가 O(0, 0), A(n, 0), B(n, n^2), C(0, n^2)인 직사각형 OABC를 나타낸 것이다. $n=4$일 때, 두 곡선 $y=x^2$, $y=\frac{1}{4}x^2$과 직선 AB로 둘러싸인 부분의 넓이는? (단, n은 자연수이다.)

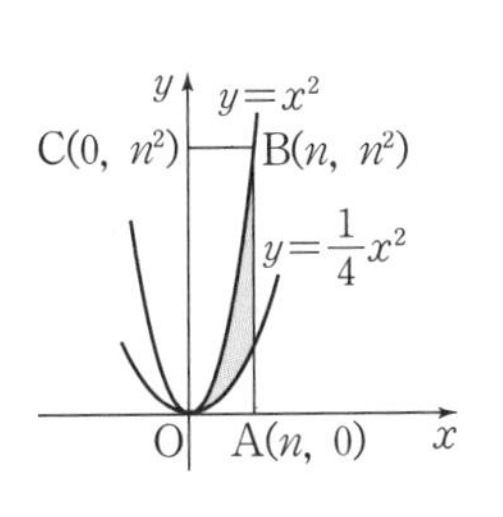

① 14 ② 16 ③ 18
④ 20 ⑤ 22

03 두 부분의 넓이에 대한 조건이 주어진 경우
중요도

더 자세한 개념은 풍산자 수학Ⅱ 172쪽

546 학평 기출
(상 중 하)

오른쪽 그림과 같이 곡선 $y=2x^2-2$와 x축 및 직선 $x=k$로 둘러싸인 두 부분을 각각 A, B라 고 하면 A, B의 넓이가 서로 같다. 이때, 상수 k의 값은? (단, $k>1$)

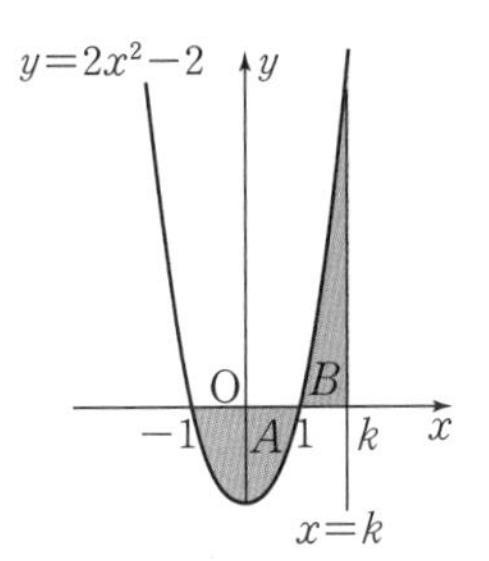

① $\sqrt{2}$ ② $\frac{3}{2}$
③ $\sqrt{3}$ ④ 2
⑤ $\frac{5}{2}$

547
(상 중 하)

곡선 $f(x)=x^2(x-1)(x-a)$와 x축으로 둘러싸인 두 부분의 넓이가 같을 때, $f(-1)$의 값은? (단, $a>1$)

① $\frac{14}{3}$ ② 5 ③ $\frac{16}{3}$
④ $\frac{17}{3}$ ⑤ 6

548
(상 중 하)

곡선 $y=x(x-a)(x-a-3)$과 x축으로 둘러싸인 두 부분의 넓이가 같도록 하는 양수 a의 값은?

① 1 ② 2 ③ 3
④ 4 ⑤ 5

549

(상중하)

오른쪽 그림과 같이 이차함수 $y=x^2-4x+a$의 그래프와 x축, y축으로 둘러싸인 두 부분 A, B의 넓이의 비가 1 : 2일 때, 상수 a의 값은?

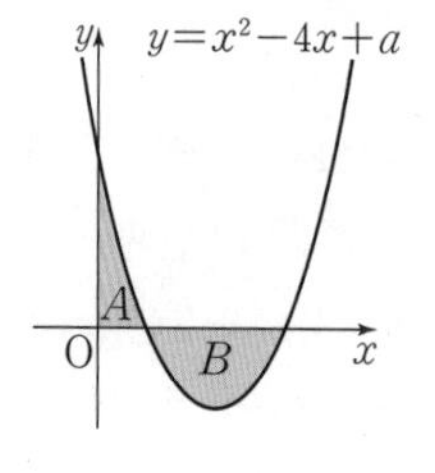

① 2 ② $\frac{5}{2}$
③ $\frac{8}{3}$ ④ 3
⑤ $\frac{11}{3}$

550

(상중하)

오른쪽 그림과 같이 두 곡선 $y=x^2+2a$, $y=-x^2+4$로 둘러싸인 부분의 넓이를 S_1이라 하고, 두 곡선 $y=x^2+2a$, $y=-x^2+4$ 및 x축으로 둘러싸인 부분의 넓이를 S_2라고 하자. $S_1 : S_2=1 : 3$이 되도록 하는 상수 a의 값을 구하여라.

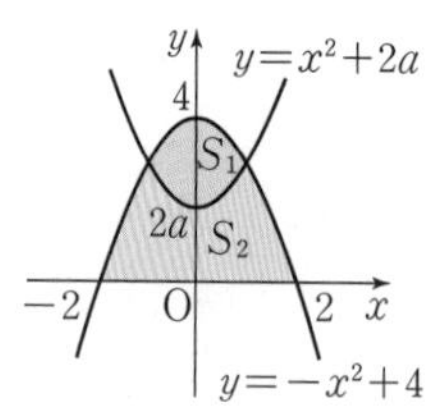

04 포물선과 직선 사이의 넓이

중요도

더 자세한 개념은 풍산자 수학Ⅱ 167쪽

551

학평 기출 풍쌤 비법 ❶

(상중하)

포물선 $y=x^2-4x+3$과 직선 $y=3$으로 둘러싸인 부분의 넓이는?

① 10 ② $\frac{31}{3}$ ③ $\frac{32}{3}$
④ 11 ⑤ $\frac{34}{3}$

552

(상중하)

포물선 $y=x(a-x)$ $(a>0)$와 x축으로 둘러싸인 부분의 넓이가 36일 때, 상수 a의 값은?

① 5 ② 6 ③ 7
④ 8 ⑤ 9

553

최多빈출

(상중하)

포물선 $y=x^2+x-a$와 직선 $y=ax$로 둘러싸인 부분의 넓이가 $\frac{32}{3}$일 때, 양수 a의 값은?

① 3 ② $\frac{7}{2}$ ③ 4
④ $\frac{9}{2}$ ⑤ 5

554

(상중하)

포물선 $y=x^2+ax+1$과 두 직선 $x=a-3$, $x=a+3$이 만나는 점을 각각 A, B라고 할 때, 선분 AB와 포물선 $y=x^2+ax+1$로 둘러싸인 부분의 넓이는?

(단, a는 상수이다.)

① 30 ② 32 ③ 34
④ 36 ⑤ 38

● 정답과 풀이 089쪽

555 상 중 하

포물선 $y=x^2+1$ 위의 한 점 $\mathrm{P}(a,\ a^2+1)$에서의 접선과 포물선 $y=x^2$으로 둘러싸인 부분의 넓이는?

① $\frac{1}{3}$ ② $\frac{2}{3}$ ③ 1
④ $\frac{4}{3}$ ⑤ $\frac{5}{3}$

05 넓이의 활용

중요도

더 자세한 개념은 풍산자 수학Ⅱ 174쪽

556 상 중 하

포물선 $y=x^2+2$와 직선 $y=ax+3$으로 둘러싸인 부분의 넓이의 최솟값은? (단, a는 상수이다.)

① $\frac{1}{3}$ ② $\frac{2}{3}$ ③ 1
④ $\frac{4}{3}$ ⑤ $\frac{5}{3}$

557 상 중 하

두 곡선 $y=4ax^3$, $y=-\frac{1}{a}x^3$과 직선 $x=1$로 둘러싸인 부분의 넓이의 최솟값은? (단, $a>0$)

① $\frac{1}{2}$ ② 1 ③ $\frac{3}{2}$
④ 2 ⑤ $\frac{5}{2}$

558 최多빈출 상 중 하

함수 $f(x)=x^3+2x+2$의 역함수를 $g(x)$라고 할 때, $\int_0^2 f(x)dx+\int_2^{14} g(x)dx$의 값은?

① 20 ② 22 ③ 24
④ 26 ⑤ 28

559 상 중 하

함수 $f(x)=x^3-2x^2+2x$의 역함수를 $g(x)$라고 할 때, 두 곡선 $y=f(x)$, $y=g(x)$로 둘러싸인 부분의 넓이는?

① $\frac{1}{6}$ ② $\frac{1}{3}$ ③ $\frac{1}{2}$
④ 1 ⑤ 2

560 학평 기출 상 중 하

함수 $f(x)=x^3+x-1$의 역함수를 $g(x)$라고 할 때, $\int_1^9 g(x)dx$의 값은?

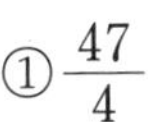

y $y=f(x)$ O -1 x

① $\frac{47}{4}$ ② $\frac{49}{4}$
③ $\frac{51}{4}$ ④ $\frac{53}{4}$
⑤ $\frac{55}{4}$

561
상중하

정사각형 모양의 타일이 좌표평면에 오른쪽 그림과 같이 가로, 세로가 각각 x축, y축과 나란하게 놓여 있다. 이 타일에 $y=f(x)$와 $y=g(x)$의 그래프를 경계로 하여 파란색과 노란색을 칠하려고 한다. 파란색과 노란색이 칠해지는 부분의 넓이의 비가 2 : 3일 때, $\int_0^{15} f(x)dx$의 값은? (단, 함수 $g(x)$는 $f(x)$의 역함수이다.)

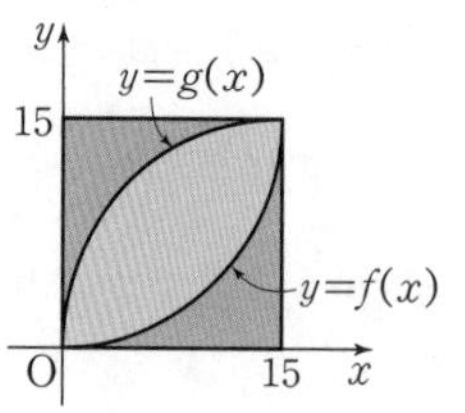

① 15　② 25　③ 35
④ 45　⑤ 55

06 속도와 거리

중요도

더 자세한 개념은 풍산자 수학Ⅱ 176쪽

562
상중하

원점을 출발하여 수직선 위를 움직이는 점 P의 시각 t에서의 속도가 $v(t)=3t^2-4t$일 때, $t=1$에서 $t=2$까지 점 P의 위치의 변화량은?

① -2　② -1　③ 0
④ 1　⑤ 2

563
상중하

처음 속도 v_0 m/초로 똑바로 위로 던진 물체의 t초 후의 속도 $v(t)$ m/초는 $v(t)=v_0-10t$이고 지면에서 똑바로 위로 던진 물체가 6초 후에 지면에 도착했을 때, 이 물체의 최고 높이는?

① 15 m　② 30 m　③ 45 m
④ 60 m　⑤ 75 m

564
상중하

원점을 동시에 출발하여 수직선 위를 움직이는 두 점 P, Q의 시각 t에서의 속도를 각각 $f(t)$, $g(t)$라고 할 때, $f(t)=t^2-2t$, $g(t)=2t$이다. 두 점 P, Q가 동시에 출발하여 시각 $t=a$에서 처음으로 다시 만날 때, 상수 a의 값을 구하여라.

565 최多빈출
상중하

지면에 정지해 있던 어떤 열기구가 수직 방향으로 출발한 후 t분일 때, 속도 $v(t)$ m/분은

$$v(t)=\begin{cases} t & (0\le t\le 30) \\ 90-2t & (30\le t\le 60) \end{cases}$$

라고 한다. 출발한 후 $t=45$일 때, 지면으로부터 열기구의 높이는? (단, 열기구는 수직 방향으로만 움직이는 것으로 가정한다.)

① 625 m　② 650 m　③ 675 m
④ 700 m　⑤ 725 m

566
상중하

직선 궤도를 달리는 어떤 고속 열차가 출발하여 3 km까지는 시각 t분에서의 속력이 $v(t)=\frac{3}{4}t^2+\frac{1}{2}t$ (km/분)이 되도록 달리고, 그 이후로는 일정한 속력으로 달린다고 한다. 출발 후 5분 동안 이 열차가 달린 거리는?

① 17 km　② 16 km　③ 15 km
④ 14 km　⑤ 13 km

567 학평 기출 (상 중 하)

원점을 출발하여 수직선 위를 움직이는 점 P의 시각 t $(0\le t\le 6)$에서의 속도 $v(t)$의 그래프가 오른쪽 그림과 같다. 점 P가 시각 $t=0$에서 시각 $t=6$까지 움직인 거리는?

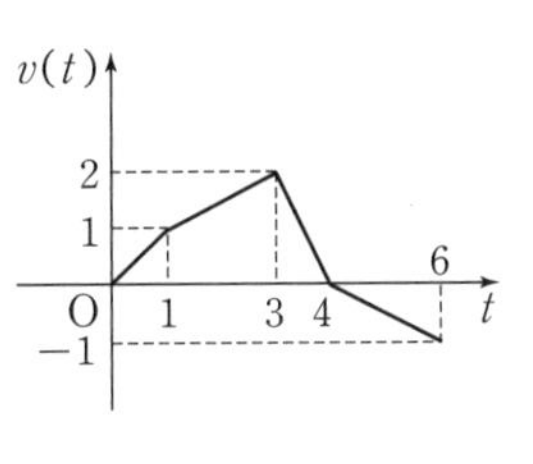

① $\frac{3}{2}$　② $\frac{5}{2}$　③ $\frac{7}{2}$
④ $\frac{9}{2}$　⑤ $\frac{11}{2}$

568 (상 중 하)

수직선 위를 움직이는 어떤 물체가 $t=0$(초)일 때 원점을 출발하여 $t=16$(초)까지 속도 $v(t)$ m/초로 달리고 있다. $v(t)$의 그래프가 다음 그림과 같을 때, 이 물체가 다시 원점을 통과하는 것은 몇 초 후인가?

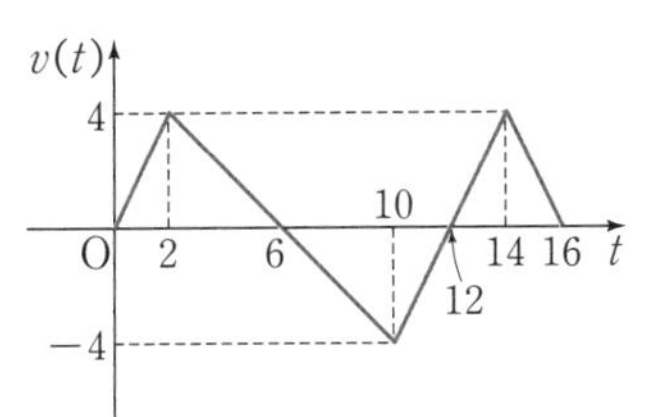

① 6초　② 10초　③ 12초
④ 14초　⑤ 16초

569 풍쌤 비법 ❷ (상 중 하)

원점을 출발하여 수직선 위를 8초 동안 움직이는 점 P의 t초 후의 속도 $v(t)$의 그래프가 다음 그림과 같을 때, 〈보기〉에서 옳은 것을 모두 고른 것은?

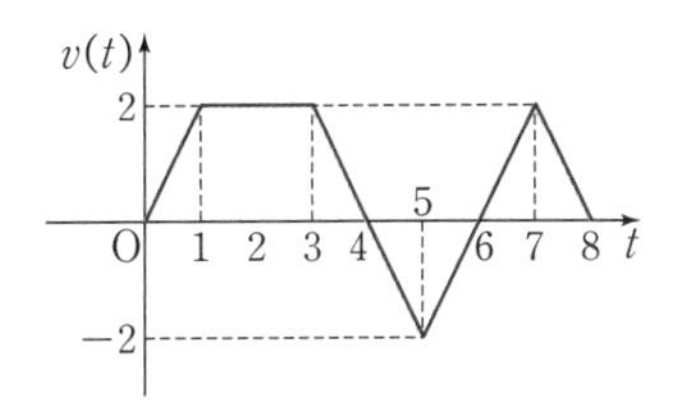

보기
ㄱ. 점 P는 출발하고 나서 1초 동안 멈춘 적이 있었다.
ㄴ. 점 P는 움직이는 동안 방향을 2번 바꿨다.
ㄷ. 점 P는 출발하고 나서 4초 후 원점에 있었다.

① ㄱ　② ㄴ　③ ㄱ, ㄴ
④ ㄱ, ㄷ　⑤ ㄴ, ㄷ

570 (상 중 하)

오른쪽 그래프는 실험용 로켓을 수직으로 쏘아 올린 후 다시 땅에 떨어질 때까지의 속도를 나타낸 것이다. 〈보기〉에서 옳은 것을 모두 고른 것은?

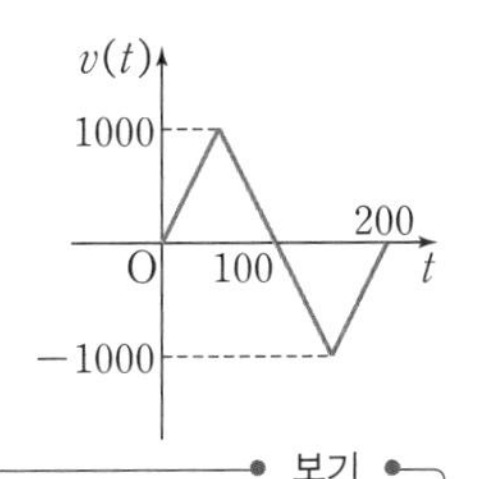

보기
ㄱ. 로켓은 $t=100$일 때부터 떨어지기 시작한다.
ㄴ. 로켓의 최고 높이는 1000이다.
ㄷ. 로켓이 최고점에 도달했을 때와 최저점에 도달했을 때의 속력이 같다.

① ㄴ　② ㄷ　③ ㄱ, ㄴ
④ ㄱ, ㄷ　⑤ ㄱ, ㄴ, ㄷ

571

곡선 $y=x^2$을 x축에 대하여 대칭이동한 후 다시 x축의 방향으로 4만큼, y축의 방향으로 26만큼 평행이동한 곡선을 $y=g(x)$라고 할 때, 두 곡선 $y=x^2$, $y=g(x)$로 둘러싸인 부분의 넓이를 구하여라.

572

곡선 $y=x^3-x$ 위의 점 $\mathrm{O}(0,\ 0)$에서의 접선 l에 수직이고, 점 O를 지나는 직선을 m이라고 하자. 이때, 이 곡선과 직선 m으로 둘러싸인 부분의 넓이를 구하여라.

573

함수 $f(x)=ax^2-bx$는 $x=\frac{1}{2}$에서 극대가 되고, $f(x)$의 그래프와 x축으로 둘러싸인 부분의 넓이가 $\frac{1}{6}$일 때, $a+b$의 값을 구하여라. (단, a, b는 상수이다.)

574

기울기가 m이고 점 $\mathrm{A}(1,\ 2)$를 지나는 직선 l과 포물선 $y=x^2-3x$로 둘러싸인 부분의 넓이를 $S(m)$이라고 하자. 이때, $S(m)$의 최솟값을 구하여라.

575

오른쪽 그림과 같이 두 곡선 $y=x^2-2x$ $(x\geq 0)$와 $x=y^2-2y$ $(y\geq 0)$로 둘러싸인 부분의 넓이를 구하여라.

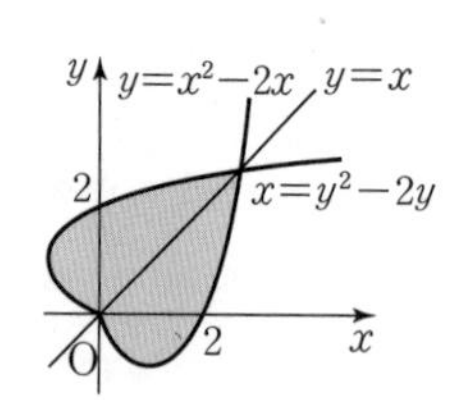

576

지면에서 처음 속도 v_0 m/초로 똑바로 위로 던진 돌의 t초 후의 가속도가 -9.8 m/초²이라고 한다. 던진 후 2초 후에 5 m의 높이에 도달하려면 처음 속도를 얼마로 해야 하는지 구하여라.

고득점을 향한 도약

● 정답과 풀이 094쪽

577

오른쪽 그림에서 색칠한 부분의 넓이를 각각 S_1, S_2라고 할 때, $2S_1+S_2$의 값은?

① 9　② 12　③ 15　④ 16　⑤ 18

578 (100점 도전)

오른쪽 그림과 같이 곡선 $y=x^2$과 양수 t에 대하여 세 점 $\mathrm{O}(0,\ 0)$, $\mathrm{A}(t,\ 0)$, $\mathrm{B}(t,\ t^2)$을 지나는 원 C가 있다. 색칠한 부분의 넓이를 $S(t)$라고 할 때, $S'(1)=\dfrac{p\pi+q}{4}$이다. p^2+q^2의 값을 구하여라. (단, p, q는 유리수이다.)

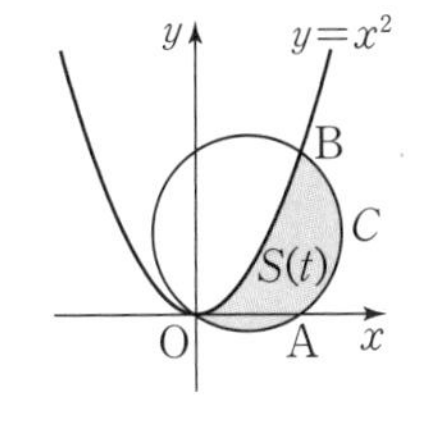

579

오른쪽 그림과 같이 한 변의 길이가 4인 정사각형 안에 포물선 모양의 도형이 그려져 있다. 선분 PQ는 대각선 BD와 평행하고, 그 길이가 $3\sqrt{2}$일 때, 색칠한 부분의 넓이는?

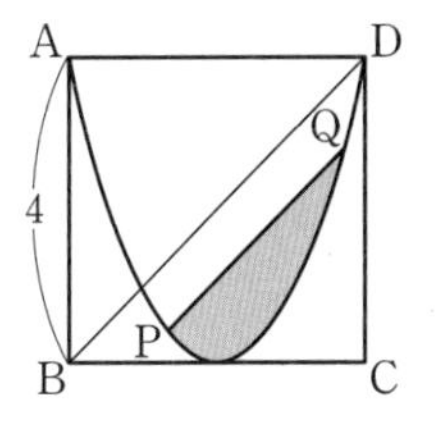

① 3　② $\dfrac{7}{2}$　③ 4　④ $\dfrac{9}{2}$　⑤ 5

580

원점과 점 $(6,\ 6)$을 지나는 증가함수 $y=f(x)$의 그래프와 직선 $y=x$가 오른쪽 그림과 같다.

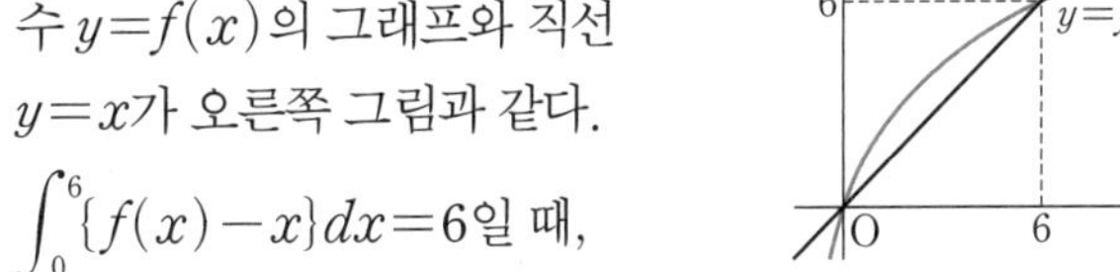

$\displaystyle\int_0^6\{f(x)-x\}dx=6$일 때,

$\displaystyle\int_0^6\{6-f^{-1}(x)\}dx$의 값은?

(단, $f^{-1}(x)$는 $f(x)$의 역함수이다.)

① 6　② 12　③ 18　④ 24　⑤ 30

581

오른쪽 그림과 같이 두 곡선 $y=x^4-x^3$, $y=-x^4+x$로 둘러싸인 부분의 넓이가 곡선 $y=ax(1-x)$에 의해 이등분될 때, 상수 a의 값은? (단, $0<a<1$)

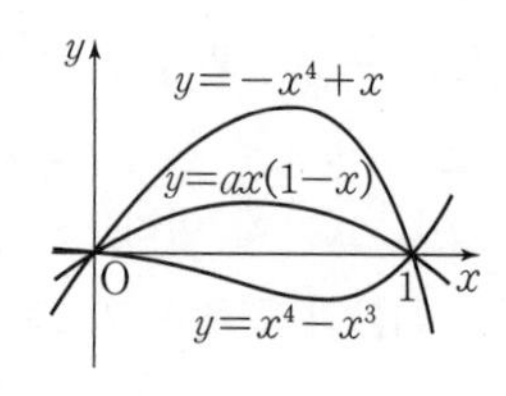

① $\frac{1}{4}$　② $\frac{3}{8}$　③ $\frac{5}{8}$
④ $\frac{3}{4}$　⑤ $\frac{7}{8}$

582

자동차가 시속 72 km의 속력으로 직선 도로를 달리고 있다. 이 차의 운전자가 철도 건널목 위험 표지판을 보고 위험 표지판을 지나는 순간부터 브레이크를 작동하여 매초 4 m/초씩 일정한 비율로 속력을 줄였더니 건널목 정지선에 정확히 정지하였다. 이때, 건널목 정지선과 위험 표지판 사이의 거리는?

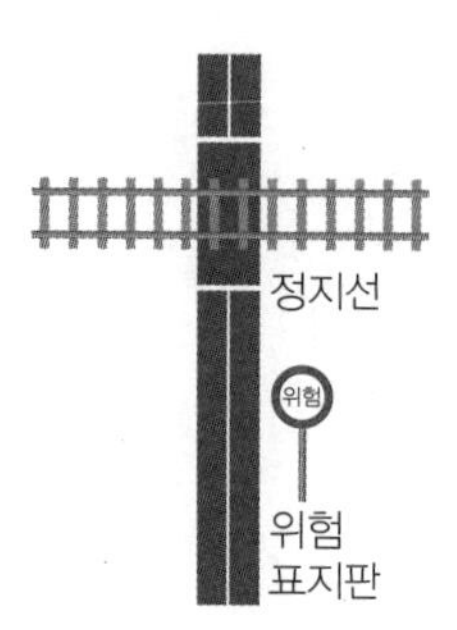

① 50 m　② 55 m　③ 60 m
④ 65 m　⑤ 70 m

583

다음은 '가' 지점에서 출발하여 '나' 지점에 도착할 때까지 직선 경로를 따라 이동한 세 자동차 A, B, C의 시간 t에 따른 속도 v를 각각 나타낸 그래프이다.

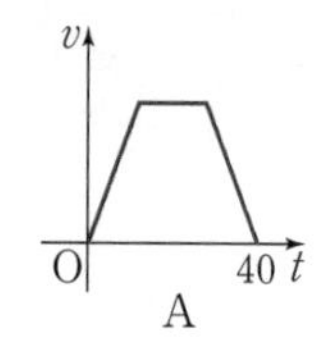

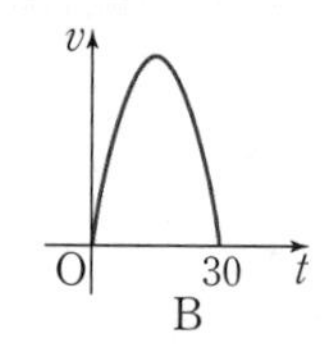

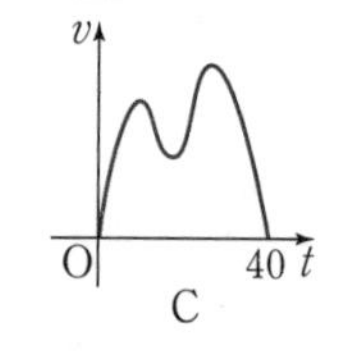

'가' 지점에서 출발하여 '나' 지점에 도착할 때까지의 상황에 대한 설명 중 〈보기〉에서 옳은 것을 모두 고른 것은?

보기

ㄱ. A와 C의 평균 속도는 같다.
ㄴ. B와 C 모두 가속도가 0인 순간이 적어도 한 번 존재한다.
ㄷ. A, B, C 각각의 속도 그래프와 t축으로 둘러싸인 부분의 넓이는 모두 같다.

① ㄱ　② ㄷ　③ ㄱ, ㄴ
④ ㄴ, ㄷ　⑤ ㄱ, ㄴ, ㄷ

584 (100점 도전)

다음 그림과 같이 직각이등변삼각형 ABC와 직사각형 OPQR가 수직선 위에 놓여 있다.

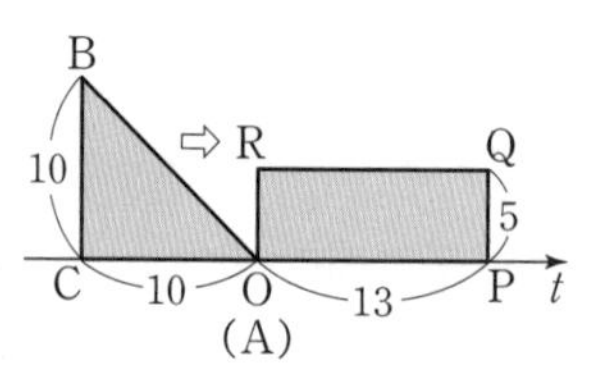

직각이등변삼각형 ABC가 수직선 위를 오른쪽으로 움직일 때, 꼭짓점 A가 원점 O를 출발한 후 시각 t에서의 속도는 $v(t)=3t^2-2t$이다. 이때, 직사각형 OPQR와 겹쳐지는 부분이 최초로 직사각형이 되는 t의 값은?

① 2　② $\frac{5}{2}$　③ $\frac{8}{3}$
④ 3　⑤ $\frac{7}{2}$

I 함수의 극한과 연속

001. (1) 1 (2) 2 (3) 3 (4) 2　**002.** ②
003. (1) ∞ (2) ∞ (3) 0 (4) 0　**004.** ①
005. (1) 2 (2) 5 (3) $\frac{1}{6}$ (4) 4
006. ⑤　**007.** ①　**008.** ⑤　**009.** ③　**010.** ②
011. ②　**012.** ②
013. (1) 0 (2) ∞ (3) 2　**014.** (1) $\frac{3}{2}$ (2) 1
015. ⑤　**016.** ④　**017.** ②　**018.** ②　**019.** ①
020. ④　**021.** ③　**022.** (1) 1 (2) 3
023. ⑤　**024.** ①　**025.** (1) $-\frac{1}{16}$ (2) $-\frac{1}{2}$
026. ①　**027.** ④　**028.** ③　**029.** ④　**030.** ⑤
031. ⑤　**032.** 15　**033.** ④　**034.** ②　**035.** ①
036. ②　**037.** 7　**038.** ③　**039.** ⑤
040. (1) 2 (2) 3 (3) -1 (4) -1 (5) 존재하지 않는다. (6) -1
041. (1) 1 (2) 1 (3) 1　**042.** ③　**043.** ⑤　**044.** ②
045. ①　**046.** ①　**047.** ④　**048.** ③　**049.** ②
050. ③　**051.** ②　**052.** ③　**053.** ①　**054.** ⑤
055. ⑤　**056.** ③　**057.** ②
058. (1) 23 (2) 26 (3) 50 (4) 60
059. 2　**060.** ②　**061.** ②　**062.** ③　**063.** ①
064. ③　**065.** ②　**066.** ③　**067.** ②　**068.** 5
069. ③　**070.** ⑤　**071.** ②　**072.** ⑤　**073.** 30
074. -18　**075.** 12　**076.** 1　**077.** 2　**078.** 0
079. 5　**080.** 32　**081.** ⑤　**082.** 10　**083.** ④
084. ①　**085.** ③　**086.** ④　**087.** $\frac{1}{8}$　**088.** ⑤
089. (1) 연속 (2) 연속 (3) 불연속
090. (1) $(-\infty, \infty)$ (2) $[2, \infty)$ (3) $(-\infty, \infty)$
(4) $(-\infty, 0), (0, \infty)$ (5) $(-\infty, 0), (0, \infty)$
091. ②　**092.** ②　**093.** ⑤　**094.** ③　**095.** ③
096. ④　**097.** ③　**098.** ④　**099.** 1　**100.** 2
101. ②　**102.** ④　**103.** ③　**104.** ③　**105.** ①
106. ①　**107.** ①　**108.** ①　**109.** ③　**110.** ②
111. ③　**112.** ③　**113.** ⑤　**114.** ②　**115.** ②
116. ③　**117.** ②　**118.** ②　**119.** 풀이 참조
120. 7　**121.** ③　**122.** ③　**123.** ①　**124.** ①
125. ㄷ　**126.** $\frac{14}{3}$　**127.** ④　**128.** ④
129. $-28<a<-5$　**130.** ④　**131.** ③
132. $0<a<4$　**133.** ③　**134.** ①　**135.** ③
136. ⑤　**137.** 3번　**138.** ②　**139.** $-\frac{1}{2}$　**140.** 72
141. 1　**142.** 4　**143.** -4　**144.** 5개　**145.** ②
146. ②　**147.** 30　**148.** ④　**149.** ④

II 미분

150. ④　**151.** 4　**152.** ①　**153.** -1　**154.** ①
155. ②　**156.** ⑤　**157.** ⑤　**158.** ③　**159.** ④
160. ①　**161.** ①　**162.** ⑤　**163.** ③　**164.** ②
165. ②　**166.** ③　**167.** ①　**168.** -1　**169.** ①
170. ③　**171.** ④　**172.** ①　**173.** ②　**174.** ②
175. ④　**176.** ④　**177.** ①　**178.** ③　**179.** ⑤
180. 3　**181.** ④　**182.** ④　**183.** ③　**184.** ②
185. ⑤　**186.** ③　**187.** ②　**188.** ③　**189.** ⑤
190. ③　**191.** ③　**192.** ①　**193.** ④　**194.** ②
195. ③　**196.** ③　**197.** -4　**198.** ④　**199.** -5
200. 3　**201.** 10　**202.** 24　**203.** 36　**204.** ①
205. ⑤　**206.** ⑤　**207.** 15　**208.** ④　**209.** 4
210. ⑤　**211.** ③　**212.** ③　**213.** 18　**214.** ⑤
215. ②　**216.** 2　**217.** ①　**218.** 14　**219.** ④
220. ⑤　**221.** ③　**222.** ⑤　**223.** ②　**224.** ⑤
225. ③　**226.** ④　**227.** ①　**228.** ④　**229.** ①
230. ④　**231.** ④　**232.** ①　**233.** ④　**234.** ①
235. ②　**236.** ①　**237.** ④　**238.** ②　**239.** ②
240. 5　**241.** ⑤　**242.** ⑤　**243.** ③　**244.** 20
245. ②　**246.** ⑤　**247.** ③　**248.** ②　**249.** ④
250. ④　**251.** ④　**252.** ③　**253.** ①　**254.** ①
255. ④　**256.** ③　**257.** ③　**258.** ⑤　**259.** ④
260. ②　**261.** ④　**262.** 3　**263.** 97　**264.** -1
265. -3　**266.** $-\frac{7}{16}$　**267.** $1<k<7$　**268.** ②
269. ①　**270.** 7　**271.** ②　**272.** ⑤　**273.** ⑤
274. 20　**275.** 2　**276.** ②　**277.** ⑤
278. 풀이 참조　**279.** ③　**280.** 14　**281.** ⑤
282. ②　**283.** ⑤　**284.** ②　**285.** ②　**286.** ④
287. ③　**288.** 6　**289.** ③　**290.** ③　**291.** ③
292. ④　**293.** $\frac{15}{2}$　**294.** ③　**295.** ④　**296.** ⑤
297. ③　**298.** ②　**299.** 9　**300.** ①　**301.** ①
302. -2　**303.** ②　**304.** 24　**305.** ⑤　**306.** 1
307. ②　**308.** ①　**309.** ③　**310.** ④　**311.** ③
312. ①　**313.** ⑤　**314.** ③　**315.** ①　**316.** ①
317. $a>0, b<0, c<0, d>0$　**318.** ④　**319.** ④
320. ②　**321.** ②　**322.** ④　**323.** 4　**324.** ②
325. ⑤　**326.** 18　**327.** ③　**328.** ④　**329.** ③
330. ①　**331.** 5　**323.** ④　**333.** ②　**334.** ③
335. ③　**336.** ③　**337.** 32　**338.** 39　**339.** ③
340. ③　**341.** ③　**342.** $-\frac{5}{2}$　**343.** $a \geq \frac{2}{3}$　**344.** 2
345. 16　**346.** $\frac{5}{3}$　**347.** 6　**348.** ②　**349.** ①
350. ②　**351.** ④　**352.** ①　**353.** ⑤　**354.** ①
355. 19　**356.** 1　**357.** ④　**358.** ④

359. -4, 23 360. ④ 361. ③ 362. ③ 363. ②
364. ① 365. 3 366. ① 367. ① 368. ⑤
369. ② 370. $1<k<3$ 371. ② 372. ③ 373. ①
374. ② 375. ② 376. ⑤ 377. ① 378. ①
379. ① 380. ③ 381. 29 382. $a>8$ 383. ①
384. ① 385. ② 386. ③ 387. ② 388. ③
389. ② 390. ③ 391. ⑤ 392. ⑤ 393. ③
394. ① 395. ⑤ 396. ⑤ 397. ① 398. ①
399. ③ 400. ⑤ 401. ③ 402. ③ 403. ④
404. ⑤ 405. ③ 406. ④ 407. ⑤ 408. ④
409. ② 410. 2 411. 7 412. 5 413. 22
414. 4 415. 위치: 4, 속도: 5 416. ② 417. ④
418. ⑤ 419. ⑤ 420. ④ 421. ② 422. ①
423. ⑤

Ⅲ 적분

424. (1) $f(x)=2x-3$ (2) $f(x)=6x^2-6x+4$
425. ③ 426. ⑤ 427. ⑤ 428. ④ 429. ②
430. ④ 431. ① 432. ② 433. ② 434. ⑤
435. ② 436. ③ 437. ④ 438. ④ 439. 12
440. ① 441. ⑤ 442. $\sqrt{21}$ 443. ④ 444. ②
445. ③ 446. ② 447. ② 448. ① 449. ⑤
450. ② 451. -3 452. ② 453. ④ 454. 2
455. -3 456. 35 457. 5 458. 3 459. -4
460. ② 461. ④ 462. 156 463. ① 464. ④
465. ① 466. ② 467. ⑤ 468. ① 469. ③
470. 9 471. ③ 472. ① 473. ② 474. ②
475. 17 476. ③ 477. ④ 478. ⑤ 479. 20
480. ① 481. ③ 482. ⑤ 483. ③ 484. ③
485. ③ 486. ④ 487. ② 488. ③ 489. ①
490. ③ 491. 10 492. ③ 493. ② 494. 5
495. 6 496. ③ 497. ④ 498. ① 499. ①
500. ③ 501. ③ 502. ① 503. ① 504. ②
505. ① 506. ① 507. ④ 508. ③ 509. ⑤
510. ④ 511. ① 512. ② 513. ② 514. ⑤
515. 2 516. ④ 517. ⑤ 518. ⑤ 519. ⑤
520. ⑤ 521. $\frac{9}{4}$ 522. 2 523. 18 524. 80
525. -1 526. 6 527. ② 528. ⑤ 529. ①
530. ② 531. ② 532. ③ 533. ④ 534. ⑤
535. ④ 536. ③ 537. ③ 538. ④ 539. 31
540. ④ 541. ① 542. ⑤ 543. ② 544. ④
545. ② 546. ④ 547. ③ 548. ③ 549. ③
550. 1 551. ③ 552. ② 553. ① 554. ④
555. ④ 556. ④ 557. ② 558. ⑤ 559. ①
560. ③ 561. ④ 562. ④ 563. ③ 564. 6
565. ③ 566. ③ 567. ⑤ 568. ③ 569. ②
570. ④ 571. 72 572. 2 573. -2 574. $\frac{32}{3}$
575. 9 576. 12.3 m/초 577. ⑤ 578. 13
579. ④ 580. ④ 581. ④ 582. ① 583. ⑤
584. ④

엄선된 유형을 **한 권에 가득!**

풍산자 필수유형

정답과 풀이

수학II

지학사

풍산자 필수유형

수학 Ⅱ 정답과 풀이

I 함수의 극한과 연속

01 함수의 극한

001

(1) $\lim_{x\to -2}(2x+5)=2\cdot(-2)+5=1$

(2) $\lim_{x\to 3}(x^2-3x+2)=3^2-3\cdot3+2=2$

(3) $\lim_{x\to 2}\dfrac{9}{x+1}=\dfrac{9}{2+1}=3$

(4) $\lim_{x\to 1}\sqrt{3x+1}=\sqrt{3\cdot1+1}=2$

정답_(1) 1 (2) 2 (3) 3 (4) 2

002

①은 옳다.

$$\lim_{x\to 4}\frac{x-1}{\sqrt{x}-1}=\frac{4-1}{\sqrt{4}-1}=3$$

②는 옳지 않다.

$$\lim_{x\to -1}\frac{x^{10}+x-2}{x-1}=\frac{1+(-1)-2}{-1-1}=1$$

③은 옳다.

$$\lim_{x\to 0}\frac{1}{x^2+1}=\frac{1}{0+1}=1$$

④도 옳다.

$$\lim_{x\to 1}(x^2+1)(x-3)=(1+1)(1-3)=-4$$

⑤도 옳다.

$$\lim_{x\to 2}\left(x+\frac{1}{x}\right)=2+\frac{1}{2}=\frac{5}{2}$$

정답_②

003

함수 $f(x)=x^2$의 그래프가 오른쪽 그림과 같으므로

(1) $\lim_{x\to\infty}x^2=\infty$

(2) $\lim_{x\to-\infty}x^2=\infty$

함수 $f(x)=\dfrac{1}{x}$의 그래프가 오른쪽 그림과 같으므로

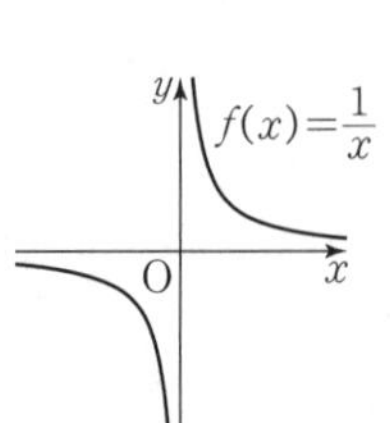

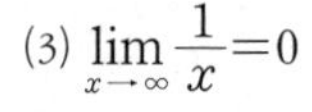

(3) $\lim_{x\to\infty}\dfrac{1}{x}=0$

(4) $\lim_{x\to-\infty}\dfrac{1}{x}=0$

정답_(1) ∞ (2) ∞ (3) 0 (4) 0

004

$\lim_{x\to -1}(x^2+ax+b)=4$에서

$1-a+b=4$ $\quad\therefore a-b=-3$ ……㉠

$\lim_{x\to 2}(x^2+ax+b)=1$에서

$4+2a+b=1$ $\quad\therefore 2a+b=-3$ ……㉡

㉠, ㉡을 연립하여 풀면 $a=-2,\ b=1$

$\therefore ab=-2\cdot1=-2$

정답_①

005

$\dfrac{0}{0}$ 꼴의 유리식의 극한은 분자, 분모를 인수분해한 후 약분하면 된다.

(1) $\lim_{x\to 1}\dfrac{x^2-1}{x-1}=\lim_{x\to 1}\dfrac{(x-1)(x+1)}{x-1}=\lim_{x\to 1}(x+1)=2$

(2) $\lim_{x\to 2}\dfrac{2x^2-3x-2}{x-2}=\lim_{x\to 2}\dfrac{(x-2)(2x+1)}{x-2}$

$=\lim_{x\to 2}(2x+1)=5$

$\dfrac{0}{0}$ 꼴의 무리식의 극한은 근호가 있는 쪽을 유리화한 후 약분하면 된다.

(3) $\lim_{x\to 9}\dfrac{\sqrt{x}-3}{x-9}=\lim_{x\to 9}\dfrac{(\sqrt{x}-3)(\sqrt{x}+3)}{(x-9)(\sqrt{x}+3)}$

$=\lim_{x\to 9}\dfrac{x-9}{(x-9)(\sqrt{x}+3)}$

$=\lim_{x\to 9}\dfrac{1}{\sqrt{x}+3}=\dfrac{1}{6}$

(4) $\lim_{x\to 3}\dfrac{x-3}{\sqrt{x+1}-2}=\lim_{x\to 3}\dfrac{(x-3)(\sqrt{x+1}+2)}{(\sqrt{x+1}-2)(\sqrt{x+1}+2)}$

$=\lim_{x\to 3}\dfrac{(x-3)(\sqrt{x+1}+2)}{x-3}$

$=\lim_{x\to 3}(\sqrt{x+1}+2)=4$

정답_(1) 2 (2) 5 (3) $\frac{1}{6}$ (4) 4

006

$$\lim_{x\to 2}\frac{x^4-16}{x-2}=\lim_{x\to 2}\frac{(x-2)(x+2)(x^2+4)}{x-2}$$

$$=\lim_{x\to 2}(x+2)(x^2+4)=32$$

정답_⑤

007

$$\lim_{x\to -3}\frac{x+3}{\frac{1}{x}+\frac{1}{3}}=\lim_{x\to -3}\frac{x+3}{\frac{3+x}{3x}}=\lim_{x\to -3}3x=-9$$

정답_①

008

$$\lim_{x\to 2}\frac{\sqrt{x^2-3}-1}{x-2}=\lim_{x\to 2}\frac{(x^2-3)-1}{(x-2)(\sqrt{x^2-3}+1)}$$

$$=\lim_{x\to 2}\frac{(x-2)(x+2)}{(x-2)(\sqrt{x^2-3}+1)}$$

$$=\lim_{x\to 2}\frac{x+2}{\sqrt{x^2-3}+1}=2$$

정답_⑤

009

$$\lim_{x\to-2}\frac{(2x+4)f(x)}{\sqrt{x+11}-3}=\lim_{x\to-2}\frac{(2x+4)f(x)(\sqrt{x+11}+3)}{(x+11)-9}$$
$$=\lim_{x\to-2}\frac{2(x+2)f(x)(\sqrt{x+11}+3)}{x+2}$$
$$=\lim_{x\to-2}2f(x)(\sqrt{x+11}+3)$$
$$=2\cdot\frac{1}{4}\cdot(\sqrt{9}+3)=3$$

정답_③

010

$$\lim_{x\to0}\frac{\sqrt{1-x}-\sqrt{1+x}}{\sqrt{4+x}-\sqrt{4-x}}$$
$$=\lim_{x\to0}\frac{\{(1-x)-(1+x)\}(\sqrt{4+x}+\sqrt{4-x})}{\{(4+x)-(4-x)\}(\sqrt{1-x}+\sqrt{1+x})}$$
$$=\lim_{x\to0}\left(-\frac{\sqrt{4+x}+\sqrt{4-x}}{\sqrt{1-x}+\sqrt{1+x}}\right)=-2$$

정답_②

011

$$\lim_{x\to a}\frac{x^3-a^3}{x-a}=\lim_{x\to a}\frac{(x-a)(x^2+ax+a^2)}{x-a}$$
$$=\lim_{x\to a}(x^2+ax+a^2)$$
$$=3a^2=3$$

즉, $a^2=1$ $\quad\therefore a=1$ ($\because a>0$)

$$\therefore \lim_{x\to a}\frac{x^3-ax^2+a^2x-a^3}{x-a}=\lim_{x\to1}\frac{x^3-x^2+x-1}{x-1}$$
$$=\lim_{x\to1}\frac{(x-1)(x^2+1)}{x-1}$$
$$=\lim_{x\to1}(x^2+1)=2$$

정답_②

012

$$\lim_{x\to1}\frac{6(x^4-1)}{(x^2-1)f(x)}=\lim_{x\to1}\frac{6(x^2-1)(x^2+1)}{(x^2-1)f(x)}$$
$$=\lim_{x\to1}\frac{6(x^2+1)}{f(x)}$$
$$=\frac{6(1+1)}{f(1)}$$
$$=\frac{12}{f(1)}=3$$

$\therefore f(1)=4$

정답_②

013

$\frac{\infty}{\infty}$ 꼴의 유리식의 극한은 분모의 최고차항으로 분자, 분모를 나누면 된다.

(1) $$\lim_{x\to\infty}\frac{x-1}{x^2+2x+3}=\lim_{x\to\infty}\frac{\frac{1}{x}-\frac{1}{x^2}}{1+\frac{2}{x}+\frac{3}{x^2}}=\frac{0-0}{1+0+0}=0$$

(2) $$\lim_{x\to\infty}\frac{x^2-3x+2}{x+5}=\lim_{x\to\infty}\frac{x-3+\frac{2}{x}}{1+\frac{5}{x}}=\infty$$

(3) $$\lim_{x\to\infty}\frac{4x^2+3x+2}{2x^2-4x+3}=\lim_{x\to\infty}\frac{4+\frac{3}{x}+\frac{2}{x^2}}{2-\frac{4}{x}+\frac{3}{x^2}}=\frac{4+0+0}{2-0+0}=2$$

정답_(1) 0 (2) ∞ (3) 2

다른 풀이

$\frac{\infty}{\infty}$ 꼴의 유리식의 극한값을 구하려면 최고차항의 계수만 관찰하면 된다. 특히, (분모의 차수)=(분자의 차수)이면 극한값은 $\frac{\text{(분자의 최고차항의 계수)}}{\text{(분모의 최고차항의 계수)}}$ 이다.

(3) $$\lim_{x\to\infty}\frac{4x^2+3x+2}{2x^2-4x+3}=\frac{4}{2}=2$$

014

$\frac{\infty}{\infty}$ 꼴의 무리식의 극한은 분모의 최고차항으로 분자, 분모를 나누면 된다.

(1) $$\lim_{x\to\infty}\frac{3x}{\sqrt{x^2+1}+x}=\lim_{x\to\infty}\frac{3}{\sqrt{1+\frac{1}{x^2}}+1}$$
$$=\frac{3}{\sqrt{1+0}+1}=\frac{3}{2}$$

(2) $$\lim_{x\to\infty}\frac{\sqrt{x^2+x}+\sqrt{x^2-1}}{2x-3}=\lim_{x\to\infty}\frac{\sqrt{1+\frac{1}{x}}+\sqrt{1-\frac{1}{x^2}}}{2-\frac{3}{x}}$$
$$=\frac{\sqrt{1+0}+\sqrt{1-0}}{2-0}=1$$

정답_(1) $\frac{3}{2}$ (2) 1

015

주어진 식의 분자, 분모를 $\sqrt{x^2}=x$로 나누면

$$\lim_{x\to\infty}\frac{\sqrt{x^2+x+1}+3x}{\sqrt{9x^2+1}-x}=\lim_{x\to\infty}\frac{\sqrt{1+\frac{1}{x}+\frac{1}{x^2}}+3}{\sqrt{9+\frac{1}{x^2}}-1}$$
$$=\frac{1+3}{3-1}=2$$

정답_⑤

016

ㄱ. $$\lim_{x\to\infty}\frac{2x^2+4x+1}{3x^2-2}=\lim_{x\to\infty}\frac{2+\frac{4}{x}+\frac{1}{x^2}}{3-\frac{2}{x^2}}=\frac{2}{3}$$

ㄴ. $\lim_{x\to\infty}\frac{2x+3}{2x^2+4}=\lim_{x\to\infty}\frac{\frac{2}{x}+\frac{3}{x^2}}{2+\frac{4}{x^2}}=0$

ㄷ. $\lim_{x\to\infty}\frac{2x^3-3x}{x^2-1}=\lim_{x\to\infty}\frac{2x-\frac{3}{x}}{1-\frac{1}{x^2}}=\infty$

따라서 수렴하는 것은 ㄱ, ㄴ이다. 정답_④

017

주어진 극한이 0이 아닌 값에 수렴하므로 $a=0$

이때, 극한값은 $\frac{(\text{분자의 최고차항의 계수})}{(\text{분모의 최고차항의 계수})}$이므로

$\lim_{x\to\infty}\frac{bx^2+2x+5}{2x^2-3x+4}=\frac{b}{2}=6$에서 $b=12$

$\therefore a+b=0+12=12$ 정답_②

018

주어진 식의 분자, 분모를 $\sqrt{x^2}=x$로 나누면

$$\lim_{x\to\infty}\frac{ax-10}{\sqrt{x^2-2x-3}+x}=\lim_{x\to\infty}\frac{a-\frac{10}{x}}{\sqrt{1-\frac{2}{x}-\frac{3}{x^2}}+1}$$

$$=\frac{a}{1+1}=2$$

$\therefore a=4$ 정답_②

019

주어진 식의 분자, 분모를 x로 나누면

$$\lim_{x\to\infty}\frac{-5f(x)+1}{2f(x)-3}=\lim_{x\to\infty}\frac{-5\cdot\frac{f(x)}{x}+\frac{1}{x}}{2\cdot\frac{f(x)}{x}-\frac{3}{x}}$$

$$=\frac{-5a}{2a}=-\frac{5}{2}$$

정답_①

020

$\lim_{x\to\infty}\left\{\frac{f(x)}{x}+2\right\}=0$에서 $\lim_{x\to\infty}\frac{f(x)}{x}=-2$

주어진 식의 분자, 분모를 x^2으로 나누면

$$\lim_{x\to\infty}\frac{8x^2+xf(x)-5}{2x^2-x+f(x)}=\lim_{x\to\infty}\frac{8+\frac{f(x)}{x}-\frac{5}{x^2}}{2-\frac{1}{x}+\frac{f(x)}{x}\cdot\frac{1}{x}}$$

$$=\frac{8+(-2)-0}{2-0+(-2)\cdot 0}=3$$

정답_④

021

$\lim_{x\to\infty}\frac{f(x)}{x}=a$ (a는 상수)라 하고, 주어진 식의 분자, 분모를 $\sqrt{x^2}=x$로 나누면

$$\lim_{x\to\infty}\frac{2x+\sqrt{x-f(x)}}{x+\sqrt{x^2+2f(x)}}=\lim_{x\to\infty}\frac{2+\sqrt{\frac{1}{x}-\frac{f(x)}{x}\cdot\frac{1}{x}}}{1+\sqrt{1+\frac{f(x)}{x}\cdot\frac{2}{x}}}$$

$$=\frac{2+\sqrt{0-a\cdot 0}}{1+\sqrt{1+a\cdot 0}}=1$$

정답_③

022

(1) $\lim_{x\to\infty}(\sqrt{x^2+2x}-x)$

$=\lim_{x\to\infty}\frac{(\sqrt{x^2+2x}-x)(\sqrt{x^2+2x}+x)}{\sqrt{x^2+2x}+x}$

$=\lim_{x\to\infty}\frac{2x}{\sqrt{x^2+2x}+x}=\lim_{x\to\infty}\frac{2}{\sqrt{1+\frac{2}{x}}+1}$

$=\frac{2}{\sqrt{1+0}+1}=1$

(2) $\lim_{x\to\infty}(\sqrt{x^2+3x}-\sqrt{x^2-3x})$

$=\lim_{x\to\infty}\frac{(\sqrt{x^2+3x}-\sqrt{x^2-3x})(\sqrt{x^2+3x}+\sqrt{x^2-3x})}{\sqrt{x^2+3x}+\sqrt{x^2-3x}}$

$=\lim_{x\to\infty}\frac{6x}{\sqrt{x^2+3x}+\sqrt{x^2-3x}}$

$=\lim_{x\to\infty}\frac{6}{\sqrt{1+\frac{3}{x}}+\sqrt{1-\frac{3}{x}}}$

$=\frac{6}{\sqrt{1+0}+\sqrt{1-0}}=3$

정답_(1) 1 (2) 3

023

$\lim_{x\to\infty}(\sqrt{x^2+ax}-\sqrt{x^2-ax})$

$=\lim_{x\to\infty}\frac{(\sqrt{x^2+ax}-\sqrt{x^2-ax})(\sqrt{x^2+ax}+\sqrt{x^2-ax})}{\sqrt{x^2+ax}+\sqrt{x^2-ax}}$

$=\lim_{x\to\infty}\frac{2ax}{\sqrt{x^2+ax}+\sqrt{x^2-ax}}=\lim_{x\to\infty}\frac{2a}{\sqrt{1+\frac{a}{x}}+\sqrt{1-\frac{a}{x}}}$

$=\frac{2a}{1+1}=4$

$\therefore a=4$ 정답_⑤

024

$x=-t$로 놓으면 $x\to-\infty$일 때 $t\to\infty$이므로

$\lim_{x\to-\infty}(\sqrt{x^2+3x+2}+x)$

$=\lim_{t\to\infty}(\sqrt{t^2-3t+2}-t)$

$=\lim_{t\to\infty}\frac{(\sqrt{t^2-3t+2}-t)(\sqrt{t^2-3t+2}+t)}{\sqrt{t^2-3t+2}+t}$

$=\lim_{t\to\infty}\frac{-3t+2}{\sqrt{t^2-3t+2}+t}=\lim_{t\to\infty}\frac{-3+\frac{2}{t}}{\sqrt{1-\frac{3}{t}+\frac{2}{t^2}}+1}$

$=\frac{-3}{1+1}=-\frac{3}{2}$

정답_①

025

$\infty \times 0$ 꼴의 극한은 통분하여 $\frac{0}{0}$ 꼴로 생각하면 된다.

(1) $\lim_{x \to 3} \frac{1}{x-3}\left(\frac{1}{x+1}-\frac{1}{4}\right)=\lim_{x \to 3}\left\{\frac{1}{x-3} \cdot \frac{-(x-3)}{4(x+1)}\right\}$

$=\lim_{x \to 3} \frac{-1}{4(x+1)}$

$=-\frac{1}{16}$

(2) $\lim_{x \to 0} \frac{1}{x}\left(\frac{1}{\sqrt{x+1}}-1\right)=\lim_{x \to 0}\left(\frac{1}{x} \cdot \frac{1-\sqrt{x+1}}{\sqrt{x+1}}\right)$

$=\lim_{x \to 0}\left\{\frac{1}{x} \cdot \frac{(1-\sqrt{x+1})(1+\sqrt{x+1})}{\sqrt{x+1}(1+\sqrt{x+1})}\right\}$

$=\lim_{x \to 0}\left\{\frac{1}{x} \cdot \frac{-x}{\sqrt{x+1}(1+\sqrt{x+1})}\right\}$

$=\lim_{x \to 0} \frac{-1}{\sqrt{x+1}(1+\sqrt{x+1})}$

$=-\frac{1}{2}$ 정답_(1) $-\frac{1}{16}$ (2) $-\frac{1}{2}$

026

$\lim_{x \to 1} \frac{1}{x-1}\left(\frac{x^2+5}{x+1}-3\right)$

$=\lim_{x \to 1}\left(\frac{1}{x-1} \cdot \frac{x^2-3x+2}{x+1}\right)$

$=\lim_{x \to 1}\left\{\frac{1}{x-1} \cdot \frac{(x-1)(x-2)}{x+1}\right\}$

$=\lim_{x \to 1} \frac{x-2}{x+1}=-\frac{1}{2}$ 정답_①

027

$\lim_{x \to 0} \frac{4}{x}\left(\frac{1}{\sqrt{x+4}}-\frac{1}{2}\right)$

$=\lim_{x \to 0}\left(\frac{4}{x} \cdot \frac{2-\sqrt{x+4}}{2\sqrt{x+4}}\right)$

$=\lim_{x \to 0}\left\{\frac{4}{x} \cdot \frac{(2-\sqrt{x+4})(2+\sqrt{x+4})}{2\sqrt{x+4}(2+\sqrt{x+4})}\right\}$

$=\lim_{x \to 0}\left\{\frac{4}{x} \cdot \frac{-x}{2\sqrt{x+4}(2+\sqrt{x+4})}\right\}$

$=\lim_{x \to 0} \frac{-2}{\sqrt{x+4}(2+\sqrt{x+4})}$

$=\frac{-2}{\sqrt{4}(2+\sqrt{4})}$

$=-\frac{1}{4}$ 정답_④

028

$\lim_{x \to -1} \frac{x^3-x^2+x+p}{x^3+1}=q$에서 $x \to -1$일 때 (분모) $\to 0$이므로 (분자) $\to 0$이어야 한다.

$\lim_{x \to -1}(x^3-x^2+x+p)=0$에서 $-1-1+(-1)+p=0$

$\therefore p=3$

$\lim_{x \to -1} \frac{x^3-x^2+x+3}{x^3+1}=\lim_{x \to -1} \frac{(x+1)(x^2-2x+3)}{(x+1)(x^2-x+1)}$

$=\lim_{x \to -1} \frac{x^2-2x+3}{x^2-x+1}$

$=\frac{6}{3}=2=q$

$\therefore p+q=3+2=5$ 정답_③

029

$\lim_{x \to 1} \frac{\sqrt{3x+a}-\sqrt{x+3}}{x^2-1}=b$에서 $x \to 1$일 때 (분모) $\to 0$이므로 (분자) $\to 0$이어야 한다.

$\lim_{x \to 1}(\sqrt{3x+a}-\sqrt{x+3})=0$에서 $\sqrt{3+a}-\sqrt{4}=0$

$\therefore a=1$

$\lim_{x \to 1} \frac{\sqrt{3x+1}-\sqrt{x+3}}{x^2-1}$

$=\lim_{x \to 1} \frac{2(x-1)}{(x^2-1)(\sqrt{3x+1}+\sqrt{x+3})}$

$=\lim_{x \to 1} \frac{2}{(x+1)(\sqrt{3x+1}+\sqrt{x+3})}$

$=\frac{1}{4}=b$

$\therefore ab=1 \cdot \frac{1}{4}=\frac{1}{4}$ 정답_④

030

$\lim_{x \to 1} \frac{f(x)}{x-1}=\lim_{x \to 1} \frac{x^2+ax+b}{x-1}=3$이고, $x \to 1$일 때 (분모) $\to 0$이므로 (분자) $\to 0$이어야 한다.

$\lim_{x \to 1}(x^2+ax+b)=0$에서 $1+a+b=0$

$\therefore b=-(a+1)$ ······㉠

$\lim_{x \to 1} \frac{x^2+ax-(a+1)}{x-1}=\lim_{x \to 1} \frac{(x-1)(x+a+1)}{x-1}$

$=\lim_{x \to 1}(x+a+1)=2+a=3$

$\therefore a=1$

$a=1$을 ㉠에 대입하면 $b=-2$

따라서 $f(x)=x^2+x-2$이므로

$f(2)=4+2-2=4$ 정답_⑤

031

$\lim_{x \to 2}\left(\frac{a}{2-x}-\frac{b}{4-x^2}\right)=\lim_{x \to 2} \frac{a(2+x)-b}{4-x^2}=1$ ······㉠

㉠에서 $x \to 2$일 때 (분모) $\to 0$이므로 (분자) $\to 0$이어야 한다.

$\lim_{x \to 2}\{a(2+x)-b\}=0$에서 $4a-b=0$

$\therefore b=4a$ ……㉡

㉡을 ㉠에 대입하면

$$\lim_{x \to 2}\frac{a(2+x)-4a}{4-x^2}=\lim_{x \to 2}\frac{-a(2-x)}{(2+x)(2-x)}$$

$$=\lim_{x \to 2}\frac{-a}{2+x}=\frac{-a}{4}=1$$

$\therefore a=-4$

㉡에서 $b=-16$

$\therefore ab=-4\cdot(-16)=64$

정답_⑤

032

$\lim_{x \to 9}\frac{x-a}{\sqrt{x}-3}=b$에서 $x \to 9$일 때 (분모) $\to 0$이므로 (분자) $\to 0$이어야 한다.

$\lim_{x \to 9}(x-a)=0$에서 $9-a=0$

$\therefore a=9$

$$\lim_{x \to 9}\frac{x-9}{\sqrt{x}-3}=\lim_{x \to 9}\frac{(x-9)(\sqrt{x}+3)}{(\sqrt{x}-3)(\sqrt{x}+3)}$$

$$=\lim_{x \to 9}\frac{(x-9)(\sqrt{x}+3)}{x-9}$$

$$=\lim_{x \to 9}(\sqrt{x}+3)$$

$$=6=b$$

$\therefore a+b=9+6=15$

정답_15

033

$\lim_{x \to 2}\frac{\sqrt{x+a}-b}{x-2}=\frac{1}{8}$에서 $x \to 2$일 때 (분모) $\to 0$이므로 (분자) $\to 0$이어야 한다.

$\lim_{x \to 2}(\sqrt{x+a}-b)=0$에서 $\sqrt{2+a}-b=0$

$\therefore b=\sqrt{2+a}$ ……㉠

$$\lim_{x \to 2}\frac{\sqrt{x+a}-\sqrt{2+a}}{x-2}$$

$$=\lim_{x \to 2}\frac{(\sqrt{x+a}-\sqrt{a+2})(\sqrt{x+a}+\sqrt{a+2})}{(x-2)(\sqrt{x+a}+\sqrt{a+2})}$$

$$=\lim_{x \to 2}\frac{x-2}{(x-2)(\sqrt{x+a}+\sqrt{a+2})}$$

$$=\lim_{x \to 2}\frac{1}{\sqrt{x+a}+\sqrt{a+2}}$$

$$=\frac{1}{2\sqrt{a+2}}=\frac{1}{8}$$

$\therefore a=14$

$a=14$를 ㉠에 대입하면 $b=4$

$\therefore a+b=14+4=18$

정답_④

034

$\lim_{x \to -1}\frac{x^2+(a+1)x+a}{x^2-b}=3$에서 $x \to -1$일 때 (분자) $\to 0$이므로 (분모) $\to 0$이어야 한다.

$\lim_{x \to -1}(x^2-b)=0$에서 $1-b=0$ $\therefore b=1$

$$\lim_{x \to -1}\frac{x^2+(a+1)x+a}{x^2-1}=\lim_{x \to -1}\frac{(x+1)(x+a)}{(x-1)(x+1)}$$

$$=\lim_{x \to -1}\frac{x+a}{x-1}=\frac{-1+a}{-2}=3$$

$\therefore a=-5$

$\therefore a+b=-5+1=-4$

정답_②

035

(i) $\lim_{x \to \infty}\frac{f(x)}{x^2-x}=10$이므로 $f(x)$는 이차항의 계수가 10인 이차함수이어야 한다.

(ii) $\lim_{x \to 3}\frac{f(x)}{x-3}=40$에서 $x \to 3$일 때 (분모) $\to 0$이므로 (분자) $\to 0$이어야 한다.

$\therefore f(3)=0$

따라서 $f(x)=10(x-3)(x+a)$ (a는 상수)로 놓을 수 있다.

$$\lim_{x \to 3}\frac{f(x)}{x-3}=\lim_{x \to 3}\frac{10(x-3)(x+a)}{x-3}$$

$$=\lim_{x \to 3}10(x+a)=10(3+a)=40$$

$\therefore a=1$

따라서 $f(x)=10(x-3)(x+1)$이므로

$f(1)=-40$

정답_①

036

(i) $\lim_{x \to \infty}\frac{x^2-3x+2}{f(x)}=3$이므로 $f(x)$는 이차항의 계수가 $\frac{1}{3}$인 이차함수이어야 한다.

(ii) $\lim_{x \to 2}\frac{2x^2-7x+6}{f(x)}=\frac{1}{2}$에서 $x \to 2$일 때 (분자) $\to 0$이므로 (분모) $\to 0$이어야 한다.

$\therefore f(2)=0$

따라서 $f(x)=\frac{1}{3}(x-2)(x+a)$ (a는 상수)로 놓을 수 있다.

$$\lim_{x \to 2}\frac{2x^2-7x+6}{f(x)}=\lim_{x \to 2}\frac{(x-2)(2x-3)}{\frac{1}{3}(x-2)(x+a)}$$

$$=\lim_{x \to 2}\frac{3(2x-3)}{x+a}=\frac{3}{2+a}=\frac{1}{2}$$

$\therefore a=4$

따라서 $f(x)=\frac{1}{3}(x-2)(x+4)$이므로

$f(5)=9$

정답_②

037

조건 (가)에서 $\lim_{x\to\infty}\frac{f(x)-3x^3}{x^2}=2$이므로 $f(x)-3x^3$은 이차항의 계수가 2인 이차함수이어야 한다.

따라서 $f(x)-3x^3=2x^2+ax+b$ (a, b는 상수), 즉

$f(x)=3x^3+2x^2+ax+b$ ······ ㉠

로 놓을 수 있다.

조건 (나)의 $\lim_{x\to0}\frac{f(x)}{x}=2$에서 $x \to 0$일 때 (분모) $\to 0$이므로 (분자) $\to 0$이어야 한다.

그러므로 ㉠에서 $f(0)=b=0$

조건 (나)에서

$$\lim_{x\to0}\frac{f(x)}{x}=\lim_{x\to0}\frac{3x^3+2x^2+ax}{x}$$
$$=\lim_{x\to0}(3x^2+2x+a)=a=2$$

따라서 $f(x)=3x^3+2x^2+2x$이므로 $f(1)=7$ 정답_7

038

$(x-2)f(x)=ax^2+bx+c$의 양변에 $x=2$를 대입하면

$4a+2b+c=0$ ······ ㉠

$x\neq2$일 때, $f(x)=\frac{ax^2+bx+c}{x-2}$이고 $\lim_{x\to\infty}f(x)=3$이므로

$\lim_{x\to\infty}\frac{ax^2+bx+c}{x-2}=3$ ······ ㉡

㉡에서 ax^2+bx+c는 일차항의 계수가 3인 일차식이어야 한다.

$\therefore a=0,\ b=3$

$a=0$, $b=3$을 ㉠에 대입하면 $c=-6$

$\therefore a+b-c=0+3-(-6)=9$ 정답_③

039

$f(x)$는 다항함수이고

(ⅰ) $\lim_{x\to1}\frac{f(x)}{x-1}=-1$에서 $x \to 1$일 때 (분모) $\to 0$이므로 (분자) $\to 0$이어야 한다.

$\therefore f(1)=0$

(ⅱ) $\lim_{x\to2}\frac{f(x)}{x-2}=3$에서 $x \to 2$일 때 (분모) $\to 0$이므로 (분자) $\to 0$이어야 한다.

$\therefore f(2)=0$

따라서 $f(x)=(x-1)(x-2)Q(x)$ ($Q(x)$는 다항식)로 놓을 수 있다.

$$\lim_{x\to1}\frac{f(x)}{x-1}=\lim_{x\to1}\frac{(x-1)(x-2)Q(x)}{x-1}$$
$$=\lim_{x\to1}(x-2)Q(x)=-Q(1)=-1$$

$\therefore Q(1)=1$

$$\lim_{x\to2}\frac{f(x)}{x-2}=\lim_{x\to2}\frac{(x-1)(x-2)Q(x)}{x-2}$$
$$=\lim_{x\to2}(x-1)Q(x)=Q(2)=3$$

$\therefore Q(2)=3$

$Q(1)=1$, $Q(2)=3$을 만족시키는 다항식 $Q(x)$ 중 차수가 가장 낮은 것은 일차식이므로 $Q(x)=ax+b$ (a, b는 상수)로 놓으면

$a+b=1$, $2a+b=3$

두 식을 연립하여 풀면 $a=2$, $b=-1$

따라서 $g(x)=(x-1)(x-2)(2x-1)$이므로

$g(3)=2\cdot1\cdot5=10$ 정답_⑤

040

$x\to a-$는 x가 a의 왼쪽에서 a에 한없이 가까워짐을 의미하고, $x\to a+$는 x가 a의 오른쪽에서 a에 한없이 가까워짐을 의미한다.

(1) $\lim_{x\to-2-}f(x)=2$　　(2) $\lim_{x\to-2+}f(x)=3$

(3) $\lim_{x\to2-}f(x)=-1$　　(4) $\lim_{x\to2+}f(x)=-1$

(5) $x=-2$에서 좌극한과 우극한이 다르므로 $\lim_{x\to-2}f(x)$의 값은 존재하지 않는다.

(6) $x=2$에서 좌극한과 우극한이 모두 -1이므로

$\lim_{x\to2}f(x)=-1$

정답_(1) 2 (2) 3 (3) -1 (4) -1 (5) 존재하지 않는다. (6) -1

041

함수 $y=f(x)$의 그래프가 오른쪽 그림과 같으므로

y $y=f(x)$ 1 O x

(1) $\lim_{x\to0-}f(x)=1$

(2) $\lim_{x\to0+}f(x)=1$

(3) $x=0$에서 좌극한과 우극한이 모두 1이므로 $\lim_{x\to0}f(x)=1$ 정답_(1) 1 (2) 1 (3) 1

보충 설명

$f(0)=0$이지만 $x=0$에서의 극한은 $x=0$일 때의 함숫값과 같지 않을 수 있다. $x=0$의 근처가 중요하다. 좌극한은 왼쪽에서 접근할 때, 우극한은 오른쪽에서 접근할 때 가까워지는 값이다.

042

$\lim_{x\to0-}f(x)+\lim_{x\to1+}f(x)=0+(-3)=-3$ 정답_③

043

$\lim_{x\to1+}f(x)=1$

$1-x=t$로 놓으면 $x \to 1+$일 때 $t \to 0-$이므로

$\lim_{x\to1+}f(1-x)=\lim_{t\to0-}f(t)=2$

$$\therefore \lim_{x\to1+}f(x)f(1-x)=\lim_{x\to1+}f(x)\lim_{x\to1+}f(1-x)$$
$$=\lim_{x\to1+}f(x)\lim_{t\to0-}f(t)$$
$$=1\cdot2=2$$

정답_⑤

044

$\lim_{x\to1-} f(x)=\lim_{x\to1-}(x^2-4x+a)=-3+a=-2$

$\therefore a=1$

$\lim_{x\to1+} f(x)=\lim_{x\to1+}(-x+b)=-1+b=2$

$\therefore b=3$

$\therefore a-b=1-3=-2$ 정답_②

045

ㄱ은 옳다.

$\lim_{x\to2-} f(x)=\lim_{x\to2+} f(x)=3$이므로 $\lim_{x\to2} f(x)=3$

ㄴ은 옳지 않다.

$\lim_{x\to3-} f(x)=\lim_{x\to3+} f(x)=0$이므로 $\lim_{x\to3} f(x)=0$

ㄷ도 옳지 않다.

$\lim_{x\to7-} f(x)=4$, $\lim_{x\to7+} f(x)=2$이므로 $\lim_{x\to7} f(x)$의 값은 존재하지 않는다.

따라서 옳은 것은 ㄱ이다. 정답_①

046

ㄱ은 옳다.

$\lim_{x\to1-} f(x)=\lim_{x\to1+} f(x)=2$이므로 $\lim_{x\to1} f(x)=2$

ㄴ은 옳지 않다.

$\lim_{x\to-1-} f(x)=-1$

ㄷ도 옳지 않다.

$\lim_{x\to1-} f(-x)=1$,

$\lim_{x\to1+} f(-x)=-1$이므로

$\lim_{x\to1} f(-x)$의 값은 존재하지 않는다.

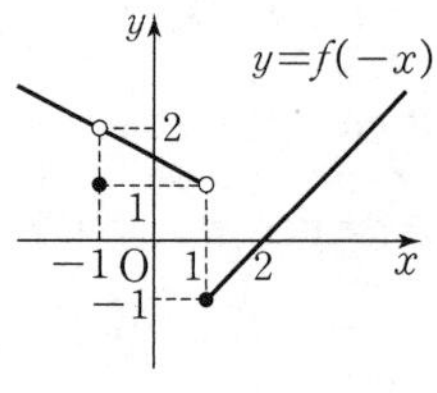

따라서 옳은 것은 ㄱ이다. 정답_①

047

$\lim_{x\to3+} f(x)=\lim_{x\to3+}(x^2-x+a)=9-3+a=a+6$

$\lim_{x\to3-} f(x)=\lim_{x\to3-}(ax-a)=3a-a=2a$

$\lim_{x\to3} f(x)$의 값이 존재하려면 $\lim_{x\to3+} f(x)=\lim_{x\to3-} f(x)$이어야 하므로 $a+6=2a$ $\therefore a=6$ 정답_④

048

먼저 가우스 기호를 처리한 후 극한값을 구한다.

① $-1<x<0$일 때 $[x]=-1$이므로

$\lim_{x\to0-}\frac{x}{[x]}=\lim_{x\to0-}\frac{x}{-1}=0$

② $0<x<1$일 때, $[x]=0$이므로

$\lim_{x\to0+}\frac{[x]}{x}=\lim_{x\to0+}\frac{0}{x}=0$

③ $-1<x<0$일 때, $-2<x-1<-1$이므로 $[x-1]=-2$

$\therefore \lim_{x\to0-}\frac{[x-1]}{x-1}=\lim_{x\to0-}\frac{-2}{x-1}=2$

④ $0<x<1$일 때, $-1<x-1<0$이므로 $[x-1]=-1$

$\therefore \lim_{x\to0+}\frac{x-1}{[x-1]}=\lim_{x\to0+}\frac{x-1}{-1}=1$

⑤ $0<x<1$일 때, $-2<x-2<-1$이므로 $[x-2]=-2$

$\therefore \lim_{x\to0+}\frac{x-2}{[x-2]}=\lim_{x\to0+}\frac{x-2}{-2}=1$

따라서 극한값이 가장 큰 것은 ③이다. 정답_③

049

ㄱ. (i) $\lim_{x\to0+}\frac{|x|}{x}=\lim_{x\to0+}\frac{x}{x}=1$

(ii) $\lim_{x\to0-}\frac{|x|}{x}=\lim_{x\to0-}\frac{-x}{x}=-1$

좌극한과 우극한이 다르므로 $\lim_{x\to0}\frac{|x|}{x}$의 값은 존재하지 않는다.

ㄴ. (i) $0<x<\frac{1}{2}$, 즉 $0<2x<1$일 때, $[x]=0$, $[2x]=0$이므로

$\lim_{x\to0+}([2x]-[x])=0-0=0$

(ii) $-\frac{1}{2}<x<0$, 즉 $-1<2x<0$일 때,

$[x]=-1$, $[2x]=-1$이므로

$\lim_{x\to0-}([2x]-[x])=-1+1=0$

좌극한과 우극한이 모두 0이므로 $\lim_{x\to0}([2x]-[x])=0$

ㄷ. (i) $0<x<1$일 때, $[x]=0$이므로

$\lim_{x\to0+}\frac{[x]}{x+1}=\lim_{x\to0+}\frac{0}{x+1}=\frac{0}{1}=0$

(ii) $-1<x<0$일 때, $[x]=-1$이므로

$\lim_{x\to0-}\frac{[x]}{x+1}=\lim_{x\to0-}\frac{-1}{x+1}=\frac{-1}{1}=-1$

좌극한과 우극한이 다르므로 $\lim_{x\to0}\frac{[x]}{x+1}$의 값은 존재하지 않는다.

따라서 $x=0$에서 극한값이 존재하는 것은 ㄴ이다. 정답_②

050

주어진 그래프에서 x가 1에 한없이 가까워질 때 $f(x)$는 1보다 작은 값을 가지면서 1에 한없이 가까워진다.

즉, $f(x)=t$로 놓으면 $x\to1$일 때 $f(x)\to1-$이므로

$\lim_{x\to1}[f(x)]=\lim_{t\to1-}[t]=0$ 정답_③

051

$\left[\frac{x}{4}\right]=\frac{x}{4}-h\ (0\le h<1)$로 놓으면

$$\lim_{x\to\infty}\frac{8}{x}\left[\frac{x}{4}\right]=\lim_{x\to\infty}\frac{8}{x}\left(\frac{x}{4}-h\right)=\lim_{x\to\infty}\left(2-\frac{8h}{x}\right)$$
$$=2-0=2$$
정답_②

052

$[x]=x-h$ $(0\le h<1)$로 놓으면

$$\lim_{x\to\infty}(\sqrt{x^2+[x]}-x)$$
$$=\lim_{x\to\infty}(\sqrt{x^2+x-h}-x)$$
$$=\lim_{x\to\infty}\frac{(\sqrt{x^2+x-h}-x)(\sqrt{x^2+x-h}+x)}{\sqrt{x^2+x-h}+x}$$
$$=\lim_{x\to\infty}\frac{x-h}{\sqrt{x^2+x-h}+x}=\lim_{x\to\infty}\frac{1-\frac{h}{x}}{\sqrt{1+\frac{1}{x}-\frac{h}{x^2}}+1}$$
$$=\frac{1-0}{\sqrt{1+0-0}+1}=\frac{1}{2}$$
정답_③

053

(i) $\lim_{x\to a-}[x]^2=(a-1)^2$, $\lim_{x\to a-}[2x]=2a-1$

$\therefore \lim_{x\to a-}\frac{x+[x]^2}{[2x]}=\frac{a+(a-1)^2}{2a-1}=\frac{a^2-a+1}{2a-1}$

(ii) $\lim_{x\to a+}[x]^2=a^2$, $\lim_{x\to a+}[2x]=2a$

$\therefore \lim_{x\to a+}\frac{x+[x]^2}{[2x]}=\frac{a+a^2}{2a}=\frac{a+1}{2}$

이때, $x=a$에서 극한값이 존재하려면

$\frac{a^2-a+1}{2a-1}=\frac{a+1}{2}$, $2a^2-2a+2=2a^2+a-1$

$-3a=-3$ $\quad\therefore a=1$

정답_①

054

ㄱ은 옳지 않다.

$\lim_{x\to 1-}f(x)=1$, $\lim_{x\to 1+}f(x)=0$이므로 $\lim_{x\to 1}f(x)$의 값은 존재하지 않는다.

ㄴ은 옳다.

$f(x)=t$로 놓으면

$\lim_{x\to 1+}f(f(x))=\lim_{t\to 0+}f(t)=1$

ㄷ도 옳다.

$\lim_{x\to 1-}f(f(x))=f(1)=0$

따라서 옳은 것은 ㄴ, ㄷ이다.

정답_⑤

055

$f(x)=t$로 놓으면 $\lim_{x\to 0+}f(f(x))=\lim_{t\to 3-}f(t)=3$

$\lim_{x\to 2+}f(f(x))=f(3)=2$

$\therefore \lim_{x\to 0+}f(f(x))+\lim_{x\to 2+}f(f(x))=3+2=5$

정답_⑤

056

ㄱ은 옳다.

$f(x)=t$로 놓으면

$\lim_{x\to 0-}f(f(x))=\lim_{t\to 1-}f(t)=0$

$\lim_{x\to 0+}f(f(x))=\lim_{t\to -1+}f(t)=0$

$\therefore \lim_{x\to 0}f(f(x))=0$

ㄴ도 옳다.

$f(x)=t$로 놓으면

$\lim_{x\to 0-}g(f(x))=\lim_{t\to 1-}g(t)=1$

$\lim_{x\to 0+}g(f(x))=\lim_{t\to -1+}g(t)=1$

$\therefore \lim_{x\to 0}g(f(x))=1$

ㄷ은 옳지 않다.

$g(x)=t$로 놓으면

$\lim_{x\to 0}f(g(x))=\lim_{t\to 0+}f(t)=-1$

따라서 옳은 것은 ㄱ, ㄴ이다.

정답_③

057

$\lim_{x\to 1-}f(g(x))=f(-1)=0$

$f(x)=t$로 놓으면

$\lim_{x\to -1+}g(f(x))=\lim_{t\to 1-}g(t)=-1$

$\therefore \lim_{x\to 1-}f(g(x))+\lim_{x\to -1+}g(f(x))$

$=0-1=-1$

정답_②

058

(1) $\lim_{x\to 5}\{2f(x)+3\}=2\lim_{x\to 5}f(x)+3=2\cdot 10+3=23$

(2) $\lim_{x\to 5}\{3f(x)-4g(x)\}=3\lim_{x\to 5}f(x)-4\lim_{x\to 5}g(x)$

$=3\cdot 10-4\cdot 1=26$

(3) $\lim_{x\to 5}\{5f(x)g(x)\}=5\lim_{x\to 5}f(x)\cdot\lim_{x\to 5}g(x)$

$=5\cdot 10\cdot 1=50$

(4) $\lim_{x\to 5}\frac{6f(x)}{g(x)}=\frac{6\lim_{x\to 5}f(x)}{\lim_{x\to 5}g(x)}=\frac{6\cdot 10}{1}=60$

정답_(1) 23 (2) 26 (3) 50 (4) 60

059

$2f(x)-3g(x)=h(x)$로 놓으면 $\lim_{x\to a}h(x)=4$이고,

$g(x)=\frac{2f(x)-h(x)}{3}$이므로

$\lim_{x\to a}g(x)=\lim_{x\to a}\frac{2f(x)-h(x)}{3}=\frac{2\lim_{x\to a}f(x)-\lim_{x\to a}h(x)}{3}$

$=\frac{2\cdot 5-4}{3}=2$

정답_2

다른 풀이

$\lim_{x \to a} g(x)$가 수렴한다는 조건이 없으므로 위와 같이 풀어야 하지만 정답만 얻고자 한다면 다음과 같이 $\lim_{x \to a} g(x)$가 수렴한다는 가정하에 함수의 극한의 기본 성질을 이용하여 풀 수도 있다.

$$\lim_{x \to a}\{2f(x)-3g(x)\}=2\lim_{x \to a} f(x)-3\lim_{x \to a} g(x)$$
$$=2\cdot 5-3\lim_{x \to a} g(x)=4$$

$\therefore \lim_{x \to a} g(x)=2$

060

$\lim_{x \to 9999} f(x)=3,\ \lim_{x \to 9999} g(x)=a$이므로

$$\lim_{x \to 9999} \frac{f(x)+3g(x)}{f(x)g(x)-2}=\frac{3+3a}{3a-2}=\frac{1}{2}$$

$6+6a=3a-2,\ 3a=-8 \qquad \therefore a=-\frac{8}{3}$

정답_②

061

$2f(x)+g(x)=h(x),\ f(x)-g(x)=k(x)$로 놓으면

$$f(x)=\frac{h(x)+k(x)}{3},\ g(x)=\frac{h(x)-2k(x)}{3}$$

$\lim_{x \to 3} h(x)=10,\ \lim_{x \to 3} k(x)=2$이므로

$$\lim_{x \to 3} f(x)=\frac{10+2}{3}=4,\ \lim_{x \to 3} g(x)=\frac{10-2\cdot 2}{3}=2$$

$\therefore \lim_{x \to 3} \frac{f(x)}{g(x)}=\frac{4}{2}=2$

정답_②

다른 풀이

$\lim_{x \to 3} f(x),\ \lim_{x \to 3} g(x)$가 수렴한다는 조건이 없으므로 위와 같이 풀어야 하지만 정답만 얻고자 한다면 다음과 같이 $\lim_{x \to 3} f(x)$, $\lim_{x \to 3} g(x)$가 수렴한다는 가정하에 극한의 기본 성질을 이용하여 풀 수도 있다.

$\lim_{x \to 3} f(x)=a,\ \lim_{x \to 3} g(x)=b$로 놓으면 주어진 조건에서 $2a+b=10,\ a-b=2$이므로 두 식을 연립하여 풀면

$a=4, b=2 \qquad \therefore \lim_{x \to 3} \frac{f(x)}{g(x)}=\frac{4}{2}=2$

062

조건 (가)에서 $f(x)+9g(x)=x^2g(x)$이므로

$g(x)(x^2-9)=f(x)$

$x \neq \pm 3$일 때, $g(x)=\frac{f(x)}{x^2-9}$

$$\therefore \lim_{x \to 3} g(x)=\lim_{x \to 3} \frac{f(x)}{x^2-9}$$
$$=\lim_{x \to 3} \frac{f(x)}{(x-3)(x+3)}$$
$$=\lim_{x \to 3}\left\{\frac{f(x)}{x-3}\cdot\frac{1}{x+3}\right\}$$
$$=18\cdot\frac{1}{6}=3$$

정답_③

063

$x-1=t$로 놓으면 $x \to 1$일 때 $t \to 0$이므로

$$\lim_{x \to 1} \frac{f(x-1)}{x-1}=\lim_{t \to 0} \frac{f(t)}{t}=5$$

$$\therefore \lim_{x \to 0} \frac{5x+f(x)}{x^2-2f(x)}=\lim_{x \to 0} \frac{5+\frac{f(x)}{x}}{x-2\cdot\frac{f(x)}{x}}$$
$$=\frac{5+5}{0-2\cdot 5}=-1$$

정답_①

064

$x-2=t$로 놓으면 $x \to 2$일 때 $t \to 0$이므로

$$\lim_{x \to 2} \frac{f(x-2)}{x-2}=\lim_{t \to 0} \frac{f(t)}{t}=4$$

$$\therefore \lim_{x \to 2} \frac{f(x-2)}{x^3-8}=\lim_{x \to 2}\left\{\frac{f(x-2)}{x-2}\cdot\frac{1}{x^2+2x+4}\right\}$$
$$=4\cdot\frac{1}{2^2+2\cdot 2+4}=\frac{1}{3}$$

정답_③

065

ㄱ은 옳지 않다.

(반례) $f(x)=\frac{|x|}{x},\ g(x)=-\frac{|x|}{x}$일 때,

$\lim_{x \to 0-} f(x)=-1,\ \lim_{x \to 0+} f(x)=1$이고

$\lim_{x \to 0-} g(x)=1,\ \lim_{x \to 0+} g(x)=-1$이므로

$\lim_{x \to a} f(x),\ \lim_{x \to a} g(x)$의 값이 모두 존재하지 않지만

$\lim_{x \to a}\{f(x)+g(x)\}=0$으로 $\lim_{x \to a}\{f(x)+g(x)\}$의 값이 존재한다.

ㄴ도 옳지 않다.

(반례) $f(x)=\begin{cases} x+1 & (x \geq 0) \\ x-1 & (x<0) \end{cases},\ g(x)=\begin{cases} 2x+1 & (x \geq 0) \\ -x-1 & (x<0) \end{cases}$

일 때, $f(x)-g(x)=\begin{cases} -x & (x \geq 0) \\ 2x & (x<0) \end{cases}$이므로

$\lim_{x \to 0}\{f(x)-g(x)\}=0$이지만 $\lim_{x \to 0} f(x),\ \lim_{x \to 0} g(x)$의 값은 모두 존재하지 않는다.

ㄷ은 옳다.

$\lim_{x \to a}\{f(x)+g(x)\}=\alpha,\ \lim_{x \to a}\{f(x)-g(x)\}=\beta$

(α, β는 상수)라 하고 $f(x)+g(x)=h(x)$,

$f(x)-g(x)=k(x)$라고 하면

$\lim_{x \to a} h(x)=\alpha,\ \lim_{x \to a} k(x)=\beta$

$f(x)=\frac{h(x)+k(x)}{2}$이므로

$$\lim_{x \to a} f(x)=\lim_{x \to a} \frac{h(x)+k(x)}{2}=\frac{\alpha+\beta}{2}$$

즉, $\lim_{x\to a} f(x)$의 값이 존재한다.

따라서 옳은 것은 ㄷ이다. 정답_ ②

066

ㄱ은 옳지 않다.

(반례) $f(x)=\frac{2}{x^2}$, $g(x)=\frac{1}{x^2}$일 때, $f(x)-g(x)=\frac{1}{x^2}$

이므로 $\lim_{x\to 0} f(x)=\infty$, $\lim_{x\to 0} g(x)=\infty$이지만

$\lim_{x\to 0}\{f(x)-g(x)\}=\infty$

ㄴ도 옳지 않다.

(반례) $f(x)=x^2$, $g(x)=\frac{1}{x^2}$일 때, $f(x)g(x)=1$이고

$\lim_{x\to 0} f(x)=0$, $\lim_{x\to 0} g(x)=\infty$이지만

$\lim_{x\to 0} f(x)g(x)=1$

ㄷ은 옳다.

$\lim_{x\to a} f(x)=\infty$, $\lim_{x\to a} g(x)=100$이면

$\lim_{x\to a}\frac{g(x)}{f(x)}=\frac{100}{\infty}=0$

따라서 옳은 것은 ㄷ이다. 정답_ ③

067

ㄱ은 옳지 않다.

(반례) $f(x)=0, g(x)=[x]$일 때, $\frac{f(x)}{g(x)}=0$이므로

$\lim_{x\to 2} f(x)=0$, $\lim_{x\to 2}\frac{f(x)}{g(x)}=0$이지만

$\lim_{x\to 2} g(x)$의 값은 존재하지 않는다.

ㄴ은 옳다.

$\lim_{x\to a} g(x)=p$, $\lim_{x\to a}\frac{f(x)}{g(x)}=q$ (p, q는 상수)라고 하면

$\lim_{x\to a} f(x)=\lim_{x\to a}\left\{g(x)\cdot\frac{f(x)}{g(x)}\right\}=pq$

ㄷ도 옳지 않다.

(반례) $f(x)=0$, $g(x)=\begin{cases} x & (x\ge 1) \\ -x & (x<1)\end{cases}$일 때, $f(x)g(x)=0$

이므로 $\lim_{x\to 1} f(x)=0$, $\lim_{x\to 1} f(x)g(x)=0$이지만

$\lim_{x\to 1} g(x)$의 값은 존재하지 않는다.

따라서 옳은 것은 ㄴ이다. 정답_ ②

068

$5x^3-x^2+x-3<f(x)<5x^3+x^2-x+3$에서

$$\frac{(5x^3-x^2+x-3)+2x+1}{x^3+5}<\frac{f(x)+2x+1}{x^3+5}<\frac{(5x^3+x^2-x+3)+2x+1}{x^3+5}$$

$$\frac{5x^3-x^2+3x-2}{x^3+5}<\frac{f(x)+2x+1}{x^3+5}<\frac{5x^3+x^2+x+4}{x^3+5}$$

이때, $\lim_{x\to\infty}\frac{5x^3-x^2+3x-2}{x^3+5}=5$,

$\lim_{x\to\infty}\frac{5x^3+x^2+x+4}{x^3+5}=5$이므로

$\lim_{x\to\infty}\frac{f(x)+2x+1}{x^3+5}=5$ 정답_ 5

069

$x\to\infty$일 때 $2x-1>0$이므로 $2x-1<f(x)<2x+1$의 각 변을 제곱하면

$(2x-1)^2<\{f(x)\}^2<(2x+1)^2$

위의 식의 각 변을 x^2+1로 나누면

$\frac{(2x-1)^2}{x^2+1}<\frac{\{f(x)\}^2}{x^2+1}<\frac{(2x+1)^2}{x^2+1}$

이때, $\lim_{x\to\infty}\frac{(2x-1)^2}{x^2+1}=4$, $\lim_{x\to\infty}\frac{(2x+1)^2}{x^2+1}=4$이므로

$\lim_{x\to\infty}\frac{\{f(x)\}^2}{x^2+1}=4$ 정답_ ③

070

$A(1,\ 2+\sqrt{3})$, $B\left(t,\ \frac{2}{t}+\sqrt{3}\right)$, $H\left(1,\ \frac{2}{t}+\sqrt{3}\right)$이므로

$\overline{AH}=2-\frac{2}{t}$, $\overline{BH}=t-1$

$$\therefore \lim_{t\to 1}\frac{\overline{AH}}{\overline{BH}}=\lim_{t\to 1}\frac{2-\frac{2}{t}}{t-1}=\lim_{t\to 1}\frac{\frac{2(t-1)}{t}}{t-1}=\lim_{t\to 1}\frac{2}{t}=2$$

정답_ ⑤

071

점 $P(a,\ a)(0<a<2)$를 지나고 x축에 평행한 직선이 두 함수 $y=f(x)$, $y=g(x)$의 그래프와 만나는 점의 y좌표는 모두 a이므로 점 A의 좌표는

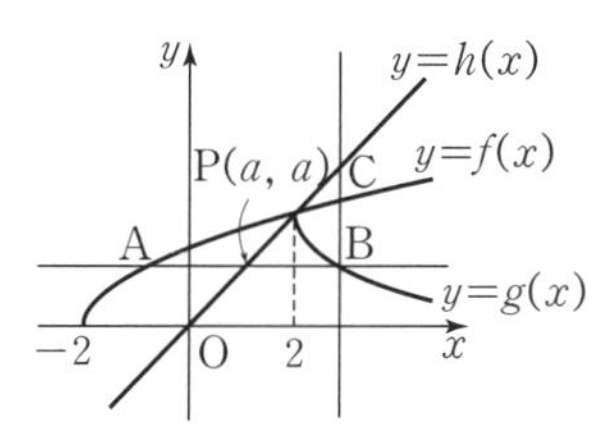

$\sqrt{x+2}=a$에서 $x+2=a^2$ $\therefore x=a^2-2$

$\therefore A(a^2-2,\ a)$

점 B의 좌표는

$-\sqrt{x-2}+2=a$에서 $-\sqrt{x-2}=a-2$

$x-2=a^2-4a+4$ $\therefore x=a^2-4a+6$

$\therefore B(a^2-4a+6,\ a)$

$\overline{AB}=|(a^2-4a+6)-(a^2-2)|$

$=|-4a+8|=-4a+8$ ($\because 0<a<2$)

점 C의 x좌표가 a^2-4a+6이므로 점 C의 좌표는 $C(a^2-4a+6,\ a^2-4a+6)$이다.

$\overline{BC}=|(a^2-4a+6)-a|$

$=|a^2-5a+6|=a^2-5a+6$ ($\because 0<a<2$)

$\therefore \lim_{a\to 2-}\frac{\overline{BC}}{\overline{AB}}=\lim_{a\to 2-}\frac{a^2-5a+6}{-4a+8}$

$=\lim_{a\to 2-}\frac{(a-2)(a-3)}{-4(a-2)}$

$=\lim_{a\to 2-}\frac{a-3}{-4}=\frac{1}{4}$ 정답_②

072

포물선 $y=1-x^2$과 x축의 교점 A, B와 y축의 교점 C의 좌표는 각각 $A(-1,\ 0)$, $B(1,\ 0)$, $C(0,\ 1)$

또 점 P는 포물선 위에 있는 제1사분면 위의 동점이므로 $P(a,\ 1-a^2)(0<a<1)$으로 놓을 수 있다.

직선 CP의 방정식은 $y-1=\frac{(1-a^2)-1}{a-0}(x-0)$

$\therefore y=-ax+1$

따라서 직선 CP와 x축의 교점은 $Q\left(\frac{1}{a},\ 0\right)$

직선 AP의 방정식은 $y-0=\frac{1-a^2}{a+1}(x+1)$

$\therefore y=(1-a)(x+1)$ ……㉠

세 점 A, P, R가 직선 ㉠ 위에 있으므로 점 R의 좌표는

$x=\frac{1}{a}$일 때, $y=(1-a)\left(\frac{1}{a}+1\right)=\frac{1-a^2}{a}$이므로

$R\left(\frac{1}{a},\ \frac{1-a^2}{a}\right)$

$\therefore \lim_{P\to B}\frac{\overline{QR}}{\overline{BQ}}=\lim_{a\to 1}\frac{\overline{QR}}{\overline{BQ}}=\lim_{a\to 1}\frac{\frac{1-a^2}{a}}{\frac{1}{a}-1}$

$=\lim_{a\to 1}\frac{1-a^2}{1-a}$

$=\lim_{a\to 1}(1+a)=2$ 정답_⑤

073

$x=-t$로 놓으면 $x\to-\infty$일 때 $t\to\infty$이므로

$\lim_{x\to-\infty}(\sqrt{9x^2+8}-ax-b)=\lim_{t\to\infty}(\sqrt{9t^2+8}+at-b)$

이때, $a\geq 0$이면 $\lim_{t\to\infty}(\sqrt{9t^2+8}+at-b)=\infty$이므로 $a<0$이어야 한다. ❶

$\lim_{t\to\infty}(\sqrt{9t^2+8}+at-b)$

$=\lim_{t\to\infty}\frac{\{\sqrt{9t^2+8}+(at-b)\}\{\sqrt{9t^2+8}-(at-b)\}}{\sqrt{9t^2+8}-(at-b)}$

$=\lim_{t\to\infty}\frac{(9t^2+8)-(at-b)^2}{\sqrt{9t^2+8}-(at-b)}$

$=\lim_{t\to\infty}\frac{(9-a^2)t^2+2abt+8-b^2}{\sqrt{9t^2+8}-(at-b)}$

$=\lim_{t\to\infty}\frac{(9-a^2)t+2ab+\frac{8-b^2}{t}}{\sqrt{9+\frac{8}{t^2}}-a+\frac{b}{t}}$ ……㉠

❷

㉠의 극한값이 존재하려면

$9-a^2=0 \quad \therefore a=-3\ (\because a<0)$

$a=-3$을 ㉠에 대입하면

$\lim_{t\to\infty}\frac{-6b+\frac{8-b^2}{t}}{\sqrt{9+\frac{8}{t^2}}+3+\frac{b}{t}}=\frac{-6b}{3+3}=-b=10$

$\therefore b=-10$ ❸

$\therefore ab=-3\cdot(-10)=30$ ❹

정답_30

단계	채점 기준	비율
❶	a의 값의 범위 구하기	30%
❷	$\lim_{t\to\infty}(\sqrt{9t^2+8}+at-b)$를 유리화하여 나타내기	30%
❸	a, b의 값 구하기	30%
❹	ab의 값 구하기	10%

074

$\lim_{x\to 1}\frac{x^3+ax+b}{(x-1)^2}=c$에서 $x\to 1$일 때 (분모) $\to 0$이므로 (분자) $\to 0$이어야 한다.

$\lim_{x\to 1}(x^3+ax+b)=0$에서 $1+a+b=0$

$\therefore b=-(a+1)$ ……㉠

❶

$\lim_{x\to 1}\frac{x^3+ax-(a+1)}{(x-1)^2}=\lim_{x\to 1}\frac{(x-1)(x^2+x+a+1)}{(x-1)^2}$

$=\lim_{x\to 1}\frac{x^2+x+a+1}{x-1}$ ……㉡

❷

㉡에서 $x\to 1$일 때 (분모) $\to 0$이므로 (분자) $\to 0$이어야 한다.

$\lim_{x\to 1}(x^2+x+a+1)=0$에서 $1+1+a+1=0$

$\therefore a=-3$

$a=-3$을 ㉠에 대입하면 $b=2$

$a=-3$을 ㉡에 대입하면

$\lim_{x\to 1}\frac{x^2+x-2}{x-1}=\lim_{x\to 1}\frac{(x-1)(x+2)}{x-1}$

$=\lim_{x\to 1}(x+2)=3=c$ ❸

$\therefore abc=(-3)\cdot 2\cdot 3=-18$ ❹

정답_ -18

단계	채점 기준	비율
❶	b를 a에 대한 식으로 나타내기	20%
❷	$\lim_{x\to 1}\frac{x^3+ax+b}{(x-1)^2}$를 정리하기	20%
❸	a, b, c의 값 구하기	50%
❹	abc의 값 구하기	10%

075

조건 (가)에서 $\lim_{x\to\infty}\frac{f(x)-x^2}{ax+1}=2$이므로 $f(x)-x^2$은 일차항의

계수가 $2a$인 일차함수이어야 한다.

따라서 $f(x)-x^2=2ax+b$ (b는 상수), 즉

$f(x)=x^2+2ax+b$로 놓을 수 있다. ❶

조건 (나)의 $\lim_{x\to1}\frac{x-1}{f(x)}=\frac{1}{4}$에서 $x\to1$일 때

(분자) → 0이므로 (분모) → 0이어야 한다.

$f(1)=1+2a+b=0$에서 $b=-(2a+1)$

$\therefore f(x)=x^2+2ax-(2a+1)$ ❷

$$\lim_{x\to1}\frac{x-1}{f(x)}=\lim_{x\to1}\frac{x-1}{x^2+2ax-(2a+1)}$$
$$=\lim_{x\to1}\frac{x-1}{(x-1)(x+2a+1)}$$
$$=\lim_{x\to1}\frac{1}{x+2a+1}=\frac{1}{2a+2}=\frac{1}{4}$$

$\therefore a=1$

따라서 $f(x)=x^2+2x-3$이므로

$af(3)=1\cdot(9+6-3)=12$ ❸

정답_ 12

단계	채점 기준	비율
❶	함수 $f(x)$를 $x^2+2ax+b$로 나타내기	30%
❷	b를 a에 대한 식으로 나타낸 후 $f(x)$ 나타내기	30%
❸	$af(3)$의 값 구하기	40%

076

$$\lim_{x\to2-}f(x)=\lim_{x\to2-}(x^2-ax+5)$$
$$=4-2a+5=-2a+9 \quad ❶$$
$$\lim_{x\to2+}f(x)=\lim_{x\to2+}(-x^2+5x+a)$$
$$=-4+10+a=a+6 \quad ❷$$

이때, $\lim_{x\to2}f(x)$의 값이 존재하려면 $\lim_{x\to2-}f(x)=\lim_{x\to2+}f(x)$이어야 하므로

$-2a+9=a+6$

$\therefore a=1$ ❸

정답_ 1

단계	채점 기준	비율
❶	$\lim_{x\to2-}f(x)$를 a에 대한 식으로 나타내기	30%
❷	$\lim_{x\to2+}f(x)$를 a에 대한 식으로 나타내기	30%
❸	a의 값 구하기	40%

077

$x=1$일 때, $x^2+x=1^2+1=2>0$이므로 $x=1$의 근처에서 $x^2+x>0$이다.

$$\therefore A=\lim_{x\to1}\frac{|x^2+x|-2}{x-1}=\lim_{x\to1}\frac{x^2+x-2}{x-1}$$
$$=\lim_{x\to1}\frac{(x-1)(x+2)}{x-1}$$
$$=\lim_{x\to1}(x+2)=3 \quad ❶$$

$-x^2+6x-9=-(x-3)^2$이고 $x\to3$일 때 $-(x-3)^2$의 값은 0보다 작은 값을 가지면서 0에 한없이 가까워지므로

$B=\lim_{x\to3}[-x^2+6x-9]=\lim_{t\to0-}[t]=-1$ ❷

$\therefore A+B=3+(-1)=2$ ❸

정답_ 2

단계	채점 기준	비율
❶	A의 값 구하기	40%
❷	B의 값 구하기	40%
❸	$A+B$의 값 구하기	20%

078

$$\lim_{x\to0+}f(x)g(x)=\lim_{x\to0+}f(x)\cdot\lim_{x\to0+}g(x)$$
$$=0\cdot0=0$$
$$\lim_{x\to0-}f(x)g(x)=\lim_{x\to0-}f(x)\cdot\lim_{x\to0-}g(x)$$
$$=0\cdot1=0$$

$\therefore \lim_{x\to0}f(x)g(x)=0$ ❶

$$\lim_{x\to1+}\{f(x)+g(x)\}=\lim_{x\to1+}f(x)+\lim_{x\to1+}g(x)$$
$$=-1+1=0$$
$$\lim_{x\to1-}\{f(x)+g(x)\}=\lim_{x\to1-}f(x)+\lim_{x\to1-}g(x)$$
$$=1+(-1)=0$$

$\therefore \lim_{x\to1}\{f(x)+g(x)\}=0$ ❷

$\therefore \lim_{x\to0}f(x)g(x)+\lim_{x\to1}\{f(x)+g(x)\}$

$=0+0=0$ ❸

정답_ 0

단계	채점 기준	비율
❶	$\lim_{x\to0}f(x)g(x)$의 값 구하기	40%
❷	$\lim_{x\to1}\{f(x)+g(x)\}$의 값 구하기	40%
❸	$\lim_{x\to0}f(x)g(x)+\lim_{x\to1}\{f(x)+g(x)\}$의 값 구하기	20%

079

0이 아닌 상수 k에 대하여 $\lim_{x\to a}f(x)=k$라고 하면

$$\lim_{x\to a}\frac{f(x)-(x-a)}{f(x)+(x-a)}=\frac{\lim_{x\to a}f(x)-\lim_{x\to a}(x-a)}{\lim_{x\to a}f(x)+\lim_{x\to a}(x-a)}$$
$$=\frac{k-(a-a)}{k+(a-a)}$$
$$=1\neq\frac{2}{3}$$

따라서 $\lim_{x\to a}f(x)=0$이어야 하므로 $f(a)=0$이다.

즉, 최고차항의 계수가 1인 이차방정식 $f(x)=0$의 한 실근이 $x=a$이므로 $\alpha=a$라고 하면 $f(x)=(x-a)(x-\beta)$ ⋯⋯㉠로 놓을 수 있다.

$$\lim_{x\to\alpha}\frac{f(x)-(x-\alpha)}{f(x)+(x-\alpha)}=\lim_{x\to\alpha}\frac{(x-\alpha)(x-\beta)-(x-\alpha)}{(x-\alpha)(x-\beta)+(x-\alpha)}$$
$$=\lim_{x\to\alpha}\frac{(x-\alpha)(x-\beta-1)}{(x-\alpha)(x-\beta+1)}$$
$$=\lim_{x\to\alpha}\frac{x-\beta-1}{x-\beta+1}$$
$$=\frac{\alpha-\beta-1}{\alpha-\beta+1}=\frac{2}{3}$$

$3\alpha-3\beta-3=2\alpha-2\beta+2$

$\therefore \alpha-\beta=5$

$\therefore |\alpha-\beta|=5$

정답_ 5

080

$\displaystyle\lim_{x\to1}\frac{f(x)-6}{x^2-1}=2$에서 $x\to1$일 때 (분모) $\to 0$이므로

(분자) $\to 0$이어야 한다.

$\displaystyle\lim_{x\to1}\{f(x)-6\}=0$에서 $f(1)=6$

$f(x)$를 $x-1$로 나누었을 때의 나머지는

$r=f(1)=6 \quad \therefore f(x)=(x-1)g(x)+6$

$$\lim_{x\to1}\frac{f(x)-6}{x^2-1}=\lim_{x\to1}\frac{(x-1)g(x)}{(x-1)(x+1)}=\lim_{x\to1}\frac{g(x)}{x+1}$$
$$=\frac{g(1)}{2}=2$$

$\therefore g(1)=4$

$$\therefore \lim_{x\to1}\frac{\{f(x)-6\}g(x)}{\sqrt{x}-1}=\lim_{x\to1}\frac{(x-1)g(x)\cdot g(x)}{\sqrt{x}-1}$$
$$=\lim_{x\to1}\frac{(x-1)\{g(x)\}^2(\sqrt{x}+1)}{x-1}$$
$$=\lim_{x\to1}\{g(x)\}^2(\sqrt{x}+1)$$
$$=\{g(1)\}^2(\sqrt{1}+1)=4^2\cdot2=32$$

정답_ 32

081

$$\lim_{x\to\infty}(\sqrt{f(x)}-x^2-1)=\lim_{x\to\infty}\frac{f(x)-(x^2+1)^2}{\sqrt{f(x)}+x^2+1}$$
$$=\lim_{x\to\infty}\frac{f(x)-(x^4+2x^2+1)}{\sqrt{f(x)}+x^2+1}=3$$

위의 극한값이 3이므로 $f(x)$는 사차항의 계수가 1인 사차함수이어야 한다. 이때, 분모의 최고차항의 차수가 2이므로 분자의 최고차항의 차수도 2이어야 한다.

따라서 $f(x)$의 삼차항의 계수는 0이어야 하므로

$f(x)=x^4+ax^2+bx+c$ (a, b, c는 상수)로 놓을 수 있다.

$$\lim_{x\to\infty}\frac{f(x)-(x^4+2x^2+1)}{\sqrt{f(x)}+x^2+1}$$
$$=\lim_{x\to\infty}\frac{(x^4+ax^2+bx+c)-(x^4+2x^2+1)}{\sqrt{x^4+ax^2+bx+c}+x^2+1}$$
$$=\lim_{x\to\infty}\frac{(a-2)x^2+bx+c-1}{\sqrt{x^4+ax^2+bx+c}+x^2+1}$$
$$=\lim_{x\to\infty}\frac{(a-2)+\frac{b}{x}+\frac{c-1}{x^2}}{\sqrt{1+\frac{a}{x^2}+\frac{b}{x^3}+\frac{c}{x^4}}+1+\frac{1}{x^2}}$$
$$=\frac{a-2}{2}=3$$

$\therefore a=8$

주어진 조건에서 $f(0)=1$, $f(1)=0$이므로

$c=1, 1+a+b+c=0 \quad \therefore a=8, b=-10, c=1$

따라서 $f(x)=x^4+8x^2-10x+1$이므로

$f(-1)=1+8+10+1=20$

정답_ ⑤

082

$\displaystyle\lim_{x\to\infty}\frac{f(x)-x^3}{x^2}=-11$이려면 $f(x)-x^3$은 이차항의 계수가 -11인 삼차함수이어야 한다.

따라서 $f(x)-x^3=-11x^2+ax+b$ (a, b는 상수), 즉

$f(x)=x^3-11x^2+ax+b$로 놓을 수 있다.

$\displaystyle\lim_{x\to1}\frac{f(x)}{x-1}=-9$에서 $x\to1$일 때 (분모) $\to 0$이므로

(분자) $\to 0$이어야 한다.

$\displaystyle\lim_{x\to1}f(x)=0$에서 $f(1)=0$

$f(1)=1-11+a+b=0$

$\therefore b=-a+10$ ……㉠

$$\lim_{x\to1}\frac{f(x)}{x-1}$$
$$=\lim_{x\to1}\frac{x^3-11x^2+ax-a+10}{x-1}$$
$$=\lim_{x\to1}\frac{(x-1)(x^2-10x+a-10)}{x-1}$$
$$=\lim_{x\to1}(x^2-10x+a-10)$$
$$=1-10+a-10$$
$$=a-19=-9$$

에서 $a=10$

$a=10$을 ㉠에 대입하면 $b=0$

$\therefore f(x)=x^3-11x^2+10x$

$x=\frac{1}{h}$로 놓으면 $x\to\infty$일 때, $h\to0$이므로

$$\lim_{x\to\infty}xf\left(\frac{1}{x}\right)=\lim_{h\to0}\frac{f(h)}{h}$$
$$=\lim_{h\to0}\frac{h^3-11h^2+10h}{h}$$
$$=\lim_{h\to0}(h^2-11h+10)=10$$

정답_ 10

083

(i) $x\to3-$일 때, $x^2\to9-$이므로

$\displaystyle\lim_{x\to3-}([x^2]-a[x])=8-2a$

(ii) $x \to 3+$일 때, $x^2 \to 9+$이므로

$\lim_{x\to 3+}([x^2]-a[x])=9-3a$

$\lim_{x\to 3}([x^2]-a[x])$의 값이 존재하려면 좌극한과 우극한이 같아야 하므로

$8-2a=9-3a \quad \therefore a=1$

정답_ ④

보충 설명

가우스 함수의 극한이 많이 헷갈리면 가까운 수를 대입하는 방법도 좋다.

(i) $x=2.9$를 대입하면

$\lim_{x\to 3-}[x]=[2.9]=2,\ \lim_{x\to 3-}[x^2]=[2.9^2]=[8.41]=8$

(ii) $x=3.1$을 대입하면

$\lim_{x\to 3+}[x]=[3.1]=3,\ \lim_{x\to 3+}[x^2]=[3.1^2]=[9.61]=9$

084

$\frac{t}{t+1}=p$로 놓으면 $t \to \infty$일 때 $p=1-\frac{1}{t+1}<1$이므로

$p \to 1-$

$\therefore \lim_{t\to\infty} f\left(\frac{t}{t+1}\right)=\lim_{p\to 1-} f(p)=-2$

$\frac{t+1}{t}=q$로 놓으면 $t \to \infty$일 때 $q=1+\frac{1}{t}>1$이므로

$q \to 1+$

$\therefore \lim_{t\to\infty} f\left(\frac{t+1}{t}\right)=\lim_{q\to 1+} f(q)=1$

$$\therefore \lim_{t\to\infty}\left\{2f\left(\frac{t}{t+1}\right)+f\left(\frac{t+1}{t}\right)\right\}$$
$$=2\lim_{t\to\infty} f\left(\frac{t}{t+1}\right)+\lim_{t\to\infty} f\left(\frac{t+1}{t}\right)$$
$$=2\cdot(-2)+1=-3$$

정답_ ①

085

$f(-1)-2=0,\ f(0)-2=0,\ f(2)-2=0$이므로 삼차방정식 $f(x)-2=0$의 세 근은 $x=-1, 0, 2$이다.

$\therefore f(x)-2=ax(x+1)(x-2)$ (단, a는 0이 아닌 상수이다.)

ㄱ. $\lim_{x\to 2}\frac{x-2}{f(x)-2}=\lim_{x\to 2}\frac{x-2}{ax(x+1)(x-2)}$
$=\lim_{x\to 2}\frac{1}{ax(x+1)}=\frac{1}{6a}$

ㄴ. $\lim_{x\to 2}\frac{f(x)-2}{f(x-2)}=\frac{f(2)-2}{f(0)}=\frac{0}{2}=0$

ㄷ. $\lim_{x\to 2}\frac{f(x-2)}{x-2}=\infty$이므로 극한값이 존재하지 않는다.

따라서 극한값이 존재하는 것은 ㄱ, ㄴ이다.

정답_ ③

086

$\overline{BD}=x$라고 하면 $\angle B=60^\circ$이므로

$\overline{DE}=\frac{\sqrt{3}}{2}x,\ \overline{BE}=\frac{1}{2}x,\ \overline{CE}=2-\frac{1}{2}x$

$$\triangle CDE=\frac{1}{2}\times\overline{CE}\times\overline{DE}$$
$$=\frac{1}{2}\times\left(2-\frac{1}{2}x\right)\times\frac{\sqrt{3}}{2}x$$
$$=\frac{\sqrt{3}x(4-x)}{8}$$

따라서 $\frac{\triangle CDE}{\overline{BD}}$의 극한값은

$$\lim_{x\to 0}\frac{\triangle CDE}{\overline{BD}}=\lim_{x\to 0}\frac{\sqrt{3}x(4-x)}{8x}$$
$$=\lim_{x\to 0}\frac{\sqrt{3}(4-x)}{8}=\frac{\sqrt{3}}{2}$$

정답_ ④

087

$C_1 : x^2+y^2=1$ ……㉠

$C_2 : (x-1)^2+y^2=r^2\ (0<r<\sqrt{2})$ ……㉡

㉠−㉡을 하면 $x^2-(x-1)^2=1-r^2$

$2x-1=1-r^2 \quad \therefore x=\frac{1}{2}(2-r^2)$

따라서 $f(r)=\frac{1}{2}(2-r^2)$이므로

$$\lim_{r\to\sqrt{2}-}\frac{f(r)}{4-r^4}=\lim_{r\to\sqrt{2}-}\frac{2-r^2}{2(2+r^2)(2-r^2)}$$
$$=\lim_{r\to\sqrt{2}-}\frac{1}{2(2+r^2)}=\frac{1}{8}$$

정답_ $\frac{1}{8}$

088

함수 $y=-ax^2+a$의 그래프와 정사각형이 제1사분면에서 만나는 점을 $(t,\ -at^2+a)\ (t>0)$라고 하면 정사각형의 가로, 세로의 길이는 같으므로

$2t=-at^2+a,\ at^2+2t-a=0$

$\therefore t=\frac{-1+\sqrt{1+a^2}}{a}$

$$S(a)=(2t)^2=\left(2\cdot\frac{-1+\sqrt{1+a^2}}{a}\right)^2$$
$$=4\cdot\frac{1-2\sqrt{1+a^2}+1+a^2}{a^2}=\frac{4a^2+8-8\sqrt{1+a^2}}{a^2}$$

$$\therefore \lim_{a\to\infty}S(a)=\lim_{a\to\infty}\frac{4a^2+8-8\sqrt{1+a^2}}{a^2}$$
$$=\lim_{a\to\infty}\left(4+\frac{8}{a^2}-8\sqrt{\frac{1}{a^4}+\frac{1}{a^2}}\right)=4$$

정답_ ⑤

02 함수의 연속

089

(1), (2) $f(0)=0$, $\lim_{x\to0}f(x)=0$ $\quad\therefore \lim_{x\to0}f(x)=f(0)$

따라서 $f(x)$는 $x=0$에서 연속이다.

(3) $\lim_{x\to0-}\frac{x^2-x}{x}=\lim_{x\to0-}\frac{x(x-1)}{x}=\lim_{x\to0-}(x-1)=-1$,

$\lim_{x\to0+}\frac{x^2-x}{x}=\lim_{x\to0+}\frac{x(x-1)}{x}=\lim_{x\to0+}(x-1)=-1$

이므로

$\lim_{x\to0}f(x)=-1$

$\therefore \lim_{x\to0}f(x)\neq f(0)$

따라서 $f(x)$는 $x=0$에서 불연속이다.

정답_(1) 연속 (2) 연속 (3) 불연속

090

(1) 함수 $f(x)$는 모든 실수, 즉 $(-\infty, \infty)$에서 연속이다.

(2) 함수 $f(x)$는 $x-2\geq0$일 때, 즉 구간 $[2, \infty)$에서 연속이다.

(3) 함수 $f(x)$는 모든 실수, 즉 $(-\infty, \infty)$에서 연속이다.

(4) 함수 $f(x)$는 $\lim_{x\to0-}f(x)=-1$, $\lim_{x\to0+}f(x)=1$이므로 $x=0$에서 불연속이고 그 외의 점에서는 연속이다. 즉, $(-\infty, 0)$, $(0, \infty)$에서 연속이다.

(5) (i) $x>0$일 때, $f(x)=\frac{|x|}{x}=\frac{x}{x}=1$

(ii) $x<0$일 때, $f(x)=\frac{|x|}{x}=\frac{-x}{x}=-1$

따라서 함수 $f(x)$는 $x=0$에서 불연속이고 그 외의 점에서는 연속이다. 즉, $(-\infty, 0)$, $(0, \infty)$에서 연속이다.

정답_(1) $(-\infty, \infty)$ (2) $[2, \infty)$ (3) $(-\infty, \infty)$
(4) $(-\infty, 0)$, $(0, \infty)$ (5) $(-\infty, 0)$, $(0, \infty)$

091

ㄱ. 모든 실수 x에 대하여 $x^2+3\neq0$이므로 함수 $f(x)$는 모든 실수 x에서 연속이다.

ㄴ. $x>0$일 때 $g(x)=x^2$은 연속이고, $x<0$일 때 $g(x)=x$는 연속이므로 $x=0$에서 연속인지만 조사하면 된다.

$\lim_{x\to0+}g(x)=\lim_{x\to0+}x^2=0$, $\lim_{x\to0-}g(x)=\lim_{x\to0-}x=0$

$\therefore \lim_{x\to0}g(x)=0$

또 $g(0)=0$이므로 $\lim_{x\to0}g(x)=g(0)$

그러므로 함수 $g(x)$는 $x=0$에서도 연속이다.

ㄷ. $x\neq-2$일 때 $h(x)=\frac{x^2-4}{x+2}=\frac{(x+2)(x-2)}{x+2}=x-2$는 연속이므로 $x=-2$에서 연속인지만 조사하면 된다.

$\lim_{x\to-2}h(x)=\lim_{x\to-2}\frac{x^2-4}{x+2}=\lim_{x\to-2}(x-2)=-4$

또 $h(-2)=-1$이므로 $\lim_{x\to-2}h(x)\neq h(-2)$

그러므로 함수 $h(x)$는 $x=-2$에서 불연속이다.

따라서 모든 실수 x에서 연속인 함수는 ㄱ, ㄴ이다. 정답_②

092

ㄱ은 옳다.

$\lim_{x\to0+}f(x)=0$, $\lim_{x\to0-}f(x)=0$이므로

$\lim_{x\to0}f(x)=0$

또 $f(0)=0$이므로 $\lim_{x\to0}f(x)=f(0)$

ㄴ도 옳다.

$\lim_{x\to1-}f(x)\neq\lim_{x\to1+}f(x)$이므로 불연속이다.

ㄷ은 옳지 않다.

$\lim_{x\to2}f(x)\neq f(2)$이므로 불연속이다.

따라서 옳은 것은 ㄱ, ㄴ이다. 정답_②

093

ㄱ은 옳지 않다.

$\lim_{x\to3}f(x)=0$

ㄴ은 옳다.

$\lim_{x\to1-}f(x)=1$, $\lim_{x\to1+}f(x)=2$로 좌극한과 우극한이 다르므로 $x=1$에서 함수 $f(x)$의 극한값은 존재하지 않는다.

ㄷ도 옳다.

함수 $f(x)$는 $x=1, x=2, x=3$의 3개의 점에서 불연속이다.

따라서 옳은 것은 ㄴ, ㄷ이다. 정답_⑤

094

ㄱ은 옳다.

$\lim_{x\to0+}f(x)=1$

ㄴ은 옳지 않다.

$\lim_{x\to2-}f(x)=1$

ㄷ도 옳다.

$\lim_{x\to2-}|f(x)|=|1|=1$, $\lim_{x\to2+}|f(x)|=|-1|=1$이므로

$\lim_{x\to2}|f(x)|=1$

또 $|f(2)|=|-1|=1$이므로 $\lim_{x\to2}|f(x)|=|f(2)|$

즉, 함수 $|f(x)|$는 $x=2$에서 연속이다.

따라서 옳은 것은 ㄱ, ㄷ이다. 정답_③

095

함수 $y=f(x)$의 그래프가 $x=-1$, $x=0$, $x=1$에서 끊어져 있으므로 함수 $f(x)$는 $x=-1$, $x=0$, $x=1$의 3개의 점에서 불연속이다.

$\therefore a=3$

$\lim_{x\to1-}f(x)=0$, $\lim_{x\to1+}f(x)=1$이므로

$\lim_{x\to1-}f(x)\neq\lim_{x\to1+}f(x)$

즉, $x=1$에서 함수 $f(x)$의 극한값이 존재하지 않으므로 $b=1$

$\therefore ab=3\cdot1=3$ 정답_③

096

ㄱ은 옳지 않다.

$f(x)=t$로 놓으면

$\lim_{x\to0+}g(f(x))=\lim_{t\to1+}g(t)=-1$

$\lim_{x\to0-}g(f(x))=\lim_{t\to1-}g(t)=1$

그러므로 $\lim_{x\to0}g(f(x))$의 값은 존재하지 않는다.

ㄴ은 옳다.

$f(x)=t$로 놓으면

$\lim_{x\to-1}g(f(x))=\lim_{t\to0}g(t)=0$

ㄷ도 옳다.

ㄱ에 의해 함수 $g(f(x))$는 $x=0$에서 불연속이다.

한편, $g(f(-1))=g(0)=0$이므로 ㄴ에 의해

$\lim_{x\to-1}g(f(x))=g(f(-1))=0$

그러므로 $g(f(x))$는 $x=-1$에서 연속이다.

따라서 옳은 것은 ㄴ, ㄷ이다. 정답_④

097

ㄱ은 옳다.

$f(-1)-g(-1)=1-1=0$

$\lim_{x\to-1-}\{f(x)-g(x)\}=-1-(-1)=0$

$\lim_{x\to-1+}\{f(x)-g(x)\}=1-1=0$

즉, $\lim_{x\to-1}\{f(x)-g(x)\}=f(-1)-g(-1)$이므로 함수

$f(x)-g(x)$는 $x=-1$에서 연속이다.

ㄴ도 옳다.

$f(-1)g(-1)=1\cdot1=1$

$\lim_{x\to-1-}f(x)g(x)=-1\cdot(-1)=1$

$\lim_{x\to-1+}f(x)g(x)=1\cdot1=1$

즉, $\lim_{x\to-1}f(x)g(x)=f(-1)g(-1)$이므로 함수

$f(x)g(x)$는 $x=-1$에서 연속이다.

ㄷ은 옳지 않다.

$(f\circ g)(1)=f(g(1))=f(0)=0$

$g(x)=t$로 놓으면

$\lim_{x\to1-}f(g(x))=\lim_{t\to0-}f(t)=0$

$\lim_{x\to1+}f(g(x))=f(1)=-1$

즉, $\lim_{x\to1}(f\circ g)(x)$의 값이 존재하지 않으므로 함수

$(f\circ g)(x)$는 $x=1$에서 불연속이다.

따라서 옳은 것은 ㄱ, ㄴ이다. 정답_③

098

ㄱ. $\lim_{x\to1}f(x)g(x)=\lim_{x\to1}f(x)\cdot\lim_{x\to1}g(x)=0\cdot1=0$

$f(1)g(1)=1\cdot0=0$

$\therefore \lim_{x\to1}f(x)g(x)=f(1)g(1)$

즉, 함수 $f(x)g(x)$는 $x=1$에서 연속이다.

ㄴ. $f(x)=t$로 놓으면

$\lim_{x\to1}g(f(x))=\lim_{t\to0}g(t)=0, g(f(1))=g(1)=0$

$\therefore \lim_{x\to1}g(f(x))=g(f(1))$

즉, 함수 $g(f(x))$는 $x=1$에서 연속이다.

ㄷ. $f(x)=t$로 놓으면

$\lim_{x\to1}f(g(x))=\lim_{t\to1}f(t)=0$, $f(g(1))=f(0)=1$

$\therefore \lim_{x\to1}f(g(x))\neq f(g(1))$

즉, 함수 $f(g(x))$는 $x=1$에서 불연속이다.

따라서 $x=1$에서 연속인 것은 ㄱ, ㄴ이다. 정답_④

099

함수 $f(x)$가 실수 전체의 집합에서 연속이 되려면 $x=2$에서 연속이어야 한다. 즉, $x=2$에서 극한값이 존재해야 하므로 좌극한과 우극한이 같아야 한다.

$\lim_{x\to2+}f(x)=\lim_{x\to2+}(2x-5)=-1$

$\lim_{x\to2-}f(x)=\lim_{x\to2-}(-x+a)=-2+a$

$-1=-2+a$에서 $a=1$ 정답_1

100

함수 $f(x)$가 $x=1$에서 연속이 되려면 $\lim_{x\to1}f(x)=f(1)$이어야 한다.

$$\lim_{x\to1}f(x)=\lim_{x\to1}\frac{x^2-1}{x-1}=\lim_{x\to1}\frac{(x-1)(x+1)}{x-1}$$
$$=\lim_{x\to1}(x+1)=2$$

$\lim_{x\to1}f(x)=f(1)$에서 $a=2$ 정답_2

101

함수 $f(x)$가 실수 전체의 집합에서 연속이 되려면 $x=-1$, $x=2$에서 연속이어야 한다.

(i) 함수 $f(x)$가 $x=-1$에서 연속이 되려면

$\lim_{x\to-1+}f(x)=\lim_{x\to-1-}f(x)=f(-1)$이어야 하므로

$1+3+b=-a+1$ $\therefore a+b=-3$ ……㉠

(ii) 함수 $f(x)$가 $x=2$에서 연속이 되려면

$\lim_{x\to2+}f(x)=\lim_{x\to2-}f(x)=f(2)$이어야 하므로

$2a+1=4-6+b \qquad \therefore 2a-b=-3$ ······㉡

㉠, ㉡을 연립하여 풀면 $a=-2,\ b=-1$

$\therefore ab=(-2)\cdot(-1)=2$ 정답_②

102

함수 $f(x)$가 $x=3$에서 연속이 되려면 $\lim_{x\to 3} f(x)=f(3)$이어야 하므로

$\lim_{x\to 3}\frac{a\sqrt{x+6}-b}{x-3}=2$ ······㉠

㉠이 수렴하고 $x\to 3$일 때 (분모) $\to$ 0이므로 (분자) $\to$ 0이어야 한다.

$\lim_{x\to 3}(a\sqrt{x+6}-b)=0$에서 $3a-b=0$

$\therefore b=3a$ ······㉡

㉡을 ㉠에 대입하면

$$\lim_{x\to 3}\frac{a\sqrt{x+6}-3a}{x-3}=\lim_{x\to 3}\frac{a\{(x+6)-9\}}{(x-3)(\sqrt{x+6}+3)}$$
$$=\lim_{x\to 3}\frac{a(x-3)}{(x-3)(\sqrt{x+6}+3)}$$
$$=\lim_{x\to 3}\frac{a}{\sqrt{x+6}+3}=\frac{a}{6}=2$$

따라서 $a=12,\ b=36$이므로

$a+b=12+36=48$ 정답_④

103

함수 $f(x)$가 모든 실수 x에서 연속이 되려면 $x=-2$에서 연속이어야 하므로 $\lim_{x\to -2} f(x)=f(-2)$

$\therefore \lim_{x\to -2}\frac{x^2+ax+8}{x+2}=b$ ······㉠

㉠이 수렴하고 $x\to -2$일 때 (분모) $\to$ 0이므로 (분자) $\to$ 0이어야 한다.

$\lim_{x\to -2}(x^2+ax+8)=0$에서 $4-2a+8=0$

$\therefore a=6$ ······㉡

㉡을 ㉠에 대입하면

$$b=\lim_{x\to -2}\frac{x^2+6x+8}{x+2}=\lim_{x\to -2}\frac{(x+2)(x+4)}{x+2}$$
$$=\lim_{x\to -2}(x+4)=2$$

$\therefore a+b=6+2=8$ 정답_③

104

ㄱ은 옳다.

$\lim_{x\to 1+} f(x)=\lim_{x\to 1+}(-x+2)=1$

ㄴ은 옳지 않다.

함수 $f(x)$가 $x=1$에서 연속이 되려면 $\lim_{x\to 1} f(x)=f(1)$이어야 한다.

그런데 ㄱ에서 $\lim_{x\to 1+} f(x)=1$이므로 $x=1$에서 연속이 되려면 $f(1)=a=1$이 되어야 한다.

ㄷ도 옳다.

함수 $f(x)$는 $x\neq 1$인 모든 실수에서 연속이므로 함수 $y=(x-1)f(x)$는 $x=1$에서 연속이어야 한다.

$\lim_{x\to 1+}(x-1)f(x)=\lim_{x\to 1+}(x-1)(-x+2)=0\cdot 1=0$

$\lim_{x\to 1-}(x-1)f(x)=\lim_{x\to 1-}(x-1)a=0\cdot a=0$

또 $x=1$에서 $y=(x-1)f(x)$의 함숫값은 0이므로

$y=(x-1)f(x)$는 $x=1$에서 연속이다.

그러므로 $y=(x-1)f(x)$는 실수 전체의 집합에서 연속이다.

따라서 옳은 것은 ㄱ, ㄷ이다. 정답_③

105

ㄱ은 옳다.

함수 $f(x)$가 $x=1$에서 연속이므로 $\lim_{x\to 1} f(x)=f(1)=a$

ㄴ은 옳지 않다.

$\lim_{x\to 1} f(x)=a$에서 $\lim_{x\to 1}\frac{g(x)}{x-1}=a$

이때, $x\to 1$일 때 (분모) $\to$ 0이므로 (분자) $\to$ 0이어야 한다.

$\therefore \lim_{x\to 1} g(x)=0$

ㄷ도 옳지 않다.

$$\lim_{x\to 1}\frac{f(x)g(x)}{x^2-1}=\lim_{x\to 1}\frac{f(x)g(x)}{(x+1)(x-1)}$$
$$=\lim_{x\to 1}\frac{f(x)}{x+1}\cdot\lim_{x\to 1}\frac{g(x)}{x-1}$$
$$=\frac{a}{2}\cdot a=\frac{a^2}{2}$$

따라서 옳은 것은 ㄱ이다. 정답_①

106

$x=-2$에서 연속이므로 $\lim_{x\to -2+} f(x)=\lim_{x\to -2-} f(x)$

$\lim_{x\to -2+}(x^2-x+a)=\lim_{x\to -2-}(x+b)$

$4+2+a=-2+b \qquad \therefore a-b=-8$ 정답_①

107

$f(x)=\begin{cases} x(x-1) & (x<-1 \text{ 또는 } x>1) \\ -x^2+ax+b & (-1\le x\le 1)\end{cases}$ 이므로

$x=\pm 1$에서 연속이면 모든 실수 x에서 연속이다.

(i) $x=-1$에서 연속이므로 $\lim_{x\to -1-} f(x)=\lim_{x\to -1+} f(x)$

$\lim_{x\to -1-} x(x-1)=\lim_{x\to -1+}(-x^2+ax+b)$

$2=-1-a+b \qquad \therefore a-b=-3$ ······㉠

(ii) $x=1$에서 연속이므로 $\lim_{x\to 1-} f(x)=\lim_{x\to 1+} f(x)$

$\lim_{x\to 1-}(-x^2+ax+b)=\lim_{x\to 1+} x(x-1)$

$-1+a+b=0 \qquad \therefore a+b=1$ ······㉡

㉠, ㉡을 연립하여 풀면 $a=-1, b=2$

$\therefore ab=-1\cdot 2=-2$ 정답_①

108

$f(x)=\begin{cases} x^2-1 & (a\le x\le b) \\ 3 & (x<a \text{ 또는 } x>b) \end{cases}$

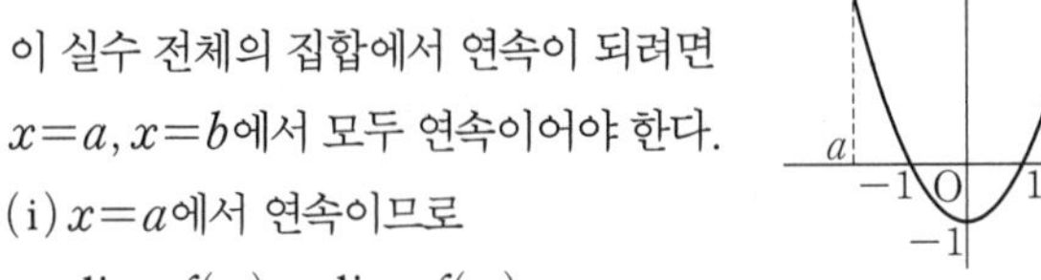

이 실수 전체의 집합에서 연속이 되려면 $x=a, x=b$에서 모두 연속이어야 한다.

(i) $x=a$에서 연속이므로

$\lim_{x\to a-} f(x)=\lim_{x\to a+} f(x)$

$3=a^2-1, a^2=4 \quad \therefore a=\pm 2$

(ii) $x=b$에서 연속이므로 $\lim_{x\to b-} f(x)=\lim_{x\to b+} f(x)$

$b^2-1=3, b^2=4 \quad \therefore b=\pm 2$

$a<b$이므로 $a=-2, b=2$

$\therefore a-b=-2-2=-4$ 정답_①

109

$x^2+x-2=(x+2)(x-1)$이므로

$x\ne 1$일 때, $f(x)=\frac{x+2\sqrt{x}-3}{x^2+x-2}$

함수 $f(x)$가 $x>0$인 모든 실수 x에서 연속이므로 $x=1$에서도 연속이어야 한다.

$\therefore f(1)=\lim_{x\to 1} f(x)=\lim_{x\to 1}\frac{x+2\sqrt{x}-3}{x^2+x-2}$

$=\lim_{x\to 1}\frac{(\sqrt{x}+3)(\sqrt{x}-1)(\sqrt{x}+1)}{(x+2)(x-1)(\sqrt{x}+1)}$

$=\lim_{x\to 1}\frac{\sqrt{x}+3}{(x+2)(\sqrt{x}+1)}$

$=\frac{4}{3\cdot 2}=\frac{2}{3}$ 정답_③

110

기본 요금을 p원이라고 하면 사용한 수돗물의 양에 따른 수도 요금은

$f(x)=\begin{cases} 320x+p & (0\le x\le 30) \\ 510x+p-5700 & (30<x\le 40) \\ 570x+p-a & (40<x\le 50) \\ 790x+p-19100 & (x>50) \end{cases}$

함수 $f(x)$가 연속함수이려면 $x=40$에서도 연속이어야 하므로

$510\cdot 40+p-5700=570\cdot 40+p-a$

$\therefore a=8100$(원) 정답_②

111

(i) $n-1\le x<n$일 때, $[x]=n-1$

$\lim_{x\to n-} f(x)=\lim_{x\to n-}([x]^2+[x])$

$=(n-1)^2+(n-1)=n^2-n$

(ii) $n\le x<n+1$일 때, $[x]=n$

$\lim_{x\to n+} f(x)=\lim_{x\to n+}([x]^2+[x])=n^2+n$

이때, 함수 $f(x)$가 $x=n$에서 연속이므로

$\lim_{x\to n-} f(x)=\lim_{x\to n+} f(x)=f(n)$

$n^2-n=n^2+n \quad \therefore n=0$ 정답_③

112

함수 $f(x)$가 모든 실수 x에서 연속이므로 모든 정수 n에 대하여 $x=n$에서 연속이어야 한다.

$\lim_{x\to n-} f(x)=\lim_{x\to n-}\{[x]^2+(ax+b)[x]\}$

$=\lim_{x\to n-}\{(n-1)^2+(ax+b)(n-1)\}$

$=(n-1)^2+(an+b)(n-1)$

$\lim_{x\to n+} f(x)=\lim_{x\to n+}\{[x]^2+(ax+b)[x]\}$

$=\lim_{x\to n+}\{n^2+(ax+b)n\}=n^2+(an+b)n$

함수 $f(x)$가 $x=n$에서 연속이므로

$\lim_{x\to n-} f(x)=\lim_{x\to n+} f(x)$

$(n-1)^2+(an+b)(n-1)=n^2+(an+b)n$

$\therefore (a+2)n+b-1=0$

위의 식이 모든 정수 n에 대하여 성립해야 하므로

$a=-2, b=1$

$\therefore a^2+b^2=4+1=5$ 정답_③

113

ㄱ. $\lim_{x\to 1-} x[x-1]=1\cdot(-1)=-1$

$\lim_{x\to 1+} x[x-1]=1\cdot 0=0$

이므로 $\lim_{x\to 1} f(x)$의 값이 존재하지 않는다.

그러므로 함수 $f(x)$는 $x=1$에서 불연속이다.

ㄴ. $\lim_{x\to 1-}(x-1)[x]=0\cdot 0=0$, $\lim_{x\to 1+}(x-1)[x]=0\cdot 1=0$

이므로 $\lim_{x\to 1} g(x)=0$이고, $g(1)=(1-1)[1]=0$이다.

즉, $g(1)=\lim_{x\to 1} g(x)$이므로 $g(x)$는 $x=1$에서 연속이다.

ㄷ. $x(x-1)^2=t$로 놓으면

$\lim_{x\to 1-}[x(x-1)^2]=\lim_{t\to 0+}[t]=0$

$\lim_{x\to 1+}[x(x-1)^2]=\lim_{t\to 0+}[t]=0$

이므로 $\lim_{x\to 1} h(x)=0$이고, $h(1)=[1\cdot(1-1)^2]=0$이다.

즉, $h(1)=\lim_{x\to 1} h(x)$이므로 $h(x)$는 $x=1$에서 연속이다.

따라서 $x=1$에서 연속인 것은 ㄴ, ㄷ이다. 정답_⑤

114

ㄱ은 옳지 않다.

$-x=t$로 놓으면

$\lim_{x \to 0-} f(-x) = \lim_{x \to 0-} [-x] = \lim_{t \to 0+} [t] = 0$

$\lim_{x \to 0+} f(-x) = \lim_{x \to 0+} [-x] = \lim_{t \to 0-} [t] = -1$

따라서 좌극한과 우극한이 다르므로 $\lim_{x \to 0} f(-x)$의 값은 존재하지 않는다.

ㄴ은 옳다.

$\lim_{x \to 0-} g(x) = \lim_{x \to 0-} ([x]+[-x]) = \lim_{x \to 0-} [x] + \lim_{x \to 0-} [-x]$

$= \lim_{x \to 0-} [x] + \lim_{t \to 0+} [t] = -1+0 = -1$

$\lim_{x \to 0+} g(x) = \lim_{x \to 0+} ([x]+[-x]) = \lim_{x \to 0+} [x] + \lim_{x \to 0+} [-x]$

$= \lim_{x \to 0+} [x] + \lim_{t \to 0-} [t] = 0-1 = -1$

즉, $\lim_{x \to 0} g(x) = -1$이므로 $\lim_{x \to 0} g(x)$의 값은 존재한다.

ㄷ도 옳지 않다.

$\lim_{x \to 0} g(x) = -1$, $g(0)=0$이므로 $\lim_{x \to 0} g(x) \neq g(0)$

즉, 함수 $g(x)$는 $x=0$에서 불연속이다.

따라서 옳은 것은 ㄴ뿐이다. 정답_ ②

115

모든 실수 x에서 연속이려면 $x=1$에서도 연속이어야 하므로

$\lim_{x \to 1-} f(x) = \lim_{x \to 1+} f(x)$

$3 \cdot 1 = 1^2 + a \cdot 1 + b \quad \therefore a+b=2$ ······㉠

$f(x+4)=f(x)$에서 $f(4)=f(0)$이므로

$4^2 + a \cdot 4 + b = 0 \quad \therefore 4a+b=-16$ ······㉡

㉠, ㉡을 연립하여 풀면 $a=-6, b=8$

따라서 $f(x) = \begin{cases} 3x & (0 \le x < 1) \\ x^2-6x+8 & (1 \le x \le 4) \end{cases}$이므로

$f(10)=f(6)=f(2)=2^2-6 \cdot 2+8=0$ 정답_ ②

116

조건 (가)의 양변에 $x=y=0$을 대입하면

$f(0)=f(0)+f(0)+a \quad \therefore f(0)=-a$

조건 (나)의 극한이 수렴하고, $x \to 2$일 때 (분모) $\to 0$이므로 (분자) $\to 0$이어야 한다.

$x-2=t$로 놓으면

$\lim_{x \to 2} \frac{f(x-2)}{x-2} = \lim_{t \to 0} \frac{f(t)}{t} = 1$에서 $\lim_{t \to 0} f(t) = 0$

함수 $f(x)$가 $x=0$에서 연속이므로 $f(0) = \lim_{t \to 0} f(t)$에서

$-a=0 \quad \therefore a=0$ 정답_ ③

117

$f(2x)=f(x)$이므로

$f(x)=f\left(2 \cdot \frac{x}{2}\right)=f\left(\frac{x}{2}\right)=f\left(2 \cdot \frac{x}{4}\right)=f\left(\frac{x}{4}\right)=\cdots=f\left(\frac{x}{2^n}\right)$

(단, n은 자연수이다.)

즉, $f(x)=f\left(\frac{x}{2^n}\right)$이고, $f(x)$는 모든 실수 x에서 연속이므로

$f(x) = \lim_{n \to \infty} f\left(\frac{x}{2^n}\right) = f(0) = 2 \quad \therefore f(2)=2$ 정답_ ②

118

$x=y=0$이면 $f(0)=f(0)+f(0)$이므로 $f(0)=$ (가) 0

$f(x)$가 $x=0$에서 연속이므로 $\lim_{x \to 0} f(0)=$ (나) $f(0)$

임의의 실수 a와 h에 대하여 $x=a+h$라고 하면

$\lim_{x \to a} f(x) = \lim_{h \to 0} f(a+h) = \lim_{h \to 0} \{f(a)+f(h)+ah\}$

$= f(a) +$ (다) $\lim_{h \to 0} f(h)$ $= f(a)+0 = f(a)$

따라서 임의의 실수 a에 대하여 $f(x)$는 $x=a$에서 연속이므로 모든 실수 x에서 연속이다. 정답_ ②

119

(1) $f(x)=x$와 $g(x)=x^2+1$이 실수 전체의 집합에서 연속이고, 모든 실수 x에 대하여 $g(x) \neq 0$이므로 $\frac{f(x)}{g(x)} = \frac{x}{x^2+1}$는 실수 전체의 집합에서 연속이다.

(2) $f(x)=2x+1$과 $g(x)=x^2-4x+3$이 실수 전체의 집합에서 연속이고, $g(x)=0$에서 $x=1$ 또는 $x=3$이므로 $\frac{f(x)}{g(x)} = \frac{2x+1}{x^2-4x+3}$은 $x=1$, $x=3$인 점에서 불연속이고 그 이외의 점에서는 연속이다. 정답_ 풀이 참조

120

$\frac{g(x)}{f(x)} = \frac{x^2+2x+2}{x^2-7x+12} = \frac{x^2+2x+2}{(x-3)(x-4)}$는 $x=3$, $x=4$에서 정의되어 있지 않으므로 함수 $\frac{g(x)}{f(x)}$는 $x=3$, $x=4$에서 불연속이다.

따라서 구하는 모든 상수 a의 값의 합은

$3+4=7$ 정답_ 7

121

함수 $f(x)$가 $x=a$에서 연속이므로 $\lim_{x \to a} f(x) = f(a)$

① $\lim_{x \to a} \{f(x)\}^2 = \{f(a)\}^2$이므로 $y=\{f(x)\}^2$은 $x=a$에서 연속이다.

② $f(a) \neq 0$이므로 $\lim_{x \to a} \frac{1}{f(x)} = \frac{1}{f(a)}$이다.

따라서 $y=\frac{1}{f(x)}$은 $x=a$에서 연속이다.

③ $y=f(f(x))$는 $x=a$에서 연속이 아닐 수도 있다.

(반례) $f(x)=\frac{1}{x+1}$은 $x=-2$에서 연속이지만

$$f(f(x))=\frac{1}{\frac{1}{x+1}+1}=\frac{x+1}{x+2}$$

은 $x=-2$에서 연속이 아니다.

④ $\lim_{x\to a}\{x^2+f(x)\}=a^2+f(a)$이므로 $y=x^2+f(x)$는 $x=a$에서 연속이다.

⑤ $\lim_{x\to a}5f(x)=5f(a)$이므로 $y=5f(x)$는 $x=a$에서 연속이다.

정답_ ③

122

$$\lim_{x\to 2}\frac{(x^2-4)f(x)}{x-2}=\lim_{x\to 2}\frac{(x-2)(x+2)f(x)}{x-2}$$
$$=\lim_{x\to 2}(x+2)f(x) \quad \cdots\cdots ㉠$$

함수 $y=x+2$와 $y=f(x)$는 연속함수이므로 ㉠에서

$\lim_{x\to 2}(x+2)f(x)=(2+2)f(2)=4f(2)=12$

$\therefore f(2)=3$

정답_ ③

123

ㄱ은 옳다.

임의의 실수 a에 대하여 $\lim_{x\to a}g(x)=b$로 놓으면 $g(x)$가 연속이므로 $b=g(a)$

또 $f(x)$가 모든 실수 x에서 연속이므로

$\lim_{x\to a}f(g(x))=f(b)=f(g(a))$

ㄴ은 옳지 않다.

(반례) $f(x)=0$, $g(x)=\begin{cases}1 & (x\ge 0)\\ -1 & (x<0)\end{cases}$ 일 때,

$y=f(x)$와 $y=f(x)g(x)$는 $x=0$에서 연속이지만 $y=g(x)$는 $x=0$에서 불연속이다.

ㄷ도 옳지 않다.

(반례) $f(x)=\begin{cases}1 & (x\ge 0)\\ -1 & (x<0)\end{cases}$ 일 때, $|f(x)|=1$이므로

$y=|f(x)|$는 $x=0$에서 연속이지만 $y=f(x)$는 $x=0$에서 불연속이다.

따라서 옳은 것은 ㄱ뿐이다.

정답_ ①

124

ㄱ은 옳다.

$(g\circ f)(0)=g(f(0))=g(1)=1$

$\lim_{x\to 0+}(g\circ f)(x)=g(1)=1$

$\lim_{x\to 0-}(g\circ f)(x)=g(-1)=1$

$\therefore \lim_{x\to 0}(g\circ f)(x)=(g\circ f)(0)$

그러므로 $y=(g\circ f)(x)$는 $x=0$에서 연속이다.

ㄴ은 옳지 않다.

(반례) ㄱ에서 $y=(g\circ f)(x)$는 $x=0$에서 연속이지만 $y=f(x)$는 $x=0$에서 연속이 아니다.

ㄷ도 옳지 않다.

(반례) $f(x)=\begin{cases}\frac{1}{x} & (x\ne 0)\\ 0 & (x=0)\end{cases}$ 일 때, $f(f(0))=f(0)=0$

$\frac{1}{x}=t$로 놓으면

$\lim_{x\to 0+}f(f(x))=\lim_{t\to\infty}f(t)=0$

$\lim_{x\to 0-}f(f(x))=\lim_{t\to -\infty}f(t)=0$

$\therefore \lim_{x\to 0}f(f(x))=f(f(0))$

그러므로 $y=(f\circ f)(x)$는 $x=0$에서 연속이지만 $y=f(x)$는 $x=0$에서 연속이 아니다.

따라서 옳은 것은 ㄱ뿐이다.

정답_ ①

125

함수 $f(x)=\begin{cases}\frac{1}{x} & (x\ne 0)\\ 0 & (x=0)\end{cases}$ 의 그래프는 오른쪽 그림과 같다.

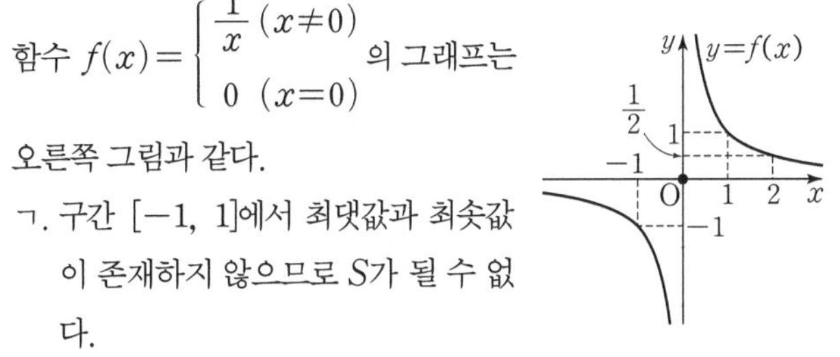

ㄱ. 구간 $[-1, 1]$에서 최댓값과 최솟값이 존재하지 않으므로 S가 될 수 없다.

ㄴ. 구간 $[0, 1]$에서 최댓값은 존재하지 않고, 최솟값은 $f(0)=0$이므로 S가 될 수 없다.

ㄷ. 구간 $[1, 2]$에서 최댓값은 $f(1)=1$, 최솟값은 $f(2)=\frac{1}{2}$이므로 S가 될 수 있다.

따라서 S가 될 수 있는 것은 ㄷ이다.

정답_ ㄷ

126

구간 $[3, 5]$에서 함수

$$f(x)=\frac{3x+1}{x-2}=\frac{3(x-2)+7}{x-2}$$
$$=3+\frac{7}{x-2}$$

의 그래프는 오른쪽 그림과 같으므로

최댓값은 $f(3)=10$ $\quad\therefore M=10$

최솟값은 $f(5)=\frac{16}{3}$ $\quad\therefore m=\frac{16}{3}$

$\therefore M-m=10-\frac{16}{3}=\frac{14}{3}$

정답_ $\frac{14}{3}$

127

ㄱ은 옳다.

함수 $y=f(x)$의 그래프가 $x=-1$, $x=2$에서 끊어져 있으므로 불연속이 되는 x의 값은 $x=-1$, $x=2$의 2개이다.

ㄴ은 옳지 않다.

$x=-1$에서 불연속이므로 구간 $[-2,\ 1]$에서 최솟값을 갖지 않는다.

ㄷ도 옳다.

구간 $[-2,\ 2]$에서 $x=1$일 때 최댓값 $f(1)=1$을 갖는다.

따라서 옳은 것은 ㄱ, ㄷ이다. 정답_ ④

128

$g(x)=f(x)-x$로 놓으면 $f(x)$가 $[a,\ b]$에서 연속이므로

$g(x)$도 구간 $[a,\ b]$에서 (가) 연속이다. 그런데

$g(a)g(b)=\{f(a)-a\}\{f(b)-b\}$

$=(b-a)(a-b)$ (나) $<$ 0 ($\because a<b$)

이므로 (다) 사잇값(의) 정리에 의해 $g(c)=0$인 c가 a, b 사이에 적어도 하나 존재한다.

따라서 $f(c)=c$인 c가 a, b 사이에 존재한다. 정답_ ④

129

$f(x)=3x^3+2x+a$로 놓으면 주어진 조건을 만족시키는 함수 $y=f(x)$의 그래프가 오른쪽 그림과 같아야 하므로

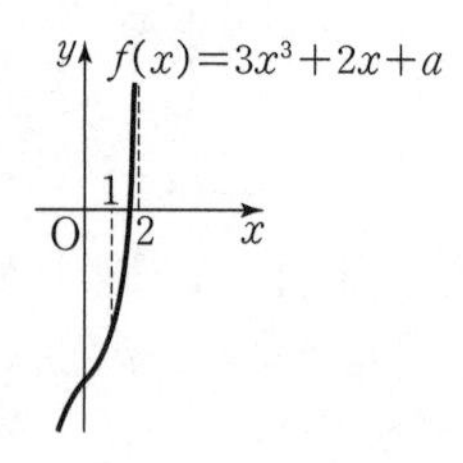

$f(1)f(2)=(a+5)(a+28)<0$

$\therefore -28<a<-5$

정답_ $-28<a<-5$

130

$f(x)=x^3+4x-6$으로 놓으면 함수 $f(x)$는 모든 실수 x에서 연속이고

$f(-2)=-22<0,\ f(-1)=-11<0,\ f(0)=-6<0,$

$f(1)=-1<0,\ f(2)=10>0,\ f(3)=33>0$

이때, $f(1)f(2)<0$이므로 사잇값의 정리에 의해 방정식 $f(x)=0$은 구간 $(1,\ 2)$에서 적어도 하나의 실근을 갖는다.

따라서 a는 구간 $(1,\ 2)$에 속한다. 정답_ ④

131

$f(-2)f(-1)<0,\ f(-1)f(0)<0,\ f(1)f(2)<0$이므로 사잇값의 정리에 의해 방정식 $f(x)=0$은 구간 $(-3,\ 2)$에서 적어도 3개의 실근을 갖는다. 정답_ ③

132

$g(x)=f(x)-x$로 놓으면 함수 $g(x)$는 연속함수이므로

$g(0)g(1)<0$이면 방정식 $g(x)=0$은 0과 1 사이에서 적어도 하나의 실근을 갖는다.

$g(0)=f(0)-0=a,\ g(1)=f(1)-1=a-3-1=a-4$이므로

$g(0)g(1)=a(a-4)<0 \qquad \therefore 0<a<4$ 정답_ $0<a<4$

133

$f(x)=10x^{10}+10x-a$로 놓으면 함수 $f(x)$가 연속함수이고, 방정식 $f(x)=0$이 구간 $(-1,\ 1)$에서 오직 하나의 실근을 가지므로 $f(-1)f(1)<0$이다.

$f(-1)=-a,\ f(1)=20-a$에서

$(-a)(20-a)<0,\ a(a-20)<0 \qquad \therefore 0<a<20$

따라서 구하는 정수 a의 개수는 $1, 2, 3, \cdots, 19$로 19개이다.

정답_ ③

134

$g(x)=f(x)-2x$로 놓으면 함수 $g(x)$는 연속함수이므로

$g(1)g(2)<0$이면 방정식 $g(x)=0$은 1과 2 사이에서 적어도 하나의 실근을 갖는다.

$g(1)=f(1)-2=(a^2+2a+2)-2=a^2+2a$

$g(2)=f(2)-4=(a+2)-4=a-2$

이므로 $(a^2+2a)(a-2)<0,\ a(a+2)(a-2)<0$

이때, 양수 a에 대하여 $a(a+2)>0$이므로 $a-2<0$

$\therefore 0<a<2$ ($\because a>0$) 정답_ ①

135

$f(0)f(-1)=f(0)f(1)<0,\ f(3)f(4)=f(-3)f(-4)>0,$

$f(-2)f(-3)=f(2)f(3)<0$

함수 $f(x)$는 구간 $(-1,\ 0), (0,\ 1), (-3,\ -2), (2, 3)$에서 각각 적어도 하나의 실근을 갖는다.

따라서 구간 $(-4,\ 4)$에서 방정식 $f(x)=0$의 실근의 개수의 최솟값은 4이다. 정답_ ③

136

$f(x)=(x-a)(x+a)^2+x^2\ (a>0)$으로 놓으면 함수 $f(x)$는 모든 실수 x에서 연속이고

$\lim_{x\to-\infty} f(x)=-\infty,\ f(-a)=a^2>0,\ f(0)=-a^3<0,$

$f(a)=a^2>0,\ \lim_{x\to\infty} f(x)=\infty$

이므로 사잇값의 정리에 의해 구간 $(-\infty,\ -a), (-a,\ 0),$ $(0,\ a)$에서 각각 한 개의 실근을 갖는다.

따라서 주어진 삼차방정식은 한 개의 양의 실근과 서로 다른 두 개의 음의 실근을 갖는다. 정답_ ⑤

137

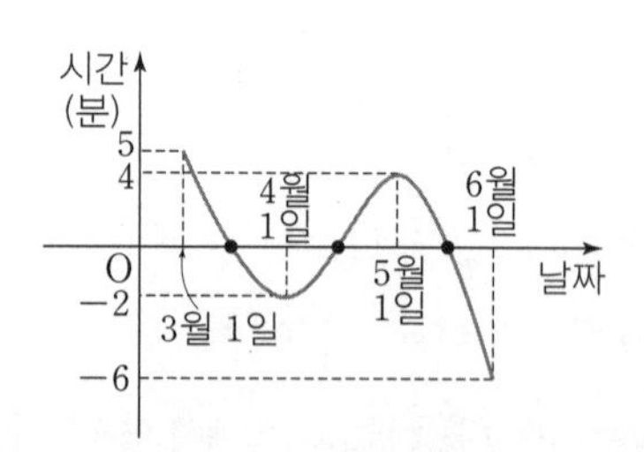

위의 그래프에서 벽시계가 정시를 나타내는 순간은 3개월 동안

적어도 3번 나타난다. 정답_ 3번

138

몸무게가 60 kg → 72 kg → 65 kg으로 변하므로

①, ② 몸무게가 62 kg 또는 64 kg인 때에는 60 kg → 72 kg 일 때 적어도 한 번 있었다.

③, ④, ⑤ 몸무게가 66 kg 또는 68 kg 또는 70 kg인 때에는 60 kg → 72 kg일 때와 72 kg → 65 kg일 때 적어도 두 번 있었다.

따라서 옳지 않은 것은 ②이다. 정답_ ②

139

$$\frac{g(x)}{f(x)}=\begin{cases}\dfrac{ax+1}{x^2-4x+6} & (x<2)\\ ax+1 & (x\geq 2)\end{cases}$$

이때, $x^2-4x+6=(x-2)^2+2>0$이므로 함수 $\frac{g(x)}{f(x)}$가 실수 전체의 집합에서 연속이려면 $x=2$에서 연속이어야 한다.

즉, $\frac{g(2)}{f(2)}=\lim_{x\to 2+}\frac{g(x)}{f(x)}=\lim_{x\to 2-}\frac{g(x)}{f(x)}$이어야 한다. ······ ❶

$\lim_{x\to 2+}\frac{g(x)}{f(x)}=\lim_{x\to 2+}(ax+1)=2a+1$ ······ ❷

$\lim_{x\to 2-}\frac{g(x)}{f(x)}=\lim_{x\to 2-}\frac{2a+1}{2^2-4\cdot 2+6}=\frac{2a+1}{2}$ ······ ❸

$2a+1=\frac{2a+1}{2}$, $4a+2=2a+1$

$2a=-1$ $\therefore a=-\frac{1}{2}$ ······ ❹

정답_ $-\frac{1}{2}$

단계	채점 기준	비율
❶	실수 전체의 집합에서 연속이기 위한 조건식 구하기	30%
❷	$\lim_{x\to 2+}\frac{g(x)}{f(x)}$를 a에 대한 식으로 나타내기	20%
❸	$\lim_{x\to 2-}\frac{g(x)}{f(x)}$를 a에 대한 식으로 나타내기	20%
❹	a의 값 구하기	30%

140

$x\neq 0$일 때, $f(x)=\frac{8x^2+24x+a}{\sqrt{9+x}-\sqrt{9-x}}$

함수 $f(x)$가 모든 실수 x에서 연속이므로 $x=0$에서도 연속이어야 한다.

$\therefore f(0)=\lim_{x\to 0}f(x)=\lim_{x\to 0}\frac{8x^2+24x+a}{\sqrt{9+x}-\sqrt{9-x}}$ ······㉠

······ ❶

㉠에서 $x\to 0$일 때 (분모) $\to 0$이므로 (분자) $\to 0$이어야 한다.

$\lim_{x\to 0}(8x^2+24x+a)=0$에서 $a=0$ ······ ❷

$a=0$을 ㉠에 대입하면

$$\begin{aligned}f(0)&=\lim_{x\to 0}\frac{8x^2+24x}{\sqrt{9+x}-\sqrt{9-x}}\\&=\lim_{x\to 0}\frac{8x(x+3)(\sqrt{9+x}+\sqrt{9-x})}{2x}\\&=\lim_{x\to 0}4(x+3)(\sqrt{9+x}+\sqrt{9-x})\\&=4\cdot 3\cdot 6=72\end{aligned}$$ ······ ❸

정답_ 72

단계	채점 기준	비율
❶	$x=0$에서 연속이기 위한 조건식 구하기	30%
❷	a의 값 구하기	30%
❸	$f(0)$의 값 구하기	40%

141

함수 $f(x)$가 모든 실수 x에서 연속이려면 $x=2$에서도 연속이어야 하므로

$\lim_{x\to 2-}f(x)=\lim_{x\to 2+}f(x)$

$\frac{1}{2}\cdot 2=a\cdot 2+b$ $\therefore 2a+b=1$ ······㉠

······ ❶

$f(x-1)=f(x+3)$의 양변에 x 대신 $x+1$을 대입하면

$f(x)=f(x+4)$이므로 $f(0)=f(4)$

$\frac{1}{2}\cdot 0=a\cdot 4+b$ $\therefore 4a+b=0$ ······㉡

······ ❷

㉠, ㉡을 연립하여 풀면 $a=-\frac{1}{2}$, $b=2$

따라서 $f(x)=\begin{cases}\frac{1}{2}x & (0\leq x<2)\\ -\frac{1}{2}x+2 & (2\leq x\leq 4)\end{cases}$이므로

$f(2018)=f(4\cdot 504+2)=f(2)=-\frac{1}{2}\cdot 2+2=1$ ······ ❸

정답_ 1

단계	채점 기준	비율
❶	조건 (가)를 이용하여 a, b 사이의 관계식 구하기	30%
❷	조건 (나)를 이용하여 a, b 사이의 관계식 구하기	40%
❸	$f(2018)$의 값 구하기	30%

142

$x=1$에서 연속이어야 하므로 $\lim_{x\to 1}g(x)=\lim_{x\to 1}\frac{f(x)-x^3}{(x-1)^2}$에서 $f(x)-x^3$은 $(x-1)^2$을 인수로 가져야 한다. ······ ❶

또 $\lim_{x\to\infty}g(x)=4$이므로 $f(x)-x^3$은 최고차항의 계수가 4인 이차함수이다. ······ ❷

따라서 $\lim_{x\to 1}\frac{f(x)-x^3}{(x-1)^2}=\lim_{x\to 1}\frac{4(x-1)^2}{(x-1)^2}=4$이므로

$k=4$ ······ ❸

정답_ 4

단계	채점 기준	비율
❶	$f(x)-x^3$의 인수 구하기	30%
❷	$f(x)-x^3$의 최고차항의 계수 구하기	40%
❸	k의 값 구하기	30%

143

$y=-(x^2-4x+5)^2+2(x^2-4x+5)+5$에서

$x^2-4x+5=t$로 치환하면

$y=-t^2+2t+5$

이때, $t=x^2-4x+5=(x-2)^2+1$의 그래프는 $0\le x\le 3$에서 오른쪽 그림과 같으므로 $1\le t\le 5$

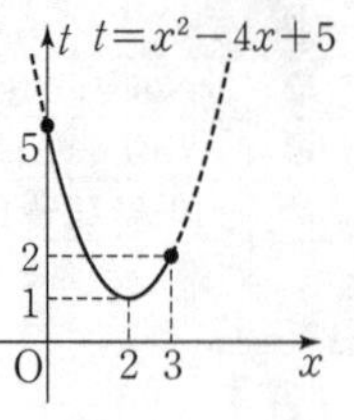

.... ❶

$y=-t^2+2t+5=-(t-1)^2+6$의 그래프는 $1\le t\le 5$에서 오른쪽 그림과 같으므로

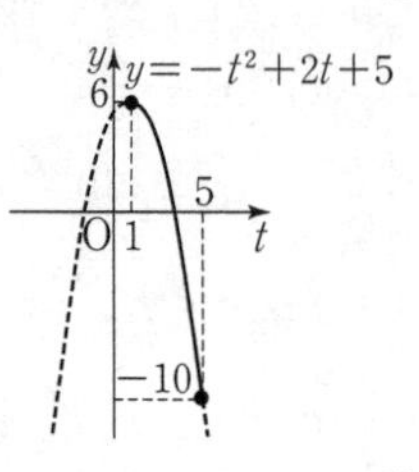

$t=1$일 때, 최댓값 $M=6$

$t=5$일 때, 최솟값 $m=-10$

.... ❷

$\therefore M+m=6+(-10)=-4$ .... ❸

정답_ -4

단계	채점 기준	비율
❶	$x^2-4x+5=t$로 치환하여 t의 값의 범위 구하기	30%
❷	M, m의 값 구하기	50%
❸	$M+m$의 값 구하기	20%

144

$f(1)f(2)<0$, $f(3)f(4)<0$이므로 사잇값의 정리에 의해 방정식 $f(x)=0$은 구간 $(1,\ 2)$, $(3,\ 4)$에서 각각 적어도 하나의 실근을 갖는다. .... ❶

이때, 모든 실수 x에 대하여 $f(x)=-f(-x)$이므로

$f(-1)f(-2)=\{-f(1)\}\{-f(2)\}=f(1)f(2)<0$,

$f(-3)f(-4)=\{-f(3)\}\{-f(4)\}=f(3)f(4)<0$

즉, 방정식 $f(x)=0$은 구간 $(-2,\ -1)$, $(-4,\ -3)$에서 각각 적어도 하나의 실근을 갖는다. .... ❷

또 $x=0$일 때, $f(0)=-f(0)$, 즉 $f(0)=0$이므로 $x=0$은 방정식 $f(x)=0$의 근이다. .... ❸

따라서 방정식 $f(x)=0$은 적어도 5개의 근을 갖는다. .... ❹

정답_5개

단계	채점 기준	비율
❶	$x>0$인 범위에서 주어진 방정식의 실근의 개수 구하기	20%
❷	$x<0$인 범위에서 주어진 방정식의 실근의 개수 구하기	30%
❸	$x=0$이 주어진 방정식의 근이 됨을 알기	20%
❹	실근의 개수 구하기	30%

145

함수 $g(x)$가 $x=1$에서 연속이므로

$\lim_{x\to 1-} g(x)=\lim_{x\to 1+} g(x)=g(1)$

(i) $\lim_{x\to 1-} g(x)=\lim_{x\to 1-} (x+a)f(x)=(1+a)\cdot 1=1+a$

(ii) $\lim_{x\to 1+} g(x)=\lim_{x\to 1+} (x+a)f(x)$

$=(1+a)\cdot(-1)=-1-a$

(iii) $g(1)=(1+a)f(1)=(1+a)\cdot 1=1+a$

$1+a=-1-a$ $\quad\therefore a=-1$

정답_ ②

146

함수 $f(x)$는 $x\ne\pm 1$인 실수 x에서 연속이고, 함수 $g(x)$는 모든 실수 x에서 연속이므로 $a\ne\pm 1$ ......㉠

$(f\circ g)(x)=f(g(x))=\dfrac{\{g(x)\}^3+2g(x)+1}{\{g(x)\}^2-1}$이므로

$(f\circ g)(x)$는 $\{g(x)\}^2-1=0$인 실수 x에서 불연속이다.

$\{g(x)\}^2-1=0$에서 $(x+4)^2=1$, $x+4=\pm 1$

$\therefore x=-5$ 또는 $x=-3$ ......㉡

㉠, ㉡에서 주어진 조건을 만족시키는 a의 값은

$a=-5$ 또는 $a=-3$

따라서 모든 a의 값의 합은

$-5+(-3)=-8$

정답_ ②

147

조건 (가)에서 $\lim_{x\to\infty}\dfrac{f(x)}{x^3+x-1}=5$이려면 $f(x)$는 삼차항의 계수가 5인 삼차함수이어야 한다 ......㉠

조건 (나)에서 $h(x)=f(x)g(x)$라고 하면 다항함수 $f(x)$는 모든 실수 x에서 연속이고 함수 $g(x)$는 $x=\pm 1$, $x=0$에서 불연속이므로 모든 실수 x에서 함수 $f(x)g(x)$가 연속이려면 함수 $h(x)$가 $x=\pm 1$, $x=0$에서 연속이어야 한다.

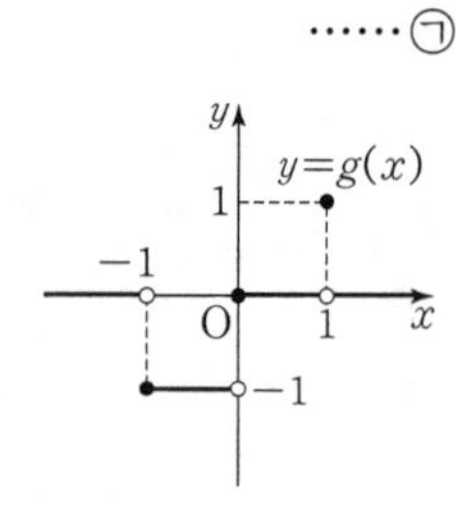

(i) $x=1$에서 함수 $h(x)$가 연속이어야 하므로

$\lim_{x\to 1-} h(x)=\lim_{x\to 1+} h(x)=h(1)$에서

$\lim_{x\to 1-} f(x)\cdot 0=\lim_{x\to 1+} f(x)\cdot 0=f(1)\cdot[1]$

$\therefore f(1)=0$ ......㉡

(ii) $x=-1$에서 함수 $h(x)$가 연속이어야 하므로

$\lim_{x\to -1-} h(x)=\lim_{x\to -1+} h(x)=h(-1)$에서

$\lim_{x\to -1-} f(x)\cdot 0=\lim_{x\to -1+} f(x)\cdot(-1)=f(-1)\cdot[-1]$

$\therefore f(-1)=0$ ......㉢

(iii) $x=0$에서 함수 $h(x)$가 연속이어야 하므로

$\lim_{x\to 0-} h(x)=\lim_{x\to 0+} h(x)=h(0)$에서

$\lim_{x\to 0-} f(x)\cdot(-1)=\lim_{x\to 0+} f(x)\cdot 0=f(0)\cdot[0]$

$\therefore \lim_{x \to 0-} f(x)=0$

이때, $f(x)$는 다항함수이므로 $f(0)=0$ ……㉣

㉠~㉣에 의해 삼차함수 $f(x)$는 최고차항의 계수가 5이고 방정식 $f(x)=0$은 $x=-1, x=0, x=1$을 세 근으로 가지므로

$f(x)=5x(x-1)(x+1)$

$\therefore f(2)=5\cdot2\cdot1\cdot3=30$ 정답_ 30

148

구간 $[0,\ 1]$에서 함수 $f(x)$가 $x=\alpha$일 때 최댓값 $f(\alpha)=1$, $x=\beta$일 때 최솟값 $f(\beta)=0$을 갖는다고 하면

$0\le\alpha\le1, 0\le\beta\le1$

ㄱ은 옳다.

$g(x)=f(x)-\frac{1}{2}$로 놓으면

$g(\alpha)=f(\alpha)-\frac{1}{2}=\frac{1}{2}, g(\beta)=f(\beta)-\frac{1}{2}=-\frac{1}{2}$에서

$g(\alpha)g(\beta)<0$이므로 사잇값의 정리에 의해 방정식

$g(x)=0$은 구간 $(0,\ 1)$에서 적어도 하나의 실근을 갖는다.

ㄴ은 옳지 않다.

(반례) $f(x)=x^2$일 때, 방정식 $f(x)=x$의 실근은 $x^2=x$에서 $x=0$ 또는 $x=1$이다. 즉, 구간 $(0,\ 1)$에서 실근이 존재하지 않는다.

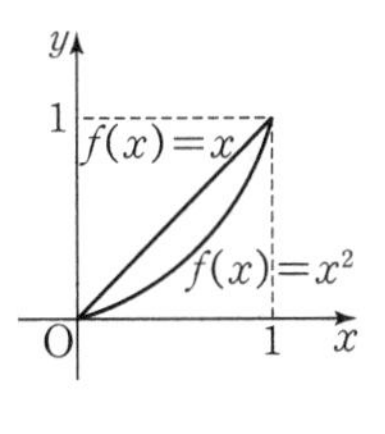

ㄷ은 옳다.

$h(x)=f(x)-\frac{1}{3}x-\frac{1}{3}$로 놓으면

$h(\alpha)=f(\alpha)-\frac{1}{3}\alpha-\frac{1}{3}=\frac{2-\alpha}{3}>0\ (\because 0\le\alpha\le1)$

$h(\beta)=f(\beta)-\frac{1}{3}\beta-\frac{1}{3}=-\frac{\beta+1}{3}<0\ (\because 0\le\beta\le1)$

에서 $h(\alpha)h(\beta)<0$이므로 사잇값의 정리에 의해 방정식

$h(x)=0$은 구간 $(0,\ 1)$에서 적어도 하나의 실근을 갖는다.

따라서 옳은 것은 ㄱ, ㄷ이다. 정답_ ④

149

$f(x)=f(-x)$이므로 함수 $f(x)$의 그래프는 y축에 대하여 대칭이다.

①은 옳다.

$f(x)$가 연속함수이므로 조건 (나)에 의해

$f(5)=\lim_{x \to 5+} f(x)=0,\ f(-5)=\lim_{x \to -5-} f(x)=0$

②도 옳다.

조건 (다)에 의해 $f(x)$의 최댓값은 10이다. 한편, $f(x)=10$이 되는 x는 오직 한 개 있고, $f(x)=f(-x)$이므로 $f(0)=10$

따라서 $f(x)$는 $x=0$일 때 최대이다.

③도 옳다.

$f(x)$는 연속함수이고, $f(-5)=f(5)=0,\ f(0)=10$이므로 $f(x)=5$가 되는 x가 구간 $(-5,\ 0), (0,\ 5)$에 각각 적어도 하나씩 있다.

④는 옳지 않다.

(반례) 함수 $f(x)$의 그래프가 오른쪽 그림과 같으면 주어진 조건을 만족시키지만 $f(x)$가 최소가 되는 x는 무수히 많다.

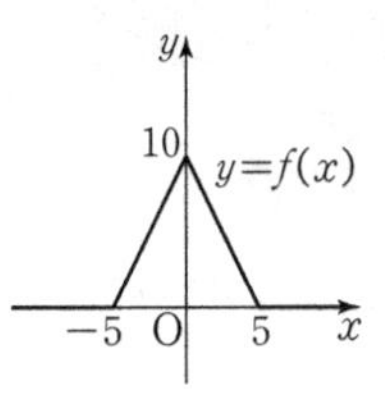

⑤는 옳다.

조건 (나)에 의해 $x\ge0$이면 $f(x+5)=0$, $x<0$이면 $f(x-5)=0$

따라서 모든 실수 x에 대하여 $f(x+5)f(x-5)=0$이다.

따라서 옳지 않은 것은 ④이다. 정답_ ④

II 미분

03 미분계수와 도함수

150

x의 값이 1에서 a까지 변할 때의 평균변화율이 2이므로

$$\frac{f(a)-f(1)}{a-1}=\frac{(a^3-4a^2+a)-(-2)}{a-1}=\frac{(a-1)(a^2-3a-2)}{a-1}=a^2-3a-2=2$$

$a^2-3a-4=0,\ (a+1)(a-4)=0\quad \therefore a=-1$ 또는 $a=4$

이때, $a>0$이므로 $a=4$

정답_ ④

151

x의 값이 0에서 a까지 변할 때의 평균변화율은

$$\frac{f(a)-f(0)}{a-0}=\frac{f(a)}{a}=a^2+3a$$

따라서 $f(a)=a^3+3a^2$이므로

$f(1)=1^3+3\cdot1=4$

정답_ 4

152

함수 $f(x)$에 대하여 x의 값이 1에서 t까지 변할 때의 평균변화율은 두 점 $(1,\ f(1)),\ (t,\ f(t))$를 지나는 직선의 기울기와 같으므로 오른쪽 그림에서

$g(a)<g(b)<g(c)$

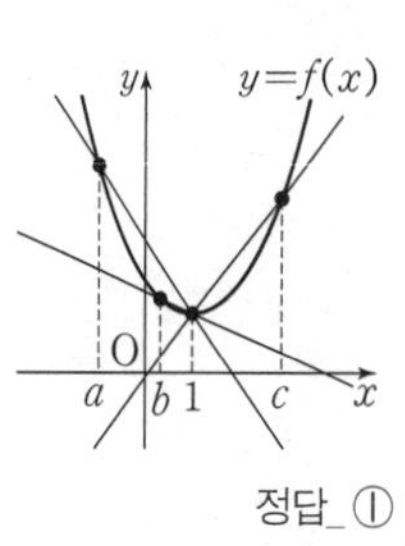

정답_ ①

153

x의 값이 -2에서 1까지 변할 때의 함수 $y=g(x)$의 평균변화율은

$$\frac{g(1)-g(-2)}{1-(-2)}=\frac{(f\circ f)(1)-(f\circ f)(-2)}{3}=\frac{f(3)-f(0)}{3}=\frac{4-7}{3}=-1$$

정답_ -1

154

직선 AB의 기울기가 1이므로

$\frac{f(4)-f(1)}{4-1}=1\quad \therefore f(4)-f(1)=3$

$f(0)=f(4)$이므로 x의 값이 0에서 1까지 변할 때의 평균변화율은

$$\frac{f(1)-f(0)}{1-0}=\frac{f(1)-f(4)}{1-0}=-\{f(4)-f(1)\}=-3$$

정답_ ①

155

$f'(x)=8x^7+7x^6+6x^5+\cdots+2x+1$이므로 $x=-1$에서의 미분계수는

$$f'(-1)=-8+7+(-6)+5+(-4)+3+(-2)+1=-4$$

정답_ ②

156

$f(x)=ax^2+bx+c$에서 $f'(x)=2ax+b$이므로

$f(2)=4a+2b+c=6,\ f'(0)=b=2,\ f'(1)=2a+b=4$

세 식을 연립하여 풀면 $a=1, b=2, c=-2$

$\therefore a^2+b^2+c^2=1^2+2^2+(-2)^2=9$

정답_ ⑤

157

x의 값이 -1에서 a까지 변할 때의 평균변화율은

$$\frac{f(a)-f(-1)}{a-(-1)}=\frac{(a^2-2a)-3}{a+1}=a-3\quad\cdots\cdots㉠$$

$f(x)=x^2-2x$에서 $f'(x)=2x-2$이므로 $x=2$에서의 미분계수는 $f'(2)=2\cdot2-2=2\quad\cdots\cdots㉡$

㉠과 ㉡이 같으므로 $a-3=2\quad \therefore a=5$

정답_ ⑤

158

ㄱ은 옳지 않다.

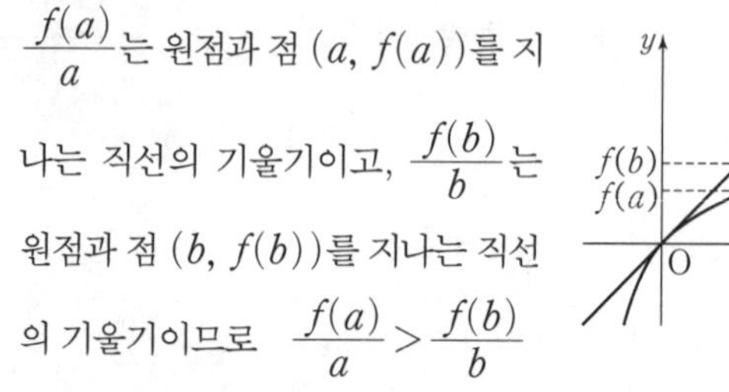

$\frac{f(a)}{a}$는 원점과 점 $(a,\ f(a))$를 지나는 직선의 기울기이고, $\frac{f(b)}{b}$는 원점과 점 $(b,\ f(b))$를 지나는 직선의 기울기이므로 $\frac{f(a)}{a}>\frac{f(b)}{b}$

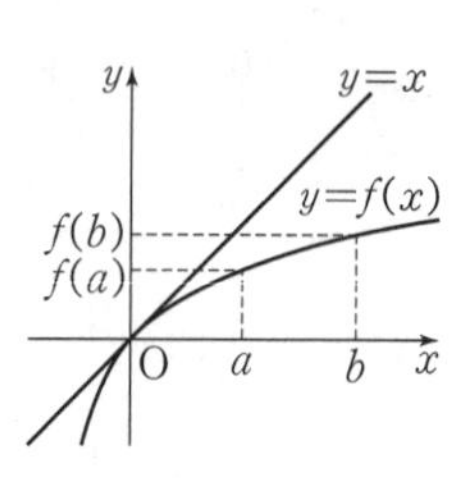

ㄴ도 옳지 않다.

두 점 $(a,\ f(a)),\ (b,\ f(b))$를 지나는 직선의 기울기는 직선 $y=x$의 기울기 1보다 작으므로 $\frac{f(b)-f(a)}{b-a}<1$

이때, $a<b$에서 $b-a>0$이므로 $f(b)-f(a)<b-a$

ㄷ은 옳다.

$f'(a)$는 점 $(a,\ f(a))$에서의 접선의 기울기이고, $f'(b)$는 점 $(b,\ f(b))$에서의 접선의 기울기이다.

그런데 점 $(a,\ f(a))$에서의 접선의 기울기가 점 $(b,\ f(b))$에서의 접선의 기울기보다 크므로 $f'(a)>f'(b)$

따라서 옳은 것은 ㄷ이다.

정답_ ③

159

$$\lim_{h\to0}\frac{f(1+2h)-f(1)}{h}=\lim_{h\to0}\frac{f(1+2h)-f(1)}{2h}\cdot2=2f'(1)$$

$f(x)=x^4+4x^2+1$에서 $f'(x)=4x^3+8x$이므로

$f'(1)=4+8=12$

$\therefore$ (주어진 식)$=2f'(1)=2\times12=24$

정답_ ④

160

$$\lim_{h\to 0}\frac{f(a+h)-f(a-h)}{h}$$
$$=\lim_{h\to 0}\frac{f(a+h)-f(a)-f(a-h)+f(a)}{h}$$
$$=\lim_{h\to 0}\frac{f(a+h)-f(a)}{h}+\lim_{h\to 0}\frac{f(a-h)-f(a)}{-h}$$
$=2f'(a)=8$

$\therefore f'(a)=4$

$f(x)=x^2-6x+5$에서 $f'(x)=2x-6$

$f'(a)=2a-6=4 \quad \therefore a=5$

정답_①

161

$$\lim_{h\to 0}\frac{f(a-3h)-f(a)}{h}=\lim_{h\to 0}\frac{f(a-3h)-f(a)}{-3h}\cdot(-3)$$
$$=-3f'(a)=-3\cdot\frac{2}{3}=-2$$
$$\lim_{h\to 0}\frac{f(a+h^2)-f(a)}{h}=\lim_{h\to 0}\left\{\frac{f(a+h^2)-f(a)}{h^2}\cdot h\right\}$$
$$=f'(a)\cdot 0=\frac{2}{3}\cdot 0=0$$
$\therefore$ (주어진 식)$=-2+0=-2$

정답_①

162

$f(1)=g(1)=3$이므로

$$\lim_{h\to 0}\frac{f(1+2h)-g(1-h)}{3h}$$
$$=\lim_{h\to 0}\frac{f(1+2h)-f(1)+g(1)-g(1-h)}{3h}$$
$$=\lim_{h\to 0}\left\{\frac{f(1+2h)-f(1)}{3h}-\frac{g(1-h)-g(1)}{3h}\right\}$$
$$=\lim_{h\to 0}\left\{\frac{f(1+2h)-f(1)}{2h}\cdot\frac{2}{3}+\frac{g(1-h)-g(1)}{-h}\cdot\frac{1}{3}\right\}$$
$$=\frac{2}{3}f'(1)+\frac{1}{3}g'(1)$$
$f(x)=x+x^3+x^5$, $g(x)=x^2+x^4+x^6$에서

$f'(x)=1+3x^2+5x^4$, $g'(x)=2x+4x^3+6x^5$이므로

$f'(1)=1+3+5=9$, $g'(1)=2+4+6=12$

$\therefore$ (주어진 식)$=\frac{2}{3}f'(1)+\frac{1}{3}g'(1)$

$$=\frac{2}{3}\cdot 9+\frac{1}{3}\cdot 12=10$$

정답_⑤

163

$\lim_{x\to 1}\frac{f(x)-f(1)}{x-1}=4$에서 $f'(1)=4$

$$\therefore \lim_{h\to 0}\frac{f(1+3h)-f(1)}{2h}=\lim_{h\to 0}\frac{f(1+3h)-f(1)}{3h}\cdot\frac{3}{2}$$
$$=f'(1)\cdot\frac{3}{2}=4\cdot\frac{3}{2}=6$$

정답_③

164

$$\lim_{h\to 0}\frac{f(1+h)-f(1-h)}{h}$$
$$=\lim_{h\to 0}\frac{f(1+h)-f(1)+f(1)-f(1-h)}{h}$$
$$=\lim_{h\to 0}\left\{\frac{f(1+h)-f(1)}{h}-\frac{f(1-h)-f(1)}{h}\right\}$$
$$=\lim_{h\to 0}\left\{\frac{f(1+h)-f(1)}{h}+\frac{f(1-h)-f(1)}{-h}\right\}$$
$=f'(1)+f'(1)=2f'(1)=6$

$\therefore f'(1)=3$

$$\therefore \lim_{x\to 1}\frac{x^2-1}{f(x)-f(1)}=\lim_{x\to 1}\left\{\frac{x-1}{f(x)-f(1)}\cdot(x+1)\right\}$$
$$=\lim_{x\to 1}\left\{\frac{1}{\frac{f(x)-f(1)}{x-1}}\cdot(x+1)\right\}$$
$$=\frac{2}{f'(1)}=\frac{2}{3}$$

정답_②

165

$$\lim_{x\to 3}\frac{xf(3)-3f(x)}{x-3}=\lim_{x\to 3}\frac{xf(3)-3f(3)+3f(3)-3f(x)}{x-3}$$
$$=\lim_{x\to 3}\left\{\frac{(x-3)f(3)}{x-3}-\frac{f(x)-f(3)}{x-3}\cdot 3\right\}$$
$$=f(3)-3f'(3)=-2$$

정답_②

166

$$\lim_{x\to a}\frac{x^2f(a)-a^2f(x)}{x-a}$$
$$=\lim_{x\to a}\frac{x^2f(a)-a^2f(a)+a^2f(a)-a^2f(x)}{x-a}$$
$$=\lim_{x\to a}\frac{f(a)(x^2-a^2)-a^2\{f(x)-f(a)\}}{x-a}$$
$$=\lim_{x\to a}\left\{f(a)(x+a)-a^2\cdot\frac{f(x)-f(a)}{x-a}\right\}$$
$=2af(a)-a^2f'(a)$

정답_③

167

$f(x)=x^4+ax+b$이고 $\lim_{x\to 1}\frac{f(x)}{x-1}=9$에서 $x\to 1$일 때

(분모) $\to 0$이므로 (분자) $\to 0$이어야 한다.

즉, $\lim_{x\to 1}f(x)=0$이므로 $f(1)=0$

$f(1)=1+a+b=0 \quad \therefore a+b=-1$ ……㉠

$$\lim_{x\to 1}\frac{f(x)}{x-1}=\lim_{x\to 1}\frac{f(x)-f(1)}{x-1}=f'(1)=9$$
$f'(x)=4x^3+a$이므로

$f'(1)=4+a=9 \quad \therefore a=5$

$a=5$를 ㉠에 대입하면

$5+b=-1 \quad \therefore b=-6$

$\therefore ab=5\cdot(-6)=-30$

정답_①

168

$h=\frac{1}{n}$이라 하면 $n \to \infty$일 때 $h \to 0$이므로

$\lim_{n\to\infty} n\left\{f\left(x+\frac{1}{n}\right)-f\left(x-\frac{1}{n}\right)\right\}$

$=\lim_{h\to 0}\frac{f(x+h)-f(x-h)}{h}$

$=\lim_{h\to 0}\frac{f(x+h)-f(x)+f(x)-f(x-h)}{h}$

$=\lim_{h\to 0}\frac{f(x+h)-f(x)}{h}+\lim_{h\to 0}\frac{f(x-h)-f(x)}{-h}$

$=2f'(x)=4x^2+2x-8$

$\therefore f'(x)=2x^2+x-4$

$\therefore f'(1)=2+1-4=-1$　　정답_ -1

169

$f(x)=x^8-2x-3$으로 놓으면 $f(-1)=0$이므로

$\lim_{x\to -1}\frac{x^8-2x-3}{x+1}=\lim_{x\to -1}\frac{f(x)-f(-1)}{x-(-1)}=f'(-1)$

이때, $f'(x)=8x^7-2$이므로 $f'(-1)=-8-2=-10$

정답_ ①

170

$f(x)=x^n+x^2+x-3$으로 놓으면 $f(1)=0$이므로

$\lim_{x\to 1}\frac{x^n+x^2+x-3}{x-1}=\lim_{x\to 1}\frac{f(x)-f(1)}{x-1}=f'(1)$

이때, $f'(x)=nx^{n-1}+2x+1$이므로 $f'(1)=n+3$

즉, $n+3=15$이므로 $n=12$　　정답_ ③

171

$f'(a)=\lim_{x\to a}\frac{f(x)-f(a)}{x-a}=\lim_{x\to a}\frac{x^n-a^n}{x-a}$

$=\lim_{x\to a}\frac{(x-a)(\boxed{(가)\ x^{n-1}+x^{n-2}a+x^{n-3}a^2+\cdots+a^{n-1}})}{x-a}$

$=\lim_{x\to a}(\boxed{(가)\ x^{n-1}+x^{n-2}a+x^{n-3}a^2+\cdots+a^{n-1}})$

$=a^{n-1}+a^{n-1}+a^{n-1}+\cdots+a^{n-1}=\boxed{(나)\ na^{n-1}}$

$\therefore f'(x)=nx^{n-1}$　　정답_ ④

보충 설명

$a^3-b^3=(a-b)(a^2+ab+b^2)$,

$a^4-b^4=(a-b)(a^3+a^2b+ab^2+b^3), \cdots$,

$a^n-b^n=(a-b)(a^{n-1}+a^{n-2}b+\cdots+b^{n-1})$

(단, n은 양의 정수이다.)

172

$f'(x)=(2x^2-k)'(x^2+x-2)+(2x^2-k)(x^2+x-2)'$

$=4x(x^2+x-2)+(2x^2-k)(2x+1)$

이므로

$f'(2)=8\cdot(4+2-2)+(8-k)(4+1)$

$=32+(40-5k)=72-5k$

따라서 $72-5k=67$에서 $k=1$　　정답_ ①

173

$f'(x)=2(x+1)g(x)+(x+1)^2g'(x)$이므로

$f'(2)=2\cdot 3\cdot g(2)+3^2\cdot g'(2)$

$=2\cdot 3\cdot(-3)+3^2\cdot 5=27$　　정답_ ②

174

$f'(x)=5(x^2-3x+4)^4(x^2-3x+4)'$

$=5(x^2-3x+4)^4(2x-3)$

$\therefore \lim_{x\to 2}\frac{f(x)-f(2)}{x^2-4}=\lim_{x\to 2}\left\{\frac{f(x)-f(2)}{x-2}\cdot\frac{1}{x+2}\right\}$

$=\frac{1}{4}f'(2)=\frac{1}{4}\cdot 5\cdot(4-6+4)^4\cdot(4-3)$

$=20$　　정답_ ②

175

$f'(x)=4(x^2+1)^3(x^2+1)'=8x(x^2+1)^3$

$\therefore \lim_{h\to 0}\frac{f(1+h)-f(1)}{16h}=\lim_{h\to 0}\frac{f(1+h)-f(1)}{h}\cdot\frac{1}{16}$

$=\frac{1}{16}f'(1)=\frac{1}{16}\cdot 8\cdot(1+1)^3=4$

정답_ ④

176

$\lim_{x\to 1}\frac{f(x)-2}{x-1}=3$에서 $x \to 1$일 때 (분모) $\to 0$이므로

(분자) $\to 0$이어야 한다. 즉, $\lim_{x\to 1}\{f(x)-2\}=0$이므로

$f(1)-2=0$에서 $f(1)=2$　　$\cdots\cdots$㉠

$\therefore \lim_{x\to 1}\frac{f(x)-2}{x-1}=\lim_{x\to 1}\frac{f(x)-f(1)}{x-1}=f'(1)=3$　　$\cdots\cdots$㉡

$g(x)=\{f(x)\}^3$에서 $g'(x)=3\{f(x)\}^2f'(x)$이므로 ㉠, ㉡에 의하여

$g'(1)=3\{f(1)\}^2f'(1)=3\cdot 2^2\cdot 3=36$　　정답_ ④

177

$\lim_{x\to 5}\frac{f(x)-3}{x-5}=2$에서 $x \to 5$일 때 (분모) $\to 0$이므로

(분자) $\to 0$이어야 한다. 즉, $\lim_{x\to 5}\{f(x)-3\}=0$이므로

$f(5)-3=0$에서 $f(5)=3$　　$\cdots\cdots$㉠

$\therefore \lim_{x\to 5}\frac{f(x)-3}{x-5}=\lim_{x\to 5}\frac{f(x)-f(5)}{x-5}=f'(5)=2$　　$\cdots\cdots$㉡

또 $\lim_{x\to 5}\frac{g(x)-1}{x-5}=1$에서 $x \to 5$일 때 (분모) $\to 0$이므로

(분자) $\to 0$이어야 한다. 즉, $\lim_{x\to 5}\{g(x)-1\}=0$이므로

$g(5)-1=0$에서 $g(5)=1$　　$\cdots\cdots$㉢

$\therefore \lim_{x\to5}\frac{g(x)-1}{x-5}=\lim_{x\to5}\frac{g(x)-g(5)}{x-5}=g'(5)=1$ ……㉣

$y'=f'(x)g(x)+f(x)g'(x)$이므로 ㉠, ㉡, ㉢, ㉣에 의해 $x=5$에서의 미분계수는

$f'(5)g(5)+f(5)g'(5)=2\cdot1+3\cdot1=5$ 정답_①

178

$g(x)=(x^2+2)f(x)$로 놓으면 $g(2)=6f(2)$이므로

$\lim_{x\to2}\frac{(x^2+2)f(x)-6f(2)}{x-2}=\lim_{x\to2}\frac{g(x)-g(2)}{x-2}=g'(2)$

$g'(x)=2xf(x)+(x^2+2)f'(x)$이고 $f(2)=3,\ f'(2)=1$이므로

$g'(2)=4f(2)+6f'(2)=4\cdot3+6\cdot1=18$ 정답_③

다른 풀이

$\lim_{x\to2}\frac{(x^2+2)f(x)-6f(2)}{x-2}$

$=\lim_{x\to2}\frac{(x^2+2)f(x)-6f(x)+6f(x)-6f(2)}{x-2}$

$=\lim_{x\to2}\frac{f(x)(x^2-4)+6\{f(x)-f(2)\}}{x-2}$

$=\lim_{x\to2}\left\{f(x)\cdot(x+2)+6\cdot\frac{f(x)-f(2)}{x-2}\right\}$

$=4f(2)+6f'(2)=4\cdot3+6\cdot1=18$

179

다항식 $x^{10}-2x^3+1$을 $(x+1)^2$으로 나누었을 때의 몫을 $Q(x)$, 나머지를 $R(x)=ax+b$ (a, b는 상수)라고 하면

$x^{10}-2x^3+1=(x+1)^2Q(x)+ax+b$ ……㉠

㉠의 양변에 $x=-1$을 대입하면

$1+2+1=-a+b \quad \therefore a-b=-4$ ……㉡

㉠의 양변을 x에 대하여 미분하면

$10x^9-6x^2=2(x+1)Q(x)+(x+1)^2Q'(x)+a$

위의 식의 양변에 $x=-1$을 대입하면

$-10-6=a \quad \therefore a=-16$

이 값을 ㉡에 대입하면 $-16-b=-4 \quad \therefore b=-12$

따라서 $R(x)=-16x-12$이므로 $R(-2)=20$ 정답_⑤

180

$2x^4+px^2+qx+6$을 $(x-1)^2$으로 나누었을 때의 몫을 $Q(x)$라고 하면

$2x^4+px^2+qx+6=(x-1)^2Q(x)+5x-4$ ……㉠

㉠의 양변에 $x=1$을 대입하면

$2+p+q+6=5-4 \quad \therefore p+q=-7$ ……㉡

㉠의 양변을 x에 대하며 미분하면

$8x^3+2px+q=2(x-1)Q(x)+(x-1)^2Q'(x)+5$ ……㉢

㉢의 양변에 $x=1$을 대입하면

$8+2p+q=5 \quad \therefore 2p+q=-3$ ……㉣

㉡, ㉣을 연립하여 풀면 $p=4, q=-11$

$f(x)=6x^5+2px+q$로 놓으면 $f(x)=6x^5+8x-11$

이때, $f(x)$를 $x-1$로 나누었을 때의 나머지는 $f(1)$이므로

$f(1)=6+8-11=3$ 정답_3

181

함수 $y=f(x)$는 $x=-2, x=1$에서 불연속이므로 $m=2$

또, 함수 $y=f(x)$는 $x=-3, x=-2, x=1, x=2$에서 미분가능하지 않으므로 $n=4$

$\therefore m+n=2+4=6$ 정답_④

182

$\lim_{x\to1+}\frac{f(x)-f(1)}{x-1}=\lim_{x\to1+}\frac{\{3x-(x-1)\}-3}{x-1}$

$=\lim_{x\to1+}\frac{2(x-1)}{x-1}=$ (가) 2

$\lim_{x\to1-}\frac{f(x)-f(1)}{x-1}=\lim_{x\to1-}\frac{\{3x+(x-1)\}-3}{x-1}$

$=\lim_{x\to1-}\frac{4(x-1)}{x-1}=$ (나) 4 정답_④

183

ㄱ. $f(x)=1$은 상수함수이므로 $x=0$에서 연속이고 $f'(x)=0$이므로 $x=0$에서 미분가능하다.

ㄴ. (i) $\lim_{x\to0+}g(x)=\lim_{x\to0+}\frac{|x|}{x}=\lim_{x\to0+}\frac{x}{x}=1$

$\lim_{x\to0-}g(x)=\lim_{x\to0-}\frac{|x|}{x}=\lim_{x\to0+}\frac{-x}{x}=-1$

즉, $\lim_{x\to0}g(x)$의 값이 존재하지 않으므로 함수 $g(x)$는 $x=0$에서 연속이 아니다.

(ii) $x=0$에서 연속이 아니므로 미분가능하지 않다.

ㄷ. (i) $\lim_{x\to0}h(x)=\lim_{x\to0}(x^2-4|x|+3)=3$,

$h(0)=3$이므로 $\lim_{x\to0}h(x)=h(0)$

즉, 함수 $h(x)$는 $x=0$에서 연속이다.

(ii) $h'(0)=\lim_{x\to0}\frac{h(x)-h(0)}{x-0}=\lim_{x\to0}\frac{x^2-4|x|}{x}$

$\lim_{x\to0+}\frac{x^2-4|x|}{x}=\lim_{x\to0+}\frac{x(x-4)}{x}$

$=\lim_{x\to0+}(x-4)=-4$

$\lim_{x\to0-}\frac{x^2-4|x|}{x}=\lim_{x\to0-}\frac{x(x+4)}{x}$

$=\lim_{x\to0-}(x+4)=4$

즉, $h'(0)$의 값이 존재하지 않으므로 함수 $h(x)$는 $x=0$에서 미분가능하지 않다.

따라서 $x=0$에서 연속이지만 미분가능하지 않은 것은 ㄷ이다.

정답_③

184

함수 $f(x)$는 $x=-1$과 $x=0$에서 불연속이므로 미분가능하지 않다.

$\therefore f'(x)=\frac{3}{2}(x^2-1)$ (단, $x\neq-1, x\neq0$)

따라서 도함수 $f'(x)$의 그래프는 오른쪽 그림과 같다.

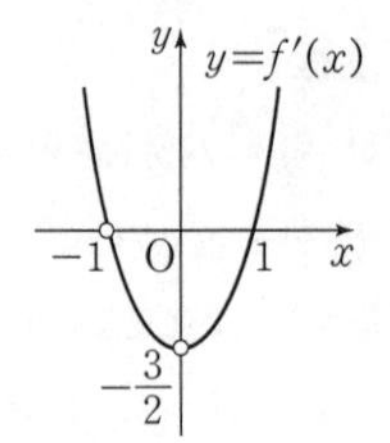

ㄱ은 옳지 않다.

함수 $f(x)$는 $x=0$에서 불연속이므로 $x=0$에서 미분가능하지 않다.

ㄴ은 옳다.

함수 $y=f'(x)$의 그래프에서

$\lim_{x\to0}f'(x)=-\frac{3}{2}$

ㄷ도 옳지 않다.

$f'(x)=t$로 놓으면

$\lim_{x\to-1+}f(f'(x))=\lim_{t\to0-}f(t)=-1$

따라서 옳은 것은 ㄴ이다. 정답_②

185

함수 $f(x)$가 $x=-1$에서 미분가능하므로 $x=-1$에서 연속이고, $f'(-1)$의 값이 존재한다.

$$f(x)=\begin{cases} a(x+3)^2+b & (x\geq-1) \\ x^3 & (x<-1)\end{cases} \quad \cdots\cdots ㉠$$

$$f'(x)=\begin{cases} 2a(x+3) & (x\geq-1) \\ 3x^2 & (x<-1)\end{cases} \quad \cdots\cdots ㉡$$

(i) $x=-1$에서 연속이므로 ㉠에서 $f(-1)=\lim_{x\to-1}f(x)$

$a(-1+3)^2+b=(-1)^3 \quad \therefore 4a+b=-1$ ……㉢

(ii) $f'(-1)$의 값이 존재하므로 ㉡에서

$\lim_{x\to-1+}f'(x)=\lim_{x\to-1-}f'(x)$

$2a(-1+3)=3\cdot(-1)^2 \quad \therefore a=\frac{3}{4}$

$a=\frac{3}{4}$을 ㉢에 대입하면 $b=-4$

$\therefore f(1)=16a+b=16\cdot\frac{3}{4}+(-4)=8$ 정답_⑤

186

함수 $f(x)$가 모든 실수 x에서 미분가능하므로 $x=1$에서 미분가능하고, $x=1$에서 연속이다. 즉, $f'(1)$의 값이 존재한다.

$$f(x)=\begin{cases} x^3+ax & (x<1) \\ bx^2+x+1 & (x\geq1)\end{cases} \quad \cdots\cdots ㉠$$

$$f'(x)=\begin{cases} 3x^2+a & (x<1) \\ 2bx+1 & (x\geq1)\end{cases} \quad \cdots\cdots ㉡$$

(i) $x=1$에서 연속이므로 ㉠에서 $f(1)=\lim_{x\to1}f(x)$

$b+1+1=1+a \quad \therefore a-b=1$ ……㉢

(ii) $f'(1)$의 값이 존재하므로 ㉡에서

$\lim_{x\to1-}f'(x)=\lim_{x\to1+}f'(x)$

$2b+1=3+a \quad \therefore a-2b=-2$ ……㉣

㉢, ㉣을 연립하여 풀면 $a=4, b=3$

$\therefore a+b=4+3=7$ 정답_③

187

$f(x)=|x-1|(x-3a)$에서

$$f(x)=\begin{cases} (x-1)(x-3a) & (x\geq1) \\ -(x-1)(x-3a) & (x<1)\end{cases}$$

함수 $f(x)$가 $x=1$에서 미분가능하면 $f'(1)$의 값이 존재하므로

$$\lim_{x\to1+}\frac{f(x)-f(1)}{x-1}=\lim_{x\to1+}\frac{(x-1)(x-3a)-0}{x-1}=\lim_{x\to1+}(x-3a)=1-3a$$

$$\lim_{x\to1-}\frac{f(x)-f(1)}{x-1}=\lim_{x\to1-}\frac{-(x-1)(x-3a)-0}{x-1}=\lim_{x\to1-}\{-(x-3a)\}=-1+3a$$

$1-3a=-1+3a$이므로 $a=\frac{1}{3}$ 정답_②

188

연결한 그래프 전체를 나타내는 함수를 $f(x)$라고 하면

함수 $f(x)$가 $x=0$, $x=1$에서 미분가능하므로 $x=0$, $x=1$에서 연속이고, $f'(0)$, $f'(1)$의 값이 존재한다.

$$f(x)=\begin{cases} 1 & (x<0) \\ ax^3+bx^2+cx+1 & (0\leq x\leq1) \\ 0 & (x>1)\end{cases} \quad \cdots\cdots ㉠$$

$$f'(x)=\begin{cases} 0 & (x<0) \\ 3ax^2+2bx+c & (0\leq x\leq1) \\ 0 & (x>1)\end{cases} \quad \cdots\cdots ㉡$$

(i) $x=0, x=1$에서 연속이므로 ㉠에서

$f(0)=\lim_{x\to0}f(x)$, $f(1)=\lim_{x\to1}f(x)$

$1=1, a+b+c+1=0 \quad \therefore a+b+c=-1$ ……㉢

(ii) $f'(0)$, $f'(1)$의 값이 존재하므로 ㉡에서

$\lim_{x\to0-}f'(x)=\lim_{x\to0+}f'(x)$, $\lim_{x\to1-}f'(x)=\lim_{x\to1+}f'(x)$

$0=c, 3a+2b+c=0$ ……㉣

㉢, ㉣을 연립하여 풀면 $a=2, b=-3, c=0$

$\therefore a^2+b^2+c^2=2^2+(-3)^2+0^2=13$ 정답_③

189

$f(x+y)=f(x)+f(y)+3xy$의 양변에 $x=0, y=0$을 대입하면

$f(0)=f(0)+f(0) \quad \therefore f(0)=0$

$f'(0)=1$이므로

$$f'(0)=\lim_{h\to0}\frac{f(0+h)-f(0)}{h}=\lim_{h\to0}\frac{f(h)}{h}=1$$

$\therefore f'(1)=\lim_{h\to 0}\frac{f(1+h)-f(1)}{h}$

$=\lim_{h\to 0}\frac{f(1)+f(h)+3h-f(1)}{h}$

$=\lim_{h\to 0}\frac{f(h)}{h}+3=1+3=4$ 정답_⑤

190

$f(xy)=f(x)+f(y)$의 양변에 $x=1, y=1$을 대입하면

$f(1)=f(1)+f(1)$ $\therefore f(1)=0$

$f(1)=$ (가) $\boxed{0}$이므로

$f'(1)=\lim_{h\to 0}\frac{f(1+h)-f(1)}{h}=\lim_{h\to 0}\frac{f(1+h)}{h}=a$

$\therefore f'(x)=\lim_{h\to 0}\frac{f(x+h)-f(x)}{h}$

$=\lim_{h\to 0}\frac{f\left(x\left(1+\frac{h}{x}\right)\right)-f(x)}{h}$

$=\lim_{h\to 0}\frac{f(x)+f\left(1+\frac{h}{x}\right)-f(x)}{h}$

$=\lim_{h\to 0}\frac{f\left(\text{(나)}\boxed{1+\frac{h}{x}}\right)}{h}$

$=\lim_{h\to 0}\frac{f\left(\text{(나)}\boxed{1+\frac{h}{x}}\right)}{\frac{h}{x}}\cdot\frac{1}{x}$

$=$ (다) $\boxed{a}\cdot\frac{1}{x}$ 정답_③

191

$f(x+y)=f(x)+f(y)+xy\,f(x+y)$의 양변에 $x=0, y=0$을 대입하면

$f(0)=f(0)+f(0)$ $\therefore f(0)=0$

$f'(0)=a$이므로

$f'(0)=\lim_{h\to 0}\frac{f(0+h)-f(0)}{h}=\lim_{h\to 0}\frac{f(h)}{h}=a$

$\therefore f'(x)=\lim_{h\to 0}\frac{f(x+h)-f(x)}{h}$

$=\lim_{h\to 0}\frac{f(x)+f(h)+xhf(x+h)-f(x)}{h}$

$=\lim_{h\to 0}\frac{f(h)+xhf(x+h)}{h}$

$=\lim_{h\to 0}\left\{\frac{f(h)}{h}+xf(x+h)\right\}$

$=xf(x)+a$ 정답_③

192

$f(-x)=f(x)$, $f'(2)=3$이므로

$f'(-2)=\lim_{h\to 0}\frac{f(-2+h)-f(-2)}{h}$

$=\lim_{h\to 0}\frac{f(-(2-h))-f(-2)}{h}$

$=\lim_{h\to 0}\frac{f(2-h)-f(2)}{h}$

$=\lim_{h\to 0}\frac{f(2-h)-f(2)}{-h}\cdot(-1)$

$=f'(2)\cdot(-1)=3\cdot(-1)=-3$ 정답_①

193

$f(-ax)=-af(x)$에서 $f(x)=-\frac{1}{a}f(-ax)$

$\therefore f'(x)=\lim_{h\to 0}\frac{f(x+h)-f(x)}{h}$

$=\lim_{h\to 0}\frac{-\frac{1}{a}f(-ax-ah)+\frac{1}{a}f(-ax)}{h}$

$=\lim_{h\to 0}\frac{f(-ax-ah)-f(-ax)}{-ah}=f'(-ax)$

정답_④

194

$f(x)=2x^3+4f'(1)x$에서 $f'(x)=6x^2+4f'(1)$

$x=1$을 대입하면 $f'(1)=6+4f'(1)$

$\therefore f'(1)=-2$

따라서 $f'(x)=6x^2-8$이므로

$f'(-1)=6-8=-2$ 정답_②

195

$f(x)=3x^2-2f'(2)x$에서 $f'(x)=6x-2f'(2)$

$x=2$를 대입하면 $f'(2)=12-2f'(2)$

$\therefore f'(2)=4$

따라서 $f'(x)=6x-8$이므로

$f'(3)=18-8=10$ 정답_③

196

$f(x)$는 이차함수이므로 $f(x)=ax^2+bx+c$

$(a, b, c$는 상수, $a\neq 0)$로 놓을 수 있다.

이때, $f'(x)=2ax+b$이므로 $f(x)=xf'(x)-x^2$에서

$ax^2+bx+c=x(2ax+b)-x^2$ $\therefore (1-a)x^2+c=0$

위의 식이 모든 실수 x에 대하여 성립하므로 $a=1, c=0$

$f'(1)=3$이므로 $2a+b=3, 2+b=3$ $\therefore b=1$

따라서 $f(x)=x^2+x$이므로 $f(2)=4+2=6$ 정답_③

197

$\{f(x)+g(x)\}'=f'(x)+g'(x)=x^3+3x-2$

$f(x)=g'(x)$이므로

$f'(x)+f(x)=x^3+3x-2$ ……㉠

즉, $f(x)$는 삼차식이므로

$f(x)=ax^3+bx^2+cx+d$ (a, b, c, d는 상수, $a\neq0$) ……㉡

로 놓으면

$f'(x)=3ax^2+2bx+c$ ……㉢

㉡, ㉢을 ㉠에 대입하면

$ax^3+(3a+b)x^2+(2b+c)x+c+d=x^3+3x-2$

위의 식이 모든 실수 x에 대하여 성립하므로

$a=1, 3a+b=0, 2b+c=3, c+d=-2$

$\therefore a=1, b=-3, c=9, d=-11$

따라서 $f(x)=x^3-3x^2+9x-11$이므로

$f(1)=1-3+9-11=-4$

정답_ −4

198

$f(x)f'(x)=4x+6$에서 ……㉠

$f(x)$를 n차식이라고 하면 $f'(x)$는 $(n-1)$차식이므로 ㉠의 좌변의 차수는 $n+(n-1)=2n-1$

그런데 ㉠의 우변은 일차식이므로 $2n-1=1$ $\therefore n=1$

따라서 $f(x)=ax+b$ (a, b는 상수, $a\neq0$)로 놓을 수 있다.

이때, $f'(x)=a$이므로 ㉠에 대입하면

$(ax+b)\cdot a=4x+6$ $\therefore (a^2-4)x+(ab-6)=0$

위의 식이 모든 실수 x에 대하여 성립하므로

$a^2-4=0, ab-6=0$

$\therefore a=2, b=3$ 또는 $a=-2, b=-3$

(i) $a=2, b=3$일 때, $f(x)=2x+3$이므로

$f(1)f(2)=5\cdot7=35$

(ii) $a=-2, b=-3$일 때, $f(x)=-2x-3$이므로

$f(1)f(2)=(-5)\cdot(-7)=35$

(i), (ii)에 의해 $f(1)f(2)=35$

정답_ ④

199

함수 $f(x)=ax^2+bx+1$에 대하여 x의 값이 -1에서 0까지 변할 때의 평균변화율이 -1이므로

$\frac{f(0)-f(-1)}{0-(-1)}=\frac{1-(a-b+1)}{1}=-a+b=-1$ ……㉠

……… ❶

$f(x)=ax^2+bx+1$의 $x=-1$에서의 순간변화율이 1이므로

$f'(x)=2ax+b$에서 $f'(-1)=-2a+b=1$ ……㉡

……… ❷

㉠, ㉡을 연립하여 풀면 $a=-2, b=-3$

$\therefore a+b=-5$ ……… ❸

정답_ −5

단계	채점 기준	비율
❶	평균변화율을 이용하여 a, b 사이의 관계식 구하기	40%
❷	순간변화율을 이용하여 a, b 사이의 관계식 구하기	40%
❸	$a+b$의 값 구하기	20%

200

$\lim_{x\to1}\frac{f(x^2)-f(1)}{x-1}=\lim_{x\to1}\left\{\frac{f(x^2)-f(1)}{x^2-1}\cdot(x+1)\right\}=2f'(1)$

이므로 $2f'(1)=4$

$\therefore f'(1)=2$ ……㉠

……… ❶

$\lim_{x\to3}\frac{x-3}{f(x)-f(3)}=\lim_{x\to3}\frac{1}{\frac{f(x)-f(3)}{x-3}}=\frac{1}{f'(3)}$이므로

$\frac{1}{f'(3)}=\frac{1}{10}$

$\therefore f'(3)=10$ ……㉡

……… ❷

$f(x)=2ax^2-bx+2$에서 $f'(x)=4ax-b$이므로 ㉠, ㉡에 의해 $f'(1)=4a-b=2, f'(3)=12a-b=10$

위의 두 식을 연립하여 풀면 $a=1, b=2$

$\therefore a+b=1+2=3$ ……… ❸

정답_ 3

단계	채점 기준	비율
❶	$f'(1)$의 값 구하기	30%
❷	$f'(3)$의 값 구하기	30%
❸	$a+b$의 값 구하기	40%

201

$\lim_{h\to0}\frac{f(1+2h)-3}{h}=4$에서 $h\to0$일 때 (분모) $\to0$이므로 (분자) $\to0$이어야 한다.

즉, $\lim_{h\to0}\{f(1+2h)-3\}=0$이므로 $f(1)-3=0$에서

$f(1)=3$ ……㉠

……… ❶

$\lim_{h\to0}\frac{f(1+2h)-3}{h}=\lim_{h\to0}\frac{f(1+2h)-f(1)}{h}$

$=\lim_{h\to0}\frac{f(1+2h)-f(1)}{2h}\cdot2=2f'(1)$

$2f'(1)=4$에서

$f'(1)=2$ ……㉡

……… ❷

$y'=2xf(x)+(x^2+1)f'(x)$이므로 ㉠, ㉡에 의해 $x=1$에서의 미분계수는

$2f(1)+2f'(1)=2\cdot3+2\cdot2=10$ ……… ❸

정답_ 10

단계	채점 기준	비율
❶	$f(1)$의 값 구하기	20%
❷	$f'(1)$의 값 구하기	40%
❸	$y=(x^2+1)f(x)$의 $x=1$에서의 미분계수 구하기	40%

202

$h(x)=f(x)g(x)$로 놓으면 $f(0)=1,\ g(0)=4$이므로

$$\lim_{x\to0}\frac{f(x)g(x)-4}{x}=\lim_{x\to0}\frac{f(x)g(x)-f(0)g(0)}{x-0}$$
$$=\lim_{x\to0}\frac{h(x)-h(0)}{x-0}$$
$$=h'(0)=0 \cdots\cdots ❶$$

$f'(0)=-b,\ h'(x)=f'(x)g(x)+f(x)g'(x)$이므로

$$h'(0)=f'(0)g(0)+f(0)g'(0)$$
$$=(-6)\cdot4+1\cdot g'(0)=-24+g'(0)=0$$

$\therefore\ g'(0)=24 \cdots\cdots ❷$

정답_24

단계	채점 기준	비율
❶	$\lim_{x\to0}\frac{f(x)g(x)-4}{x}$를 간단히 하기	50%
❷	$g'(0)$의 값 구하기	50%

203

함수 $f(x)$가 모든 실수 x에서 미분가능하므로 $x=3$에서 미분가능하고 $x=3$에서 연속이다.

$$f(x)=\begin{cases} x^2 & (x\le3) \\ -\frac{1}{2}(x-a)^2+b & (x>3) \end{cases} \cdots\cdots ㉠$$

$$f'(x)=\begin{cases} 2x & (x\le3) \\ -x+a & (x>3) \end{cases} \cdots\cdots ㉡$$

$\cdots\cdots ❶$

(i) $x=3$에서 미분가능하므로 ㉡에서

$6=-3+a \quad \therefore a=9 \cdots\cdots ❷$

(ii) $x=3$에서 연속이므로 ㉠에서

$9=-\frac{1}{2}(3-a)^2+b$

$\therefore (3-a)^2-2b=-18 \cdots\cdots ㉢$

$a=9$를 ㉢에 대입하면 $b=27 \cdots\cdots ❸$

$\therefore a+b=9+27=36 \cdots\cdots ❹$

정답_36

단계	채점 기준	비율
❶	$f'(x)$ 구하기	10%
❷	a의 값 구하기	40%
❸	b의 값 구하기	40%
❹	$a+b$의 값 구하기	10%

204

x의 값이 n에서 $n+1$까지 변할 때의 함수 $f(x)$의 평균변화율이 $n+1$이므로

$$\frac{f(n+1)-f(n)}{(n+1)-n}=n+1 \quad \therefore f(n+1)-f(n)=n+1$$

따라서 x의 값이 1에서 100까지 변할 때의 함수 $f(x)$의 평균변화율은

$$\frac{f(100)-f(1)}{100-1}$$
$$=\frac{\{f(100)-f(99)\}+\{f(99)-f(98)\}+\cdots+\{f(2)-f(1)\}}{99}$$
$$=\frac{100+99+\cdots+2}{99}=\frac{\frac{100\cdot101}{2}-1}{99}=51$$

정답_①

205

$f(1)=0$이므로

$$\lim_{x\to1}\frac{\{f(x)\}^2-2f(x)}{1-x}=\lim_{x\to1}\frac{f(x)\{f(x)-2\}}{-(x-1)}$$
$$=\lim_{x\to1}\left[\frac{f(x)}{x-1}\cdot\{2-f(x)\}\right]$$
$$=\lim_{x\to1}\left[\frac{f(x)-f(1)}{x-1}\cdot\{2-f(x)\}\right]$$
$$=f'(1)\{2-f(1)\}=2f'(1)$$

$2f'(1)=10$에서 $f'(1)=5$

정답_⑤

206

$\lim_{x\to2}\frac{f(x)}{x-2}=3$에서 $x\to2$일 때 (분모) $\to0$이므로 (분자) $\to0$이어야 한다.

즉, $\lim_{x\to2}f(x)=0$이므로 $f(2)=0$

$$\lim_{x\to2}\frac{f(x)}{x-2}=\lim_{x\to2}\frac{f(x)-f(2)}{x-2}=f'(2)=3$$

$\lim_{x\to0}\frac{f(x)}{x}=2$에서 $x\to0$일 때 (분모) $\to0$이므로 (분자) $\to0$이어야 한다. 즉, $\lim_{x\to0}f(x)=0$이므로 $f(0)=0$

$$\lim_{x\to0}\frac{f(x)}{x}=\lim_{x\to0}\frac{f(x)-f(0)}{x-0}=f'(0)=2$$

$f(2)=0,\ f(0)=0$에서 $f(f(2))=0$이므로

$$\therefore \lim_{x\to2}\frac{f(f(x))}{x-2}=\lim_{x\to2}\left\{\frac{f(f(x))-f(f(2))}{f(x)-f(2)}\cdot\frac{f(x)-f(2)}{x-2}\right\}$$
$$=f'(f(2))f'(2)$$
$$=f'(0)f'(2)$$
$$=2\cdot3=6$$

정답_⑤

207

$\lim_{x\to2}\frac{f(x)-a}{x-2}=4$에서 $x\to2$일 때 (분모) $\to0$이므로 (분자) $\to0$이어야 한다.

즉, $\lim_{x\to2}\{f(x)-a\}=0$이므로 $f(2)-a=0$에서 $a=f(2)$

$$\therefore \lim_{x\to2}\frac{f(x)-a}{x-2}=\lim_{x\to2}\frac{f(x)-f(2)}{x-2}=f'(2)=4$$

다항식 $f(x)$를 $(x-2)^2$으로 나눈 몫을 $Q(x)$라고 하면 나머지가 $bx+3$이므로 $f(x)=(x-2)^2Q(x)+bx+3 \cdots\cdots ㉠$

㉠의 양변에 $x=2$를 대입하면

$f(2)=2b+3 \quad \therefore a=2b+3 \cdots\cdots ㉡$

㉠의 양변을 x에 대하여 미분하면

$f'(x)=2(x-2)Q(x)+(x-2)^2Q'(x)+b$

위의 식의 양변에 $x=2$를 대입하면 $f'(2)=b$ $\therefore b=4$

$b=4$를 ㉡에 대입하면 $a=11$

$\therefore a+b=11+4=15$

정답_15

208

$f(a)=f'(a)=0$이므로 $f(x)$는 $(x-a)^2$을 인수로 갖고,

$f(b)=0$이므로 $f(x)$는 $x-b$를 인수로 갖는다.

이때, $f(x)$는 삼차함수이므로

$f(x)=p(x-a)^2(x-b)$ $(p\neq 0)$로 놓을 수 있다.

$\therefore f'(x)=2p(x-a)(x-b)+p(x-a)^2$

$f'(c)=0$이므로 $2p(c-a)(c-b)+p(c-a)^2=0$

$p(c-a)\{2(c-b)+(c-a)\}=0$

$c\neq a$이므로 $2(c-b)+c-a=0, 3c-2b-a=0$ $(\because c\neq a)$

$\therefore c=\dfrac{a+2b}{3}$

정답_④

209

$f(x)=[2x](x^2+ax+b)$에서

(i) $\dfrac{1}{2}\leq x<1$일 때, $1\leq 2x<2$이므로 $[2x]=1$

따라서 $f(x)=x^2+ax+b$이므로 ……㉠

$f'(x)=2x+a$ ……㉡

(ii) $1\leq x<\dfrac{3}{2}$일 때, $2\leq 2x<3$이므로 $[2x]=2$

따라서 $f(x)=2(x^2+ax+b)$이므로 ……㉢

$f'(x)=2(2x+a)$ ……㉣

$x=1$에서 미분가능하면 반드시 $x=1$에서 연속이다.

함수 $f(x)$가 $x=1$에서 연속이려면 ㉠, ㉢에 $x=1$을 대입한 값이 같아야 하므로

$1+a+b=2(1+a+b)$

$1+a+b=0$ $\therefore a+b=-1$ ……㉤

함수 $f(x)$가 $x=1$에서 미분가능하므로 ㉡, ㉣에 $x=1$을 대입한 값이 같아야 하므로

$2+a=2(2+a), 2+a=0$ $\therefore a=-2$

$a=-2$를 ㉤에 대입하면 $b=1$

따라서 $f(x)=[2x](x^2-2x+1)$이므로

$f(2)=[4]\cdot(4-4+1)=4$

정답_4

210

함수 $f(x)$가 $x=0$에서 연속이므로 $\lim_{x\to 0}f(x)=f(0)$

ㄱ. $F(x)=xf(x)$로 놓으면

$$F'(0)=\lim_{x\to 0}\frac{F(x)-F(0)}{x-0}=\lim_{x\to 0}\frac{xf(x)}{x}=\lim_{x\to 0}f(x)=f(0)$$

따라서 $F'(0)$의 값이 존재하므로 함수 $F(x)$는 $x=0$에서 미분가능하다.

ㄴ. $G(x)=x^2f(x)$로 놓으면

$$G'(0)=\lim_{x\to 0}\frac{G(x)-G(0)}{x-0}=\lim_{x\to 0}\frac{x^2f(x)}{x}=\lim_{x\to 0}xf(x)=0\cdot f(0)=0$$

따라서 $G'(0)$의 값이 존재하므로 함수 $G(x)$는 $x=0$에서 미분가능하다.

ㄷ. $H(x)=\dfrac{1}{1+xf(x)}$로 놓으면

$$H'(0)=\lim_{x\to 0}\frac{H(x)-H(0)}{x-0}=\lim_{x\to 0}\frac{\frac{1}{1+xf(x)}-1}{x}=\lim_{x\to 0}\frac{-f(x)}{1+xf(x)}=\frac{-f(0)}{1+0\cdot f(0)}=-f(0)$$

따라서 $H'(0)$의 값이 존재하므로 함수 $H(x)$는 $x=0$에서 미분가능하다.

따라서 $x=0$에서 미분가능한 함수는 ㄱ, ㄴ, ㄷ이다.

정답_⑤

211

ㄱ은 옳다.

$F(x)=\dfrac{g(x)}{f(x)}$로 놓으면 $F(2)=\dfrac{g(2)}{f(2)}=\dfrac{0}{2}=0$이고

$\lim_{x\to 2}F(x)=\lim_{x\to 2}\dfrac{g(x)}{f(x)}=\dfrac{0}{1}=0$이므로

$\lim_{x\to 2}F(x)=F(2)$

즉, $F(x)$는 $x=2$에서 연속이다.

ㄴ은 옳지 않다.

$G(x)=(g\circ f)(x)$로 놓으면

$G(1)=(g\circ f)(1)=g(1)=-1$이고

$\lim_{x\to 1-}G(x)=\lim_{x\to 1-}g(f(x))=g(0)=-1$,

$\lim_{x\to 1+}G(x)=\lim_{x\to 1+}g(f(x))=g(1)=-1$이므로

$\lim_{x\to 1}G(x)=G(1)$

즉, $G(x)$는 $x=1$에서 연속이다.

ㄷ도 옳다.

$3\leq x<4$일 때 $f(x)=1$, $g(x)=x-4$

$4\leq x<5$일 때 $f(x)=x-3$, $g(x)=x-4$

$H(x)=f(x)g(x)$로 놓으면

$$H(x)=\begin{cases} x-4 & (3\leq x<4) \\ (x-3)(x-4) & (4\leq x<5) \end{cases}$$

$$\lim_{x\to 4-}\frac{H(x)-H(4)}{x-4}=\lim_{x\to 4-}\frac{(x-4)-0}{x-4}=1$$

$$\lim_{x\to 4+}\frac{H(x)-H(4)}{x-4}=\lim_{x\to 4+}\frac{(x-3)(x-4)-0}{x-4}=\lim_{x\to 4+}(x-3)=1$$

$\therefore H'(4)=\lim_{x\to 4}\frac{H(x)-H(4)}{x-4}=1$

즉, $H'(4)$의 값이 존재하므로 $H(x)$는 $x=4$에서 미분가능하다.

따라서 옳은 것은 ㄱ, ㄷ이다. 정답_③

212

ㄱ은 옳다.

$f(1)=0$이므로

$$\lim_{h\to 0-}\frac{f(1+h)-f(1)}{h}=\lim_{h\to 0-}\frac{\{(1+h)^2-1\}-0}{h}=\lim_{h\to 0-}\frac{h^2+2h}{h}=\lim_{h\to 0-}(h+2)=2$$

$$\lim_{h\to 0+}\frac{f(1+h)-f(1)}{h}=\lim_{h\to 0+}\frac{\frac{2}{3}\{(1+h)^3-1\}-0}{h}=\lim_{h\to 0+}\frac{\frac{2}{3}(h^3+3h^2+3h)}{h}=\lim_{h\to 0+}\frac{2}{3}(h^2+3h+3)=2$$

$$\therefore f'(1)=\lim_{h\to 0}\frac{f(1+h)-f(1)}{h}=2$$

즉, $f'(1)$의 값이 존재하므로 $f(x)$는 $x=1$에서 미분가능하다.

ㄴ은 옳지 않다.

$F(x)=|f(x)|$로 놓으면 $F(0)=f(0)=-1$이므로

$$\lim_{h\to 0-}\frac{F(0+h)-F(0)}{h}=\lim_{h\to 0-}\frac{|f(h)|-|f(0)|}{h}=\lim_{h\to 0-}\frac{|1-h|-1}{h}=\lim_{h\to 0-}\frac{(1-h)-1}{h}=-1$$

$$\lim_{h\to 0+}\frac{F(0+h)-F(0)}{h}=\lim_{h\to 0+}\frac{|f(h)|-|f(0)|}{h}=\lim_{h\to 0+}\frac{|h^2-1|-1}{h}=\lim_{h\to 0+}\frac{-(h^2-1)-1}{h}=\lim_{h\to 0+}(-h)=0$$

이때, $F'(0)$의 값이 존재하지 않으므로 $F(x)$, 즉 $|f(x)|$는 $x=0$에서 미분가능하지 않다.

ㄷ도 옳다.

$G(x)=x^kf(x)$로 놓으면 $G(0)=0$이므로

$$\lim_{h\to 0-}\frac{G(0+h)-G(0)}{h}=\lim_{h\to 0-}\frac{h^kf(h)}{h}=\lim_{h\to 0-}\frac{h^k(1-h)}{h}=\lim_{h\to 0-}h^{k-1}(1-h) \quad \cdots\cdots ㉠$$

$$\lim_{h\to 0+}\frac{G(0+h)-G(0)}{h}=\lim_{h\to 0+}\frac{h^kf(h)}{h}=\lim_{h\to 0+}\frac{h^k(h^2-1)}{h}=\lim_{h\to 0+}h^{k-1}(h^2-1) \quad \cdots\cdots ㉡$$

(i) $k=1$일 때, ㉠$=1$, ㉡$=-1$

(ii) $k\geq 2$일 때, ㉠$=$㉡$=0$

즉, $k\geq 2$일 때, $G'(0)$의 값이 존재하므로 $G(x)$, 즉 $x^kf(x)$가 $x=0$에서 미분가능하도록 하는 최소의 자연수 k는 2이다.

따라서 옳은 것은 ㄱ, ㄷ이다. 정답_③

213

조건 (가)에서 $\lim_{x\to\infty}\frac{\{f(x)\}^2-f(x^2)}{x^3f(x)}=3$이므로 분모와 분자의 차수가 같아야 한다. 함수 $f(x)$의 차수를 n이라고 하면

(분모의 차수)$=n+3$, (분자의 차수)$=2n$이므로

$n+3=2n \quad \therefore n=3$

따라서 함수 $f(x)$는 삼차함수이다.

함수 $f(x)$의 최고차항의 계수를 a $(a\neq 0)$라고 하면 조건 (가)에 의해 분모, 분자의 최고차항의 계수의 비를 구하면

$\frac{a^2-a}{a}=3$, $a^2-4a=0$

$a(a-4)=0 \quad \therefore a=4$ $(\because a\neq 0)$

$f(x)=4x^3+bx^2+cx+d$ (b, c, d는 상수)라고 하면

$f'(x)=12x^2+2bx+c$

조건 (나)에서

$$\lim_{x\to 0}\frac{f'(x)}{x}=\lim_{x\to 0}\frac{12x^2+2bx+c}{x}=6 \quad \cdots\cdots ㉠$$

$x\to 0$일 때 극한값이 존재하고 (분모) $\to 0$이므로 (분자) $\to 0$이어야 한다.

즉, $\lim_{x\to 0}(12x^2+2bx+c)=0$에서 $c=0$

$c=0$을 ㉠에 대입하면

$$\lim_{x\to 0}\frac{12x^2+2bx}{x}=\lim_{x\to 0}(12x+2b)=2b=6 \quad \therefore b=3$$

따라서 $f'(x)=12x^2+6x$이므로

$f'(1)=12+6=18$ 정답_18

04 도함수의 활용 (1)

214

$f(x)=x^4-4x^3+6x^2+4$에서 $f'(x)=4x^3-12x^2+12x$

(i) 함수 $f(x)$의 그래프가 점 $(a,\ b)$를 지나므로 $f(a)=b$에서

$a^4-4a^3+6a^2+4=b$ ······㉠

(ii) $x=a$인 점에서의 접선의 기울기가 4이므로 $f'(a)=4$에서

$4a^3-12a^2+12a=4,\ (a-1)^3=0 \quad \therefore a=1$

$a=1$을 ㉠에 대입하면 $b=7$

$\therefore a^2+b^2=1^2+7^2=50$

정답_⑤

215

$f(x)=\frac{1}{3}x^3-\frac{1}{2}ax^2+1$에서 $f'(x)=x^2-ax$

$x=-1,\ x=3$인 점에서의 접선의 기울기는 각각

$f'(-1)=1+a,\ f'(3)=9-3a$

이때, 두 접선이 평행하므로 $1+a=9-3a$

$4a=8 \quad \therefore a=2$

정답_②

216

$f(x)=x^3-ax+b$로 놓으면 $f'(x)=3x^2-a$

함수 $f(x)$의 그래프가 점 $(1,\ 1)$을 지나므로

$f(1)=1-a+b=1 \quad \therefore a=b$ ······㉠

곡선 $y=f(x)$ 위의 점 $(1,\ 1)$에서의 접선의 기울기는

$f'(1)=3-a$

이때, 점 $(1,\ 1)$에서의 접선과 수직인 직선의 기울기가 $-\frac{1}{2}$이므로 $f'(1)\times\left(-\frac{1}{2}\right)=-1$에서

$(3-a)\times\left(-\frac{1}{2}\right)=-1,\ 3-a=2 \quad \therefore a=1$

$a=1$을 ㉠에 대입하면 $b=1$

$\therefore a+b=1+1=2$

정답_2

217

곡선 $y=f(x)$ 위의 $x=2$인 점에서의 접선의 기울기가 6이므로

$f'(2)=6$

$$\therefore \lim_{h\to 0}\frac{f(2-2h)-f(2)}{h}=\lim_{h\to 0}\frac{f(2-2h)-f(2)}{-2h}\cdot(-2)$$
$$=-2f'(2)=-12$$

정답_①

218

곡선 $y=f(x)$ 위의 $x=a$인 점에서의 접선의 기울기가

a^2-a+7이므로

$f'(a)=a^2-a+7 \quad \therefore f'(1)=7$

$$\therefore \lim_{x\to 1}\frac{f(x^2)-f(1)}{x-1}=\lim_{x\to 1}\left\{\frac{f(x^2)-f(1)}{x^2-1}\cdot(x+1)\right\}$$
$$=2f'(1)=2\cdot 7=14$$

정답_14

219

$f'(x)=3x^2-12x+16=3(x-2)^2+4$이므로 $f'(x)$는 $x=2$일 때 최솟값 4를 갖는다.

따라서 함수 $f(x)$의 그래프의 접선의 기울기의 최솟값은 4이다.

정답_④

220

$f'(x)=-3x^2+18x-20=-3(x-3)^2+7$이므로 $f'(x)$는 $x=3$일 때 최댓값 7을 갖는다.

이때, $f(3)=-27+81-60+1=-5$이므로 접점의 좌표는 $(3,\ -5)$이다.

따라서 $a=3,\ b=-5,\ M=7$이므로

$a+b+M=3+(-5)+7=5$

정답_⑤

221

$f(x)=x^3-3x$로 놓으면 $f'(x)=3x^2-3$

점 $(2,\ 2)$에서의 접선의 기울기는 $f'(2)=12-3=9$이므로 접선의 방정식은

$y-2=9(x-2) \quad \therefore y=9x-16$

따라서 $a=9,\ b=-16$이므로 $a-b=9-(-16)=25$

정답_③

222

$f(x)=(x^2+1)(x-2)$로 놓으면

$f'(x)=(x^2+1)'(x-2)+(x^2+1)(x-2)'$

$=2x(x-2)+(x^2+1)\cdot 1=3x^2-4x+1$

$x=2$인 점에서의 접선의 기울기는 $f'(2)=12-8+1=5$

이때, $f(2)=0$이므로 점 $(2,\ 0)$에서의 접선의 방정식은

$y-0=5(x-2) \quad \therefore y=5x-10$

위의 직선이 점 $(3,\ a)$를 지나므로 $a=5$

정답_⑤

223

$f(x)=x^3-3x^2-6x+8$로 놓으면 $f'(x)=3x^2-6x-6$

(i) 점 $(1,\ 0)$에서의 접선의 기울기는 $f'(1)=3-6-6=-9$이므로 접선의 방정식은

$y-0=-9(x-1) \quad \therefore y=-9x+9$ ······㉠

(ii) 점 $(4,\ 0)$에서의 접선의 기울기는 $f'(4)=48-24-6=18$이므로 접선의 방정식은

$y-0=18(x-4) \quad \therefore y=18x-72$ ······㉡

㉠, ㉡을 연립하여 풀면 $x=3,\ y=-18$

따라서 두 접선의 교점은 $(3,\ -18)$이므로 $a=3,\ b=-18$

$\therefore a+b=3+(-18)=-15$

정답_②

224

$g'(x)=f(x)$이므로 곡선 $y=g(x)$ 위의 점 $(2,\ g(2))$에서의 접선의 기울기는 $g'(2)=f(2)=(2-3)^2=1$이고 접선의 방정식은

$y-g(2)=g'(2)(x-2)$ $\quad \therefore y=x-2+g(2)$ $\quad \cdots\cdots ㉠$

㉠에서 y절편이 -5이므로

$-2+g(2)=-5$ $\quad \therefore g(2)=-3$

따라서 접선의 방정식은 $y=x-5$이므로 $y=0$을 대입하면 x절편은 5이다. 정답_⑤

225

$f(x)=x(x+1)(2-x)$로 놓으면

$f'(x)=(x+1)(2-x)+x(2-x)-x(x+1)$

점 $(2,\ 0)$에서의 접선의 기울기는 $f'(2)=0+0-2\cdot3=-6$이므로 접선에 수직인 직선의 기울기는 $\frac{1}{6}$이다.

점 $(2,\ 0)$을 지나고 기울기가 $\frac{1}{6}$인 직선의 방정식은

$y-0=\frac{1}{6}(x-2)$ $\quad \therefore y=\frac{1}{6}x-\frac{1}{3}$

따라서 $m=\frac{1}{6},\ n=-\frac{1}{3}$이므로

$m+n=\frac{1}{6}+\left(-\frac{1}{3}\right)=-\frac{1}{6}$ 정답_③

226

$f(x)=x^3-2$로 놓으면 $f'(x)=3x^2$

곡선 $y=f(x)$가 점 $\mathrm{P}(a,\ 6)$을 지나므로

$f(a)=a^3-2=6,\ a^3=8$ $\quad \therefore a=2$

점 $\mathrm{P}(2,\ 6)$에서의 접선의 기울기가 m이므로

$f'(2)=3\times2^2=12=m$

즉, 접선 $y=12x+n$이 점 $\mathrm{P}(2,\ 6)$을 지나므로

$6=24+n$ $\quad \therefore n=-18$

$\therefore a+m+n=2+12+(-18)=-4$ 정답_④

227

$f(x)=\frac{1}{3}x^3+px+q$로 놓으면 $f'(x)=x^2+p$

이때, 곡선 $y=f(x)$가 점 $(1,\ -1)$을 지나므로

$f(1)=\frac{1}{3}+p+q=-1$ $\quad \therefore p+q=-\frac{4}{3}$ $\quad \cdots\cdots ㉠$

곡선 $y=f(x)$ 위의 점 $(1,\ -1)$에서의 접선의 기울기는

$f'(1)=1+p$이므로 접선의 방정식은

$y+1=(1+p)(x-1)$

이 접선이 원점을 지나므로 $1=-1-p$ $\quad \therefore p=-2$

$p=-2$를 ㉠에 대입하면 $q=\frac{2}{3}$

$\therefore p+3q=(-2)+3\cdot\frac{2}{3}=0$ 정답_①

228

$f(x)=x^3-3x-4$로 놓으면 $f'(x)=3x^2-3$

곡선 $y=f(x)$ 위의 점 $(-1,\ -2)$에서의 접선의 기울기는

$f'(-1)=3-3=0$이므로 접선의 방정식은

$y+2=0\cdot(x+1)$ $\quad \therefore y=-2$

$y=x^3-3x-4,\ y=-2$를 연립하여 풀면 $x^3-3x-2=0$

$(x+1)^2(x-2)=0$ $\quad \therefore x=-1$ 또는 $x=2$

따라서 점 P의 좌표는 $(2,\ -2)$이다.

점 $\mathrm{P}(2,\ -2)$에서의 접선의 기울기는 $f'(2)=12-3=9$이므로 접선의 방정식은

$y+2=9(x-2)$ $\quad \therefore y=9x-20$ 정답_④

229

$f(x)=-x^3+15x-22$로 놓으면 $f'(x)=-3x^2+15$

곡선 $y=f(x)$ 위의 점 $(2,\ 0)$에서의 접선의 기울기는

$f'(2)=-12+15=3$이므로 접선의 방정식은

$y-0=3(x-2)$ $\quad \therefore y=3x-6$

따라서 이 직선의 x절편과 y절편이 각각 $2,\ -6$이므로 이 직선과 x축, y축으로 둘러싸인 부분의 넓이는 $\frac{1}{2}\cdot2\cdot6=6$ 정답_①

230

$f(x)=x^3-5x$로 놓으면 $f'(x)=3x^2-5$

곡선 $y=f(x)$ 위의 점 $\mathrm{A}(1,\ -4)$에서의 접선의 기울기는

$f'(1)=3-5=-2$이므로 접선의 방정식은

$y-(-4)=-2(x-1)$ $\quad \therefore y=-2x-2$

$y=x^3-5x$와 $y=-2x-2$를 연립하여 풀면

$x^3-5x=-2x-2,\ x^3-3x+2=0$

$(x-1)^2(x+2)=0$ $\quad \therefore x=1$ 또는 $x=-2$

이때, 점 A의 x좌표가 1이므로 $\mathrm{B}(-2,\ 2)$

$\therefore \overline{\mathrm{AB}}=\sqrt{(-2-1)^2+\{2-(-4)\}^2}=3\sqrt{5}$ 정답_④

231

$y=x^3+ax^2-2ax+a+2$를 a에 대하여 정리하면

$a(x^2-2x+1)+(x^3-y+2)=0$

위의 식은 a에 대한 항등식이므로

$x^2-2x+1=0,\ x^3-y+2=0$

$x^2-2x+1=0$에서 $(x-1)^2=0$ $\quad \therefore x=1$

$x^3-y+2=0$에서 $y=3$ $\quad \therefore \mathrm{P}(1,\ 3)$

$f(x)=x^3+ax^2-2ax+a+2$로 놓으면

$f'(x)=3x^2+2ax-2a$

곡선 $y=f(x)$ 위의 점 $\mathrm{P}(1,\ 3)$에서의 접선의 기울기는

$f'(1)=3+2a-2a=3$

따라서 점 P에서의 접선의 방정식은

$y-3=3(x-1)$ $\quad \therefore y=3x$ 정답_④

232

$\lim_{x\to 2}\frac{f(x)-3}{x-2}=5$에서 $x \to 2$일 때 (분모) $\to 0$이므로 (분자) $\to 0$이어야 한다. 즉, $\lim_{x\to 2}\{f(x)-3\}=0$이므로

$f(2)-3=0$에서 $f(2)=3$ ……㉠

$\therefore \lim_{x\to 2}\frac{f(x)-3}{x-2}=\lim_{x\to 2}\frac{f(x)-f(2)}{x-2}=f'(2)=5$ ……㉡

㉠, ㉡에 의해 곡선 $y=f(x)$ 위의 점 $(2,\ 3)$에서의 접선의 기울기는 5이므로 접선의 방정식은

$y-3=5(x-2)$ $\therefore 5x-y=7$

따라서 $a=5, b=-1$이므로 $ab=5\cdot(-1)=-5$ 정답_①

233

$f(x)=x(x-3)(x+1)$로 놓으면

$f'(x)=(x-3)(x+1)+x(x+1)+x(x-3)$

(i) 점 $\mathrm{A}(-1,\ 0)$에서의 접선의 기울기는 $f'(-1)=4$이므로 접선의 방정식은

$y-0=4(x+1)$ $\therefore y=4x+4$ ……㉠

(ii) 점 $\mathrm{O}(0,\ 0)$에서의 접선의 기울기는 $f'(0)=-3$이므로 접선의 방정식은

$y-0=-3(x-0)$ $\therefore y=-3x$ ……㉡

직선 ㉠의 y절편은 4이므로 $\mathrm{B}(0,\ 4)$

㉠, ㉡을 연립하여 풀면 $x=-\frac{4}{7}$, $y=\frac{12}{7}$

$\therefore \mathrm{P}\left(-\frac{4}{7},\ \frac{12}{7}\right)$

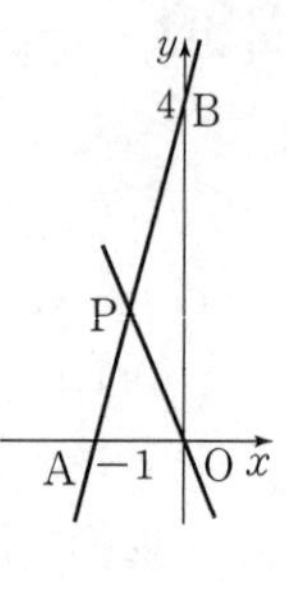

따라서 삼각형 AOP, OBP의 넓이는 각각

$S=\frac{1}{2}\cdot 1\cdot\frac{12}{7}=\frac{6}{7}, T=\frac{1}{2}\cdot 4\cdot\frac{4}{7}=\frac{8}{7}$

$\therefore 49ST=49\cdot\frac{6}{7}\cdot\frac{8}{7}=48$ 정답_④

234

$f(x)=x^4$으로 놓으면 $f'(x)=4x^3$

곡선 $y=f(x)$ 위의 점 $(1,\ 1)$에서의 접선의 기울기는 $f'(1)=4$이므로 접선의 방정식은

$y-1=4(x-1)$ $\therefore y=4x-3$

따라서 $g(x)=4x-3$이므로

$\mathrm{R}(t,\ 4t-3)$

이때 $\mathrm{Q}(t,\ t^4), \mathrm{H}(t,\ 1)$이므로

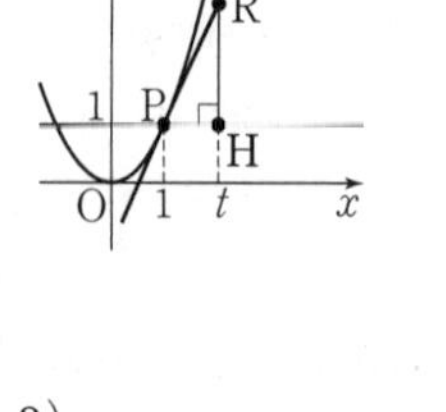

$\overline{\mathrm{QR}}=t^4-(4t-3)=t^4-4t+3$

$\overline{\mathrm{RH}}=(4t-3)-1=4t-4$

$\therefore \lim_{t\to 1}\frac{\overline{\mathrm{QR}}}{\overline{\mathrm{RH}}}=\lim_{t\to 1}\frac{t^4-4t+3}{4t-4}$

$=\lim_{t\to 1}\frac{(t-1)(t^3+t^2+t-3)}{4(t-1)}$

$=\lim_{t\to 1}\frac{t^3+t^2+t-3}{4}=0$ 정답_①

235

$f(x)=x^3-3x^2+4x+1$로 놓으면 $f'(x)=3x^2-6x+4$

접점의 좌표를 $(t,\ t^3-3t^2+4t+1)$이라고 하면 이 점에서의 접선의 기울기는 $\tan 45^\circ=1$이므로

$f'(t)=3t^2-6t+4=1$, $t^2-2t+1=0$

$(t-1)^2=0$ $\therefore t=1$

즉, 접점의 좌표가 $(1,\ 3)$이므로 접선의 방정식은

$y-3=(x-1)$ $\therefore y=x+2$

따라서 접선의 x절편은 -2이다. 정답_②

236

직선 $x+3y+3=0$, 즉 $y=-\frac{1}{3}x-1$에 수직인 직선의 기울기는 3이므로 기울기가 3인 접선을 구하는 것이다.

$f(x)=2x^2-x+3$으로 놓으면 $f'(x)=4x-1$

접점의 좌표를 $(a,\ 2a^2-a+3)$이라고 하면 접선의 기울기가 3이므로 $f'(a)=4a-1=3$ $\therefore a=1$

따라서 접점의 좌표는 $(1,\ 4)$이므로 접선의 방정식은

$y-4=3(x-1)$ $\therefore y=3x+1$

이 직선이 x축과 만나는 점의 좌표는 $\left(-\frac{1}{3},\ 0\right)$이므로

$a=-\frac{1}{3}$ $\therefore 6a=-2$ 정답_①

237

직선 $y=-x-7$에 평행한 직선의 기울기는 -1이므로 기울기가 -1인 접선을 구하는 것이다.

$f(x)=x^3-4x-5$로 놓으면 $f'(x)=3x^2-4$

접점의 좌표를 (a, a^3-4a-5)라고 하면 접선의 기울기가 -1이므로 $f'(a)=3a^2-4=-1$

$a^2=1$ $\therefore a=\pm 1$

(i) $a=1$일 때, 접점의 좌표는 $(1,\ -8)$이므로 접선의 방정식은

$y-(-8)=-(x-1)$ $\therefore y=-x-7$

(ii) $a=-1$일 때, 접점의 좌표는 $(-1,\ -2)$이므로 접선의 방정식은

$y-(-2)=-\{x-(-1)\}$ $\therefore y=-x-3$

곡선 $y=x^3-4x-5$에 접하고 직선 $y=-x-7$에 평행한 직선의 방정식은 $y=-x-3$, 즉 $x+y=-3$이므로

$a=1, b=-3$

$\therefore a-b=1-(-3)=4$ 정답_④

238

$f(x)=-\frac{1}{3}x^3+3$으로 놓으면 $f'(x)=-x^2$

접점의 좌표를 $\left(a,\ -\frac{1}{3}a^3+3\right)$이라고 하면 접선의 기울기가 -1이므로 $f'(a)=-a^2=-1$

$a^2=1$ $\therefore a=\pm 1$

(i) $a=1$일 때, 접점의 좌표는 $\left(1,\ \frac{8}{3}\right)$이므로 접선의 방정식은

$y-\frac{8}{3}=-(x-1)\qquad \therefore 3x+3y-11=0\qquad \cdots\cdots$ ㉠

(ii) $a=-1$일 때, 접점의 좌표는 $\left(-1,\ \frac{10}{3}\right)$이므로 접선의 방정식은 $y-\frac{10}{3}=-(x+1)\qquad \therefore 3x+3y-7=0\ \cdots\cdots$ ㉡

두 직선 ㉠, ㉡ 사이의 거리는 직선 ㉠ 위의 점 $\left(1,\ \frac{8}{3}\right)$과 직선 ㉡ 사이의 거리와 같으므로 구하는 거리는

$\frac{|3+8-7|}{\sqrt{3^2+3^2}}=\frac{4}{3\sqrt{2}}=\frac{2\sqrt{2}}{3}$ 정답_ ②

239

곡선 $y=-x^2+4x$와 직선 $y=-x+4$의 두 교점의 좌표를 구하면

$-x^2+4x=-x+4,\ x^2-5x+4=0$

$(x-1)(x-4)=0\qquad \therefore x=1$ 또는 $x=4$

따라서 A$(1,\ 3)$, B$(4,\ 0)$이라고 하면 삼각형 ABP의 넓이가 최대일 때는 점 P에서의 접선의 기울기가 선분 AB의 기울기와 같을 때이다.

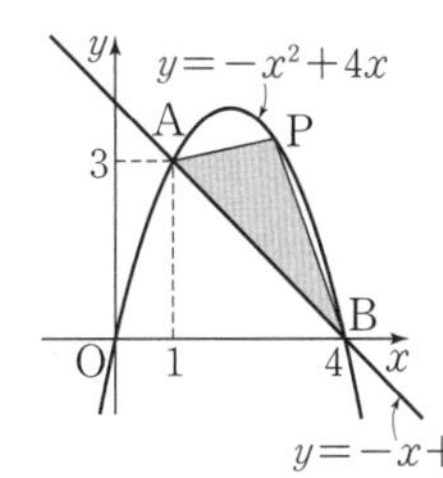

$f(x)=-x^2+4x$로 놓으면

$f'(x)=-2x+4$

점 P의 좌표를 $(a,\ -a^2+4a)$라고 하면 선분 AB의 기울기가 -1이므로

$f'(a)=-2a+4=-1\qquad \therefore a=\frac{5}{2}$

따라서 점 P의 좌표는 $\left(\frac{5}{2},\ \frac{15}{4}\right)$이므로 $\alpha=\frac{5}{2},\ \beta=\frac{15}{4}$

$\therefore \alpha+2\beta=\frac{5}{2}+2\cdot\frac{15}{4}=10$ 정답_ ②

240

곡선 $y=\frac{1}{3}x^3+\frac{11}{3}\ (x>0)$ 위의 점과 직선 $x-y-10=0$, 즉 $y=x-10$ 사이의 거리의 최솟값은 직선 $y=x-10$과 평행한 접선의 접점과 직선 $y=x-10$ 사이의 거리와 같다.

따라서 점 P$(a,\ b)$에서의 접선의 기울기가 1이어야 한다.

$f(x)=\frac{1}{3}x^3+\frac{11}{3}\ (x>0)$로 놓으면 $f'(x)=x^2$

$f'(a)=a^2=1$

이때, $x>0$이므로 $a>0\qquad \therefore a=1$

$f(1)=\frac{1}{3}+\frac{11}{3}=4$이므로 점 P의 좌표는 $(1,\ 4)$이다.

따라서 $a=1,\ b=4$이므로 $a+b=1+4=5$ 정답_ 5

241

$f(x)=x^3-2x^2+x+8$로 놓으면 $f'(x)=3x^2-4x+1$

접점의 좌표를 $(a,\ a^3-2a^2+a+8)$이라고 하면 접선의 기울기는 $f'(a)=3a^2-4a+1$이므로 접선의 방정식은

$y-(a^3-2a^2+a+8)=(3a^2-4a+1)(x-a)$

이 직선이 점 $(0,\ 0)$을 지나므로

$-(a^3-2a^2+a+8)=(3a^2-4a+1)(-a)$

$a^3-a^2-4=0,\ (a-2)(a^2+a+2)=0\qquad \therefore a=2$

따라서 접점의 좌표는 $(2,\ 10)$이다. 정답_ ⑤

242

$f(x)=x^3-3x^2+2$로 놓으면 $f'(x)=3x^2-6x$

접점의 좌표를 $(a,\ a^3-3a^2+2)$라고 하면 접선의 기울기는 $f'(a)=3a^2-6a$이므로 접선의 방정식은

$y-(a^3-3a^2+2)=(3a^2-6a)(x-a)$

$\therefore y=(3a^2-6a)x-2a^3+3a^2+2$

이 직선이 점 $(0,\ 3)$을 지나므로

$3=-2a^3+3a^2+2,\ 2a^3-3a^2+1=0$

$(a-1)^2(2a+1)=0\qquad \therefore a=1$ 또는 $a=-\frac{1}{2}$

$\therefore f'(1)=3-6=-3,\ f'\left(-\frac{1}{2}\right)=\frac{3}{4}+3=\frac{15}{4}$

따라서 $m_1=-3,\ m_2=\frac{15}{4}$이므로

$m_2-m_1=\frac{15}{4}-(-3)=\frac{27}{4}$ 정답_ ⑤

243

$f(x)=x^2+2$로 놓으면 $f'(x)=2x$

접점의 좌표를 $(a,\ a^2+2)$라고 하면 접선의 기울기는 $f'(a)=2a$이므로 접선의 방정식은

$y-(a^2+2)=2a(x-a)$

이 직선이 점 $(1,\ -1)$을 지나므로

$-1-(a^2+2)=2a(1-a)$

$a^2-2a-3=0,\ (a+1)(a-3)=0$

$\therefore a=-1$ 또는 $a=3$

따라서 접점의 좌표는 $(-1,\ 3)$, $(3,\ 11)$이므로 삼각형 ABC의 넓이는

$4\cdot 12-\left(\frac{1}{2}\cdot 2\cdot 4+\frac{1}{2}\cdot 2\cdot 12+\frac{1}{2}\cdot 4\cdot 8\right)$

$=16$ 정답_ ③

244

$f(x)=3x^3$으로 놓으면 $f'(x)=9x^2$

두 점 $(a,\ 0)$, $(0,\ a)$에서 곡선에 그은 접선의 접점의 좌표를 각각 A$(t,\ 3t^3)$, B$(s,\ 3s^3)$이라고 하면 각 접점에서의 기울기가 같으므로

$9t^2=9s^2,\ t^2-s^2=0$

$(t+s)(t-s)=0\qquad \therefore s=-t\ (\because s\neq t)$

점 A$(t,\ 3t^3)$에서의 접선의 방정식은

$y-3t^3=9t^2(x-t)\qquad \therefore y=9t^2(x-t)+3t^3$

이 직선이 점 $(a,\ 0)$을 지나므로 $9t^2a-6t^3=0$ ······㉠
점 $\mathrm{B}(-t,\ -3t^3)$에서의 접선의 방정식은
$y-(-3t^3)=9t^2\{x-(-t)\}$ $\therefore y=9t^2(x+t)-3t^3$
이 직선이 점 $(0,\ a)$를 지나므로 $a=6t^3$ ······㉡
㉡을 ㉠에 대입하면
$9t^2\cdot 6t^3-6t^3=0,\ t^3(9t^2-1)=0$
$t^3(3t+1)(3t-1)=0$ $\therefore t=0$ 또는 $t=\pm\frac{1}{3}$
(i) $t=0$이면 $a=0$
(ii) $t=\frac{1}{3}$이면 $a=6\cdot\frac{1}{27}=\frac{2}{9}$
(iii) $t=-\frac{1}{3}$이면 $a=6\cdot\left(-\frac{1}{27}\right)=-\frac{2}{9}$
(i), (ii), (iii)에 의해 $t=\frac{1}{3},\ a=\frac{2}{9}$ $(a>0)$이므로
$90a=90\cdot\frac{2}{9}=20$ 정답_ 20

245
$f(x)=x^3-3x+1$로 놓으면 $f'(x)=3x^2-3$
접점의 좌표를 $(a,\ a^3-3a+1)$이라고 하면 접선의 기울기는
$f'(a)=3a^2-3$이므로 접선의 방정식은
$y-(a^3-3a+1)=(3a^2-3)(x-a)$
이 직선이 점 $(4,\ 1)$을 지나므로
$1-(a^3-3a+1)=(3a^2-3)(4-a)$ $\therefore a^3-6a^2+6=0$
따라서 세 접점의 x좌표의 합은 근과 계수의 관계에 의해 6이다.
정답_ ②

246
$f(x)=3x-k,\ g(x)=-x^3+3x^2-5$로 놓으면
$f'(x)=3,\ g'(x)=-3x^2+6x$
곡선과 직선이 $x=t$에서 접한다고 하면
(i) $f(t)=g(t)$에서 $3t-k=-t^3+3t^2-5$ ······㉠
(ii) $f'(t)=g'(t)$에서 $3=-3t^2+6t$
$t^2-2t+1=0,\ (t-1)^2=0$ $\therefore t=1$
$t=1$을 ㉠에 대입하면
$3-k=-1+3-5$ $\therefore k=6$ 정답_ ⑤

247
$f(x)=x^3+ax^2+ax+1,\ g(x)=x+1$로 놓으면
$f'(x)=3x^2+2ax+a,\ g'(x)=1$
곡선과 직선이 $x=t$에서 접한다고 하면
(i) $f(t)=g(t)$에서 $t^3+at^2+at+1=t+1$
$t^3+at^2+(a-1)t=0,\ t(t+1)(t+a-1)=0$
$\therefore t=0$ 또는 $t=-1$ 또는 $t=1-a$
(ii) $f'(t)=g'(t)$에서 $3t^2+2at+a=1$
$t=0$일 때, $a=1$
$t=-1$일 때, $3-2a+a=1$ $\therefore a=2$
$t=1-a$일 때, $3-6a+3a^2+2a-2a^2+a=1$
$a^2-3a+2=0,\ (a-1)(a-2)=0$ $\therefore a=1$ 또는 $a=2$
따라서 모든 상수 a의 값의 합은 $1+2=3$ 정답_ ③

248
$f(x)=x^3+ax+3,\ g(x)=x^2+2$로 놓으면
$f'(x)=3x^2+a,\ g'(x)=2x$
두 곡선이 $x=t$에서 접한다고 하면
(i) $f(t)=g(t)$에서 $t^3+at+3=t^2+2$ ······㉠
(ii) $f'(t)=g'(t)$에서 $3t^2+a=2t$
$\therefore a=-3t^2+2t$ ······㉡
㉡을 ㉠에 대입하면 $2t^3-t^2-1=0$
$(t-1)(2t^2+t+1)=0$ $\therefore t=1$ $(\because 2t^2+t+1>0)$
$t=1$을 ㉡에 대입하면 $a=-3+2=-1$ 정답_ ②

249
$f(x)=x^2+ax+b,\ g(x)=-x^3+c$에서
$f'(x)=2x+a,\ g'(x)=-3x^2$
(i) 두 곡선이 점 $(1,\ 2)$를 지나므로
$f(1)=1+a+b=2$ $\therefore a+b=1$ ······㉠
$g(1)=-1+c=2$ $\therefore c=3$
(ii) 두 곡선이 $x=1$에서 접하므로 $f'(1)=g'(1)$
$2+a=-3$ $\therefore a=-5$
$a=-5$를 ㉠에 대입하면 $b=6$
따라서 $f(x)=x^2-5x+6,\ g(x)=-x^3+3$이므로
$f(-1)+g(-1)=12+4=16$ 정답_ ④

250
$f(x)=ax^3+b,\ g(x)=x^2+cx$에서
$f'(x)=3ax^2,\ g'(x)=2x+c$
(i) 두 곡선이 점 $(-1,\ 0)$을 지나므로
$f(-1)=-a+b=0$ $\therefore -a+b=0$ ······㉠
$g(-1)=1-c=0$ $\therefore c=1$
(ii) 두 곡선의 $x=-1$에서의 접선이 수직이므로
$f'(-1)g'(-1)=-1$
$3a\cdot(-2+c)=-1,\ -6a+3ac=-1$
위의 식에 $c=1$을 대입하면
$-6a+3a=-1$ $\therefore a=\frac{1}{3}$
$a=\frac{1}{3}$을 ㉠에 대입하면 $b=\frac{1}{3}$
$\therefore 9abc=9\cdot\frac{1}{3}\cdot\frac{1}{3}\cdot 1=1$ 정답_ ④

251
$f(x)=x^2+\frac{1}{2},\ g(x)=-2x^2+ax$에서
$f'(x)=2x,\ g'(x)=-4x+a$

두 곡선 위의 $x=t$인 점에서의 접선이 서로 수직이므로

(i) $f(t)=g(t)$에서 $t^2+\frac{1}{2}=-2t^2+at$

$\therefore at=3t^2+\frac{1}{2}$ ······㉠

(ii) $f'(t)g'(t)=-1$에서 $2t(-4t+a)=-1$

$\therefore 8t^2-2at-1=0$ ······㉡

㉠을 ㉡에 대입하면 $8t^2-6t^2-1-1=0$

$2t^2-2=0, t^2=1 \quad \therefore t=\pm 1$

(i) $t=1$일 때, $a=3+\frac{1}{2}=\frac{7}{2}$

(ii) $t=-1$일 때, $-a=3+\frac{1}{2}=\frac{7}{2} \quad \therefore a=-\frac{7}{2}$

그런데 $a>0$이므로 $a=\frac{7}{2}$ 정답_④

252

$f(x)=x^3$, $g(x)=-x^2+5x+m$으로 놓으면

$f'(x)=3x^2$, $g'(x)=-2x+5$

두 곡선이 $x=t\ (t>0)$에서 접한다고 하면

(i) $f(t)=g(t)$에서 $t^3=-t^2+5t+m$ ······㉠

(ii) $f'(t)=g'(t)$에서 $3t^2=-2t+5, 3t^2+2t-5=0$

$(t-1)(3t+5)=0 \quad \therefore t=1\ (\because t>0)$

$t=1$을 ㉠에 대입하면

$1=-1+5+m \quad \therefore m=-3$

점 P의 좌표는 $(1,\ 1)$이므로 점 P에서의 접선의 방정식은

$y-1=3(x-1) \quad \therefore y=3x-2$

따라서 $a=3, b=-2$이므로

$m+a+b=-3+3+(-2)=-2$ 정답_③

253

$f(x)=x^3-1$, $g(x)=x^3+3$에서 $f'(x)=3x^2$, $g'(x)=3x^2$

두 곡선 $y=f(x)$, $y=g(x)$와 직선 $y=h(x)$의 접점의 x좌표를 각각 α, β라고 하면

(i) 곡선 $y=f(x)$의 $x=\alpha$에서의 접선의 방정식은

$y-(\alpha^3-1)=3\alpha^2(x-\alpha)$

$\therefore y=3\alpha^2x-2\alpha^3-1$ ······㉠

(ii) 곡선 $y=g(x)$의 $x=\beta$에서의 접선의 방정식은

$y-(\beta^3+3)=3\beta^2(x-\beta)$

$\therefore y=3\beta^2x-2\beta^3+3$ ······㉡

㉠, ㉡이 일치해야 하므로 $3\alpha^2=3\beta^2$ ······㉢

$-2\alpha^3-1=-2\beta^3+3$ ······㉣

㉢에서 $\beta=\pm\alpha$이지만 $\beta=\alpha$이면 ㉣을 만족시키지 않으므로

$\beta=-\alpha$

$\beta=-\alpha$를 ㉣에 대입하면 $-2\alpha^3-1=2\alpha^3+3$

$\alpha^3=-1 \quad \therefore \alpha=-1$

$\alpha=-1$을 ㉠에 대입하면 $y=3x+1$

$\therefore h(3)=9+1=10$ 정답_①

254

$f(x)=x^4$으로 놓으면 $f'(x)=4x^3$

점 $\mathrm{P}(1,\ 1)$에서의 접선의 기울기는 $f'(1)=4$

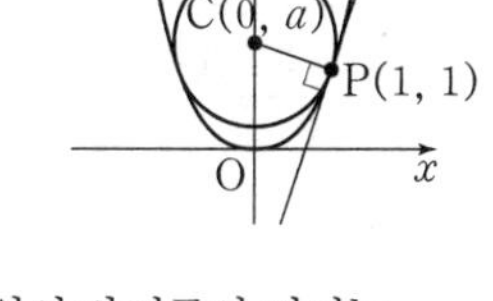

원의 중심을 $\mathrm{C}(0,\ a)$라고 하면 직선 CP의 기울기는 $\frac{1-a}{1-0}=1-a$

이때, 접선과 직선 CP는 수직이므로

$4\cdot(1-a)=-1 \quad \therefore a=\frac{5}{4}$

따라서 원의 중심은 $\mathrm{C}\left(0,\ \frac{5}{4}\right)$이므로 원의 반지름의 길이는

$\overline{\mathrm{CP}}=\sqrt{(1-0)^2+\left(1-\frac{5}{4}\right)^2}=\frac{\sqrt{17}}{4}$ 정답_①

255

$f(x)=\frac{1}{2}x^2$으로 놓으면 $f'(x)=x$

접점을 $\mathrm{P}\left(a,\ \frac{1}{2}a^2\right)$이라고 하면 접선의 기울기는 $f'(a)=a$

원의 중심은 $\mathrm{C}(0,\ 3)$이므로 직선 CP의 기울기는 $\dfrac{\frac{1}{2}a^2-3}{a-0}=\dfrac{a^2-6}{2a}$

이때, 접선과 직선 CP는 수직이므로

$a\cdot\frac{a^2-6}{2a}=-1,\ a^2=4 \quad \therefore a=\pm 2$

따라서 접점 P의 좌표는 $(2,\ 2)$, $(-2,\ 2)$이므로 원의 반지름의 길이는 $\overline{\mathrm{CP}}=\sqrt{(2-0)^2+(2-3)^2}=\sqrt{5}$ 정답_④

256

함수 $f(x)$는 닫힌구간 $[0,\ 6]$에서 연속이고 열린구간 $(0,\ 6)$에서 미분가능하며 $f(0)=f(6)=3$이므로 $f'(c)=0$인 c가 구간 $(0,\ 6)$에 적어도 하나 존재한다.

$f(x)=12x-2x^2+3$에서 $f'(x)=12-4x$이므로

$f'(c)=12-4c=0 \quad \therefore c=3$ 정답_③

257

구간 $[0,\ 1]$에서 롤의 정리가 성립하려면 닫힌구간 $[0,\ 1]$에서 연속이고 열린구간 $(0, 1)$에서 미분가능하여야 하며, $f(0)=f(1)$이어야 한다.

ㄱ. $f(x)=x^3(1-x)$는 다항함수이므로 닫힌구간 $[0,\ 1]$에서 연속이고 열린구간 $(0, 1)$에서 미분가능하며, $f(0)=f(1)=0$이다.

ㄴ. 함수 $y=\left|x-\frac{1}{2}\right|$의 그래프는 오른쪽 그림과 같으므로 $f(x)$는 닫힌 구간 $[0,\ 1]$에서 연속이고,

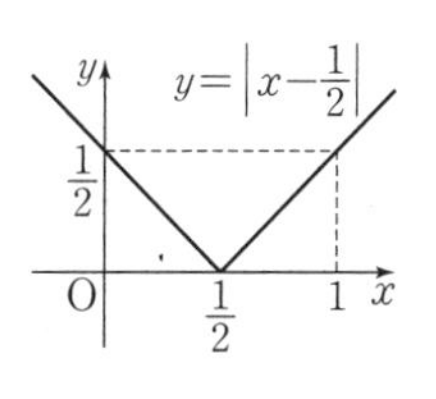

$f(0)=f(1)=\frac{1}{2}$이지만 $x=\frac{1}{2}$에서

미분가능하지 않다.

ㄷ. $0\le x\le 1$에서 $x+3>0$이므로

$$f(x)=\frac{|x+3|}{x+3}=\frac{x+3}{x+3}=1$$

그러므로 $f(x)$는 닫힌구간 $[0,\ 1]$에서 연속이고 열린구간 $(0,\ 1)$에서 미분가능하며 $f(0)=f(1)=1$이다.

따라서 롤의 정리가 성립하는 것은 ㄱ, ㄷ이다. 정답_③

258

함수 $f(x)=x^2+2x$는 닫힌구간 $[0,\ 3]$에서 연속이고 열린구간 $(0,\ 3)$에서 미분가능하므로

$$\frac{f(3)-f(0)}{3-0}=f'(c)$$

인 c가 구간 $(0,\ 3)$에 적어도 하나 존재한다.

$f'(x)=3x^2+2$이므로 $\dfrac{33-0}{3-0}=3c^2+2$

$c^2=3$ $\quad\therefore c=\sqrt{3}$ ($\because 0<c<3$) 정답_⑤

259

$x\ge 0$일 때, 함수 $f(x)$는 닫힌구간 $[x,\ x+a]$에서 연속이고, 열린구간 $(x,\ x+a)$에서 미분가능하므로

$\dfrac{f(x+a)-f(x)}{(x+a)-x}=f'(c)$, 즉 $f(x+a)-f(x)=af'(c)$인

c가 구간 $(x,\ x+a)$에 적어도 하나 존재한다.

$x<c<x+a$에서 $x\to\infty$일 때 $c\to\infty$이므로

$$\lim_{x\to\infty}\{f(x+a)-f(x)\}=\lim_{c\to\infty}af'(c)$$
$$=\lim_{x\to\infty}af'(x)=ab$$

정답_④

260

$f(x)=2x^2$에서 $f'(x)=4x$이므로

$f(a+h)-f(a)=hf'(a+kh)$에서

$2(a+h)^2-2a^2=h\cdot 4(a+kh)$, $4ah+2h^2=h\cdot 4(a+kh)$

$2a+h=2(a+kh)$, $h=2kh$ $\quad\therefore k=\dfrac{1}{2}$ 정답_②

261

$\dfrac{f(c)-f(a)}{c-a}=f'(\alpha)$를 만족시키는 실수 α $(a<\alpha<c)$의 개수가 p이다.

즉, 오른쪽 그림과 같이 두 점 $(a,\ f(a))$와 $(c,\ f(c))$를 연결한 직선과 기울기가 같은 접선을 찾으면 된다.

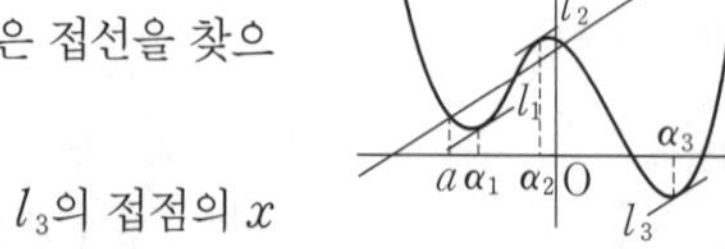

이때, 세 직선 l_1, l_2, l_3의 접점의 x좌표가 구하는 x의 값이므로

$p=3$

$f(a)=f(b)$이므로 $f'(\beta)=0$을 만족시키는 실수 β $(a<\beta<b)$의 개수가 q개이다.

즉, 오른쪽 그림과 같이 접선의 기울기가 0이 되는 x의 값은 3개이므로 $q=3$

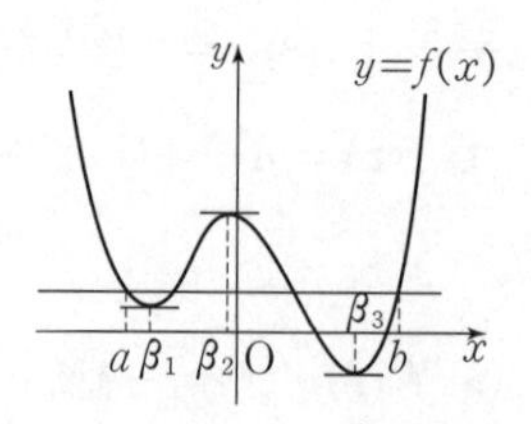

$\therefore p+q=3+3=6$

정답_④

262

$f(x)=x^3-2x^2+k$로 놓으면 $f'(x)=3x^2-4x$

$x=1$인 점에서의 접선의 기울기는 $f'(1)=3-4=-1$이므로 접선에 수직인 직선의 기울기는 1이다. ······ ❶

$f(1)=1-2+k=k-1$이므로 점 $(1,\ k-1)$을 지나고 기울기가 1인 직선의 방정식은

$y-(k-1)=x-1$ $\quad\therefore y=x+k-2$ ······㉠

······ ❷

직선 ㉠의 y절편이 1이므로

$k-2=1$ $\quad\therefore k=3$ ······ ❸

정답_3

단계	채점 기준	비율
❶	$x=1$인 점에서의 접선에 수직인 직선의 기울기 구하기	40%
❷	점 $(1,\ k-1)$을 지나는 접선에 수직인 직선의 방정식 구하기	40%
❸	k의 값 구하기	20%

263

조건 (나)의 $\displaystyle\lim_{x\to 2}\frac{f(x)-g(x)}{x-2}=2$에서 $x\to 2$일 때,

(분모) $\to 0$이므로 (분자) $\to 0$이어야 한다.

즉, $\displaystyle\lim_{x\to 2}\{f(x)-g(x)\}=0$이므로 $f(2)-g(2)=0$에서

$f(2)=g(2)$

조건 (가)에서 $g(x)=x^3f(x)-7$의 양변에 $x=2$를 대입하면

$g(2)=8f(2)-7$, $7g(2)=7$ $\quad\therefore g(2)=1$ ······ ❶

$$\lim_{x\to 2}\frac{f(x)-g(x)}{x-2}$$
$$=\lim_{x\to 2}\frac{f(x)-f(2)}{x-2}-\lim_{x\to 2}\frac{g(x)-g(2)}{x-2}$$
$$=f'(2)-g'(2)=2$$

$\therefore g'(2)=f'(2)-2$ ······㉠

$g(x)=x^3f(x)-7$의 양변을 x에 대하여 미분하면

$g'(x)=3x^2f(x)+x^3f'(x)$

위의 식의 양변에 $x=2$를 대입하면

$g'(2)=12f(2)+8f'(2)$

$f'(2)-2=12\cdot 1+8f'(2)$ ($\because$ ㉠) $\quad\therefore f'(2)=-2$

㉠에서 $g'(2)=-2-2=-4$ ······ ❷

즉, 곡선 $y=g(x)$ 위의 점 $(2,\ g(2))$, 즉 점 $(2,\ 1)$에서의 접선의 기울기는 $g'(2)=-4$이므로 접선의 방정식은

$y-1=-4(x-2)$ $\quad\therefore y=-4x+9$ ······ ❸

따라서 $a=-4, b=9$이므로

$a^2+b^2=(-4)^2+9^2=97$ ❹

정답_ 97

단계	채점 기준	비율
❶	$g(2)$의 값 구하기	20%
❷	$g'(2)$의 값 구하기	40%
❸	곡선 $y=g(x)$ 위의 점 $(2, g(2))$에서의 접선의 방정식 구하기	20%
❹	a^2+b^2의 값 구하기	20%

264

$f(x)=x^3-3x^2+7x+2$로 놓으면

$f'(x)=3x^2-6x+7=3(x-1)^2+4$

이므로 $f'(x)$는 $x=1$일 때 최솟값 4를 갖는다.

이때, $f(1)=1-3+7+2=7$이므로 접점의 좌표는 $(1,\ 7)$이다. ❶

따라서 곡선 $y=f(x)$의 접선 중 기울기가 최소인 직선은 기울기가 4이고, 점 $(1,\ 7)$을 지나는 직선이므로 $y-7=4(x-1)$

$\therefore y=4x+3$ ⋯⋯ ㉠

❷

직선 ㉠이 점 $(a,\ a)$를 지나므로

$a=4a+3 \quad \therefore a=-1$ ❸

정답_ -1

단계	채점 기준	비율
❶	접점의 좌표 구하기	40%
❷	기울기가 최소인 접선의 방정식 구하기	30%
❸	a의 값 구하기	30%

265

$f(x)=x^3-5x^2+6x$로 놓으면 $f'(x)=3x^2-10x+6$

접점의 좌표를 $(t,\ t^3-5t^2+6t)$라고 하면 접선의 기울기는

$f'(t)=3t^2-10t+6$이므로 접선의 방정식은

$y-(t^3-5t^2+6t)=(3t^2-10t+6)(x-t)$

$\therefore y=(3t^2-10t+6)x-2t^3+5t^2$ ⋯⋯ ㉠

직선 ㉠이 점 $(-1,\ 4)$를 지나므로

$4=-(3t^2-10t+6)-2t^3+5t^2$ ❶

$t^3-t^2-5t+5=0, (t-1)(t^2-5)=0$

$\therefore t=1$ 또는 $t=\pm\sqrt{5}$

그런데 기울기가 유리수이므로 $t=1$ ⋯⋯ ㉡

❷

㉡을 ㉠에 대입하면 $y=-x+3$

따라서 $a=-1, b=3$이므로 $ab=(-1)\cdot 3=-3$ ❸

정답_ -3

단계	채점 기준	비율
❶	접점의 x좌표를 t로 놓고 접선의 방정식을 t로 나타내기	40%
❷	t의 값 구하기	40%
❸	ab의 값 구하기	20%

266

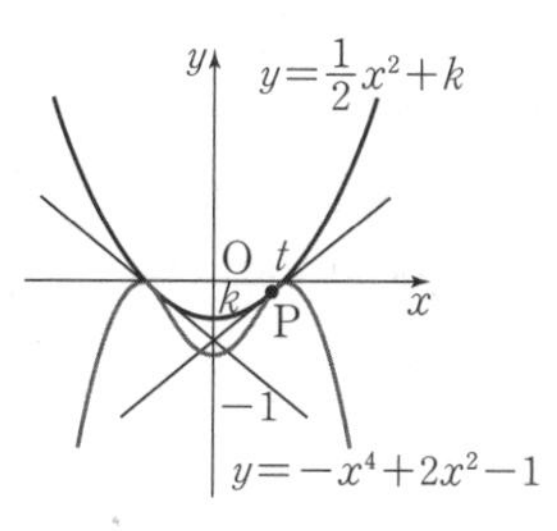

$f(x)=\frac{1}{2}x^2+k$,

$g(x)=-x^4+2x^2-1$로 놓으면

$f'(x)=x,\ g'(x)=-4x^3+4x$

두 접점 중 제4사분면 위의 점을 P라 하고 점 P의 x좌표를 $t\ (t>0)$라고 하면

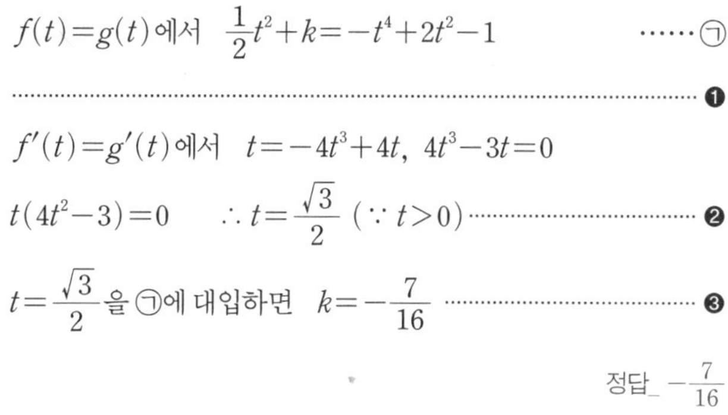

$f(t)=g(t)$에서 $\frac{1}{2}t^2+k=-t^4+2t^2-1$ ⋯⋯ ㉠

❶

$f'(t)=g'(t)$에서 $t=-4t^3+4t,\ 4t^3-3t=0$

$t(4t^2-3)=0 \quad \therefore t=\frac{\sqrt{3}}{2}\ (\because t>0)$ ❷

$t=\frac{\sqrt{3}}{2}$을 ㉠에 대입하면 $k=-\frac{7}{16}$ ❸

정답_ $-\frac{7}{16}$

단계	채점 기준	비율
❶	두 곡선의 교점의 x좌표를 t로 놓고 $f(t)=g(t)$임을 이용하여 식 세우기	40%
❷	t의 값 구하기	40%
❸	k의 값 구하기	20%

267

$f(x)=x^2-x$는 닫힌구간 $[1,\ 4]$에서 연속이고 열린구간 $(1,\ 4)$에서 미분가능하다.

평균값 정리에 의해

$k=\frac{f(x_2)-f(x_1)}{x_2-x_1}=f'(c)\ (1\le x_1<c<x_2\le 4)$인 c가 열린구간 $(1,\ 4)$에 적어도 하나 존재한다. ❶

이때, $f'(x)=2x-1$에서 $f'(c)=2c-1$이고

$1<c<4$이므로 $2<2c<8, 1<2c-1<7$

$\therefore 1<k<7$ ❷

정답_ $1<k<7$

단계	채점 기준	비율
❶	평균값 정리를 이용하여 $f'(c)=k$인 c가 구간 $(1, 4)$에 적어도 하나 존재함을 보이기	50%
❷	실수 k의 값의 범위 구하기	50%

268

함수 $y=f(x)$의 그래프 위의 점 $\mathrm{P}(2,\ 1)$에서의 접선의 방정식이 $y=3x-5$이므로 $f'(2)=3$

$\frac{1}{3n}=h$로 놓으면 $n=\frac{1}{3h}$이고 $n\to\infty$일 때 $h\to 0$이므로

$$\lim_{n\to\infty}\frac{n}{2}\left\{f\left(2+\frac{1}{3n}\right)-f(2)\right\}=\frac{1}{6}\lim_{h\to 0}\frac{f(2+h)-f(2)}{h}$$

$$=\frac{1}{6}f'(2)=\frac{1}{2}$$

정답_ ②

269

$f(x)=x^3+ax^2+x+1$로 놓으면 $f'(x)=3x^2+2ax+1$

곡선 $y=f(x)$ 위의 어떤 점에서도 기울기가 -1인 접선을 그을 수 없으려면 모든 x에 대하여 $f'(x)\neq-1$이어야 하므로

$3x^2+2ax+1\neq-1$ $\quad\therefore 3x^2+2ax+2\neq0$

$3x^2+2ax+2=0$의 판별식을 D라고 하면

$\frac{D}{4}=a^2-6<0$ $\quad\therefore -\sqrt{6}<a<\sqrt{6}$ 정답_①

270

오른쪽 그림과 같이 세 점 A, B, C에서 x축에 내린 수선의 발을 각각 A′, B′, C′이라고 하자.

$\overline{AB}:\overline{BC}=1:2$에서

$\overline{A'B'}:\overline{B'C'}=1:2$

$A'(a,\ 0)$으로 놓으면

$B'(a+k,\ 0), C'(a+3k,\ 0)\ (k>0)$으로 놓을 수 있다.

이때, 방정식 $f(x)=x$, 즉 $f(x)-x=0$의 세 근이 $a, a+k, a+3k\ (k>0)$이므로

$f(x)-x=(x-a)(x-a-k)(x-a-3k)$

$f(x)=(x-a)(x-a-k)(x-a-3k)+x$

$f'(x)=(x-a-k)(x-a-3k)+(x-a)(x-a-3k)$
$+(x-a)(x-a-k)+1$

점 A에서의 접선의 기울기가 4이므로 $f'(a)=4$

$f'(a)=-k\cdot(-3k)+1=3k^2+1=4$

$\therefore k=1\ (\because k>0)$

따라서 점 C에서의 접선의 기울기는

$f'(a+3k)=3k\cdot2k+1=6k^2+1=6\cdot1^2+1=7$ 정답_7

271

$f(x)=x^3-3x^2+2x-2$에서 $f'(x)=3x^2-6x+2$

곡선 $y=f(x)$ 위의 서로 다른 두 점 $P(\alpha,\ f(\alpha)), Q(\beta,\ f(\beta))$에서의 접선이 평행하면 $f'(\alpha)=f'(\beta)$

$3\alpha^2-6\alpha+2=3\beta^2-6\beta+2$, $(\alpha^2-\beta^2)-2(\alpha-\beta)=0$

$(\alpha-\beta)(\alpha+\beta-2)=0$ $\quad\therefore \alpha+\beta=2\ (\because \alpha\neq\beta)$

선분 PQ의 중점을 $M(X,\ Y)$라고 하면

$X=\frac{\alpha+\beta}{2}=\frac{2}{2}=1$

$Y=\frac{f(\alpha)+f(\beta)}{2}$

$=\frac{(\alpha^3-3\alpha^2+2\alpha-2)+(\beta^3-3\beta^2+2\beta-2)}{2}$

$=\frac{(\alpha^3+\beta^3)-3(\alpha^2+\beta^2)+2(\alpha+\beta)-4}{2}$

이때, $\alpha^3+\beta^3=(\alpha+\beta)^3-3\alpha\beta(\alpha+\beta)=8-6\alpha\beta$,

$\alpha^2+\beta^2=(\alpha+\beta)^2-2\alpha\beta=4-2\alpha\beta$이므로

$Y=\frac{(8-6\alpha\beta)-3(4-2\alpha\beta)+2\cdot2-4}{2}=\frac{-4}{2}=-2$

따라서 선분 PQ의 중점은 항상 점 $(1,\ -2)$이므로

$a=1, b=-2$ $\quad\therefore a+b=1+(-2)=-1$ 정답_②

272

$f(x)=x^2$에서 $f'(x)=2x$

곡선 $y=f(x)$ 위의 점 $P(1,\ 1)$에서의 접선의 기울기는

$f'(1)=2$이므로 접선 l의 방정식은

$y-1=2(x-1)$ $\quad\therefore y=2x-1$ ……㉠

직선 l과 곡선 $y=g(x)$의 접점 Q의 좌표를 $(a,\ b)$라고 하면 점 Q는 직선 l 위의 점이므로 ㉠에서

$b=2a-1$ ……㉡

$g(x)=-(x-3)^2+k=-x^2+6x-9+k$에서

$g'(x)=-2x+6$

㉠에 의해 점 Q에서의 접선의 기울기가 2이므로

$g'(a)=-2a+6=2$ $\quad\therefore a=2$

$a=2$를 ㉡에 대입하면 $b=3$

한편, 점 $Q(2,\ 3)$이 곡선 $y=g(x)$ 위의 점이므로

$3=-(2-3)^2+k$ $\quad\therefore k=4$

$\therefore g(x)=-x^2+6x-5$

곡선 $y=g(x)$와 x축이 만나는 두 점 R, S의 x좌표는 방정식 $g(x)=0$의 두 근이다.

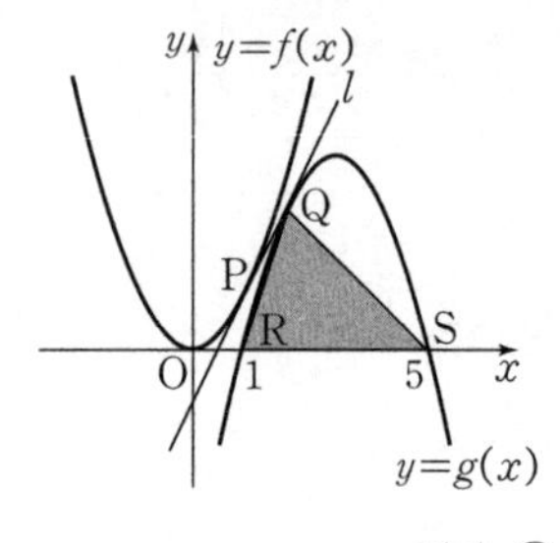

즉, $-x^2+6x-5=0$에서

$x^2-6x+5=0$

$(x-1)(x-5)=0$

$\therefore x=1$ 또는 $x=5$

따라서 삼각형 QRS의 넓이는

$\frac{1}{2}\cdot4\cdot3=6$ 정답_⑤

273

곡선 $y=f(x)$ 위의 점 $(x_1,\ f(x_1))$에서의 접선의 방정식은

$y-f(x_1)=f'(x_1)(x-x_1)$이므로

$g(x)=f'(x_1)(x-x_1)+f(x_1)$

$\therefore F(x)=f(x)-g(x)=f(x)-f(x_1)-f'(x_1)(x-x_1)$

ㄱ은 옳다.

$F(x_1)=f(x_1)-f(x_1)-f'(x_1)(x_1-x_1)=0$

ㄴ도 옳다.

$F'(x)=f'(x)-f'(x_1)$이므로

$F'(x_1)=f'(x_1)-f'(x_1)=0$

ㄷ도 옳다.

$F(x)$를 $(x-x_1)^2$으로 나눈 몫을 $Q(x)$, 나머지를 $ax+b$ (a, b는 상수)라고 하면

$F(x)=(x-x_1)^2Q(x)+ax+b$

$F'(x)=2(x-x_1)Q(x)+(x-x_1)^2Q'(x)+a$

위의 두 식의 양변에 $x=x_1$을 대입하면

$F(x_1)=ax_1+b, F'(x_1)=a$

이때, $F(x_1)=0, F'(x_1)=0$이므로 $a=0, b=0$

$\therefore F(x)=(x-x_1)^2Q(x)$

즉, $F(x)$는 $(x-x_1)^2$을 인수로 갖는다.

따라서 옳은 것은 ㄱ, ㄴ, ㄷ이다. 정답_ ⑤

274

$y=x^3$에서 $y'=3x^2$

점 $P(t, t^3)$에서의 접선의 방정식은

$y-t^3=3t^2(x-t) \quad \therefore 3t^2x-y-2t^3=0$ ······㉠

직선 ㉠과 원점 사이의 거리는

$$f(t)=\frac{|-2t^3|}{\sqrt{(3t^2)^2+(-1)^2}}=\frac{|-2t^3|}{\sqrt{9t^4+1}}$$

$$a=\lim_{t\to\infty}\frac{f(t)}{t}=\lim_{t\to\infty}\frac{|-2t^3|}{t\sqrt{9t^4+1}}$$

$$=\lim_{t\to\infty}\frac{2t^2}{\sqrt{9t^4+1}}=\lim_{t\to\infty}\frac{2}{\sqrt{9+\frac{1}{t^4}}}=\frac{2}{\sqrt{9+0}}=\frac{2}{3}$$

$\therefore 30a=30\cdot\frac{2}{3}=20$ 정답_ 20

275

$f(0)=k^2-1, f(2k)=4k^2-4k^2+k^2-1=k^2-1$에서

$P(0, k^2-1), Q(2k, k^2-1)$

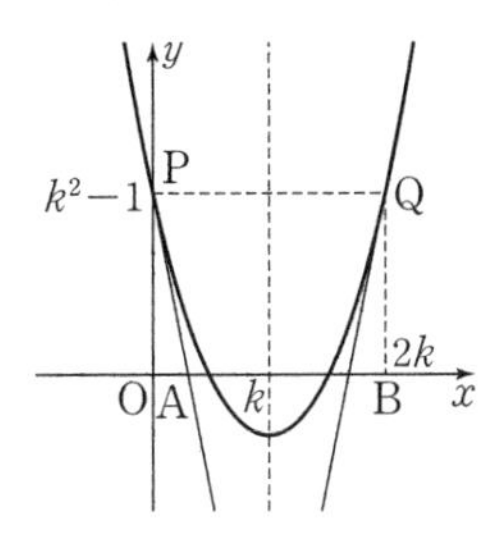

$f(x)=x^2-2kx+k^2-1$에서 $f'(x)=2x-2k$

$f'(0)=-2k$이므로 점 $P(0, k^2-1)$에서의 접선의 방정식은

$y-(k^2-1)=-2k(x-0)$

$\therefore y=-2kx+k^2-1$

위의 직선이 x축과 만나는 점은 $A\left(\frac{k^2-1}{2k}, 0\right)$

$f'(2k)=2k$이므로 점 $Q(2k, k^2-1)$에서의 접선의 방정식은

$y-(k^2-1)=2k(x-2k) \quad \therefore y=2kx-3k^2-1$

위의 직선이 x축과 만나는 점은 $B\left(\frac{3k^2+1}{2k}, 0\right)$

$$\overline{AB}=\frac{3k^2+1}{2k}-\frac{k^2-1}{2k}=\frac{2k^2+2}{2k}$$

$$=\frac{k^2+1}{k}=k+\frac{1}{k}$$

이때, $k>0$이므로 산술평균과 기하평균의 관계에 의해

$$\overline{AB}=k+\frac{1}{k}\geq 2\sqrt{k\cdot\frac{1}{k}}=2$$

$\left(\text{단, 등호는 } k=\frac{1}{k}, \text{ 즉 } k=1\text{일 때 성립}\right)$

따라서 선분 AB의 길이의 최솟값은 2이다. 정답_ 2

276

함수 $f(x)$는 닫힌구간 $[0, 2]$에서 연속이고 열린구간 $(0, 2)$에서 미분가능하므로 평균값 정리에 의해

$$\frac{f(b)-f(a)}{b-a}=f'(c) \ (a<c<b)$$

인 c가 적어도 하나 존재한다.

$f(x)=x^3-6x^2+11x$에서

$f'(x)=3x^2-12x+11$

$\therefore f'(c)=3c^2-12c+11=3(c-2)^2-1$

$0<c<2$일 때, $-1<f'(c)<11$

따라서 평균변화율 $\frac{f(b)-f(a)}{b-a}$ 들의 집합은

$\{f'(c) | 0<c<2\}=\{x | -1<x<11\}$ 정답_ ②

277

세 점 $(2, 0), (3, 1), (5, 9)$를 지나는 다항함수 $f(x)$는 실수 전체의 집합에서 미분가능하고 연속이다.

ㄱ은 옳다.

닫힌구간 $[2, 5]$에서 $f(x)$의 평균변화율은 $\frac{9-0}{5-2}=3$이므로 평균값정리에 의해 $f'(c)=3$인 c가 열린구간 $(2, 5)$에 적어도 하나 존재한다. 즉, $f'(x)=3$인 x가 열린구간 $(2, 5)$에 적어도 하나 존재한다.

ㄴ도 옳다.

닫힌구간 $[3, 5]$에서 $f(x)$의 평균변화율은 $\frac{9-1}{5-3}=4$이므로 평균값정리에 의해 $f'(c)=4$인 c가 열린구간 $(3, 5)$에 적어도 하나 존재한다. 즉, $f'(x)=4$인 x가 열린구간 $(3, 5)$에 적어도 하나 존재한다.

ㄷ도 옳다.

$g(x)=f(x)-x+1$에서 $g'(x)=f'(x)-1$

$g'(x)=0$에서 $f'(x)=1$이므로 $f'(x)=1$인 x가 열린구간 $(2, 3)$에 존재함을 보이면 된다. 닫힌구간 $[2, 3]$에서 $f(x)$의 평균변화율은 $\frac{1-0}{3-2}=1$이므로 평균값 정리에 의해 $f'(c)=1$인 c가 열린구간 $(2, 3)$에 적어도 하나 존재한다. 즉, $f'(x)=1$인 x가 열린구간 $(2, 3)$에 적어도 하나 존재한다.

따라서 옳은 것은 ㄱ, ㄴ, ㄷ이다. 정답_ ⑤

05 도함수의 활용 (2)

278

(1) $f(x)=x^2-6x+8$에서 $f'(x)=2x-6$

$f'(x)=0$에서 $x=3$

x	$\cdots$	3	$\cdots$
$f'(x)$	$-$	0	$+$
$f(x)$	↘	-1	↗

따라서 함수 $f(x)$는 $x\le3$에서 감소하고, $x\ge3$에서 증가한다.

(2) $f(x)=-2x^2+4x-2$에서 $f'(x)=-4x+4$

$f'(x)=0$에서 $x=1$

x	$\cdots$	1	$\cdots$
$f'(x)$	$+$	0	$-$
$f(x)$	↗	0	↘

따라서 함수 $f(x)$는 $x\le1$에서 증가하고, $x\ge1$에서 감소한다.

(3) $f(x)=x^3+3x^2+3x+4$에서

$f'(x)=3x^2+6x+3=3(x+1)^2$

$f'(x)=0$에서 $x=-1$

x	$\cdots$	-1	$\cdots$
$f'(x)$	$+$	0	$+$
$f(x)$	↗	3	↗

따라서 함수 $f(x)$는 실수 전체의 집합에서 증가한다.

(4) $f(x)=-x^3+6x^2-13x+1$에서

$f'(x)=-3x^2+12x-13=-3(x-2)^2-1<0$

모든 실수 x에 대하여 $f'(x)\le0$이므로 함수 $f(x)$는 실수 전체의 집합에서 감소한다.

정답_ 풀이 참조

279

$f(x)=\frac{1}{3}x^3-\frac{1}{2}ax^2+bx+2$에서 $f'(x)=x^2-ax+b$

함수 $f(x)$가 감소하는 구간이 $[2,\ 3]$이므로

$f'(x)=x^2-ax+b\le0$의 해는 $2\le x\le3$이다.

따라서 이차방정식 $x^2-ax+b=0$의 두 근은 2, 3이므로 근과 계수의 관계에 의해 $2+3=5=a, 2\cdot3=6=b$

$\therefore ab=5\cdot6=30$

정답_ ③

280

$f(x)=-2x^3+3x^2+px-5$에서 $f'(x)=-6x^2+6x+p$

함수 $f(x)$가 증가하는 x의 값의 범위가 $-1\le x\le q$이므로

$f'(x)=-6x^2+6x+p\ge0$의 해는 $-1\le x\le q$이다.

따라서 이차방정식 $-6x^2+6x+p=0$의 두 근은 $-1, q$이므로 근과 계수의 관계에 의해

$-1+q=-\frac{6}{-6}=1\quad\therefore q=2$

$(-1)\cdot q=(-1)\cdot2=\frac{p}{-6}\quad\therefore p=12$

$\therefore p+q=12+2=14$

정답_ 14

다른 풀이

함수 $f(x)$가 증가하는 x의 값의 범위, 즉 $f'(x)\ge0$의 해가 $-1\le x\le q$이므로

$(x+1)(x-q)\le0, x^2+(1-q)x-q\le0$

$-6x^2+6(q-1)x+6q\ge0$

위의 식과 $f'(x)=-6x^2+6x+p\ge0$을 비교하면

$q-1=1, 6q=p$

$\therefore p=12, q=2$

$\therefore p+q=12+2=14$

281

$f(t)=-\frac{2}{3}t^3+3t^2+20t$에서 $f'(t)=-2t^2+6t+20$

약효 $f(t)$가 증가하는 구간은 $f'(t)=-2t^2+6t+20\ge0$의 해이므로

$t^2-3t-10\le0, (t+2)(t-5)\le0$

$\therefore -2\le t\le5$

그런데 $0\le t\le8$이므로 $0\le t\le5$

따라서 약효가 증가하는 것은 약을 먹은 후 5시간 동안이다.

정답_ ⑤

282

구간 $a\le x\le c, x\ge g$에서 $f'(x)\ge0$이므로 $f(x)$는 증가한다.

따라서 함수 $f(x)$가 증가하는 구간은 ㄴ, ㅁ이다.

정답_ ②

283

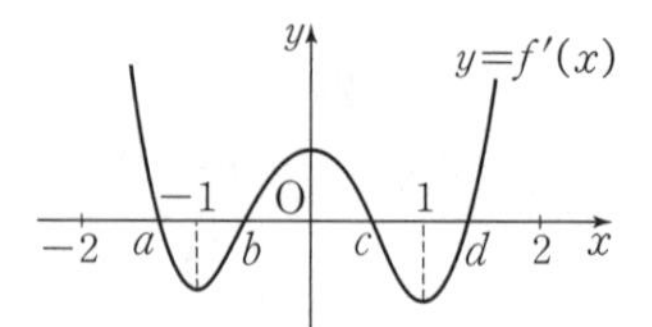

위의 그림과 같이 함수 $y=f'(x)$의 그래프가 x축과 만나는 점의 x좌표를 작은 것부터 차례대로 a, b, c, d라고 하면

$f(x)$가 증가하는 구간은 $f'(x)\ge0$이므로

$(-\infty,\ a], [b,\ c], [d,\ \infty)$

$f(x)$가 감소하는 구간은 $f'(x)<0$이므로

$[a,\ b], [c,\ d]$

①~④는 주어진 구간에서 $f(x)$가 증가, 감소하는 구간이 모두 있으므로 옳지 않다.

따라서 옳은 것은 ⑤이다.

정답_ ⑤

284

$f(x)=x^3-ax^2+(a+6)x+5$에서

$f'(x)=3x^2-2ax+a+6$

함수 $f(x)$가 구간 $(-\infty, \infty)$에서 증가하려면 모든 실수 x에 대하여 $f'(x)\ge 0$이어야 한다.

이차방정식 $f'(x)=0$의 판별식을 D라고 하면

$\frac{D}{4}=a^2-3(a+6)\le 0$, $a^2-3a-18\le 0$

$(a+3)(a-6)\le 0$ $\therefore -3\le a\le 6$

정답_ ②

285

$f(x)=-x^3+3x^2+ax-2$에서 $f'(x)=-3x^2+6x+a$

함수 $f(x)$가 실수 전체의 집합에서 감소하려면 모든 실수 x에 대하여 $f'(x)\le 0$이어야 한다.

이차방정식 $f'(x)=0$의 판별식을 D라고 하면

$\frac{D}{4}=9+3a\le 0$ $\therefore a\le -3$

따라서 정수 a의 최댓값은 -3이다.

정답_ ②

286

$f(x)=\frac{1}{3}x^3-ax^2+(2a-1)x+4$에서

$f'(x)=x^2-2ax+2a-1$

함수 $f(x)$가 실수 전체의 집합에서 증가하려면 모든 실수 x에 대하여 $f'(x)\ge 0$이어야 한다.

이차방정식 $f'(x)=0$의 판별식을 D라고 하면

$\frac{D}{4}=(-a)^2-(2a-1)\le 0$

$(a-1)^2\le 0$ $\therefore a=1$

정답_ ④

287

$f(x)=-3x^3+ax^2-9x+7$에서 $f'(x)=-9x^2+2ax-9$

함수 $f(x)$가 구간 $(-\infty, \infty)$에서 감소하려면 모든 실수 x에 대하여 $f'(x)\le 0$이어야 한다.

이차방정식 $f'(x)=0$의 판별식을 D라고 하면

$\frac{D}{4}=a^2-81\le 0$, $(a+9)(a-9)\le 0$ $\therefore -9\le a\le 9$

따라서 $M=9$, $m=-9$이므로

$M+m=9+(-9)=0$

정답_ ③

288

$f(x)=\frac{1}{3}x^3-ax^2-(a-6)x-2$에서

$f'(x)=x^2-2ax-(a-6)$

$x_1<x_2$인 임의의 두 실수 x_1, x_2에 대하여 $f(x_1)<f(x_2)$를 만족시키려면 함수 $f(x)$가 실수 전체의 집합에서 증가해야 한다.

함수 $f(x)$가 실수 전체의 집합에서 증가하려면 모든 실수 x에 대하여 $f'(x)\ge 0$이어야 한다.

이차방정식 $f'(x)=0$의 판별식을 D라고 하면

$\frac{D}{4}=a^2+a-6\le 0$, $(a+3)(a-2)\le 0$

$\therefore -3\le a\le 2$

따라서 구하는 정수 a의 개수는 $-3, -2, -1, 0, 1, 2$로 6이다.

정답_ 6

289

주어진 명제는 함수 $f(x)$가 일대일함수임을 의미한다. 그런데 x^3의 계수가 양수이므로 $f(x)$가 일대일함수이려면 실수 전체의 집합에서 증가해야 한다.

$f(x)=x^3+(a-1)x^2+(a-1)x+1$에서

$f'(x)=3x^2+2(a-1)x+a-1$

함수 $f(x)$가 실수 전체의 집합에서 증가하려면 모든 실수 x에 대하여 $f'(x)\ge 0$이어야 한다.

이차방정식 $f'(x)=0$의 판별식을 D라고 하면

$\frac{D}{4}=(a-1)^2-3(a-1)\le 0$

$a^2-5a+4\le 0$, $(a-1)(a-4)\le 0$ $\therefore 1\le a\le 4$

따라서 실수 a의 최댓값은 4, 최솟값은 1이므로 그 합은

$4+1=5$

정답_ ③

290

함수 $f(x)$의 역함수가 존재하려면 일대일대응이어야 한다. 그런데 함수 $f(x)$의 (치역)=(공역)이고, x^3의 계수가 양수이므로 $f(x)$가 일대일대응이려면 실수 전체의 집합에서 증가해야 한다.

$f(x)=x^3+ax^2+ax+1$에서 $f'(x)=3x^2+2ax+a$

함수 $f(x)$가 실수 전체의 집합에서 증가하려면 모든 실수 x에 대하여 $f'(x)\ge 0$이어야 한다.

이차방정식 $f'(x)=0$의 판별식을 D라고 하면

$\frac{D}{4}=a^2-3a\le 0$, $a(a-3)\le 0$ $\therefore 0\le a\le 3$

정답_ ③

291

함수 $f(x)$가 일대일함수이려면 실수 전체의 집합에서 증가하거나 실수 전체의 집합에서 감소해야 한다.

$f(x)=ax^3-3(a^2+1)x^2+12ax$에서

$f'(x)=3ax^2-6(a^2+1)x+12a$

함수 $f(x)$가 실수 전체의 집합에서 증가하거나 감소하려면 모든 실수 x에 대하여 $f'(x)\ge 0$ 또는 $f'(x)\le 0$이어야 한다.

이차방정식 $f'(x)=0$의 판별식을 D라고 하면

$\frac{D}{4}=9(a^2+1)^2-36a^2\le 0$, $a^4-2a^2+1\le 0$, $(a^2-1)^2\le 0$

$a^2-1=0$ $\therefore a=\pm 1$

따라서 구하는 합은 $1+(-1)=0$

정답_ ③

보충 설명

삼차함수 $f(x)=ax^3+bx^2+cx+d$ ($a\neq0, a, b, c, d$는 상수)에 대하여 다음과 같이 정리해 두도록 하자.

$f'(x)=3ax^2+2bx+c$에서 $\frac{D}{4}=b^2-3ac$라고 하면

(i) $f(x)$가 실수 전체의 집합에서 증가 $\Longleftrightarrow$ $a>0$, $\frac{D}{4}\leq0$

(ii) $f(x)$가 실수 전체의 집합에서 감소 $\Longleftrightarrow$ $a<0$, $\frac{D}{4}\leq0$

(iii) $f(x)$가 일대일함수 $\Longleftrightarrow$ $\frac{D}{4}\leq0$

292

$f(x)=-x^3+2x^2+ax-2$에서 $f'(x)=-3x^2+4x+a$

함수 $f(x)$가 구간 $[1,\ 2]$에서 증가하려면 $1\leq x\leq2$에서 $f'(x)\geq0$이어야 하므로 $f'(x)=-3x^2+4x+a$의 그래프는 오른쪽 그림과 같아야 한다.

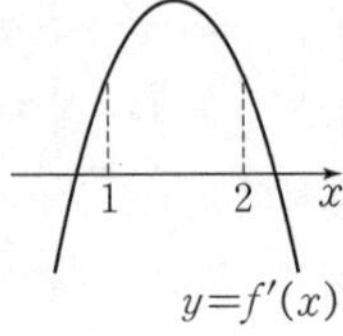

(i) $f'(1)=-3+4+a\geq0$에서 $a\geq-1$

(ii) $f'(2)=-12+8+a\geq0$에서 $a\geq4$

(i), (ii)의 공통 범위는 $a\geq4$

따라서 구하는 실수 a의 최솟값은 4이다. 정답_④

293

$f(x)=x^3-ax^2+1$에서 $f'(x)=3x^2-2ax$

함수 $f(x)$가 구간 $[1,\ 2]$에서 감소하고 구간 $[3,\ \infty)$에서 증가하려면 $1\leq x\leq2$에서 $f'(x)\leq0$, $x>3$에서 $f'(x)\geq0$이어야 하므로 $f'(x)=3x^2-2ax=x(3x-2a)$의 그래프는 다음 그림과 같아야 한다.

(i) $f'(1)=3-2a\leq0$에서 $a\geq\frac{3}{2}$

(ii) $f'(2)=12-4a\leq0$에서 $a\geq3$

(iii) $f'(3)=27-6a\geq0$에서 $a\leq\frac{9}{2}$

(i), (ii), (iii)의 공통 범위는 $3\leq a\leq\frac{9}{2}$

따라서 $p=3$, $q=\frac{9}{2}$이므로 $p+q=3+\frac{9}{2}=\frac{15}{2}$ 정답_$\frac{15}{2}$

294

$f(x)=-\frac{1}{6}x^3+ax+3$에서 $f'(x)=-\frac{1}{2}x^2+a$

함수 $f(x)$가 $2\leq x\leq3$에서 증가하고, $x\geq4$에서 감소하려면 $2\leq x\leq3$에서 $f'(x)\geq0$이고, $x\geq4$에서 $f'(x)\leq0$이어야 하므로 $f'(x)=-\frac{1}{2}x^2+a$의 그래프는 오른쪽 그림과 같아야 한다.

(i) $f'(2)=-2+a\geq0$에서 $a\geq2$

(ii) $f'(3)=-\frac{9}{2}+a\geq0$에서 $a\geq\frac{9}{2}$

(iii) $f'(4)=-8+a\leq0$에서 $a\leq8$

(i), (ii), (iii)의 공통 범위는 $\frac{9}{2}\leq a\leq8$

따라서 구하는 정수 a는 5, 6, 7, 8이므로 그 합은

$5+6+7+8=26$ 정답_③

295

$f(x)=2x^3-9x^2+12x+2$에서

$f'(x)=6x^2-18x+12=6(x-1)(x-2)$

$f'(x)=0$에서 $x=1$ 또는 $x=2$

x	$\cdots$	1	$\cdots$	2	$\cdots$
$f'(x)$	+	0	−	0	+
$f(x)$	↗	7	↘	6	↗

따라서 함수 $f(x)$는 $x=1$일 때 극댓값 $M=7$, $x=2$일 때 극솟값 $m=6$을 가지므로 $Mm=7\cdot6=42$ 정답_④

296

$f(x)=2x^3-6x+3$에서

$f'(x)=6x^2-6=6(x+1)(x-1)$

$f'(x)=0$에서 $x=-1$ 또는 $x=1$

x	$\cdots$	−1	$\cdots$	1	$\cdots$
$f'(x)$	+	0	−	0	+
$f(x)$	↗	7	↘	−1	↗

따라서 함수 $f(x)$는 $x=-1$일 때 극댓값 7, $x=1$일 때 극솟값 −1을 가지므로 극대가 되는 점 $(-1,\ 7)$과 극소가 되는 점 $(1,\ -1)$ 사이의 거리는

$\sqrt{(1+1)^2+(-1-7)^2}=\sqrt{68}=2\sqrt{17}$ 정답_⑤

297

$f(x)=2x^3-3x^2-12x$로 놓으면

$f'(x)=6x^2-6x-12=6(x+1)(x-2)$

$f'(x)=0$에서 $x=-1$ 또는 $x=2$

x	$\cdots$	−1	$\cdots$	2	$\cdots$
$f'(x)$	+	0	−	0	+
$f(x)$	↗	7	↘	−20	↗

따라서 $y=f(x)$의 그래프는 [그림 1]과 같고, $y=|f(x)|$의 그래프는 $y=f(x)$의 그래프의 x축 아래쪽을 위쪽으로 접어 올린 것이므로 [그림 2]와 같다.

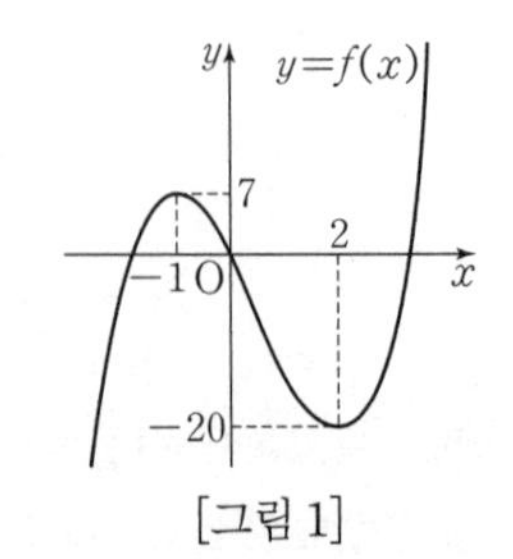

[그림 1]

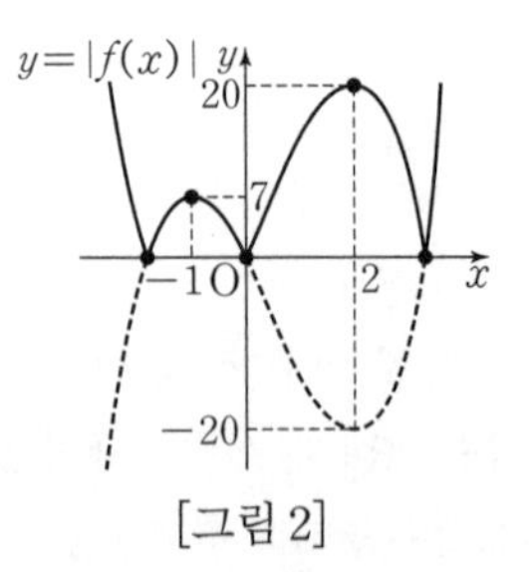

[그림 2]

따라서 $y=|2x^3-3x^2-12x|$의 극대 또는 극소가 되는 점은 5개이다. 정답_ ③

298

$f(x)=x^3-6x^2+9x+a$에서

$f'(x)=3x^2-12x+9=3(x-1)(x-3)$

$f'(x)=0$에서 $x=1$ 또는 $x=3$

x	…	1	…	3	…
$f'(x)$	+	0	−	0	+
$f(x)$	↗	극대	↘	극소	↗

따라서 함수 $f(x)$는 $x=3$일 때 극솟값을 갖고, 주어진 조건에서 극솟값이 3이므로

$f(3)=27-54+27+a=3$ $\therefore a=3$ 정답_ ②

299

$f(x)=-x^3+\frac{9}{2}x^2-6x+a$에서

$f'(x)=-3x^2+9x-6=-3(x-1)(x-2)$

$f'(x)=0$에서 $x=1$ 또는 $x=2$

x	…	1	…	2	…
$f'(x)$	−	0	+	0	−
$f(x)$	↘	극소	↗	극대	↘

따라서 함수 $f(x)$는 $x=1$일 때 극솟값

$f(1)=-1+\frac{9}{2}-6+a=-\frac{5}{2}+a$,

$x=2$일 때 극댓값 $f(2)=-8+18-12+a=-2+a$를 갖는다.

이때, 극댓값과 극솟값의 절댓값이 같고 그 부호가 서로 다르므로

$-\frac{5}{2}+a=-(-2+a)$, $2a=\frac{9}{2}$ $\therefore a=\frac{9}{4}$

$\therefore |4a|=\left|4\cdot\frac{9}{4}\right|=9$ 정답_ 9

300

$f(x)=\frac{1}{3}x^3-9a^2x$에서

$f'(x)=x^2-9a^2=(x+3a)(x-3a)$

$f'(x)=0$에서 $x=-3a$ 또는 $x=3a$

이때, $a>0$이므로 $-3a<3a$

x	…	$-3a$	…	$3a$	…
$f'(x)$	+	0	−	0	+
$f(x)$	↗	극대	↘	극소	↗

따라서 함수 $f(x)$는 $x=-3a$일 때 극댓값

$f(-3a)=-9a^3+27a^3=18a^3$, $x=3a$일 때 극솟값

$f(3a)=9a^3-27a^3=-18a^3$을 갖는다.

이때, 극댓값과 극솟값의 차가 36이므로

$18a^3-(-18a^3)=36$, $a^3=1$ $\therefore a=1$ 정답_ ①

301

$f(x)=x^3-3x^2+a$에서 $f'(x)=3x^2-6x=3x(x-2)$

$f'(x)=0$에서 $x=0$ 또는 $x=2$

x	…	0	…	2	…
$f'(x)$	+	0	−	0	+
$f(x)$	↗	극대	↘	극소	↗

따라서 함수 $f(x)$는 $x=0$일 때 극댓값 $f(0)=a$, $x=2$일 때 극솟값 $f(2)=8-12+a=a-4$를 갖는다. 이때, 모든 극값의 곱이 -4이므로

$a(a-4)=-4$, $a^2-4a+4=0$

$(a-2)^2=0$ $\therefore a=2$ 정답_ ①

302

$f(x)=-x^3+ax^2+bx+1$에서

$f'(x)=-3x^2+2ax+b$ ……㉠

함수 $f(x)$가 $x=1$에서 극솟값, $x=3$에서 극댓값을 가지므로

$f'(1)=f'(3)=0$

㉠에 $x=1$을 대입하면 $2a+b=3$ ……㉡

㉠에 $x=3$을 대입하면 $6a+b=27$ ……㉢

㉡, ㉢을 연립하여 풀면 $a=6, b=-9$

$\therefore f(x)=-x^3+6x^2-9x+1$

따라서 극댓값은 $f(3)=-27+54-27+1=1$, 극솟값은

$f(1)=-1+6-9+1=-3$이므로 구하는 합은

$1+(-3)=-2$ 정답_ −2

303

$f(x)=x^3+ax^2+bx-2$에서 $f'(x)=3x^2+2ax+b$

함수 $f(x)$가 $x=-3$에서 극댓값 25를 가지므로

(i) $f(-3)=25$에서 $-27+9a-3b-2=25$

$\therefore 3a-b=18$ ……㉠

(ii) $f'(-3)=0$에서 $27-6a+b=0$

$\therefore 6a-b=27$ ……㉡

㉠, ㉡을 연립하여 풀면 $a=3, b=-9$

$f(x)=x^3+3x^2-9x-2$에서

$f'(x)=3x^2+6x-9=3(x+3)(x-1)$

$f'(x)=0$에서 $x=-3$ 또는 $x=1$

x	…	−3	…	1	…
$f'(x)$	+	0	−	0	+
$f(x)$	↗	25	↘	−7	↗

따라서 함수 $f(x)$는 $x=1$일 때 극솟값 -7을 갖는다. 정답_ ②

304

$g(x)=(x^3+2)f(x)$에서 $g'(x)=3x^2f(x)+(x^3+2)f'(x)$

함수 $g(x)$가 $x=1$에서 극솟값 36을 가지므로

(i) $g(1)=3f(1)=36$에서 $f(1)=12$

(ii) $g'(1)=3f(1)+3f'(1)=0$에서

$f(1)+f'(1)=0 \quad \therefore f'(1)=-f(1)=-12$

$\therefore f(1)-f'(1)=12-(-12)=24$ 정답_24

305

$f(x)=ax^3+bx^2+cx+d$에서 $f'(x)=3ax^2+2bx+c$

함수 $f(x)$가 $x=0$에서 극솟값 2를 가지므로

$f(0)=2, f'(0)=0 \quad \therefore c=0, d=2$

곡선 $y=f(x)$ 위의 점 $(-1,\ 6)$에서의 접선의 기울기가 -6이므로

(i) $f(-1)=6$에서 $-a+b-c+d=6$

$\therefore a-b=-4$ ······㉠

(ii) $f'(-1)=-6$에서 $3a-2b+c=-6$

$\therefore 3a-2b=-6$ ······㉡

㉠, ㉡을 연립하여 풀면 $a=2, b=6$

$f(x)=2x^3+6x^2+2$이므로 $f'(x)=6x^2+12x=6x(x+2)$

$f'(x)=0$에서 $x=-2$ 또는 $x=0$

x	$\cdots$	-2	$\cdots$	0	$\cdots$
$f'(x)$	$+$	0	$-$	0	$+$
$f(x)$	↗	10	↘	2	↗

따라서 함수 $f(x)$는 $x=-2$일 때 극댓값 10을 갖는다. 정답_⑤

306

$f(x)=x^4-2x^2+k$에서

$f'(x)=4x^3-4x=4x(x+1)(x-1)$

$f'(x)=0$에서 $x=-1$ 또는 $x=0$ 또는 $x=1$

x	$\cdots$	-1	$\cdots$	0	$\cdots$	1	$\cdots$
$f'(x)$	$-$	0	$+$	0	$-$	0	$+$
$f(x)$	↘	극소	↗	극대	↘	극소	↗

따라서 함수 $f(x)$는 $x=-1$ 또는 $x=1$일 때 극솟값 $f(-1)=f(1)=-1+k$를 갖고, $x=0$일 때 극댓값 $f(0)=k$를 갖는다.

이때, 세 점 $(-1,\ -1+k), (0,\ k), (1,\ -1+k)$를 꼭짓점으로 하는 삼각형의 넓이는

$\frac{1}{2}\times2\times\{k-(-1+k)\}=1$ 정답_1

307

$f(x)=x^3+3ax^2+(6-3a)x+7$에서

$f'(x)=3x^2+6ax+6-3a$

함수 $f(x)$가 극댓값과 극솟값을 모두 가지려면 이차방정식 $f'(x)=0$이 서로 다른 두 실근을 가져야 한다.

$f'(x)=0$의 판별식을 D라고 하면

$\frac{D}{4}=(3a)^2-3(6-3a)>0$

$a^2+a-2>0, (a-1)(a+2)>0$

$\therefore a<-2$ 또는 $a>1$ 정답_②

308

$f(x)=\frac{2}{3}x^3+ax^2+8x+5$에서 $f'(x)=2x^2+2ax+8$

함수 $f(x)$가 극값을 가지려면 이차방정식 $f'(x)=0$이 서로 다른 두 실근을 가져야 한다.

$f'(x)=0$의 판별식을 D라고 하면

$\frac{D}{4}=a^2-16>0, (a+4)(a-4)>0 \quad \therefore a<-4$ 또는 $a>4$

따라서 $\alpha=-4, \beta=4$이므로

$\alpha^2+\beta^2=(-4)^2+4^2=32$ 정답_①

309

$f(x)=2x^3+kx^2+kx+2$에서 $f'(x)=6x^2+2kx+k$

함수 $f(x)$가 극댓값을 가지려면 이차방정식 $f'(x)=0$이 서로 다른 두 실근을 가져야 한다.

$f'(x)=0$의 판별식을 D라고 하면

$\frac{D}{4}=k^2-6k>0, k(k-6)>0 \quad \therefore k<0$ 또는 $k>6$

따라서 자연수 k의 최솟값은 7이다. 정답_③

310

$f(x)=x^3+ax^2+3ax-6$에서 $f'(x)=3x^2+2ax+3a$

함수 $f(x)$가 극값을 갖지 않으려면 이차방정식 $f'(x)=0$이 중근 또는 허근을 가져야 한다.

$f'(x)=0$의 판별식을 D라고 하면

$\frac{D}{4}=a^2-9a\le0, a(a-9)\le0 \quad \therefore 0\le a\le9$

따라서 정수 a의 개수는 $0, 1, 2, \cdots, 8, 9$로 10개이다. 정답_④

311

$f(x)=-x^3-ax^2+(a-6)x+8$에서

$f'(x)=-3x^2-2ax+a-6$

함수 $f(x)$가 극값을 갖지 않으려면 이차방정식 $f'(x)=0$이 중근 또는 허근을 가져야 한다.

$f'(x)=0$의 판별식을 D라고 하면

$\frac{D}{4}=a^2+3(a-6)\le0, a^2+3a-18\le0$

$(a+6)(a-3)\le0 \quad \therefore -6\le a\le3$

따라서 실수 a의 최댓값은 3, 최솟값은 -6이므로 그 합은

$3+(-6)=-3$ 정답_③

312

$f(x)=\frac{1}{3}x^3+ax^2+3ax+5$에서 $f'(x)=x^2+2ax+3a$

함수 $f(x)$가 $|x|<1$, 즉 $-1<x<1$에서 극댓값과 극솟값을 모두 가지려면 이차방정식 $f'(x)=0$이 $-1<x<1$에서 서로 다른 두 실근을 가져야 한다.

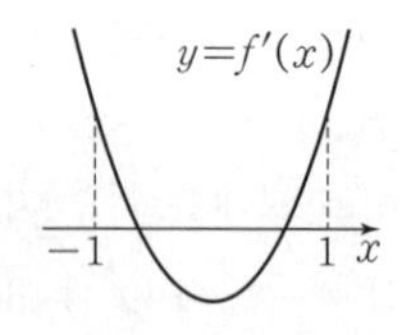

$f'(x)=0$의 판별식을 D라고 하면

(i) $\frac{D}{4}=a^2-3a>0$에서 $a(a-3)>0$

$\therefore a<0$ 또는 $a>3$

(ii) $f'(-1)=a+1>0$에서 $a>-1$ ……㉠

$f'(1)=5a+1>0$에서 $a>-\frac{1}{5}$ ……㉡

㉠, ㉡에서 $a>-\frac{1}{5}$

(iii) 이차함수 $y=f'(x)$의 그래프의 축의 방정식이 $x=-a$이므로 $-1<-a<1$에서 $-1<a<1$

(i), (ii), (iii)에서 실수 a의 값의 범위는 $-\frac{1}{5}<a<0$ 정답_①

313

$f(x)=2x^3-6x^2+ax-1$에서 $f'(x)=6x^2-12x+a$

함수 $f(x)$가 $0<x<3$에서 극댓값과 극솟값을 모두 가지려면 이차방정식 $f'(x)=0$이 $0<x<3$에서 서로 다른 두 실근을 가져야 한다.

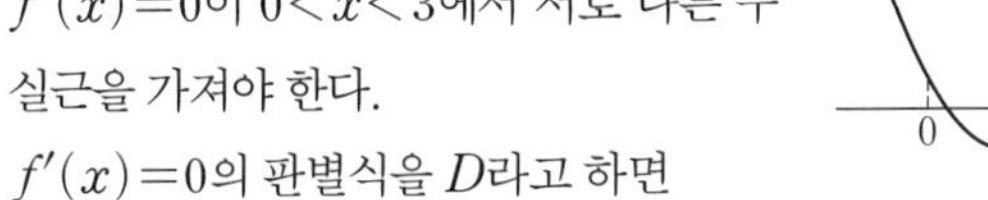

$f'(x)=0$의 판별식을 D라고 하면

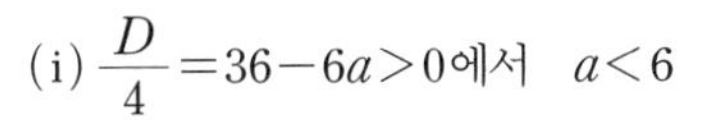

(i) $\frac{D}{4}=36-6a>0$에서 $a<6$

(ii) $f'(0)=a>0$, $f'(3)=18+a>0$에서 $a>0$

(iii) 이차함수 $y=f'(x)$의 그래프의 축의 방정식이 $x=1$이고 $0<1<3$이다.

(i), (ii), (iii)에서 실수 a의 값의 범위는 $0<a<6$

따라서 정수 a는 1, 2, 3, 4, 5로 5개이다. 정답_⑤

314

$f(x)=x^3-a^2x^2+ax$에서 $f'(x)=3x^2-2a^2x+a$

이차방정식 $f'(x)=0$의 두 실근을 α, β $(\alpha<\beta)$라고 하면 $0<\alpha<1$, $\beta>1$이어야 하므로

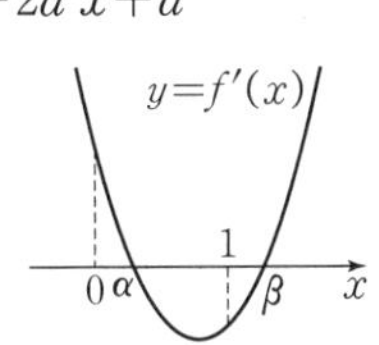

(i) $f'(0)=a>0$

(ii) $f'(1)=3-2a^2+a<0$에서

$2a^2-a-3>0$, $(a+1)(2a-3)>0$

$\therefore a<-1$ 또는 $a>\frac{3}{2}$

(i), (ii)에서 실수 a의 값의 범위는 $a>\frac{3}{2}$ 정답_③

315

$f(x)=-x^4+2x^3-ax^2$에서

$f'(x)=-4x^3+6x^2-2ax=-2x(2x^2-3x+a)$

사차함수 $f(x)$가 극솟값을 가지려면 삼차방정식 $f'(x)=0$이 서로 다른 세 실근을 가져야 하므로 이차방정식 $2x^2-3x+a=0$이 0이 아닌 서로 다른 두 실근을 가져야 한다.

이차방정식 $2x^2-3x+a=0$의 판별식을 D라고 하면

$D=9-8a>0$에서 $a<\frac{9}{8}$

따라서 함수 $f(x)$가 극솟값을 갖도록 하는 자연수 a는 1뿐으로 1개이다. 정답_①

316

$f(x)=x^4-4(a-1)x^3+2(a^2-1)x^2$에서

$f'(x)=4x^3-12(a-1)x^2+4(a^2-1)x$

$=4x\{x^2-3(a-1)x+a^2-1\}$

사차함수 $f(x)$가 극댓값을 갖지 않으려면 삼차방정식 $f'(x)=0$의 서로 다른 실근이 두 개 이하이어야 하므로 이차방정식 $x^2-3(a-1)x+a^2-1=0$ ……㉠

이 중근 또는 허근을 갖거나 $x=0$을 근으로 가져야 한다.

(i) ㉠이 중근 또는 허근을 가질 때,

㉠의 판별식을 D라고 하면

$D=9(a-1)^2-4(a^2-1)\le 0$, $5a^2-18a+13\le 0$

$(a-1)(5a-13)\le 0$ $\therefore 1\le a\le\frac{13}{5}$

(ii) ㉠이 $x=0$을 근으로 가질 때,

$a^2-1=0$ $\therefore a=\pm 1$

(i), (ii)에서 실수 a의 값의 범위는

$a=-1$ 또는 $1\le a\le\frac{13}{5}$

따라서 a의 값이 될 수 없는 것은 ①이다. 정답_①

317

함수 $f(x)=ax^3+bx^2+cx+d$의 그래프에서

(i) $x\to\infty$일 때 $f(x)\to\infty$이므로 $a>0$

(ii) y축과 x축 윗부분에서 만나므로 $d>0$

(iii) $f'(x)=3ax^2+2bx+c$에서 방정식 $f'(x)=0$의 두 근은 -1, 2이므로 이차방정식의 근과 계수의 관계에 의해

$-\frac{2b}{3a}=-1+2=1>0$에서 $\frac{b}{a}<0$이고 $a>0$이므로

$b<0$

$\frac{c}{3a}=(-1)\cdot 2=-2<0$에서 $\frac{c}{a}<0$이고 $a>0$이므로

$c<0$ 정답_$a>0$, $b<0$, $c<0$, $d>0$

318

함수 $f(x)=ax^3+bx^2+cx+d$의 그래프에서

(i) $x\to\infty$일 때 $f(x)\to-\infty$이므로 $a<0$

(ii) y축과 x축 아랫부분에서 만나므로 $d<0$

(iii) $f'(x)=3ax^2+2bx+c$에서 방정식 $f'(x)=0$의 두 실근은 α, β이고, α, β는 서로 다른 두 양수이다.

$f'(x)=0$의 판별식을 D라고 하면 이차방정식이 서로 다른 두 양의 근을 가질 조건에 의해

$\frac{D}{4}=b^2-3ac>0 \quad \therefore b^2>3ac$

$\alpha+\beta=-\frac{2b}{3a}>0, \alpha\beta=\frac{c}{3a}>0$

$a<0$이므로 $b>0, c<0$

따라서 옳은 것은 ④이다. 정답_④

319

함수 $f(x)=ax^3+bx^2+cx+d$의 그래프에서

(i) $x \to \infty$일 때 $f(x) \to \infty$이므로 $a>0$

(ii) y축과 x축 윗부분에서 만나므로 $d>0$

(iii) $f'(x)=3ax^2+2bx+c$에서 방정식 $f'(x)=0$의 두 실근을 α, β라고 하면 α, β는 극대, 극소인 점의 x좌표이므로 주어진 그래프에서 α, β는 모두 양수이다.

따라서 이차방정식의 근과 계수의 관계에 의해

$\alpha+\beta=-\frac{2b}{3a}>0, \alpha\beta=\frac{c}{3a}>0$

이때, $a>0$이므로 $b<0, c>0$

함수 $g(x)=ax^2+bx+c$의 그래프는

(iv) $a>0$이므로 ∪자형이고

(v) $a>0, b<0$에서 $x=-\frac{b}{2a}>0$이므로 축은 y축의 오른쪽에 있고

(vi) $c>0$이므로 y축과 x축 윗부분에서 만난다.

따라서 함수 $g(x)$의 그래프의 개형이 될 수 있는 것은 ④이다.

정답_④

320

①은 옳다.

함숫값이 정의되지 않은 x좌표는 $x=b, d$의 2개이다.

②는 옳지 않다.

극한값이 존재하지 않는 x좌표는 $x=b, f$의 2개이다.

③은 옳다.

미분가능하지 않은 점은 $x=b, c, d, e, f$에서의 5개이다.

④도 옳다.

$x=e$에서 극댓값을 갖는다.

⑤도 옳다.

최댓값은 $f(c)$이다.

따라서 옳지 않은 것은 ②이다. 정답_②

321

ㄱ은 옳지 않다.

$x=a$에서 불연속이므로 미분가능하지 않다.

한편, $x=b$에서는 뾰족점이므로 미분가능하지 않다.

ㄴ은 옳지 않다.

$x=a$에서 미분가능하지 않으므로 접선이 존재하지 않는다.

ㄷ은 옳다.

구간 (a, b)에서 $f(x)$는 감소하므로 $f'(x)<0$

따라서 옳은 것은 ㄷ이다. 정답_②

322

다음 그림과 같이 $y=f'(x)$의 그래프의 x가 x축과 만나는 점의 x좌표를 작은 것부터 차례대로 a_1, a_2, a_3, a_4, a_5, a_6이라고 하자.

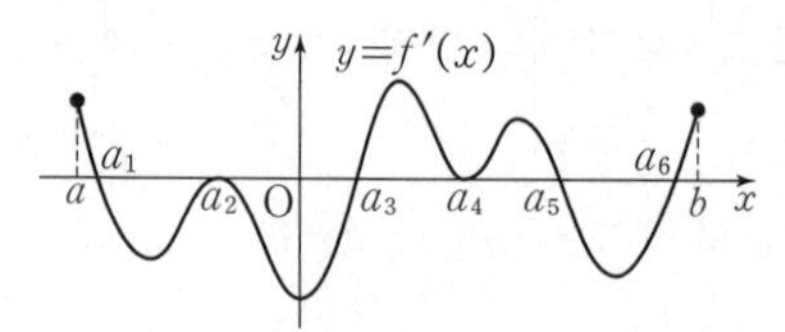

(i) $x=a_1, x=a_5$의 좌우에서 $f'(x)$의 부호가 양에서 음으로 바뀌므로 극대이다.

(ii) $x=a_3, x=a_6$의 좌우에서 $f'(x)$의 부호가 음에서 양으로 바뀌므로 극소이다.

(iii) $x=a_2, x=a_4$의 좌우에서 $f'(x)$의 부호가 바뀌지 않으므로 극대도 극소도 아니다.

따라서 함수 $y=f(x)$가 극대 또는 극소가 되는 점은 4개이다.

정답_④

323

다음 그림과 같이 함수 $y=f'(x)$의 그래프가 x가 x축과 만나는 점의 x좌표를 작은 것부터 차례대로 a_1, a_2, a_3, a_4라고 하자.

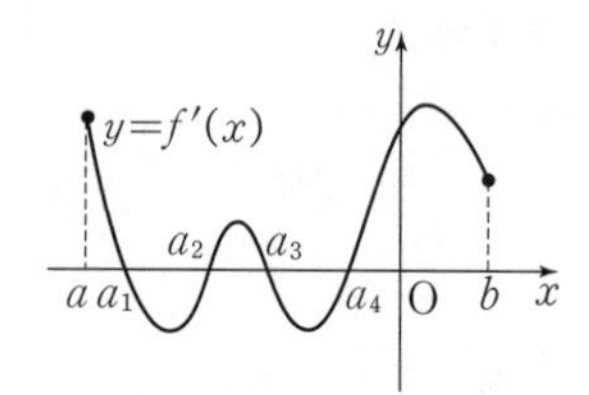

(i) $x=a_1, x=a_3$의 좌우에서 $f'(x)$의 부호가 양에서 음으로 바뀌므로 함수 $f(x)$는 $x=a_1, x=a_3$에서 극댓값을 갖는다.

(ii) $x=a_2, x=a_4$의 좌우에서 $f'(x)$의 부호가 음에서 양으로 바뀌므로 함수 $f(x)$는 $x=a_2, x=a_4$에서 극솟값을 갖는다.

따라서 $m=2, n=2$이므로

$m+n=2+2=4$ 정답_4

324

$y=f'(x)$의 그래프를 이용하여 함수 $f(x)$의 증가와 감소를 표로 나타내면 다음과 같다.

x	$\cdots$	-1	$\cdots$	0	$\cdots$
$f'(x)$	$+$	0	$+$	0	$-$
$f(x)$	↗		↗	극대	↘

따라서 함수 $f(x)$는 $x=-1$에서는 극값을 갖지 않고, $x=0$에서 극댓값 $f(0)=0$을 가지므로 $y=f(x)$의 그래프의 개형이 될 수 있는 것은 ②이다. 정답_②

325

$g(x)=f(x)-kx$에서 $g'(x)=f'(x)-k$

$f'(x)=x^2-1$이므로 $g'(x)=x^2-1-k$

함수 $g(x)$가 $x=-3$에서 극값을 가지므로

$g'(-3)=9-1-k=0$

$\therefore k=8$

정답_ ⑤

326

$f(x)=x^3+ax^2+bx+c$에서 $f'(x)=3x^2+2ax+b$

함수 $y=f'(x)$의 그래프에서 함수 $f(x)$는 $x=-2$에서 극댓값, $x=1$에서 극솟값을 가지므로

$f'(-2)=12-4a+b=0$ $\therefore -4a+b=-12$ ……㉠

$f'(1)=3+2a+b=0$ $\therefore 2a+b=-3$ ……㉡

㉠, ㉡을 연립하여 풀면 $a=\frac{3}{2}, b=-6$

함수 $f(x)$의 극솟값이 $\frac{9}{2}$이므로

$f(1)=1+a+b+c=1+\frac{3}{2}+(-6)+c=\frac{9}{2}$ $\therefore c=8$

따라서 $f(x)=x^3+\frac{3}{2}x^2-6x+8$이므로 극댓값은

$f(-2)=-8+6+12+8=18$

정답_ 18

327

①은 옳지 않다.

$x=-1$의 좌우에서 $f'(x)$의 부호가 양에서 음으로 바뀌므로 $f(x)$는 $x=-1$에서 극대이다.

②도 옳지 않다.

$x=2$의 좌우에서 $f'(x)$의 부호가 바뀌지 않으므로 극값을 갖지 않는다.

③은 옳다.

$f(x)$는 $x=-1$에서 극대이고, $x=1$에서 극소이므로 모두 2개의 극값을 갖는다.

④는 옳지 않다.

구간 $[0, 1]$에서 $f'(x)\le 0$이므로 $f(x)$는 감소하고, 구간 $[1, 2]$에서 $f'(x)\ge 0$이므로 $f(x)$는 증가한다.

⑤도 옳지 않다.

$x=3$은 방정식 $f'(x)=0$의 중근이지만 방정식 $f(x)=0$의 근인지는 알 수 없다.

따라서 옳은 것은 ③이다.

정답_ ③

328

$f(x)=-2x^3-3x^2+1$에서

$f'(x)=-6x^2-6x=-6x(x+1)$

$f'(x)=0$에서 $x=-1$ 또는 $x=0$

x	-2	$\cdots$	-1	$\cdots$	0	$\cdots$	1
$f'(x)$		$-$	0	$+$	0	$-$	
$f(x)$	5	↘	0	↗	1	↘	-4

따라서 함수 $f(x)$는 구간 $[-2, 1]$에서 $x=-2$일 때 최댓값 $M=5$, $x=1$일 때 최솟값 $m=-4$를 가지므로

$M-m=5-(-4)=9$

정답_ ④

329

$f(x)=2x^3-9x^2+12x-2$에서

$f'(x)=6x^2-18x+12=6(x-1)(x-2)$

$f'(x)=0$에서 $x=1$ 또는 $x=2$

x	(0)	$\cdots$	1	$\cdots$	(2)
$f'(x)$		$+$	0	$-$	
$f(x)$	(-2)	↗	3	↘	(2)

따라서 함수 $f(x)$는 구간 $(0, 2)$에서 $x=1$일 때 최댓값 3을 갖고, 최솟값은 없다.

정답_ ③

330

$y=-(x^2-4x+2)^3+12(x^2-4x+2)-1$에서

$x^2-4x+2=t$로 놓으면

$y=-t^3+12t-1$

$t=x^2-4x+2=(x-2)^2-2$의 그래프는 오른쪽 그림과 같으므로 $0\le x\le 4$일 때

$-2\le t\le 2$

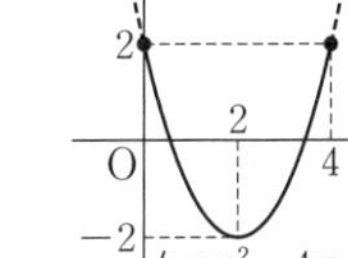

$f(t)=-t^3+12t-1$로 놓으면

$f'(t)=-3t^2+12=-3(t+2)(t-2)$

$f'(t)=0$에서 $t=-2$ 또는 $t=2$

t	-2	$\cdots$	2
$f'(t)$	0	$+$	0
$f(t)$	-17	↗	15

따라서 함수 $f(t)$는 $-2\le t\le 2$에서 $t=2$일 때 최댓값 15, $t=-2$일 때 최솟값 -17을 가지므로 최댓값과 최솟값의 합은

$15+(-17)=-2$

정답_ ①

331

$f(x)=x^3-3x^2+a$에서 $f'(x)=3x^2-6x=3x(x-2)$

$f'(x)=0$에서 $x=2$ ($\because 1<x<4$)

x	1	$\cdots$	2	$\cdots$	4
$f'(x)$		$-$	0	$+$	
$f(x)$	$a-2$	↘	$a-4$	↗	$a+16$

따라서 함수 $f(x)$는 구간 $[1, 4]$에서 $x=4$일 때 최댓값 $16+a$, $x=2$일 때 최솟값 $a-4$를 갖고, 최댓값과 최솟값의 합이 22이므로

$(a+16)+(a-4)=22, 2a=10$ $\therefore a=5$

정답_ 5

332

$f(x)=2ax^3-3ax^2+b\ (a>0)$에서

$f'(x)=6ax^2-6ax=6ax(x-1)$

$f'(x)=0$에서 $x=0$ 또는 $x=1$

x	0	$\cdots$	1	$\cdots$	3
$f'(x)$	0	$-$	0	$+$	
$f(x)$	b	↘	$-a+b$	↗	$27a+b$

따라서 함수 $f(x)$는 $0\le x\le 3$에서 $x=3$일 때 최댓값 $27a+b$, $x=1$일 때 최솟값 $-a+b$를 갖는다. ($\because a>0$)

이때, 최솟값이 7, 최댓값이 35이므로

$-a+b=7,\ 27a+b=35$

위의 두 식을 연립하여 풀면 $a=1,\ b=8$

$\therefore a+b=1+8=9$

정답_④

333

$f(x)=2x^3-3x^2+k$에서 $f'(x)=6x^2-6x=6x(x-1)$

$f'(x)=0$에서 $x=0$ 또는 $x=1$

x	-1	$\cdots$	0	$\cdots$	1	$\cdots$	2
$f'(x)$		$+$	0	$-$	0	$+$	
$f(x)$	$k-5$	↗	k	↘	$k-1$	↗	$k+4$

따라서 함수 $f(x)$는 구간 $[-1,\ 2]$에서 $x=-1$일 때 최솟값 $k-5$, $x=2$일 때 최댓값 $k+4$를 갖는다.

이때, 최솟값은 -2이므로 $k-5=-2$ $\therefore k=3$

따라서 함수 $f(x)$의 최댓값은

$k+4=3+4=7$

정답_②

334

구간 $[0,\ 4]$에서 함수 $f(x)$의 최대, 최소는 구간의 양 끝값이나 극값이다. 그런데 $f(x)$가 $x=2$에서 최솟값을 가지므로 $x=2$에서 극소이어야 한다.

$f(x)=x^3-ax^2+b$에서

$f'(x)=3x^2-2ax$

이때, $x=2$에서 극솟값이 10이므로

$f'(2)=0$에서 $12-4a=0$ $\therefore a=3$

$f(2)=10$에서 $8-4a+b=10$ $\therefore b=14$

$f(x)=x^3-3x^2+14$이므로

$f'(x)=3x^2-6x=3x(x-2)$

$f'(x)=0$에서 $x=0$ 또는 $x=2$

x	0	$\cdots$	2	$\cdots$	4
$f'(x)$	0	$-$	0	$+$	
$f(x)$	14	↘	10	↗	30

따라서 함수 $f(x)$는 구간 $[0,\ 4]$에서 $x=4$일 때 최댓값 30을 갖는다.

정답_③

335

$f(x)=x^3+ax^2+b$에서 $f'(x)=3x^2+2ax$

$f'(1)=9$에서 $3+2a=9$ $\therefore a=3$

$f(x)=x^3+3x^2+b$이므로 $f'(x)=3x^2+6x=3x(x+2)$

$f'(x)=0$에서 $x=0$ ($\because 0\le x\le 2$)

x	0	$\cdots$	2
$f'(x)$	0	$+$	
$f(x)$	b	↗	$20+b$

함수 $f(x)$는 $x=2$일 때 최댓값 $20+b$, $x=0$일 때 최솟값 b를 갖는다.

이때, 함수 $f(x)$의 최댓값이 26이므로

$20+b=26$ $\therefore b=6$

따라서 구간 $[0,\ 2]$에서 함수 $f(x)$의 최솟값은 6이다. 정답_③

336

$f(x)=-x^3+3x+2$에서

$f'(x)=-3x^2+3=-3(x+1)(x-1)$

$f'(x)=0$에서 $x=-1$ 또는 $x=1$

x	-1	$\cdots$	1	$\cdots$	2
$f'(x)$	0	$+$	0	$-$	
$f(x)$	0	↗	4	↘	0

따라서 함수 $f(x)$는 구간 $[-1,\ 2]$에서 $x=-1$, $x=2$일 때 최솟값 0, $x=1$일 때 최댓값 4를 갖는다.

$f(x)=t$로 놓으면 $0\le t\le 4$이고,

$(f\circ f)(x)=f(f(x))=f(t)=-t^3+3t+2$

$f'(t)=-3t^2+3=-3(t+1)(t-1)$

$f'(t)=0$에서 $t=1$ ($\because 0\le t\le 4$)

t	0	$\cdots$	1	$\cdots$	4
$f'(t)$		$+$	0	$-$	
$f(t)$	2	↗	4	↘	-50

따라서 함수 $f(t)$는 $0\le t\le 4$에서 $t=4$일 때 최솟값 -50을 갖는다.

정답_③

337

$9-x^2=0$에서 $x=-3$ 또는 $x=3$이므로 점 P의 좌표는 $(-3,\ 0)$, 점 Q의 좌표는 $(3,\ 0)$이다.

오른쪽 그림과 같이 점 R의 좌표를 $(t,\ 9-t^2)$ $(0<t<3)$으로 놓고 사다리꼴 PQRS의 넓이를 $S(t)$라고 하면

$S(t)=\frac{1}{2}(2t+6)(9-t^2)=-t^3-3t^2+9t+27$

$S'(t)=-3t^2-6t+9=-3(t+3)(t-1)$

$S'(t)=0$에서 $t=1$ ($\because 0<t<3$)

t	(0)	$\cdots$	1	$\cdots$	(3)
$S'(t)$		$+$	0	$-$	
$S(t)$	(27)	↗	32	↘	(0)

따라서 $S(t)$는 $0<t<3$에서 $t=1$일 때 최댓값 32를 가지므로 사다리꼴의 넓이의 최댓값은 32이다. 정답_ 32

338

점 $\mathrm{Q}(a,\ b)$는 곡선 $y=x^2$ 위의 점이므로 $b=a^2$

$\mathrm{P}(9,\ 8)$이고 $\overline{\mathrm{PQ}}=\sqrt{(a-9)^2+(b-8)^2}$이므로

$\overline{\mathrm{PQ}}^2=(a-9)^2+(a^2-8)^2=a^4-15a^2-18a+145$

$f(a)=a^4-15a^2-18a+145$라고 하면 $f(a)$가 최소일 때, $\overline{\mathrm{PQ}}$의 길이가 최소이다.

$f'(a)=4a^3-30a-18=2(a-3)(2a^2+6a+3)$

이때 곡선 $y=x^2$ 위의 점 중에서 점 $(9,\ 8)$과의 거리가 최소인 점 Q는 제1사분면 위의 점이다.

$\therefore a>0$

$f'(a)=0$에서 $a=3$

a	(0)	$\cdots$	3	$\cdots$
$f'(a)$		$-$	0	$+$
$f(a)$		↘	최소	↗

따라서 $f(a)$는 $a>0$에서 $a=3$일 때 최솟값을 가지므로

$b=3^2=9$ $\therefore 10a+b=10\cdot3+9=39$ 정답_ 39

339

오른쪽 그림과 같이 정삼각형의 꼭짓점으로부터 거리가 $x(0<x<12)$인 부분까지 자른다고 하면 밑면은 한 변의 길이가 $24-2x$인 정삼각형이므로 그 넓이는

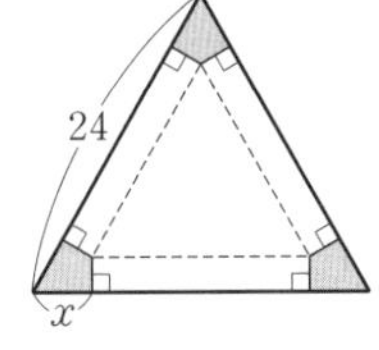

$\frac{\sqrt{3}}{4}(24-2x)^2$

또, 상자의 높이를 h라고 하면

$h=x\tan30^\circ=\frac{1}{\sqrt{3}}x$

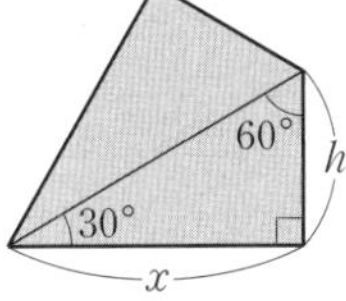

따라서 상자의 부피를 $V(x)$라고 하면

$V(x)=\frac{\sqrt{3}}{4}(24-2x)^2\cdot\frac{1}{\sqrt{3}}x=x^3-24x^2+144x$

이때, 상자의 밑면의 한 변의 길이와 높이는 모두 양수이어야 하므로

$24-2x>0,\ \frac{1}{\sqrt{3}}x>0$ $\therefore 0<x<12$

$V(x)=x^3-24x^2+144x$에서

$V'(x)=3x^2-48x+144=3(x-4)(x-12)$

$V'(x)=0$에서 $x=4$ 또는 $x=12$

x	(0)	$\cdots$	4	$\cdots$	(12)
$V'(x)$		$+$	0	$-$	
$V(x)$		↗	256	↘	

따라서 $V(x)$는 $0<x<12$에서 $x=4$일 때 최댓값 256을 가지므로 상자의 부피의 최댓값은 256이다. 정답_ ③

340

직육면체의 높이를 y라고 하면 오른쪽 그림에서

$2\cdot\frac{x}{\sqrt{2}}+\sqrt{2}y=10\sqrt{2}$

$x+y=10$ $\therefore y=10-x$

직육면체의 부피를 $V(x)$라고 하면

$V(x)=x^2y=x^2(10-x)=10x^2-x^3$

이때, 직육면체의 각 모서리의 길이는 양수이어야 하므로

$x>0,\ 10-x>0$ $\therefore 0<x<10$

$V(x)=10x^2-x^3$에서

$V'(x)=20x-3x^2=x(20-3x)$

$V'(x)=0$에서 $x=0$ 또는 $x=\frac{20}{3}$

x	(0)	$\cdots$	$\frac{20}{3}$	$\cdots$	(10)
$V'(x)$		$+$	0	$-$	
$V(x)$		↗	최대	↘	

$V(x)$는 $0<x<10$에서 $x=\frac{20}{3}$일 때 최대이므로 상자의 부피가 최대가 되도록 하는 밑면의 한 변의 길이는 $x=\frac{20}{3}$이다.

정답_ ③

341

다음 [그림 1]과 같이 원기둥의 밑면의 반지름의 길이를 x, 높이를 y라고 하면 [그림 2]에서

$10:20=x:(20-y),\ 20x=10(20-y)$

$\therefore y=20-2x$ (단, $0<x<10$)

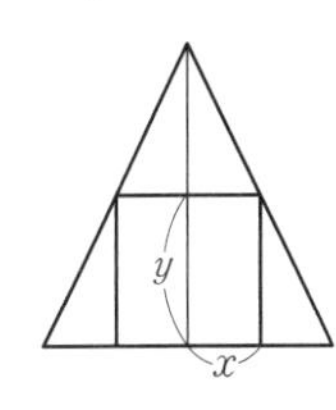

[그림 1]

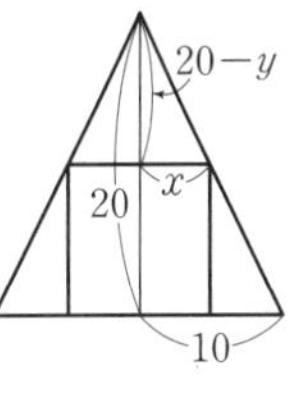

[그림 2]

따라서 원기둥의 부피를 $V(x)$라고 하면

$V(x)=\pi x^2y=\pi x^2(20-2x)=2\pi(10x^2-x^3)$

$V'(x)=2\pi(20x-3x^2)=-6\pi x\left(x-\frac{20}{3}\right)$

$V'(x)=0$에서 $x=0$ 또는 $x=\frac{20}{3}$

x	(0)	$\cdots$	$\frac{20}{3}$	$\cdots$	(10)
$V'(x)$		$+$	0	$-$	
$V(x)$		↗	최대	↘	

따라서 $V(x)$는 $0<x<10$에서 $x=\frac{20}{3}$일 때 최대이므로 원기둥의 부피를 최대가 되도록 하려면 원기둥의 밑면의 반지름의 길이를 $\frac{20}{3}$ cm로 하면 된다. 정답_ ③

342

함수 $f(x)$가 실수 전체의 집합에서 증가하려면 모든 실수 x에 대하여 $f'(x) \geq 0$이어야 한다.

(i) $x > 2a$일 때,

$f(x)=x^3+6x^2+15x-30a+3$에서

$f'(x)=3x^2+12x+15=3(x+2)^2+3>0$

따라서 $x>2a$일 때, 함수 $f(x)$는 증가한다.

(ii) $x=2a$일 때,

$f(x)=x^3+6x^2+3$에서

$f'(x)=3x^2+12x=3x(x+4)$

이때, $f'(x) \geq 0$이어야 하므로

$3x(x+4) \geq 0 \quad \therefore x \leq -4$ 또는 $x \geq 0$ ······㉠

(iii) $x < 2a$일 때,

$f(x)=x^3+6x^2-15x+30a+3$에서

$f'(x)=3x^2+12x-15=3(x+5)(x-1)$

이때, $f'(x) \geq 0$이어야 하므로

$3(x+5)(x-1) \geq 0 \quad \therefore x \leq -5$ 또는 $x \geq 1$ ······㉡

㉠, ㉡에서 $x \leq -5$ 또는 $x \geq 1$ ······❶

즉, $x \leq 2a$일 때, $x \leq -5$ 또는 $x \geq 1$이 성립해야 함수 $f(x)$가 증가하므로 $2a \leq -5$

$\therefore a \leq -\frac{5}{2}$ ······❷

따라서 실수 a의 최댓값은 $-\frac{5}{2}$이다. ······❸

정답_ $-\frac{5}{2}$

단계	채점 기준	비율
❶	$x>2a$, $x=2a$, $x<2a$에서 $f(x)$가 증가하는 x의 값의 범위 구하기	60%
❷	a의 값의 범위 구하기	30%
❸	실수 a의 최댓값 구하기	10%

343

$x_1 < x_2$인 임의의 두 실수 x_1, x_2에 대하여 $f(x_1) < f(x_2)$가 성립하므로 함수 $f(x)$는 실수 전체의 집합에서 증가한다. ······❶

$f(x)=ax^3-2x^2+3ax-2$에서

$f'(x)=3ax^2-4x+3a$ ······❷

함수 $f(x)$가 실수 전체의 집합에서 증가하려면 모든 실수 x에 대하여 $f'(x) \geq 0$이어야 하므로

(i) $a>0$ ······㉠

(ii) $f'(x)=0$의 판별식을 D라고 하면

$\frac{D}{4}=4-9a^2 \leq 0$, $(3a+2)(3a-2) \geq 0$

$\therefore a \leq -\frac{2}{3}$ 또는 $a \geq \frac{2}{3}$ ······㉡

㉠, ㉡의 공통 범위는 $a \geq \frac{2}{3}$ ······❸

정답_ $a \geq \frac{2}{3}$

단계	채점 기준	비율
❶	함수 $f(x)$의 그래프의 개형 파악하기	30%
❷	$f(x)$의 도함수 구하기	20%
❸	a의 값의 범위 구하기	50%

344

함수 $f(x)$는 삼차함수이므로 $f(x)=ax^3+bx^2+cx+d$ ($a \neq 0$, a, b, c, d는 상수)로 놓을 수 있다. ······❶

곡선 $y=f(x)$가 원점에 대하여 대칭이 되려면 모든 실수 x에 대하여 $f(-x)=-f(x)$이어야 하므로

$a(-x)^3+b(-x)^2+c(-x)+d=-ax^3-bx^2-cx-d$

$2bx^2+2d=0 \quad \therefore b=0, d=0$ ······❷

$\therefore f(x)=ax^3+cx$

$f'(x)=3ax^2+c$이고, $x=-1$에서 극댓값을 가지므로

$f'(-1)=3a+c=0$ ······㉠

곡선 $y=f(x)$ 위의 $x=3$인 점에서의 접선의 기울기가 24이므로

$f'(3)=27a+c=24$ ······㉡

㉠, ㉡을 연립하여 풀면 $a=1, c=-3$ ······❸

$f(x)=x^3-3x$이므로

$f'(x)=3x^2-3=3(x+1)(x-1)$

$f'(x)=0$에서 $x=-1$ 또는 $x=1$

x	$\cdots$	-1	$\cdots$	1	$\cdots$
$f'(x)$	$+$	0	$-$	0	$+$
$f(x)$	↗	2	↘	-2	↗

따라서 함수 $f(x)$는 $x=-1$일 때 극댓값 2를 갖는다. ······❹

정답_ 2

단계	채점 기준	비율
❶	삼차함수 $f(x)$를 ax^3+bx^2+cx+d로 놓기	10%
❷	조건 (가)를 이용하여 b, d의 값 구하기	20%
❸	조건 (나), (다)를 이용하여 a, c의 값 구하기	45%
❹	함수 $f(x)$의 극댓값 구하기	25%

345

$f(x-y)=f(x)-f(y)+xy(x-y)$의 양변에 $x=y=0$을 대입하면

$f(0)=f(0)-f(0) \quad \therefore f(0)=0$ ······❶

$f(0)=0$, $f'(0)=8$이므로

$$f'(x)=\lim_{h \to 0}\frac{f(x-h)-f(x)}{-h}$$
$$=\lim_{h \to 0}\frac{\{f(x)-f(h)+xh(x-h)\}-f(x)}{-h}$$
$$=\lim_{h \to 0}\left\{\frac{f(h)}{h}-x(x-h)\right\}$$
$$=\lim_{h \to 0}\left\{\frac{f(0+h)-f(0)}{h}-x(x-h)\right\}$$
$$=f'(0)-x^2=8-x^2$$ ······❷

$f'(x)=-x^2+8=-(x+2\sqrt{2})(x-2\sqrt{2})$

$f'(x)=0$에서 $x=-2\sqrt{2}$ 또는 $x=2\sqrt{2}$

x	$\cdots$	$-2\sqrt{2}$	$\cdots$	$2\sqrt{2}$	$\cdots$
$f'(x)$	$-$	0	$+$	0	$-$
$f(x)$	↘	극소	↗	극대	↘

따라서 함수 $f(x)$는 $x=2\sqrt{2}$일 때 극댓값, $x=-2\sqrt{2}$일 때 극솟값을 가지므로 $a=2\sqrt{2}, b=-2\sqrt{2}$

$\therefore a^2+b^2=(2\sqrt{2})^2+(-2\sqrt{2})^2=16$ ······ ❸

정답_ 16

단계	채점 기준	비율
❶	$f(0)$의 값 구하기	10%
❷	$f(x)$의 도함수 구하기	50%
❸	a^2+b^2의 값 구하기	40%

346

$f(x)=\frac{1}{3}x^3+px^2+qx+1$에서

$f'(x)=x^2+2px+q$

함수 $f(x)$가 $x=1$에서 극솟값 $-\frac{2}{3}$를 가지므로

$f'(1)=1+2p+q=0$에서 $2p+q=-1$ ······㉠

$f(1)=\frac{1}{3}+p+q+1=-\frac{2}{3}$에서 $p+q=-2$ ······㉡

㉠, ㉡을 연립하여 풀면 $p=1, q=-3$ ······ ❶

$\therefore f(x)=\frac{1}{3}x^3+x^2-3x+1$

$f'(x)=x^2+2x-3=(x-1)(x+3)$

$f'(x)=0$에서 $x=1$ ($\because 0\le x\le 2$)

x	0	$\cdots$	1	$\cdots$	2
$f'(x)$		$-$		$+$	
$f(x)$	1	↘	$-\frac{2}{3}$	↗	$\frac{5}{3}$

함수 $f(x)$는 $x=1$에서 극소이면서 동시에 최소이다.

이때, 주어진 구간의 양 끝점에서의 함숫값은 $f(0)=1$, $f(2)=\frac{5}{3}$이므로 함수 $f(x)$는 $x=2$일 때 최댓값 $\frac{5}{3}$를 갖는다.

······ ❷

정답_ $\frac{5}{3}$

단계	채점 기준	비율
❶	p, q의 값 구하기	50%
❷	$f(x)$의 최댓값 구하기	50%

347

$y=-x^2+6x=-(x-3)^2+9$이므로 축의 방정식은 $x=3$이다. 점 A의 좌표를 $(a, -a^2+6a)$ $(0<a<3)$라 하고 직사각형 ABCD의 넓이를 $S(a)$라고 하면

$S(a)=2(3-a)(-a^2+6a)=2a^3-18a^2+36a$

$S'(a)=6a^2-36a+36=6(a^2-6a+6)$

$S'(a)=0$에서 $a=3-\sqrt{3}$ ($\because 0<a<3$) ······ ❶

a	(0)	$\cdots$	$3-\sqrt{3}$	$\cdots$	(3)
$S'(a)$		$+$	0	$-$	
$S(a)$		↗	극대	↘	

따라서 $S(a)$는 $a=3-\sqrt{3}$일 때 극대이면서 동시에 최대이므로 $S(a)$가 최대가 되는 점 A의 x좌표는 $3-\sqrt{3}$이다.

따라서 $p=3, q=3$이므로

$p+q=3+3=6$ ······ ❷

정답_ 6

단계	채점 기준	비율
❶	직사각형 ABCD의 넓이를 $S(a)$라 하고 $S'(a)=0$을 만족시키는 a의 값 구하기	60%
❷	$p+q$의 값 구하기	40%

348

$F(x)=f(x)-g(x)$로 놓으면

$F'(x)=f'(x)-g'(x)$

모든 실수 x에 대하여 $f'(x)>g'(x)$이므로 $F'(x)>0$

즉, 모든 실수 x에 대하여 함수 $F(x)$는 증가한다.

이때, $F(1)=f(1)-g(1)=0$이므로

(i) $x<1$일 때, $F(x)<0$ $\therefore f(x)<g(x)$

(ii) $x>1$일 때, $F(x)>0$ $\therefore f(x)>g(x)$

따라서 옳은 것은 ㄱ, ㄹ이다.

정답_ ②

349

함수 $(g\circ f)(x)=x$를 만족시키는 함수 $g(x)$가 존재하려면 $f(x)$는 일대일대응이어야 한다.

그런데 함수 $f(x)$의 (치역)=(공역)이고,

x^3의 계수가 음수이므로 $f(x)$가 실수 전체의 집합에서 감소해야 한다.

$f(x)=-\frac{1}{3}x^3+ax^2+(b^2-1)x+1$에서

$f'(x)=-x^2+2ax+b^2-1$

함수 $f(x)$가 실수 전체의 집합에서 감소하려면 모든 실수 x에 대하여 $f'(x)\le 0$이어야 한다.

이차방정식 $f'(x)=0$의 판별식을 D라고 하면

$\frac{D}{4}=a^2+b^2-1\le 0$ $\therefore a^2+b^2\le 1$

따라서 a^2+b^2의 최댓값은 1이다.

정답_ ①

350

$f(x)=-x^3-(a+1)x^2-(2a-1)x-3$에서

$f'(x)=-3x^2-2(a+1)x-(2a-1)$

$=-(x+1)(3x+2a-1)$

$f'(x)=0$에서 $x=-1$ 또는 $x=\frac{1-2a}{3}$

이때, $a>2$에서 $-2a<-4, 1-2a<-3$

$\therefore \dfrac{1-2a}{3}<-1$

x	$\cdots$	$\frac{1-2a}{3}$	$\cdots$	-1	$\cdots$
$f'(x)$	$-$	0	$+$	0	$-$
$f(x)$	↘	극소	↗	극대	↘

따라서 함수 $f(x)$는 $x=\dfrac{1-2a}{3}$일 때 극솟값, $x=-1$일 때 극댓값을 갖는다.

이때, 곡선 $y=f(x)$의 극대가 되는 점이 x축 위에 있으므로 극댓값은 0이다.

즉, $f(-1)=0$이므로

$f(-1)=1-(a+1)+(2a-1)-3=0$

$a-4=0$ $\quad\therefore a=4$

정답_②

351

ㄱ은 옳다.

$\dfrac{f(b)-f(a)}{b-a}>0$에서 $b>a$이므로

$f(b)-f(a)>0$ $\quad\therefore f(b)>f(a)$ $\quad\cdots\cdots$㉠

$\dfrac{f(c)-f(a)}{c-a}<0$에서 $c>a$이므로

$f(c)-f(a)<0$ $\quad\therefore f(c)<f(a)$ $\quad\cdots\cdots$㉡

㉠, ㉡에서 $f(c)<f(a)<f(b)$

ㄴ도 옳다.

ㄱ에서 $f(a)<f(b)$, $f(b)>f(c)$이고 $y=f(x)$는 연속함수이므로 구간 (a, c)에서 증가하다가 감소하는 곳이 반드시 있다. 즉, 구간 (a, c)에서 극댓값을 갖는다.

ㄷ은 옳지 않다.

(반례) 함수 $y=f(x)$의 그래프가 오른쪽 그림과 같을 때, 주어진 조건을 만족시키지만 $x=c$에서의 미분계수가 $x=b$에서의 미분계수보다 크므로 부등식 $f'(c)<f'(b)<f'(a)$는 성립하지 않는다.

따라서 옳은 것은 ㄱ, ㄴ이다.

정답_④

352

삼차함수 $f(x)$가 원점에 대하여 대칭이므로 $f(x)=-f(-x)$가 성립한다.

즉, 삼차함수 $f(x)$는 이차항과 상수항이 없으므로

$f(x)=ax^3+bx$ ($a>0$, a, b는 상수) $\quad\cdots\cdots$㉠

로 놓는다.

㉠에서 $f'(x)=3ax^2+b$이고 극소인 점 D의 x좌표가 $\dfrac{1}{2}$이므로

$f'\left(\dfrac{1}{2}\right)=\dfrac{3}{4}a+b=0$ $\quad\therefore b=-\dfrac{3}{4}a$ $\quad\cdots\cdots$㉡

㉡을 ㉠에 대입하면

$f(x)=ax^3-\dfrac{3}{4}ax=ax\left(x+\dfrac{\sqrt{3}}{2}\right)\left(x-\dfrac{\sqrt{3}}{2}\right)$

$f(x)=0$일 때, $x=0$ 또는 $x=\pm\dfrac{\sqrt{3}}{2}$이므로

$A\left(-\dfrac{\sqrt{3}}{2}, 0\right)$, $B\left(\dfrac{\sqrt{3}}{2}, 0\right)$

$\therefore \overline{AB}=2\times\dfrac{\sqrt{3}}{2}=\sqrt{3}$

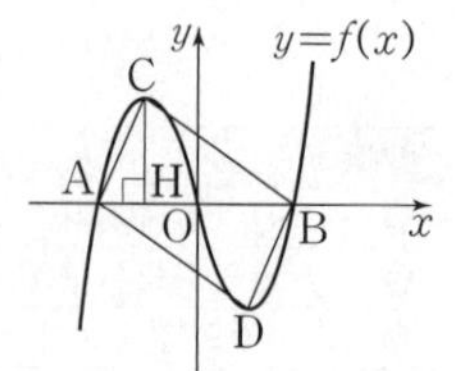

점 C에서 x축에 내린 수선의 발을 H라 고 하면 $\overline{CH}$의 길이가 극댓값이다.

이때, △ABC와 △BAD는 원점에 대하여 대칭이므로

△ABC=△BAD이고

□ADBC$=\sqrt{3}$이므로

△ABC$=\dfrac{1}{2}$□ADBC에서

$\dfrac{1}{2}\times\sqrt{3}\times\overline{CH}=\dfrac{\sqrt{3}}{2}$ $\quad\therefore \overline{CH}=1$

따라서 함수 $f(x)$의 극댓값은 1이다.

정답_①

353

$\displaystyle\lim_{x\to a}\frac{f(x)}{x-a}=1$에서 $x\to a$일 때 (분모) $\to 0$이므로

(분자) $\to 0$이어야 한다.

즉, $\displaystyle\lim_{x\to a}f(x)=0$에서 $f(a)=0$ $\quad\cdots\cdots$㉠

$\displaystyle\therefore \lim_{x\to a}\frac{f(x)}{x-a}=\lim_{x\to a}\frac{f(x)-f(a)}{x-a}=f'(a)=1$ $\quad\cdots\cdots$㉡

$\displaystyle\lim_{x\to b}\frac{f(x)-1}{x-b}=2$에서 $x\to b$일 때 (분모) $\to 0$이므로

(분자) $\to 0$이어야 한다.

즉, $\displaystyle\lim_{x\to b}\{f(x)-1\}=0$에서 $f(b)=1$ $\quad\cdots\cdots$㉢

$\displaystyle\therefore \lim_{x\to b}\frac{f(x)-1}{x-b}=\lim_{x\to b}\frac{f(x)-f(b)}{x-b}=f'(b)=2$ $\quad\cdots\cdots$㉣

㉠, ㉢에서 $f(a)=0$, $f(b)=1$이므로 함수 $y=f(x)$의 그래프는 두 점 $(a, 0)$, $(b, 1)$을 지나고, ㉡, ㉣에서 $f'(a)=1$, $f'(b)=2$이므로 $y=f(x)$의 그래프의 개형이 될 수 있는 것은 ⑤이다.

정답_⑤

354

$y=g'(x)$, 즉 $y=-f(-x)$의 그래프는 $y=f(x)$의 그래프를 원점에 대하여 대칭이동한 것과 같으므로 다음 그림과 같다.

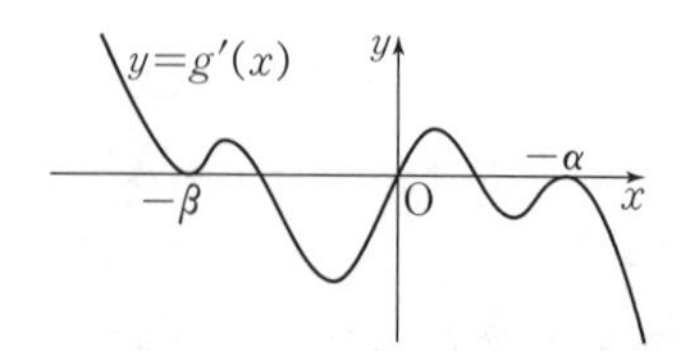

ㄱ은 옳다.

$g'(x)$는 $x=-\alpha$의 좌우에서 증가하다가 감소하므로 $g'(x)$는 $x=-\alpha$에서 극대이다.

ㄴ은 옳지 않다.

$g'(x)$의 부호가 $x=-\beta$의 좌우에서 바뀌지 않으므로 $g(x)$는 $x=-\beta$에서 극값을 갖지 않는다.

ㄷ도 옳지 않다.

$g'(x)$의 부호가 $x=0$의 좌우에서 음에서 양으로 바뀌므로 $g(x)$는 $x=0$에서 극소이다.

따라서 옳은 것은 ㄱ이다. 정답_ ①

355

직선 $x=a$가 곡선 $f(x)$의 극대가 되는 점과 극소가 되는 점 사이를 지나도록 그래프를 그려 보자.

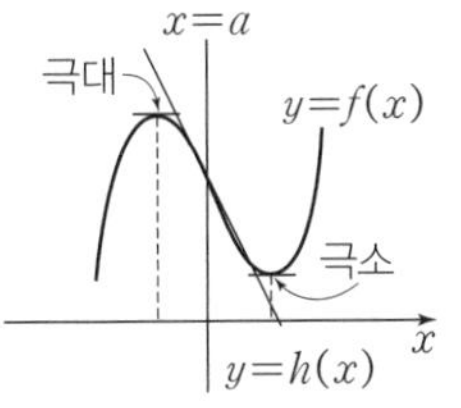

이때, $x=a$에서 곡선 $y=f(x)$의 접선의 방정식을 $y=h(x)$라고 하면 접선 $h(x)$의 기울기는 $f'(a)$이므로 위의 그림과 같이 극대가 되는 점과 극소가 되는 점 사이를 직선 $x=a$가 지나려면 $f'(a)<0$이어야 한다.

$f(x)=x^3-ax^2-100x+10$에서

$f'(x)=3x^2-2ax-100$

즉, $f'(a)=3a^2-2a^2-100<0$이므로

$a^2-100<0$, $(a+10)(a-10)<0$ $\quad\therefore -10<a<10$

따라서 조건을 만족시키는 정수 a는 $-9, -8, \cdots, 8, 9$로 19개이다. 정답_ 19

356

$f(x)=x^3-3x+5$에서

$f'(x)=3x^2-3=3(x-1)(x+1)$

$f'(x)=0$에서 $\quad x=-1$ 또는 $x=1$

x	$\cdots$	-1	$\cdots$	1	$\cdots$
$f'(x)$	$+$	0	$-$	0	$+$
$f(x)$	↗	7	↘	3	↗

한편, $f(x)$의 최솟값이 3이므로 $f(x)=x^3-3x+5=3$에서

$x^3-3x+2=0$, $(x-1)^2(x+2)=0$

$\therefore x=-2$ 또는 $x=1$ (중근)

즉, $f(-2)=3$, $f(1)=3$

함수 $y=f(x)$의 그래프는 오른쪽 그림과 같으므로 구간 $[a, \infty)$에서 함수 $f(x)$의 최솟값이 3이 되도록 하는 실수 a의 값의 범위는 $\quad -2\le a\le 1$

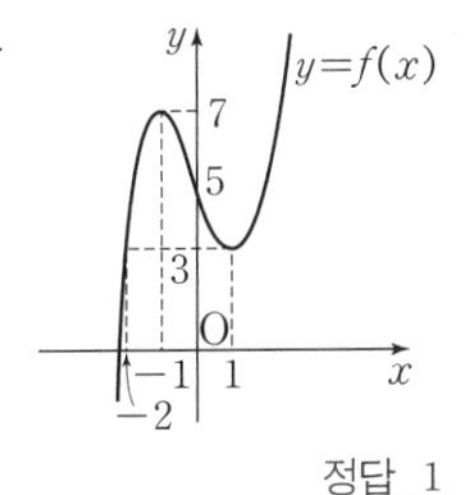

따라서 실수 a의 최댓값은 1이다.

정답_ 1

357

원뿔에 내접하는 직육면체의 밑면의 한 변의 길이를 x, 높이를 y라고 하면 다음 그림과 같이 직육면체의 윗면의 대각선이 작은 원뿔의 밑면인 원의 지름이 된다.

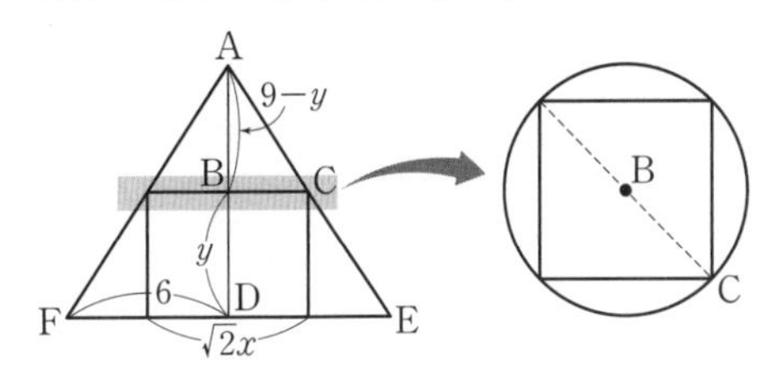

이때, $\triangle ABC \backsim \triangle ADE$이므로

$(9-y) : \frac{\sqrt{2}}{2}x=9 : 6 \quad \therefore y=9-\frac{3\sqrt{2}}{4}x$

직육면체의 부피를 $V(x)$라고 하면

$V(x)=x^2y=x^2\left(9-\frac{3\sqrt{2}}{4}x\right)=-\frac{3\sqrt{2}}{4}x^3+9x^2$

이때, $0<x<12$, $y=9-\frac{3\sqrt{2}}{4}x>0$에서 $\quad 0<x<6\sqrt{2}$

$V'(x)=-\frac{9\sqrt{2}}{4}x^2+18x=-9x\left(\frac{\sqrt{2}}{4}x-2\right)$

$V'(x)=0$에서 $\quad x=0$ 또는 $x=4\sqrt{2}$

x	(0)	$\cdots$	$4\sqrt{2}$	$\cdots$	$(6\sqrt{2})$
$V'(x)$		$+$	0	$-$	
$V(x)$	0	↗	96	↘	0

따라서 함수 $V(x)$는 $0<x<6\sqrt{2}$에서 $x=4\sqrt{2}$일 때 최댓값 96을 가지므로 직육면체의 부피의 최댓값은 96이다. 정답_ ④

06 도함수의 활용 (3)

358

$f(x)=4x^3-3x-k$로 놓으면

$f'(x)=12x^2-3=3(2x+1)(2x-1)$

$f'(x)=0$에서 $x=-\frac{1}{2}$ 또는 $x=\frac{1}{2}$

x	$\cdots$	$-\frac{1}{2}$	$\cdots$	$\frac{1}{2}$	$\cdots$
$f'(x)$	$+$	0	$-$	0	$+$
$f(x)$	↗	$-k+1$	↘	$-k-1$	↗

삼차방정식 $f(x)=0$이 서로 다른 세 실근을 가지려면

(극댓값)×(극솟값)<0이어야 하므로 $f\left(-\frac{1}{2}\right)f\left(\frac{1}{2}\right)<0$

$(-k+1)(-k-1)<0$ $\quad\therefore -1<k<1$ 정답_ ④

359

함수 $f(x)=2x^3+3x^2-12x-16$의 그래프를 y축의 방향으로 k만큼 평행이동시키면 $y=g(x)$의 그래프가 되므로

$g(x)=2x^3+3x^2-12x-16+k$

$g'(x)=6x^2+6x-12=6(x+2)(x-1)$

$g'(x)=0$에서 $x=-2$ 또는 $x=1$

x	$\cdots$	-2	$\cdots$	1	$\cdots$
$g'(x)$	$+$	0	$-$	0	$+$
$g(x)$	↗	$k+4$	↘	$k-23$	↗

삼차방정식 $g(x)=0$이 중근과 다른 한 실근을 가지려면

(극댓값)×(극솟값)$=0$이어야 하므로 $g(-2)g(1)=0$

$(k+4)(k-23)=0$ $\quad\therefore k=-4$ 또는 $k=23$ 정답_ -4, 23

360

$f(x)=2x^3+6x^2-18x+a-3$으로 놓으면

$f'(x)=6x^2+12x-18=6(x+3)(x-1)$

$f'(x)=0$에서 $x=-3$ 또는 $x=1$

x	$\cdots$	-3	$\cdots$	1	$\cdots$
$f'(x)$	$+$	0	$-$	0	$+$
$f(x)$	↗	$a+51$	↘	$a-13$	↗

삼차방정식 $f(x)=0$이 한 실근과 두 허근을 가지려면

(극댓값)×(극솟값)>0이어야 하므로 $f(-3)f(1)>0$

$(a+51)(a-13)>0$ $\quad\therefore a<-51$ 또는 $a>13$

따라서 자연수 a의 최솟값은 14이다. 정답_ ④

361

$f(x)=x^3-ax^2+ax+b$로 놓으면 $f'(x)=3x^2-2ax+a$

함수 $y=f(x)$의 그래프는 오른쪽 그림과 같이 b의 값에 따라 위, 아래로 이동한다. 그러므로 삼차방정식 $f(x)=0$이 모든 상수 b의 값에 대하여 오직 한 개의 실근을 가지려면 함수 $f(x)$가 증가해야 한다.

함수 $f(x)$가 실수 전체의 집합에서 증가하려면 모든 실수 x에 대하여 $f'(x)\geq 0$이어야 한다.

이차방정식 $f'(x)=0$의 판별식을 D라고 하면

$\frac{D}{4}=a^2-3a\leq 0$, $a(a-3)\leq 0$ $\quad\therefore 0\leq a\leq 3$ 정답_ ③

362

곡선 $y=2x^3-3x^2-5x$와 직선 $y=7x+a$가 서로 다른 두 점에서 만나려면 방정식 $2x^3-3x^2-5x=7x+a$, 즉

$2x^3-3x^2-12x-a=0$이 서로 다른 두 실근을 가져야 한다.

$f(x)=2x^3-3x^2-12x-a$로 놓으면

$f'(x)=6x^2-6x-12=6(x+1)(x-2)$

$f'(x)=0$에서 $x=-1$ 또는 $x=2$

x	$\cdots$	-1	$\cdots$	2	$\cdots$
$f'(x)$	$+$	0	$-$	0	$+$
$f(x)$	↗	$-a+7$	↘	$-a-20$	↗

삼차방정식 $f(x)=0$이 서로 다른 두 실근을 가지려면 중근과 다른 한 실근을 가져야 하므로 $f(-1)f(2)=0$

$(-a+7)(-a-20)=0$

$\therefore a=7$ 또는 $a=-20$

따라서 모든 실수 a의 값의 합은 $7+(-20)=-13$ 정답_ ③

363

두 곡선 $y=x^3-3x^2+5x$, $y=3x^2-4x+m$이 서로 다른 세 점에서 만나려면 방정식 $x^3-3x^2+5x=3x^2-4x+m$, 즉

$x^3-6x^2+9x-m=0$이 서로 다른 세 실근을 가져야 한다.

$f(x)=x^3-6x^2+9x-m$으로 놓으면

$f'(x)=3x^2-12x+9=3(x-1)(x-3)$

$f'(x)=0$에서 $x=1$ 또는 $x=3$

x	$\cdots$	1	$\cdots$	3	$\cdots$
$f'(x)$	$+$	0	$-$	0	$+$
$f(x)$	↗	$-m+4$	↘	$-m$	↗

삼차방정식 $f(x)=0$이 서로 다른 세 실근을 가지려면

(극댓값)×(극솟값)<0이어야 하므로 $f(1)f(3)<0$

$(-m+4)(-m)<0$, $m(m-4)<0$

$\therefore 0<m<4$ 정답_ ②

364

$f(x)=x^3+3ax-2$로 놓으면 $f'(x)=3x^2+3a$

접점의 좌표를 $(t,\ t^3+3at-2)$라고 하면 접선의 기울기는

$f'(t)=3t^2+3a$이므로 접선의 방정식은

$y-(t^3+3at-2)=(3t^2+3a)(x-t)$

$\therefore y=(3t^2+3a)x-2t^3-2$ ……㉠

직선 ㉠이 점 $(2,\ 0)$을 지나므로 $0=2(3t^2+3a)-2t^3-2$

$\therefore 2t^3-6t^2-6a+2=0$ ……㉡

점 $(2,\ 0)$에서 곡선 $y=x^3+3ax-2$에 오직 한 개의 접선을 그

을 수 있으려면 t에 대한 삼차방정식 ㉡이 오직 하나의 실근을 가져야 한다.

$g(t)=2t^3-6t^2-6a+2$로 놓으면

$g'(t)=6t^2-12t=6t(t-2)$

$g'(t)=0$에서 $t=0$ 또는 $t=2$

t	$\cdots$	0	$\cdots$	2	$\cdots$
$g'(t)$	$+$	0	$-$	0	$+$
$g(t)$	↗	$-6a+2$	↘	$-6a-6$	↗

삼차방정식 $g(t)=0$이 오직 한 개의 실근을 가지려면

(극댓값)×(극솟값)>0이어야 하므로 $g(0)g(2)>0$

$(-6a+2)(-6a-6)>0$, $(3a-1)(a+1)>0$

$\therefore a<-1$ 또는 $a>\frac{1}{3}$

따라서 자연수 a의 최솟값은 1이다. 정답_ ①

365

$f(x)=x^3-x+2$로 놓으면 $f'(x)=3x^2-1$

접점의 좌표를 $(t,\ t^3-t+2)$라고 하면 접선의 기울기는

$f'(t)=3t^2-1$이므로 접선의 방정식은

$y-(t^3-t+2)=(3t^2-1)(x-t)$

$\therefore y=(3t^2-1)x-2t^3+2$ ……㉠

직선 ㉠이 점 $(1,\ a)$를 지나므로 $a=3t^2-1-2t^3+2$

$\therefore 2t^3-3t^2-1+a=0$ ……㉡

점 $(1,\ a)$에서 곡선 $y=x^3-x+2$에 두 개의 접선을 그을 수 있으려면 t에 대한 삼차방정식 ㉡이 중근과 다른 한 실근을 가져야 한다.

$g(t)=2t^3-3t^2-1+a$로 놓으면

$g'(t)=6t^2-6t=6t(t-1)$

$g'(t)=0$에서 $t=0$ 또는 $t=1$

t	$\cdots$	0	$\cdots$	1	$\cdots$
$g'(t)$	$+$	0	$-$	0	$+$
$g(t)$	↗	$a-1$	↘	$a-2$	↗

삼차방정식 $g(t)=0$이 중근과 다른 한 실근을 가지려면

(극댓값)×(극솟값)=0이어야 하므로 $g(0)g(1)=0$

$(a-1)(a-2)=0$ $\therefore a=1$ 또는 $a=2$

따라서 상수 a의 값의 합은 $1+2=3$ 정답_ 3

366

방정식 $f(x)=g(x)$에서 $3x^3-x^2-3x=x^3-4x^2+9x+a$

$\therefore 2x^3+3x^2-12x-a=0$

$h(x)=2x^3+3x^2-12x-a$로 놓으면

$h'(x)=6x^2+6x-12=6(x+2)(x-1)$

$h'(x)=0$에서 $x=-2$ 또는 $x=1$

x	$\cdots$	-2	$\cdots$	1	$\cdots$
$h'(x)$	$+$	0	$-$	0	$+$
$h(x)$	↗	$-a+20$	↘	$-a-7$	↗

삼차방정식 $h(x)=0$이 서로 다른 두 개의 양의 실근과 한 개의 음의 실근을 가지려면 함수 $y=h(x)$의 그래프가 오른쪽 그림과 같아야 하므로

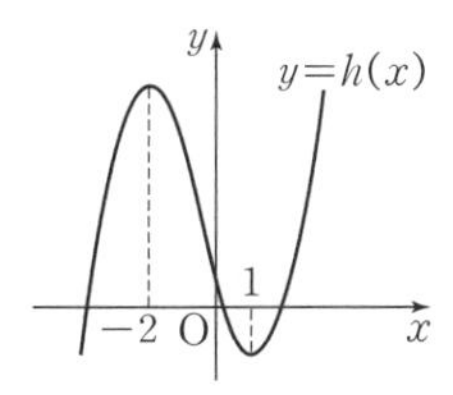

(i) (극댓값)×(극솟값)<0에서

$h(-2)h(1)<0$

$(-a+20)(-a-7)<0$, $(a-20)(a+7)<0$

$\therefore -7<a<20$ ……㉠

(ii) (y축과 만나는 점)>0에서 $h(0)=-a>0$

$\therefore a<0$ ……㉡

㉠, ㉡에서 $-7<a<0$

따라서 정수 a는 $-6, -5, \cdots, -1$로 6개이다. 정답_ ①

367

$f(x)=x^3-12x^2+36x+a$로 놓으면

$f'(x)=3x^2-24x+36=3(x-2)(x-6)$

$f'(x)=0$에서 $x=2$ 또는 $x=6$

x	$\cdots$	2	$\cdots$	6	$\cdots$
$f'(x)$	$+$	0	$-$	0	$+$
$f(x)$	↗	$a+32$	↘	a	↗

삼차방정식 $f(x)=0$이 서로 다른 세 양의 실근을 가지려면 함수 $y=f(x)$의 그래프가 오른쪽 그림과 같아야 하므로

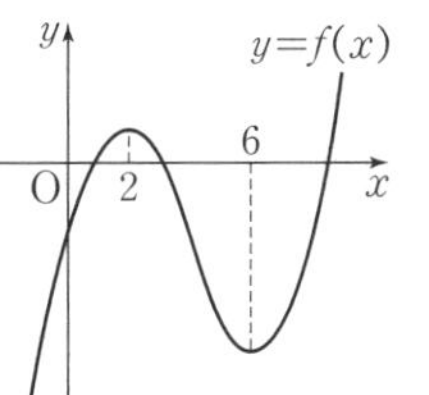

(i) (극댓값)×(극솟값)<0에서

$f(2)f(6)<0$

$(a+32)a<0$ $\therefore -32<a<0$ ……㉠

(ii) (y절편)<0에서 $f(0)=a<0$ ……㉡

㉠, ㉡에서 $-32<a<0$

따라서 정수 a는 $-31, -30, -29, \cdots, -1$로 31개이다. 정답_ ①

368

$2x^3-3x^2+a=0$에서 $-2x^3+3x^2=a$이므로

$f(x)=-2x^3+3x^2$으로 놓으면

$f'(x)=-6x^2+6x=-6x(x-1)$

$f'(x)=0$에서 $x=0$ 또는 $x=1$

x	$\cdots$	0	$\cdots$	1	$\cdots$
$f'(x)$	$-$	0	$+$	0	$-$
$f(x)$	↘	0	↗	1	↘

함수 $y=f(x)$의 그래프는 오른쪽 그림과 같다.

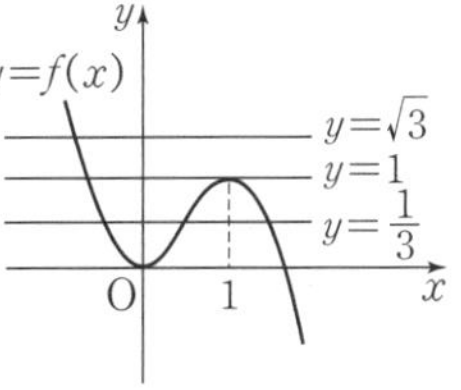

ㄱ은 옳다.

$a=\frac{1}{3}$이면 함수 $y=f(x)$의 그래프와 직선 $y=\frac{1}{3}$이 서로 다른 세 점에서 만나므로 주어진 삼차방정식은 서로 다른 세 개의 실근을 갖는다.

ㄴ도 옳다.

$a=1$이면 함수 $y=f(x)$의 그래프와 직선 $y=1$은 서로 다른 두 점에서 만나므로 주어진 삼차방정식은 서로 다른 두 개의 실근(한 개는 중근)을 갖는다.

ㄷ도 옳다.

$a=\sqrt{3}$이면 함수 $y=f(x)$의 그래프와 직선 $y=\sqrt{3}$은 한 점에서 만나므로 주어진 삼차방정식은 한 개의 실근을 갖는다.

따라서 옳은 것은 ㄱ, ㄴ, ㄷ이다. 정답_⑤

369

두 함수 $y=x^4-4x+a$, $y=-x^2+2x-a$의 그래프가 오직 한 점에서 만나려면 방정식 $x^4-4x+a=-x^2+2x-a$, 즉 $x^4+x^2-6x+2a=0$이 오직 하나의 실근을 가져야 한다.

$f(x)=x^4+x^2-6x+2a$로 놓으면

$f'(x)=4x^3+2x-6=2(x-1)(2x^2+2x+3)$

$f'(x)=0$에서 $x=1$

x	$\cdots$	1	$\cdots$
$f'(x)$	$-$	0	$+$
$f(x)$	↘	$2a-4$	↗

사차방정식 $f(x)=0$이 오직 하나의 실근을 가지려면 $y=f(x)$의 그래프가 오른쪽 그림과 같아야 하므로

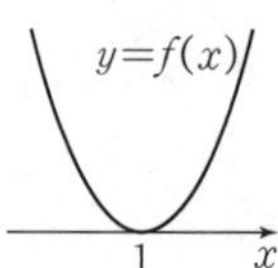

$f(1)=2a-4=0$

$\therefore a=2$ 정답_②

370

$x^4+2x^3-x^2+3=-x^4+2x^3+3x^2+k$에서

$2x^4-4x^2+3=k$

$f(x)=2x^4-4x^2+3$으로 놓으면

$f'(x)=8x^3-8x=8x(x+1)(x-1)$

$f'(x)=0$에서 $x=0$ 또는 $x=-1$ 또는 $x=1$

x	$\cdots$	-1	$\cdots$	0	$\cdots$	1	$\cdots$
$f'(x)$	$-$	0	$+$	0	$-$	0	$+$
$f(x)$	↘	1	↗	3	↘	1	↗

따라서 함수 $y=f(x)$의 그래프의 개형은 오른쪽 그림과 같으므로 방정식 $f(x)=k$의 실근의 개수가 최대이려면 $1<k<3$이어야 한다.

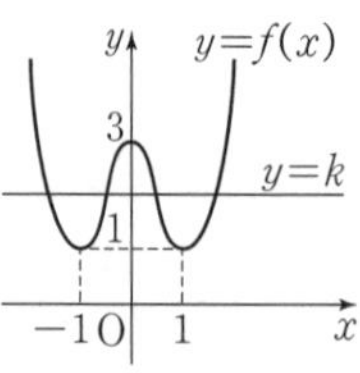

정답_$1<k<3$

371

$y=f'(x)$의 그래프를 이용하여 함수 $f(x)$의 증가와 감소를 표로 나타내면 다음과 같다.

x	$\cdots$	-1	$\cdots$	3	$\cdots$	5	$\cdots$
$f'(x)$	$-$	0	$+$	0	$-$	0	$+$
$f(x)$	↘	극소	↗	극대	↘	극소	↗

사차방정식 $f(x)=0$이 서로 다른 네 실근을 가지려면 $y=f(x)$의 그래프가 오른쪽 그림과 같이 극댓값은 0보다 크고 극솟값은 0보다 작아야 한다.

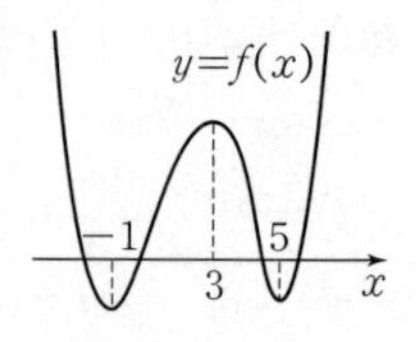

따라서 사차방정식 $f(x)=0$이 서로 다른 네 실근을 가질 조건은

$f(-1)<0$, $f(3)>0$, $f(5)<0$ 정답_②

372

$f(x)=x^4-6x^2+a$로 놓으면

$f'(x)=4x^3-12x=4x(x+\sqrt{3})(x-\sqrt{3})$

$f'(x)=0$에서 $x=-\sqrt{3}$ 또는 $x=0$ 또는 $x=\sqrt{3}$

x	$\cdots$	$-\sqrt{3}$	$\cdots$	0	$\cdots$	$\sqrt{3}$	$\cdots$
$f'(x)$	$-$	0	$+$	0	$-$	0	$+$
$f(x)$	↘	$a-9$	↗	a	↘	$a-9$	↗

사차방정식 $f(x)=0$이 서로 다른 네 개의 실근을 가지려면 $y=f(x)$의 그래프가 오른쪽 그림과 같아야 하므로

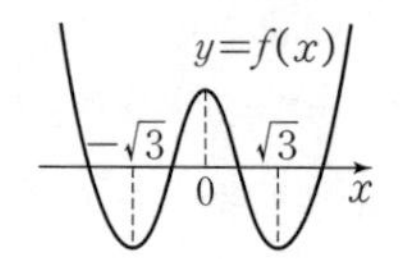

$f(-\sqrt{3})<0$, $f(\sqrt{3})<0$, $f(0)>0$

$a-9<0$, $a>0$ $\quad\therefore 0<a<9$ 정답_③

373

$f(x)=3x^4+8x^3-6x^2-24x+a$로 놓으면

$f'(x)=12x^3+24x^2-12x-24$

$\quad\quad=12(x+2)(x+1)(x-1)$

$f'(x)=0$에서 $x=-2$ 또는 $x=-1$ 또는 $x=1$

x	$\cdots$	-2	$\cdots$	-1	$\cdots$	1	$\cdots$
$f'(x)$	$-$	0	$+$	0	$-$	0	$+$
$f(x)$	↘	$a+8$	↗	$a+13$	↘	$a-19$	↗

$f(-2)>f(1)$이므로 사차방정식 $f(x)=0$이 서로 다른 세 실근을 가지려면 함수 $y=f(x)$의 그래프가 다음 그림과 같아야 한다.

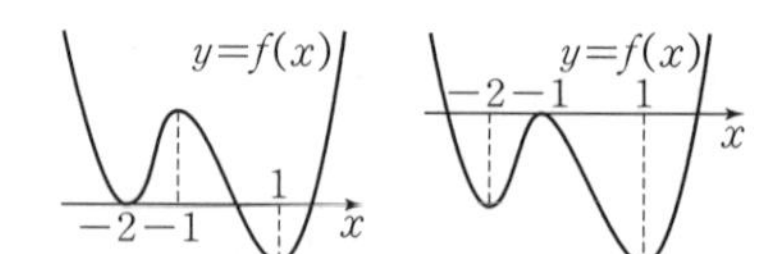

즉, $f(-2)=a+8=0$ 또는 $f(-1)=a+13=0$

$\therefore a=-8$ 또는 $a=-13$

따라서 모든 실수 a의 값의 합은

$(-8)+(-13)=-21$ 정답_①

374

$f(x)=3x^4-4x^3-12x^2+a$로 놓으면

$f'(x)=12x^3-12x^2-24x=12x(x+1)(x-2)$

$f'(x)=0$에서 $x=-1$ 또는 $x=0$ 또는 $x=2$

x	$\cdots$	-1	$\cdots$	0	$\cdots$	2	$\cdots$
$f'(x)$	$-$	0	$+$	0	$-$	0	$+$
$f(x)$	↘	$a-5$	↗	a	↘	$a-32$	↗

$f(-1)>f(2)$이므로 사차방정식 $f(x)=0$이 서로 다른 두 실근을 가지려면 함수 $y=f(x)$의 그래프가 [그림 1] 또는 [그림 2]와 같아야 한다.

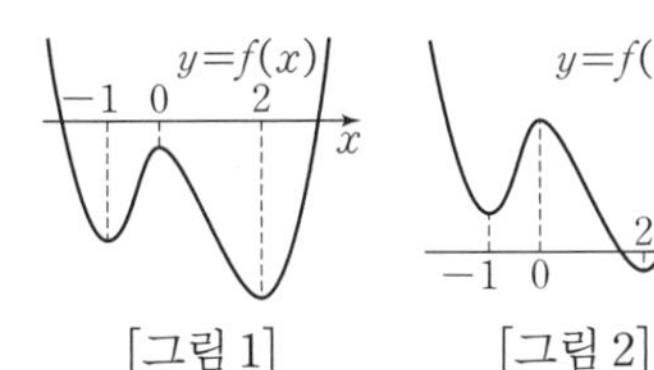

[그림 1] [그림 2]

[그림 1]에서 $f(0)<0$ $\therefore a<0$ ……㉠

[그림 2]에서 $f(-1)>0$, $f(2)<0$

$a-5>0$, $a-32<0$ $\therefore 5<a<32$ ……㉡

㉠, ㉡에서 $a<0$ 또는 $5<a<32$

따라서 자연수 a는 6, 7, 8, $\cdots$, 31로 26개이다. 정답_②

375

$\frac{1}{3}x^3-3x\geq-2x+k$에서 $\frac{1}{3}x^3-x-k\geq0$

$f(x)=\frac{1}{3}x^3-x-k$로 놓으면

$f'(x)=x^2-1=(x+1)(x-1)$

이때, $-1\leq x\leq1$에서 $f'(x)\leq0$이므로 함수 $f(x)$는 $-1\leq x\leq1$에서 감소한다.

$-1\leq x\leq1$일 때 $f(x)\geq0$이려면

$f(1)=\frac{1}{3}-1-k\geq0$ $\therefore k\leq-\frac{2}{3}$

따라서 상수 k의 최댓값은 $-\frac{2}{3}$이다. 정답_②

376

$f(x)=2x^3-5x^2-4x+a$로 놓으면

$f'(x)=6x^2-10x-4=2(3x+1)(x-2)$

$f'(x)=0$에서 $x=-\frac{1}{3}$ 또는 $x=2$

x	0	$\cdots$	2	$\cdots$
$f'(x)$		$-$	0	$+$
$f(x)$	a	↘	$a-12$	↗

$x\geq0$일 때 $f(x)\geq0$이려면 $a-12\geq0$ $\therefore a\geq12$

따라서 상수 a의 최솟값은 12이다. 정답_⑤

377

$f(x)=x^3-3x+k+1$로 놓으면

$f'(x)=3x^2-3=3(x+1)(x-1)$

$f'(x)=0$에서 $x=-1$ 또는 $x=1$

x	-1	$\cdots$	1	$\cdots$	2
$f'(x)$	0	$-$	0	$+$	
$f(x)$	$k+3$	↘	$k-1$	↗	$k+3$

$-1\leq x\leq2$일 때 $f(x)\leq0$이려면 $k+3\leq0$ $\therefore k\leq-3$

따라서 상수 k의 최댓값은 -3이다. 정답_①

378

$f(x)=4x^3+3x^2-6x+k$로 놓으면

$f'(x)=12x^2+6x-6=6(x+1)(2x-1)$

$f'(x)=0$에서 $x=-1$ 또는 $x=\frac{1}{2}$

x	$\cdots$	-1	$\cdots$	$\frac{1}{2}$	$\cdots$	(1)
$f'(x)$	$+$	0	$-$	0	$+$	
$f(x)$	↗	$k+5$	↘	$k-\frac{7}{4}$	↗	$(k+1)$

$x<1$일 때 $f(x)<0$이려면 $k+5<0$ $\therefore k<-5$ 정답_①

379

$f(x)=x^4-4p^3x+12$로 놓으면

$f'(x)=4x^3-4p^3=4(x-p)(x^2+px+p^2)$

이때, $x^2+px+p^2=\left(x+\frac{1}{2}p\right)^2+\frac{3}{4}p^2>0$이므로

$f'(x)=0$에서 $x=p$

x	$\cdots$	p	$\cdots$
$f'(x)$	$-$	0	$+$
$f(x)$	↘	$-3p^4+12$	↗

모든 실수 x에 대하여 $f(x)>0$이려면 $-3p^4+12>0$

$p^4-4<0$ $\therefore (p^2+2)(p^2-2)<0$

이때, $p^2+2>0$이므로 $p^2-2<0$

$(p+\sqrt{2})(p-\sqrt{2})<0$ $\therefore -\sqrt{2}<p<\sqrt{2}$

따라서 자연수 p는 1로 1개이다. 정답_①

380

$f(x)\geq g(x)$에서 $f(x)-g(x)\geq0$

$h(x)=f(x)-g(x)$로 놓으면

$h(x)=x^3+a-3x^2=x^3-3x^2+a$

$h'(x)=3x^2-6x=3x(x-2)$

이때, $x\geq2$에서 $h'(x)\geq0$이므로 함수 $h(x)$는 $x\geq2$에서 증가한다.

$x\geq2$일 때 $h(x)\geq0$이려면

$h(2)=8-12+a\geq0$ $\therefore a\geq4$ 정답_③

381

$f(x)=-x^4+4x^2+16x-12$에서

$f'(x)=-4x^3+8x+16=-4(x-2)(x^2+2x+2)$

이때, $x^2+2x+2=(x+1)^2+1>0$이므로

$f'(x)=0$에서 $x=2$

x	$\cdots$	2	$\cdots$
$f'(x)$	$+$	0	$-$
$f(x)$	↗	20	↘

한편, $g(x)=x^2+6x+k=(x+3)^2+k-9$이므로 $g(x)$의 최솟값은 $k-9$이다.

임의의 실수 x_1, x_2에 대하여 $f(x_1)\le g(x_2)$를 만족시키려면

$(f(x)$의 최댓값$)\le(g(x)$의 최솟값$)$이어야 하므로

$20\le k-9 \qquad \therefore k\ge 29$

따라서 실수 k의 최솟값은 29이다. 정답_29

382

$f(x)=x^3-3x^2+a-2$에서

$f'(x)=3x^2-6x=3x(x-2)$

$f'(x)=0$에서 $\quad x=2\ (\because x>0)$

x	(0)	$\cdots$	2	$\cdots$
$f'(x)$		$-$	0	$+$
$f(x)$		↘	$a-6$	↗

$x>0$일 때, 곡선 $y=f(x)$가 직선 $y=2$보다 항상 위쪽에 있으려면 $(f(x)$의 최솟값$)>2$이어야 하므로

$a-6>2 \qquad \therefore a>8$ 정답_$a>8$

383

$f(x)=x^{n+1}+n-(n+1)x$로 놓으면

$f'(x)=(n+1)x^n-(n+1)=(n+1)(x^n-1)$

$x>1$일 때, $f'(x)\boxed{\text{(가) }>}0$이므로 구간 $(1,\ \infty)$에서 $f(x)$는 $\boxed{\text{(나) 증가}}$한다.

또, $f(1)=1+n-(n+1)=0$이므로 $x>1$일 때 $\quad f(x)\boxed{\text{(다) }>}0$

$x^{n+1}+n-(n+1)x>0$

$\therefore x^{n+1}+n>(n+1)x$ 정답_①

384

$f(x)=x^n-n(x-1)$로 놓으면

$f'(x)=nx^{n-1}-n=n(x^{n-1}-1)$

$x>1$일 때 $f'(x)\boxed{\text{(가) }>}0$이므로 $f(x)$는 $\boxed{\text{(나) 증가}}$한다.

이때, $f(1)=1$이므로 $x>1$일 때 $\quad f(x)>0$

$x^n-n(x-1)>0 \qquad \therefore x^n\boxed{\text{(다) }>}n(x-1)$ 정답_①

385

$f(x)=x^n-nx\,(x>0)$로 놓으면

$f'(x)=nx^{n-1}-n=n(x^{n-1}-1)$

$\qquad =n(x-1)(x^{n-2}+x^{n-3}+\cdots+x+1)$

$f'(x)=0$에서 $\quad x=1$

따라서 $f(x)$는 $x=\boxed{\text{(가) }1}$에서 극소이며 최소이다.

즉, $f(x)\ge f(1)=\boxed{\text{(나) }1-n}$이므로

$x^n-nx\ge\boxed{\text{(나) }1-n}$

따라서 n이 2 이상의 자연수일 때, $x>0$인 모든 실수 x에 대하여 부등식 $x^n\ge nx+\boxed{\text{(나) }1-n}$이 성립한다. 정답_②

386

$f(x)=2^{n-1}(x^n+1)-(x+1)^n$으로 놓으면

$f'(x)=2^{n-1}\cdot nx^{n-1}-n(x+1)^{n-1}$

$\qquad =n\{(\boxed{\text{(가) }2x})^{n-1}-(x+1)^{n-1}\}$

$f'(x)=0$에서 $x=\boxed{\text{(나) }1}$이므로 $f(x)$는 $x=\boxed{\text{(나) }1}$에서 극소이면서 최소이고 최솟값은

$f(1)=2^{n-1}\cdot 2-2^n=0$

$\therefore f(x)\ge 0$ (단, 등호는 $x=\boxed{\text{(나) }1}$일 때 성립한다.)

즉, $(x+1)^n\le 2^{n-1}(x^n+1)$

위의 부등식에 $x=\boxed{\text{(다) }\dfrac{a}{b}}$를 대입하면

$\left(\dfrac{a}{b}+1\right)^n\le 2^{n-1}\left\{\left(\dfrac{a}{b}\right)^n+1\right\}$

양변에 $\boxed{\text{(라) }b^n}$을 곱하면 $\quad (a+b)^n\le 2^{n-1}(a^n+b^n)$ 정답_③

387

점 P의 시각 t에서의 속도를 v라고 하면

$v=x'=-2t+4$

$t=a$에서 점 P의 속도가 0이므로

$-2a+4=0 \qquad \therefore a=2$ 정답_②

388

점 P의 시각 t에서의 속도를 v, 가속도를 a라고 하면

$v=x'=3t^2-6t,\ a=v'=6t-6$

속도가 45인 순간의 시각을 구하면 $\quad 3t^2-6t=45$

$t^2-2t-15=0,\ (t+3)(t-5)=0$

$\therefore t=5\ (\because t>0)$

따라서 $t=5$일 때의 가속도는 $\quad 6\cdot5-6=24$ 정답_③

389

점 P의 시각 t에서의 속도를 v라고 하면

$v=x'=3t^2-6t-4=3(t-1)^2-7 \qquad \cdots\cdots$ ㉠

$0\le t\le 3$에서 ㉠의 그래프는 오른쪽 그림과 같으므로

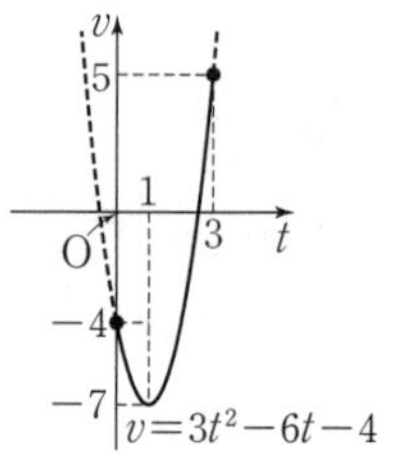

$-7\le v\le 5 \qquad \therefore 0\le|v|\le 7$

따라서 점 P의 속도와 속력의 최댓값은 각각 5, 7이므로

$a=5,\ b=7$

$\therefore a+b=5+7=12$ 정답_②

390

점 P의 시각 t에서의 속도를 v, 가속도를 a라고 하면

$v=x'=t^2-7t+10,\ a=v'=2t-7$

점 P가 운동 방향을 바꿀 때의 속도는 0이므로 $\quad t^2-7t+10=0$

$(t-2)(t-5)=0 \qquad \therefore t=2$ 또는 $t=5$

따라서 $t=2$일 때 처음으로 운동 방향을 바꾸므로 구하는 가속도는 $2\cdot2-7=-3$ 정답_③

391

제동을 걸고 나서 t초 동안 달린 거리를 x m, t초 후의 속도를 v m/초라고 하면

$x=20t-\frac{1}{10}ct^2, v=x'=20-\frac{1}{5}ct$

열차가 정지할 때의 속도는 0 m/초이므로

$20-\frac{1}{5}ct=0 \quad \therefore t=\frac{100}{c}$ (초)

열차가 정지할 때까지 달린 거리는

$20\cdot\frac{100}{c}-\frac{1}{10}c\cdot\left(\frac{100}{c}\right)^2=\frac{1000}{c}$ (m)

정지선을 넘지 않고 멈추려면 달린 거리가 200 m 이하이어야 하므로 $\frac{1000}{c}\le200 \quad \therefore c\ge5$

따라서 양수 c의 최솟값은 5이다. 정답_⑤

392

점 P는 원점을 출발하므로 $t=0$일 때의 위치는 0이다.

$x=t^2+at+b$에 $t=0, x=0$을 대입하면 $b=0$

점 P의 시각 t에서의 속도를 v라고 하면 $v=x'=2t+a$

운동 방향을 바꾸는 시각이 $t=3$이므로 $t=3$일 때의 속도는 0이다.

$v=2t+a$에 $t=3, v=0$을 대입하면

$2\cdot3+a=0 \quad \therefore a=-6$

따라서 $x=t^2-6t$이므로 점 P가 다시 원점을 지나가게 되는 시각은

$t^2-6t=0$에서 $t(t-6)=0 \quad \therefore t=6\ (\because t>0)$ 정답_⑤

393

시각 t에서의 속도를 $v(t)$라고 하면

$v(t)=f'(t)=6t^2-18t+12=6(t-1)(t-2)$

ㄱ은 옳다.

출발할 때에는 $t=0$이므로 $v(0)=12$

ㄴ은 옳지 않다.

$v(t)=0$에서 $t=1$ 또는 $t=2$이므로 점 P는 두 번 방향을 바꾼다.

ㄷ도 옳다.

$f(t)=0$에서 $t(2t^2-9t+12)=0$

$\therefore t=0$ 또는 $2t^2-9t+12=0$

이때, $2t^2-9t+12=2\left(t-\frac{9}{4}\right)^2+\frac{15}{8}>0$이므로 방정식 $f(t)=0$은 $t=0$ 이외의 해를 갖지 않는다.

즉, 점 P는 원점을 출발한 후 다시 원점으로 돌아오지 않는다.

따라서 옳은 것은 ㄱ, ㄷ이다. 정답_③

394

시각 t일 때의 두 점 P, Q의 속도를 각각 v_P, v_Q라고 하면

$v_P=f'(t)=4t-2,\ v_Q=g'(t)=2t-8$

이때, 두 점 P와 Q가 서로 반대 방향으로 움직이려면 v_P와 v_Q의 부호가 달라야 하므로

$(4t-2)(2t-8)<0$

$(2t-1)(t-4)<0 \quad \therefore \frac{1}{2}<t<4$ 정답_①

395

시각 t에서의 두 점 P, Q의 속도를 각각 v_P, v_Q라고 하면

$v_P=f'(t)=t^2-2, v_Q=g'(t)=2t+1$

두 점 P, Q의 속도가 같으므로 $v_P=v_Q$에서

$t^2-2=2t+1, t^2-2t-3=0$

$(t+1)(t-3)=0 \quad \therefore t=3\ (\because t\ge0)$

따라서 $t=3$일 때, 두 점 P, Q의 위치는 각각

$f(3)=\frac{1}{3}\cdot3^3-2\cdot3=3, g(3)=3^2+3=12$

이므로 두 점 P, Q 사이의 거리는 $12-3=9$ 정답_⑤

396

두 점 P, Q의 t분 후의 속도를 각각 v_1, v_2라고 하면

$v_1=x_1'=6t-18, v_2=x_2'=2t-10$

두 점 P, Q가 같은 방향으로 움직이면 속도의 부호가 같으므로

$v_1v_2>0$에서 $(6t-18)(2t-10)>0$

$(t-3)(t-5)>0 \quad \therefore t<3$ 또는 $t>5$

이때, $0<t\le10$이므로 $0<t<3$ 또는 $5<t\le10$

따라서 두 점 P, Q가 같은 방향으로 움직이는 시간은 8분 동안이다. 정답_⑤

397

두 점이 만날 때 두 점의 위치는 같으므로

$t^3-2t=2t^2+6t$

$t^3-2t^2-8t=0, t(t+2)(t-4)=0 \quad \therefore t=4\ (\because t>0)$

두 점 P, Q의 t초 후의 속도는 각각 $v_P=3t^2-2, v_Q=4t+6$이므로 $t=4$일 때의 속도는 각각

$v_P=3\cdot4^2-2=46, v_Q=4\cdot4+6=22$

$\therefore |v_P-v_Q|=|46-22|=24$ 정답_①

398

로켓의 t시간 후의 속도를 v km/시, 가속도를 a km/시^{2}이라고 하면 $v=h'=600-10t-t^2, a=v'=-10-2t$

로켓이 최고 높이에 도달하였을 때의 속도는 0 km/시이므로

$600-10t-t^2=0, t^2+10t-600=0$

$(t+30)(t-20)=0 \quad \therefore t=20\ (\because t>0)$

따라서 $t=20$일 때의 가속도는

$a=-10-2\cdot20=-50$ (km/시^2) 정답_①

399

물체의 t초 후의 속도를 v m/초, 가속도를 a m/초^{2}이라고 하면

$v=h'=100-10t$, $a=v'=-10$

ㄱ은 옳다.

물체의 가속도는 -10 m/초^{2}으로 항상 일정하다.

ㄴ도 옳다.

물체가 다시 땅에 떨어질 때의 높이는 0 m이므로

$100t-5t^2=0$, $5t(20-t)=0$ $\quad\therefore t=20\ (\because t>0)$

즉, 20초 후에 다시 땅에 떨어진다.

ㄷ은 옳지 않다.

$h=100t-5t^2=-5(t-10)^2+500$이므로 물체는 $t=10$일 때 최고 500 m까지 올라간다.

따라서 옳은 것은 ㄱ, ㄴ이다. 정답_③

400

ㄱ은 옳다.

$t=a$일 때 전진에서 후진으로, $t=c$일 때 후진에서 전진으로 방향을 바꾼다.

ㄴ도 옳다.

원점을 처음으로 다시 지나는 시각은 $t=b$이므로 이때의 속도는 $f'(b)$이다.

ㄷ도 옳다.

운동 방향을 처음으로 바꾸는 시각은 $t=a$이다.

$t=a$의 좌우에서 속도 v는 양 → 0 → 음으로 감소하므로 $t=a$에서 가속도 v'은 음수이다.

따라서 옳은 것은 ㄱ, ㄴ, ㄷ이다. 정답_⑤

보충 설명

오른쪽 그림과 같은 속도 $v=f'(t)$의 그래프에서 가속도는 접선의 기울기이므로 $t=a$에서 가속도는 음수이다.

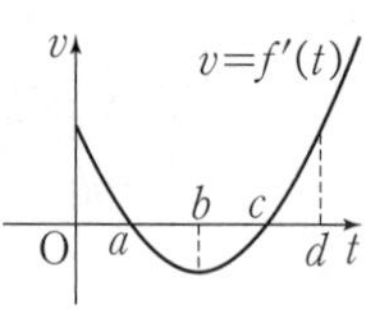

401

①은 옳다.

1초 후 전진에서 후진으로 운동 방향이 바뀐다.

②도 옳다.

8초 동안 $t=1, 2, 3, 5, 6, 7$일 때의 6번 운동 방향이 바뀐다.

③은 옳지 않다.

출발 후 양의 방향으로 움직이다가 4초까지는 1초, 2초, 3초에서 방향을 바꾼다.

④도 옳다.

출발 후 5초 후의 위치와 7초 후의 위치는 -2로 같다.

⑤도 옳다.

$x(t)$의 그래프가 $t=2$일 때, 극값을 가지므로 출발 후 2초 후의 속력은 0이다. 출발 후 4초 후의 속도는 $x(t)$의 그래프의 $t=4$일 때의 접선의 기울기이고 음수이므로 속도의 절댓값인 속력은 양수이다.

즉, 출발 후 4초 후의 속력이 출발 후 2초 후의 속력보다 크다.

따라서 옳지 않은 것은 ③이다. 정답_③

402

ㄱ은 옳다.

운동 방향을 바꾸는 지점은 속도가 음에서 양으로 또는 양에서 음으로 부호를 바꾸는 지점이다. 주어진 그래프에서 $t=3$, $t=5$일 때 속도의 부호가 바뀌므로 점 P는 출발한 후 3초일 때와 5초일 때 두 번 운동 방향을 바꾼다.

ㄴ은 옳지 않다.

점 P는 1초와 2초 사이에서 일정한 속도로 움직였다.

ㄷ도 옳지 않다.

점 P는 출발 후 $t=3$일 때 처음으로 운동 방향을 바꾸고 3초부터 5초까지는 원점을 향하여 다시 돌아오고 있다. 따라서 점 P가 처음으로 운동 방향을 바꾼 후 원점에 가장 가까울 때는 $t=5$일 때이다.

ㄹ도 옳다.

2초와 3초 사이에서는 속도의 그래프가 일정한 기울기로 감소하는 직선이므로 가속도는 음의 값으로 일정하다.

따라서 옳은 것은 ㄱ, ㄹ이다. 정답_③

403

$l'=2t+2$이므로 $t=2$에서의 고무줄의 길이의 변화율은

$l'=2\cdot2+2=6$ 정답_④

404

t분 후 사람이 움직인 거리를 x m, 사람의 그림자의 길이를 y m라고 하면 오른쪽 그림에서

$\triangle OAR \backsim \triangle PQR$이므로

$3:1.8=(x+y):y$

$3y=1.8x+1.8y$ $\quad\therefore y=\frac{3}{2}x$ ……㉠

사람이 80 m/분의 속력으로 걸어가므로 $x=80t$ ……㉡

㉡을 ㉠에 대입하면

$y=\frac{3}{2}\cdot80t=120t$

따라서 그림자 길이의 증가율은

$y'=120$(m/분) 정답_⑤

405

제일 먼저 생긴 원의 t초 후의 반지름의 길이는 $\frac{1}{2}t$ m이므로

원의 넓이를 S m²라고 하면

$S=\pi\left(\frac{1}{2}t\right)^2=\frac{\pi}{4}t^2 \qquad \therefore S'=\frac{\pi}{2}t$

따라서 돌을 던진 지 6초 후 가장 바깥쪽의 원의 넓이의 변화율은

$\frac{\pi}{2}\cdot 6=3\pi(\text{m}^2/\text{초})$ 　　정답_ ③

406

t초 후의 직사각형의 가로, 세로의 길이는 각각 $(10+3t)$ cm, $(30-2t)$ cm이므로 직사각형의 넓이를 S cm²라고 하면

$S=(10+3t)(30-2t)$

$\therefore S'=3(30-2t)-2(10+3t)=70-12t$

직사각형이 정사각형이 되는 시각은

$10+3t=30-2t \qquad \therefore t=4$

따라서 $t=4$일 때의 넓이의 변화율은

$S'=70-12\cdot 4=22(\text{cm}^2/\text{초})$ 　　정답_ ④

407

t초 후의 풍선의 반지름의 길이는 $(2+t)$ cm이므로 부피를 V cm³라고 하면

$V=\frac{4}{3}\pi(2+t)^3$

$\therefore V'=\frac{4}{3}\pi\cdot 3(2+t)^2\cdot 1=4\pi(2+t)^2$

풍선의 반지름의 길이가 6 cm가 되는 시각은

$2+t=6 \qquad \therefore t=4$

따라서 $t=4$일 때의 부피의 변화율은

$V'=4\pi(2+4)^2=144\pi(\text{cm}^3/\text{초})$ 　　정답_ ⑤

408

t초 후의 정사각기둥의 밑면의 한 변의 길이는 $(t+2)$ cm이고 높이는 $(10-t)$ cm이므로 정사각기둥의 부피를 V cm³라고 하면

$V=(t+2)^2(10-t)$

$\therefore V'=2(t+2)(10-t)-(t+2)^2$

$\quad =-3t^2+12t+36$

따라서 $t=5$일 때의 정사각기둥의 부피의 변화율은

$V=-3\cdot 5^2+12\cdot 5+36=21(\text{cm}^3/\text{초})$ 　　정답_ ④

409

t초 후의 수면의 반지름의 길이를 r cm, 높이를 h cm라고 하면 오른쪽 그림에서

$r:h=6:12$

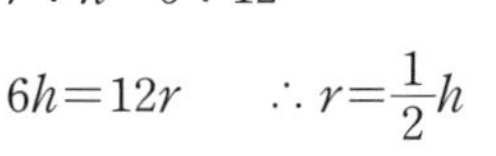

$6h=12r \qquad \therefore r=\frac{1}{2}h$

수면의 높이가 매초 2 cm의 속도로 올라가므로 t초일 때 수면의 높이는 $h=2t$

$\therefore r=\frac{1}{2}\cdot 2t=t$

t초 후의 물의 부피를 V cm³라고 하면

$V=\frac{1}{3}\pi r^2h=\frac{1}{3}\pi t^2\cdot 2t=\frac{2}{3}\pi t^3$

$\therefore V'=2\pi t^2$

따라서 $t=4$일 때의 부피의 변화율은

$V'=2\pi\cdot 4^2=32\pi(\text{cm}^3/\text{초})$ 　　정답_ ②

410

곡선 $y=-x^3+1$과 직선 $y=-3x+k$가 접하려면 방정식 $-x^3+1=-3x+k$, 즉 $x^3-3x-1+k=0$이 한 실근과 중근을 가져야 한다. ……… ❶

$f(x)=x^3-3x-1+k$로 놓으면

$f'(x)=3x^2-3=3(x-1)(x+1)$

$f'(x)=0$에서 $x=-1$ 또는 $x=1$

x	$\cdots$	-1	$\cdots$	1	$\cdots$
$f'(x)$	$+$	0	$-$	0	$+$
$f(x)$	↗	$k+1$	↘	$k-3$	↗

삼차방정식 $f(x)=0$이 한 실근과 중근을 가지려면

(극댓값)×(극솟값)=0이어야 하므로 $f(-1)f(1)=0$

$(k+1)(k-3)=0 \qquad \therefore k=-1$ 또는 $k=3$

따라서 모든 실수 k의 값의 합은

$-1+3=2$ ……… ❷

정답_ 2

단계	채점 기준	비율
❶	주어진 조건을 만족시키기 위한 방정식의 근의 형태 파악하기	50%
❷	k의 값의 합 구하기	50%

411

$f(x)=x^3-2x-5$로 놓으면 $f'(x)=3x^2-2$

접점의 좌표를 $(a,\ a^3-2a-5)$라고 하면 접선의 기울기는

$f'(a)=3a^2-2$

접선의 방정식은 $y-(a^3-2a-5)=(3a^2-2)(x-a)$

$\therefore y=(3a^2-2)x-2a^3-5$ ……㉠

직선 ㉠이 점 $(2,\ k)$를 지나므로

$k=2(3a^2-2)-2a^3-5$

$\therefore 2a^3-6a^2+9+k=0$ ……㉡

점 $(2,\ k)$에서 곡선 $y=f(x)$에 서로 다른 세 개의 접선을 그을 수 있으려면 a에 대한 방정식 ㉡이 서로 다른 세 실근을 가져야 한다. ……… ❶

$g(a)=2a^3-6a^2+9+k$로 놓으면

$g'(a)=6a^2-12a=6a(a-2)$

$g'(a)=0$에서 $a=0$ 또는 $a=2$

a	$\cdots$	0	$\cdots$	2	$\cdots$
$g'(a)$	$+$	0	$-$	0	$+$
$g(a)$	↗	$k+9$	↘	$k+1$	↗

삼차방정식 $g(a)=0$이 서로 다른 세 실근을 가지려면 (극댓값)×(극솟값)<0이어야 하므로 $g(0)g(2)<0$

$(k+9)(k+1)<0 \quad \therefore -9<k<-1$

따라서 정수 k는 $-8, -7, -6, \cdots, -2$로 7개이다. ❷

정답_ 7

단계	채점 기준	비율
❶	주어진 조건을 만족시키기 위한 방정식의 근의 형태 파악하기	50%
❷	정수 k의 개수 구하기	50%

412

$y=f(x)$의 그래프가 $y=g(x)$의 그래프보다 항상 위쪽에 있으려면 모든 실수 x에 대하여 $f(x)>g(x)$이어야 한다. ❶

$f(x)>g(x)$에서 $f(x)-g(x)>0$

$h(x)=f(x)-g(x)$로 놓으면

$h(x)=x^4-4x-(-x^2+2x-a)=x^4+x^2-6x+a$ ❷

$h'(x)=4x^3+2x-6=2(x-1)(2x^2+2x+3)$

이때, $2x^2+2x+3=2\left(x+\frac{1}{2}\right)^2+\frac{5}{2}>0$이므로

$h'(x)=0$에서 $x=1$

x	$\cdots$	1	$\cdots$
$h'(x)$	$-$	0	$+$
$h(x)$	↘	$a-4$	↗

모든 실수 x에 대하여 $h(x)>0$이려면 $a-4>0 \quad \therefore a>4$

따라서 자연수 a의 최솟값은 5이다. ❸

정답_ 5

단계	채점 기준	비율
❶	함수 $f(x)$의 그래프가 $g(x)$의 그래프보다 항상 위쪽에 있기 위한 조건 파악하기	20%
❷	$f(x)-g(x)$를 x에 대한 함수로 나타내기	20%
❸	a의 최솟값 구하기	60%

413

점 P의 시각 t에서의 속도를 v라고 하면 $v=x'=4t^3-24t+k$

점 P의 운동 방향이 출발한 후 두 번만 바뀌어야 하므로 방정식 $v=4t^3-24t+k=0$은 $t>0$에서 서로 다른 두 실근을 가져야 한다. ❶

$f(t)=4t^3-24t+k$로 놓으면

$f'(t)=12t^2-24=12(t+\sqrt{2})(t-\sqrt{2})$

$f'(t)=0$에서 $t=-\sqrt{2}$ 또는 $t=\sqrt{2}$

t	$\cdots$	$-\sqrt{2}$	$\cdots$	$\sqrt{2}$	$\cdots$
$f'(t)$	$+$	0	$-$	0	$+$
$f(t)$	↗	$k+16\sqrt{2}$	↘	$k-16\sqrt{2}$	↗

삼차방정식 $f(t)=0$이 $t>0$에서 서로 다른 두 실근을 가지려면 함수 $y=f(t)$의 그래프가 오른쪽 그림과 같아야 하므로

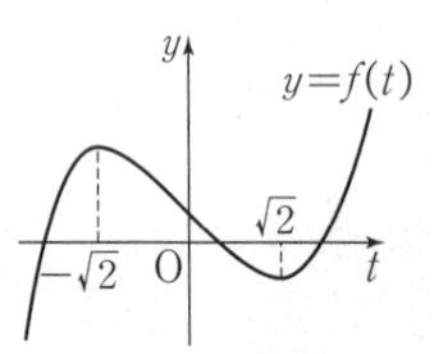

(i) (극댓값)×(극솟값)<0에서 $f(-\sqrt{2})f(\sqrt{2})<0$

$(k+16\sqrt{2})(k-16\sqrt{2})<0$

$\therefore -16\sqrt{2}<k<16\sqrt{2}$ ……㉠

(ii) (y절편)>0에서 $f(0)=k>0$ ……㉡

㉠, ㉡에서 $0<k<16\sqrt{2}$ ❷

$\sqrt{2}=1.4142$로 계산하면 $0<k<22.6272$

따라서 정수 k의 최댓값은 22이다. ❸

정답_ 22

단계	채점 기준	비율
❶	주어진 조건을 만족시키기 위한 방정식의 근의 형태 파악하기	30%
❷	k의 값의 범위 구하기	50%
❸	k의 최댓값 구하기	20%

414

두 점 P, Q의 시각 t에서의 속도를 각각 v_x, v_y라고 하면

$v_x=x'=2t-2, v_y=y'=2t-4$ ❶

두 점 P, Q가 서로 반대 방향으로 움직이면 속도의 부호가 다르므로 $v_xv_y<0$에서

$(2t-2)(2t-4)<0, (t-1)(t-2)<0 \quad \therefore 1<t<2$

따라서 $\alpha=1, \beta=2$이므로 ❷

$t=\alpha\beta=2$에서

$x=2^2-2\cdot2=0, y=2^2-4\cdot2=-4$

이므로 두 점 P, Q 사이의 거리는 4이다. ❸

정답_ 4

단계	채점 기준	비율
❶	두 점 P, Q의 속도를 t에 대한 함수로 나타내기	20%
❷	α, β의 값 구하기	60%
❸	두 점 P, Q 사이의 거리 구하기	20%

415

$f(t)=t^2+at+b$에서 $f'(t)=2t+a$

$\lim_{t\to1}\frac{f(t)}{t-1}=3$에서 $t\to1$일 때 (분모)$\to0$이므로 (분자)$\to0$ 이어야 한다. 즉, $\lim_{t\to1}f(t)=0$에서 $f(1)=0$

$\therefore \lim_{t\to1}\frac{f(t)}{t-1}=\lim_{t\to1}\frac{f(t)-f(1)}{t-1}=f'(1)=3$ ❶

$f(1)=0, f'(1)=3$이므로 $1+a+b=0, 2+a=3$

위의 두 식을 연립하여 풀면 $a=1, b=-2$ ❷

$f(t)=t^2+t-2, f'(t)=2t+1$이므로 $t=2$에서의 점 P의 위치와 속도는 각각

$f(2)=4+2-2=4, f'(2)=4+1=5$ ❸

정답_ 위치: 4, 속도: 5

단계	채점 기준	비율
❶	$f'(1)$의 값 구하기	40%
❷	a, b의 값 구하기	30%
❸	점 P의 위치와 속도 구하기	30%

416

삼차함수 $f(x)$가 $x=a$에서 극댓값 5, $x=b$에서 극솟값 1을 가진다고 하면 함수 $y=f(x)$의 그래프는 다음 그림과 같다.

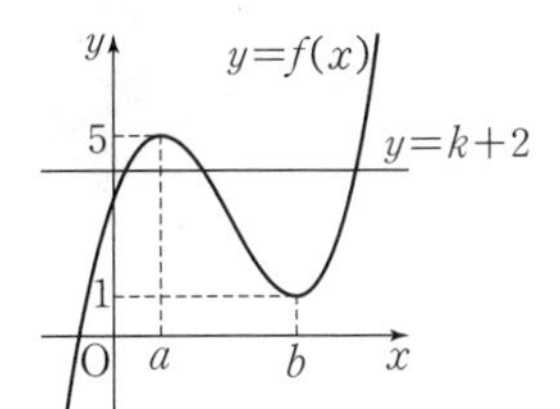

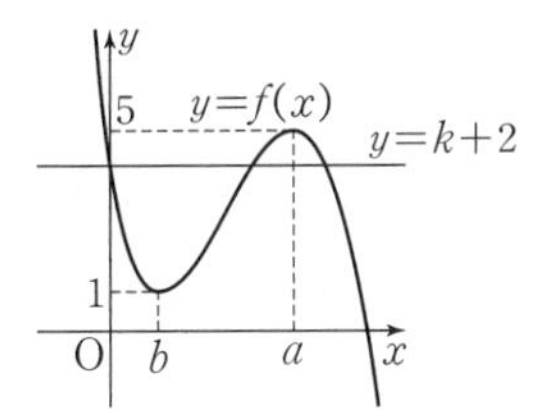

$f(x)-2=k$에서 $f(x)=k+2$ ······㉠

㉠이 서로 다른 세 실근을 가지려면 함수 $y=f(x)$의 그래프와 직선 $y=k+2$가 서로 다른 세 점에서 만나야 하므로

$1<k+2<5$ $\quad\therefore -1<k<3$

따라서 정수 k의 최댓값은 2, 최솟값은 0이므로 그 합은

$2+0=2$

정답_②

417

주어진 그래프와 $f(\alpha)=3$, $f(\beta)=-2$로부터 함수 $f(x)$의 증가와 감소를 표로 나타내면 다음과 같다.

x	$\cdots$	α	$\cdots$	β	$\cdots$
$f'(x)$	$+$	0	$-$	0	$+$
$f(x)$	↗	3	↘	-2	↗

$\{f(x)\}^2+2f(x)=3$에서 $\{f(x)\}^2+2f(x)-3=0$

$\{f(x)+3\}\{f(x)-1\}=0$ $\quad\therefore f(x)=-3$ 또는 $f(x)=1$

함수 $y=f(x)$의 그래프는 오른쪽 그림과 같으므로 $f(x)=-3$의 실근은 1개이고, $f(x)=1$의 실근은 3개이다.

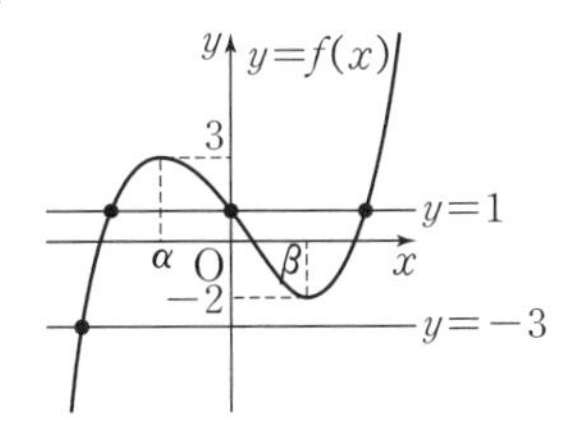

따라서 주어진 방정식의 서로 다른 실근의 개수는 4이다.

정답_④

418

$x<a$에서 $f'(x)>g'(x)$이므로

$h'(x)=f'(x)-g'(x)>0$

$a<x<b$에서 $f'(x)<g'(x)$이므로

$h'(x)=f'(x)-g'(x)<0$

$x>b$에서 $f'(x)>g'(x)$이므로

$h'(x)=f'(x)-g'(x)>0$

x	$\cdots$	a	$\cdots$	b	$\cdots$
$h'(x)$	$+$	0	$-$	0	$+$
$h(x)$	↗	극대	↘	극소	↗

ㄱ은 옳다.

함수 $h(x)$는 $x=a$에서 극댓값을 갖는다.

ㄴ도 옳다.

$h(b)=0$이면 함수 $y=h(x)$의 그래프는 오른쪽 그림과 같다.

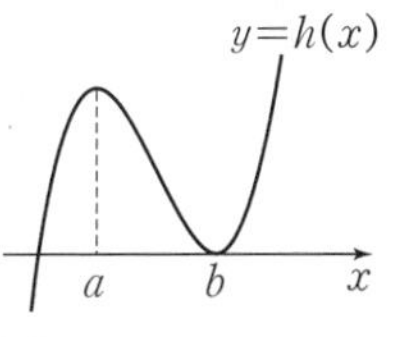

즉, 함수 $y=h(x)$의 그래프는 x축과 서로 다른 두 점에서 만나므로 방정식 $h(x)=0$의 서로 다른 실근의 개수는 2이다.

ㄷ도 옳다.

함수 $h(x)$는 닫힌 구간 $[\alpha, \beta]$에서 연속이고 열린 구간 (α, β)에서 미분가능하므로 평균값 정리에 의해

$$\frac{h(\beta)-h(\alpha)}{\beta-\alpha}=h'(\gamma)$$

를 만족시키는 γ가 열린 구간 (α, β)에 존재한다.

이때, 열린 구간 $(0, b)$의 모든 실수 x에 대하여 $h'(x)<5$이므로 $\dfrac{h(\beta)-h(\alpha)}{\beta-\alpha}=h'(\gamma)<5$

$h(\beta)-h(\alpha)<5(\beta-\alpha)$

따라서 옳은 것은 ㄱ, ㄴ, ㄷ이다.

정답_⑤

419

ㄱ은 옳지 않다.

$a=b=c$이면 $f'(x)=(x-a)^3$

$f'(x)=0$에서 $x=a$

x	$\cdots$	a	$\cdots$
$f'(x)$	$-$	0	$+$
$f(x)$	↘	극소	↗

위의 표에서 $f(a)>0$이면 방정식 $f(x)=0$은 실근을 갖지 않는다.

ㄴ은 옳다.

$a=b\neq c(a<c)$이면 $f'(x)=(x-a)^2(x-c)$

$f'(x)=0$에서 $x=a$ 또는 $x=c$

x	$\cdots$	a	$\cdots$	c	$\cdots$
$f'(x)$	$-$	0	$-$	0	$+$
$f(x)$	↘		↘	극소	↗

위의 표에서 $f(a)<0$이면 $f(c)<0$이므로 방정식 $f(x)=0$은 서로 다른 두 실근을 갖는다.

($a>c$일 때도 같은 방법으로 하면 옳음을 보일 수 있다.)

ㄷ도 옳다.

$a<b<c$이고 $f(b)<0$일 때 함수 $f(x)$의 증가와 감소를 표로 나타내면 다음과 같다.

x	$\cdots$	a	$\cdots$	b	$\cdots$	c	$\cdots$
$f'(x)$	$-$	0	$+$	0	$-$	0	$+$
$f(x)$	↘	극소	↗	극대	↘	극소	↗

위의 표에서 $f(b)<0$이면 방정식 $f(x)=0$은 서로 다른 두 실근을 갖는다.

따라서 옳은 것은 ㄴ, ㄷ이다.

정답_⑤

420

$x^{n+1}-(n+1)x>n(n-7)$에서

$x^{n+1}-(n+1)x-n(n-7)>0$

$f(x)=x^{n+1}-(n+1)x-n(n-7)$로 놓으면

$f'(x)=(n+1)x^n-(n+1)=(n+1)(x^n-1)$

이때, $x>1$에서 $f'(x)>0$이므로 $f(x)$는 $x>1$에서 증가한다.

따라서 $x>1$인 모든 실수 x에 대하여 $f(x)>0$이려면

$f(1)=1-(n+1)-n(n-7)=-n^2+6n\geq 0$

$n^2-6n\leq 0,\ n(n-6)\leq 0\quad \therefore 0\leq n\leq 6$

따라서 자연수 n은 1, 2, 3, 4, 5, 6으로 6개이다. 정답_④

421

$0<t\leq 1$에서 $v'(t)$는 증가하다가 감소한다.

$t=\alpha\ (0<\alpha<1)$에서 $v'(t)$의 값이 최대라고 하면 주어진 그림에서 $v'(\alpha)>k$

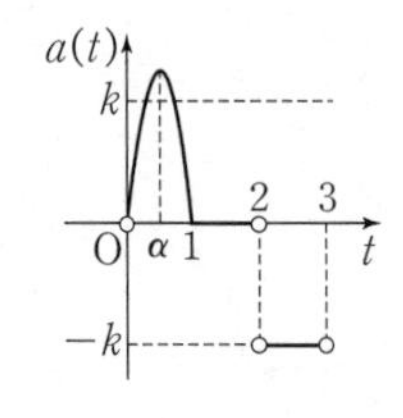

$1\leq t\leq 2$에서 $v(t)=k$이므로 $v'(t)=0$

$2<t<3$에서 $v(t)=-kt+3k$이므로

$v'(t)=-k$

따라서 $a(t)$를 나타내는 그래프의 개형은 ②이다. 정답_②

보충 설명

$v(t)$의 그래프가 원점과 점 $(1,\ k)$를 잇는 직선과 열린구간 $(0,\ 1)$에서 한 점에서 만나므로 $y=v(t)$의 그래프에 접하는 기울기가 k인 접선은 2개이다.

두 접선과 $y=v(t)$의 그래프의 접점의 x좌표를 각각 a, b라고 하면 $a<t<b$에서 $v'(t)>k$이다.

따라서 $t=\alpha\ (0<\alpha<1)$에서 $v'(t)$의 값이 최대라고 하면 $v'(\alpha)>k$인 α가 존재한다.

422

공의 반지름의 길이가 0.5 m이므로 다음 그림에서 공이 경사면과 충돌하는 순간, 공의 중심의 높이는 1 m이다.

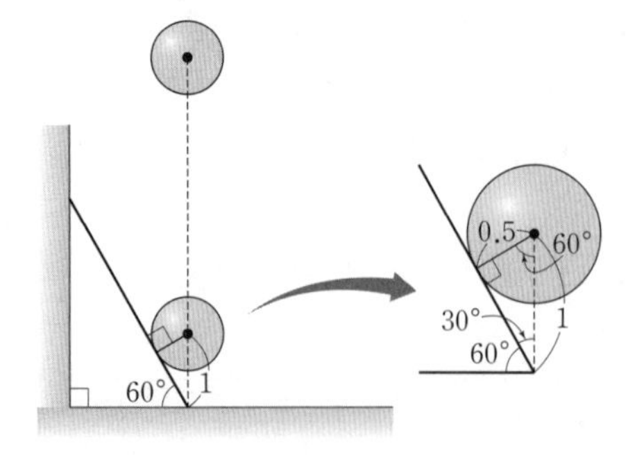

$h(t)=1$일 때의 시각 t를 구하면

$h(t)=21-5t^2=1,\ 5t^2=20\quad \therefore t=2\ (\because t>0)$

$h'(t)=-10t$이므로 공이 경사면과 처음으로 충돌하는 순간, 즉 $t=2$일 때의 공의 속도는 $h'(2)=-20$(m/초) 정답_①

423

구의 반지름의 길이를 r cm, 구의 중심에서 원뿔의 밑면까지의 거리를 x cm라고 하면 원뿔의 밑면의 반지름의 길이는 $\sqrt{r^2-x^2}$ cm, 원뿔의 높이는 $(r+x)$ cm이므로 x의 값에 따른 원뿔의 부피를 $V(x)$ cm^{3}라고 하면

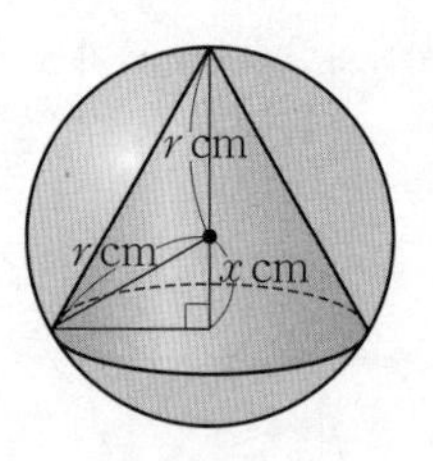

$V(x)=\frac{1}{3}\pi(\sqrt{r^2-x^2})^2(r+x)$

$=\frac{\pi}{3}(r^2-x^2)(r+x)$

$\therefore V'(x)=\frac{\pi}{3}\{-2x(r+x)+(r^2-x^2)\}$

$=-\frac{\pi}{3}(3x^2+2rx-r^2)$

$=-\frac{\pi}{3}(x+r)(3x-r)$

$V'(x)=0$에서 $x=\frac{r}{3}\ (\because 0<x<r,\ r>0)$

x	(0)	$\cdots$	$\frac{r}{3}$	$\cdots$	(r)
$V'(x)$		$+$	0	$-$	
$V(x)$		↗	최대	↘	

따라서 원뿔의 부피는 $x=\frac{r}{3}$일 때 최대이므로 최댓값은

$V\left(\frac{r}{3}\right)=\frac{\pi}{3}\left(r^2-\frac{r^2}{9}\right)\left(r+\frac{r}{3}\right)=\frac{32\pi}{81}r^3(\text{cm}^3)$

t초 후의 구의 반지름의 길이는 $r=(3+t)$ cm이므로 t초 후의 원뿔의 부피를 $W(t)$ cm^{3}라고 하면

$W(t)=\frac{32\pi}{81}(3+t)^3$

$\therefore W'(t)=\frac{32\pi}{27}(3+t)^2$

따라서 구의 반지름의 길이가 9 cm가 되는 순간, 즉 $t=6$일 때의 원뿔의 부피의 증가율은

$W'(6)=\frac{32\pi}{27}(3+6)^2=96\pi(\text{cm}^3/\text{초})$ 정답_⑤

III 적분

07 부정적분

424

(1) $f(x)=(x^2-3x+C)'=2x-3$

(2) $f(x)=(2x^3-3x^2+4x+C)'=6x^2-6x+4$

정답_(1) $f(x)=2x-3$ (2) $f(x)=6x^2-6x+4$

425

$\int(x+3)f(x)dx=2x^3-54x+C$에서

$(x+3)f(x)=(2x^3-54x+C)'$

$=6x^2-54=6(x+3)(x-3)$

따라서 $f(x)=6(x-3)$이므로

$f(4)=6(4-3)=6$ 정답_③

426

$\lim_{h\to0}\frac{f(2+h)-f(2-h)}{h}$

$=\lim_{h\to0}\frac{f(2+h)-f(2)+f(2)-f(2-h)}{h}$

$=\lim_{h\to0}\left\{\frac{f(2+h)-f(2)}{h}-\frac{f(2-h)-f(2)}{h}\right\}$

$=\lim_{h\to0}\left\{\frac{f(2+h)-f(2)}{h}+\frac{f(2-h)-f(2)}{-h}\right\}$

$=2f'(2)$

$f(x)=\int(x^2-x+6)dx$에서 $f'(x)=x^2-x+6$

따라서 $f'(2)=4-2+6=8$이므로

(주이진 식)$=2f'(2)=2\cdot8=16$ 정답_⑤

427

함수 $f(x)$의 부정적분 중 하나가 $2x^3-\frac{a}{2}x^2+x$이므로

$\int f(x)dx=2x^3-\frac{a}{2}x^2+x+C$ (C는 적분상수)로 놓을 수 있다.

$\therefore f(x)=\left(2x^3-\frac{a}{2}x^2+x+C\right)'=6x^2-ax+1$

$f'(x)=12x-a$이고 $f'(2)=3$이므로

$24-a=3$ $\therefore a=21$

따라서 $f(x)=6x^2-21x+1$이므로

$f(2)=24-42+1=-17$ 정답_⑤

428

$\int f(x)dx=x^3-4x^2+4x+C$에서

$f(x)=(x^3-4x^2+4x+C)'=3x^2-8x+4$

이때, $f(\alpha)=0$, $f(\beta)=0$을 만족시키는 상수 α, β의 합은 이차방정식 $f(x)=0$, 즉 $3x^2-8x+4=0$의 두 근의 합과 같으므로 이차방정식의 근과 계수의 관계에 의해

$\alpha+\beta=\frac{8}{3}$ 정답_④

429

$\frac{d}{dx}\int(2x^2+ax-1)dx=bx^2+3x+c$에서

$2x^2+ax-1=bx^2+3x+c$

위의 식이 모든 실수 x에 대하여 성립하므로

$b=2, a=3, c=-1$

$\therefore abc=3\cdot2\cdot(-1)=-6$ 정답_②

430

$\int\left\{\frac{d}{dx}(2x^2-3x)\right\}dx=2x^2-3x+C$ (C는 적분상수)이므로

$f(x)=2x^2-3x+C$

이때, $f(1)=0$이므로 $2-3+C=0$ $\therefore C=1$

따라서 $f(x)=2x^2-3x+1$이므로

$f(2)=8-6+1=3$ 정답_④

431

$\int\left\{\frac{d}{dx}(x^2-5x+4)\right\}dx=x^2-5x+C$ (C는 적분상수)

방정식 $f(x)=0$은 $x^2-5x+C=0$으로 놓을 수 있다.

이때 주어진 조건에서 $x^2-5x+C=0$의 모든 근의 곱이 -2이므로 이차방정식의 근과 계수의 관계에 의해

$C=-2$

따라서 $f(x)=x^2-5x-2$이므로

$f(1)=1-5-2=-6$ 정답_①

432

$f(x)=\int dx+2\int xdx+3\int x^2dx+\cdots+n\int x^{n-1}dx$

$=x+2\cdot\frac{1}{2}x^2+3\cdot\frac{1}{3}x^3+\cdots+n\cdot\frac{1}{n}x^n+C$

$=x+x^2+x^3+\cdots+x^n+C$ (단, C는 적분상수이다.)

이때, $f(0)=0$이므로 $C=0$

따라서 $f(x)=x+x^2+x^3+\cdots+x^n$이므로

$f(1)=n$ 정답_②

433

$f(x)=\int f'(x)dx=\int(ax+2)dx$

$\therefore f(x)=\frac{a}{2}x^2+2x+C$ (단, C는 적분상수이다.)

이때, $f(1)=2$이므로 $\frac{a}{2}+2+C=2$ $\quad\therefore C=-\frac{a}{2}$

$\therefore f(x)=\frac{a}{2}x^2+2x-\frac{a}{2}$

따라서 방정식 $f(x)=0$, 즉 $\frac{a}{2}x^2+2x-\frac{a}{2}=0$의 모든 근의 곱은 이차방정식의 근과 계수의 관계에 의해

$\frac{-\frac{a}{2}}{\frac{a}{2}}=-1$ 정답_ ②

434

$$f(x)=\int\left(\frac{1}{2}x-2\right)^3dx$$
$$=2\cdot\frac{1}{4}\left(\frac{1}{2}x-2\right)^4+C$$
$$=\frac{1}{2}\left(\frac{1}{2}x-2\right)^4+C \text{ (단, }C\text{는 적분상수이다.)}$$

이때, $f(2)=\frac{3}{2}$이므로 $\frac{1}{2}\left(\frac{1}{2}\cdot2-2\right)^4+C=\frac{3}{2}$ $\quad\therefore C=1$

따라서 $f(x)=\frac{1}{2}\left(\frac{1}{2}x-2\right)^4+1$이므로

$f(0)=\frac{1}{2}(0-2)^4+1=9$ 정답_ ⑤

435

$$f(x)=\int(x+1)(x^2-x+1)dx-\frac{1}{4}\int x(2x-1)^2dx$$
$$=\int(x+1)(x^2-x+1)dx-\int\frac{1}{4}x(2x-1)^2dx$$
$$=\int\left\{(x+1)(x^2-x+1)-\frac{1}{4}x(2x-1)^2\right\}dx$$
$$=\int\left\{(x^3+1)-\left(x^3-x^2+\frac{1}{4}x\right)\right\}dx$$
$$=\int\left(x^2-\frac{1}{4}x+1\right)dx$$
$$=\frac{1}{3}x^3-\frac{1}{8}x^2+x+C \text{ (단, }C\text{는 적분상수이다.)}$$

이때, $f(0)=0$이므로 $C=0$

따라서 $f(x)=\frac{1}{3}x^3-\frac{1}{8}x^2+x$이므로

$24f(1)=24\left(\frac{1}{3}-\frac{1}{8}+1\right)=29$ 정답_ ②

436

$$f(x)=\int\frac{6x^2+x-2}{2x-1}dx$$
$$=\int\frac{(2x-1)(3x+2)}{2x-1}dx$$
$$=\int(3x+2)dx$$
$$=\frac{3}{2}x^2+2x+C \text{ (단, }C\text{는 적분상수이다.)}$$

이때, $f(1)=4$이므로 $\frac{3}{2}+2+C=4$ $\quad\therefore C=\frac{1}{2}$

따라서 $f(x)=\frac{3}{2}x^2+2x+\frac{1}{2}$이므로

$f(-1)=\frac{3}{2}-2+\frac{1}{2}=0$ 정답_ ③

437

$$f(x)=\int\frac{x^3-2x}{x-1}dx+\int\frac{2x-1}{x-1}dx$$
$$=\int\frac{x^3-1}{x-1}dx$$
$$=\int\frac{(x-1)(x^2+x+1)}{x-1}dx$$
$$=\int(x^2+x+1)dx$$
$$=\frac{1}{3}x^3+\frac{1}{2}x^2+x+C \text{ (단, }C\text{는 적분상수이다.)}$$

이때, $f(1)=2$이므로

$\frac{1}{3}+\frac{1}{2}+1+C=2$ $\quad\therefore C=\frac{1}{6}$

따라서 $f(x)=\frac{1}{3}x^3+\frac{1}{2}x^2+x+\frac{1}{6}$이므로

$f(0)=\frac{1}{6}$ 정답_ ④

438

$f'(x)=0$에서 $x=0$ 또는 $x=4$

x	$\cdots$	0	$\cdots$	4	$\cdots$
$f'(x)$	+	0	−	0	+
$f(x)$	↗	극대	↘	극소	↗

따라서 함수 $f(x)$는 $x=0$일 때 극댓값, $x=4$일 때 극솟값을 갖는다.

$$f(x)=\int f'(x)dx=\int 3x(x-4)dx$$
$$=\int(3x^2-12x)dx=x^3-6x^2+C$$

(단, C는 적분상수이다.)

이때, 극댓값이 5이므로

$f(0)=C=5$ $\quad\therefore C=5$

따라서 $f(x)=x^3-6x^2+5$이므로 극솟값은

$f(4)=64-96+5=-27$ 정답_ ④

439

$$f(x)=\int(6x^2+4)dx$$
$$=2x^3+4x+C \text{ (단, }C\text{는 적분상수이다.)} \quad\cdots\cdots㉠$$

이때, $y=f(x)$의 그래프가 점 $(0,\ 6)$을 지나므로

$f(0)=C=6$

따라서 $f(x)=2x^3+4x+6$이므로

$f(1)=2+4+6=12$ 정답_ 12

440

곡선 $y=f(x)$ 위의 임의의 점 $(x,\ y)$에서의 접선의 기울기가 x^2에 정비례하므로 $f'(x)=ax^2$ (a는 상수)로 놓으면

$f(x)=\int ax^2dx=\frac{1}{3}ax^3+C$ (단, C는 적분상수이다.)

곡선 $y=f(x)$가 두 점 $(1,\ -3)$, $(-2,\ 6)$을 지나므로

$f(1)=\frac{1}{3}a+C=-3$, $f(-2)=-\frac{8}{3}a+C=6$

위의 두 식을 연립하여 풀면 $a=-3, C=-2$

따라서 $f(x)=-x^3-2$이므로 $f(0)=-2$

정답_①

441

곡선 $y=f(x)$ 위의 임의의 점 $(x,\ y)$에서의 접선의 기울기가 $6x^2+2x+3$이므로 $f'(x)=6x^2+2x+3$

$\therefore f(x)=\int(6x^2+2x+3)dx$

$=2x^3+x^2+3x+C$ (단, C는 적분상수이다.)

이때, 곡선 $y=f(x)$가 점 $(-2,\ 3)$을 지나므로

$f(-2)=-16+4-6+C=3 \qquad \therefore C=21$

$\therefore f(x)=2x^3+x^2+3x+21$

$f'(1)=6+2+3=11,\ f(1)=2+1+3+21=27$이므로

$x=1$인 점에서의 접선의 방정식은

$y-27=11(x-1) \qquad \therefore y=11x+16$

따라서 $a=11, b=16$이므로

$a-b=11-16=-5$

정답_⑤

442

곡선 $y=f(x)$ 위의 임의의 점 $(x,\ y)$에서의 접선의 기울기가 $2x+1$이므로 $f'(x)=2x+1$

$\therefore f(x)=\int(2x+1)dx=x^2+x+C$ (단, C는 적분상수이다.)

이때, 곡선 $y=f(x)$가 점 $(2,\ 1)$을 지나므로

$f(2)=6+C=1 \qquad \therefore C=-5$

$\therefore f(x)=x^2+x-5$

$\mathrm{P}(\alpha,\ 0)$, $\mathrm{Q}(\beta,\ 0)$이라고 하면

$\overline{\mathrm{PQ}}=\sqrt{(\alpha-\beta)^2}$ ······㉠

이때, α, β는 방정식 $x^2+x-5=0$의 두 근이므로 이차방정식의 근과 계수의 관계에 의해

$\alpha+\beta=-1, \alpha\beta=-5$ ······㉡

㉡을 ㉠에 대입하면

$\overline{\mathrm{PQ}}=\sqrt{(\alpha-\beta)^2}=\sqrt{(\alpha+\beta)^2-4\alpha\beta}$

$=\sqrt{(-1)^2-4\cdot(-5)}=\sqrt{21}$

정답_$\sqrt{21}$

443

$f'(x)$는 이차항의 계수가 2인 이차함수이고, $y=f'(x)$의 그래프가 x축과 만나는 점의 x좌표가 0, 2이므로

$f'(x)=2x(x-2)=2x^2-4x$

$\therefore f(x)=\int(2x^2-4x)dx$

$=\frac{2}{3}x^3-2x^2+C$ (단, C는 적분상수이다.)

$f'(x)=0$에서 $2x(x-2)=0 \qquad \therefore x=0$ 또는 $x=2$

x	$\cdots$	0	$\cdots$	2	$\cdots$
$f'(x)$	+	0	−	0	+
$f(x)$	↗	C	↘	$C-\frac{8}{3}$	↗

따라서 $f(x)$는 $x=0$에서 극댓값 $M=C$를 갖고, $x=2$에서 극솟값 $m=C-\frac{8}{3}$을 가지므로

$M-m=C-\left(C-\frac{8}{3}\right)=\frac{8}{3}$

정답_④

444

$y=f'(x)$의 그래프가 x축과 만나는 점의 x좌표가 1, 3이므로

$f'(x)=a(x-1)(x-3)$ $(a<0)$

으로 놓을 수 있다.

$\therefore f(x)=\int a(x-1)(x-3)dx$

$=a\int(x^2-4x+3)dx$

$=a\left(\frac{1}{3}x^3-2x^2+3x\right)+C$ (단, C는 적분상수이다.)

$f'(x)=0$에서 $a(x-1)(x-3)=0$

$\therefore x=1$ 또는 $x=3$

x	$\cdots$	1	$\cdots$	3	$\cdots$
$f'(x)$	−	0	+	0	−
$f(x)$	↘	$\frac{4}{3}a+C$	↗	C	↘

$f(x)$의 극댓값이 1, 극솟값이 -3이므로

$C=1, \frac{4}{3}a+C=-3 \qquad \therefore a=-3$

따라서 $f(x)=-x^3+6x^2-9x+1$이므로

$f(2)=-8+24-18+1=-1$

정답_②

445

곡선 $y=f(x)$ 위의 임의의 점 $(x,\ f(x))$에서의 접선의 기울기가 $-2x+4$이므로 $f'(x)=-2x+4$

$\therefore f(x)=\int(-2x+4)\,dx$

$=-x^2+4x+C$

$=-(x-2)^2+4+C$ (단, C는 적분상수이다.)

이때, 함수 $f(x)$의 최댓값이 6이므로

$4+C=6 \qquad \therefore C=2$

따라서 $f(x)=-x^2+4x+2$이므로

$f(0)=2$이다.

정답_③

446

$F(x)=xf(x)-4x^3-4x^2$의 양변을 x에 대하여 미분하면

$F'(x)=f(x)+xf'(x)-12x^2-8x$

이때, $F'(x)=f(x)$이므로

$f(x)=f(x)+xf'(x)-12x^2-8x$

$xf'(x)=12x^2+8x \quad \therefore f'(x)=12x+8$

$\therefore f(x)=\int(12x+8)dx$

$=6x^2+8x+C$ (단, C는 적분상수이다.)

한편, $f(1)=10$이므로 $6+8+C=10 \quad \therefore C=-4$

따라서 $f(x)=6x^2+8x-4$이므로 방정식 $f(x)=0$, 즉 $6x^2+8x-4=0$의 두 근의 곱은 이차방정식의 근과 계수의 관계에 의해

$-\frac{4}{6}=-\frac{2}{3}$

정답_ ②

447

$\int f(x)dx=xf(x)+2x^3-2x^2$의 양변을 x에 대하여 미분하면

$f(x)=f(x)+xf'(x)+6x^2-4x$

$\therefore f'(x)=-6x+4$

$f(x)=\int(-6x+4)dx$

$=-3x^2+4x+C$ (단, C는 적분상수이다.)

이때, $f(1)=4$이므로 $1+C=4 \quad \therefore C=3$

따라서 $f(x)=-3x^2+4x+3$이므로

$f(2)=-12+8+3=-1$

정답_ ②

448

$F(x)$는 $f(x)=4x-4$의 부정적분이므로

$F(x)=\int f(x)dx=\int(4x-4)dx$

$=2x^2-4x+C$ (단, C는 적분상수이다.)

$F(x)\geq0$에서 $2x^2-4x+C\geq0$

이 부등식이 모든 실수 x에 대하여 성립해야 하므로 이차방정식 $2x^2-4x+C=0$의 판별식을 D라고 하면

$\frac{D}{4}=4-2C\leq0 \quad \therefore C\geq2$

이때, $F(0)=C\geq2$이므로 주어진 값 중 $F(0)$의 값이 될 수 없는 것은 ①이다.

정답_ ①

449

$f(x+y)=f(x)+f(y)-xy$의 양변에 $x=0, y=0$을 대입하면

$f(0)=f(0)+f(0) \quad \therefore f(0)=0$

$f(0)=0, f'(0)=6$이므로

$f'(0)=\lim_{h\to0}\frac{f(0+h)-f(0)}{h}=\lim_{h\to0}\frac{f(h)}{h}=6$

$f'(x)=\lim_{h\to0}\frac{f(x+h)-f(x)}{h}$

$=\lim_{h\to0}\frac{f(x)+f(h)-xh-f(x)}{h}$

$=\lim_{h\to0}\frac{f(h)-xh}{h}$

$=\lim_{h\to0}\frac{f(h)}{h}-x=6-x$

$\therefore f(x)=\int(6-x)dx=6x-\frac{1}{2}x^2+C$

(단, C는 적분상수이다.)

이때, $f(0)=0$이므로 $C=0$

따라서 $f(x)=6x-\frac{1}{2}x^2$이므로

$f(2)=12-2=10$

정답_ ⑤

450

$\Delta y=(ax+1)\Delta x-(\Delta x)^2$에서 $\frac{\Delta y}{\Delta x}=ax+1-\Delta x$이므로

$f'(x)=\lim_{\Delta x\to0}\frac{\Delta y}{\Delta x}=ax+1$

$\therefore f(x)=\int(ax+1)dx$

$=\frac{1}{2}ax^2+x+C$ (단, C는 적분상수이다.)

이때, $f(0)=1, f(1)=0$이므로

$C=1, \frac{1}{2}a+1+C=0 \quad \therefore a=-4$

따라서 $f(x)=-2x^2+x+1$이므로

$f(-1)=-2-1+1=-2$

정답_ ②

451

함수 $f(x)$가 $x=-1$에서 연속이므로 $f'(x)=\begin{cases} k & (x<-1) \\ 4x-1 & (x>-1) \end{cases}$에서

$f(x)=\begin{cases} kx+C_1 & (x\leq-1) \\ 2x^2-x+C_2 & (x>-1) \end{cases}$ (단, C_1, C_2는 적분상수이다.)

이때, $f(-2)=1$이므로 $-2k+C_1=1$

$\therefore C_1=2k+1$

또한, $f(0)=2$이므로 $C_2=2$

한편, 함수 $f(x)$가 $x=-1$에서 연속이므로

$\lim_{x\to-1+}(2x^2-x+2)=\lim_{x\to-1-}(kx+2k+1)=f(-1)$

$2+1+2=-k+2k+1 \quad \therefore k=4$

$\therefore C_1=8+1=9$

따라서 $f(x)=\begin{cases} 4x+9 & (x\leq-1) \\ 2x^2-x+2 & (x>-1) \end{cases}$이므로

$f(-3)=-12+9=-3$

정답_ -3

452

주어진 그래프에서 $f'(x)=\begin{cases} -3x^2 & (x\le 1) \\ 2x-5 & (x>1) \end{cases}$ 이므로

$f(x)=\begin{cases} -x^3+C_1 & (x\le 1) \\ x^2-5x+C_2 & (x>1) \end{cases}$ (단, C_1, C_2는 적분상수이다.)

이때, $f(2)=1$이므로 $4-10+C_2=1$ $\therefore C_2=7$

또, 함수 $f(x)$는 $x=1$에서 연속이므로

$\lim_{x\to 1+}(x^2-5x+7)=\lim_{x\to 1-}(-x^3+C_1)=f(1)$

$1-5+7=-1+C_1$ $\therefore C_1=4$

따라서 $f(x)=\begin{cases} -x^3+4 & (x\le 1) \\ x^2-5x+7 & (x>1) \end{cases}$ 이므로

$f(-2)=8+4=12$

정답_ ②

453

$f'(x)=4x^2+4x+1$이므로

$f(x)=\int(4x^2+4x+1)dx$

$=\frac{4}{3}x^3+2x^2+x+C_1$ (단, C_1은 적분상수이다.)

이때, $f(1)=2$이므로 $\frac{4}{3}+2+1+C_1=2$ $\therefore C_1=-\frac{7}{3}$

따라서 $f(x)=\frac{4}{3}x^3+2x^2+x-\frac{7}{3}$이므로

$F(x)=\int\left(\frac{4}{3}x^3+2x^2+x-\frac{7}{3}\right)dx$

$=\frac{1}{3}x^4+\frac{2}{3}x^3+\frac{1}{2}x^2-\frac{7}{3}x+C_2$ (단, C_2는 적분상수이다.)

이때, $F(1)=2$이므로 $\frac{1}{3}+\frac{2}{3}+\frac{1}{2}-\frac{7}{3}+C_2=2$

$\therefore C_2=\frac{17}{6}$

따라서 $F(x)=\frac{1}{3}x^4+\frac{2}{3}x^3+\frac{1}{2}x^2-\frac{7}{3}x+\frac{17}{6}$이므로

$6F(0)=6\cdot\frac{17}{6}=17$

정답_ ④

454

조건 (개)에서 $\frac{d}{dx}\{f(x)+g(x)\}=2x+1$이므로

$\int\left[\frac{d}{dx}\{f(x)+g(x)\}\right]dx=\int(2x+1)dx$

$\therefore f(x)+g(x)=x^2+x+C_1$ (단, C_1은 적분상수이다.)

이때, $f(0)=1$, $g(0)=-2$이므로

$f(0)+g(0)=1+(-2)=C_1$ $\therefore C_1=-1$

$\therefore f(x)+g(x)=x^2+x-1$ ……㉠

…… ❶

조건 (내)에서 $\frac{d}{dx}\{f(x)g(x)\}=3x^2-4x+1$이므로

$\int\left[\frac{d}{dx}\{f(x)g(x)\}\right]dx=\int(3x^2-4x+1)dx$

$\therefore f(x)g(x)=x^3-2x^2+x+C_2$ (단, C_2는 적분상수이다.)

이때, $f(0)g(0)=1\cdot(-2)=C_2$이므로 $C_2=-2$

$\therefore f(x)g(x)=x^3-2x^2+x-2=(x-2)(x^2+1)$ ……㉡

…… ❷

㉠, ㉡에서 $\begin{cases} f(x)=x-2 \\ g(x)=x^2+1 \end{cases}$ 또는 $\begin{cases} f(x)=x^2+1 \\ g(x)=x-2 \end{cases}$

그런데 $f(0)=1$, $g(0)=-2$이므로

$f(x)=x^2+1$, $g(x)=x-2$

$\therefore f(1)=1+1=2$ …… ❸

정답_ 2

단계	채점 기준	비율
❶	$f(x)+g(x)$의 식 구하기	30%
❷	$f(x)g(x)$의 식 구하기	30%
❸	$f(1)$의 값 구하기	40%

455

$f'(x)=x^2+4x-5$에서

$f(x)=\int(x^2+4x-5)dx$

$=\frac{1}{3}x^3+2x^2-5x+C$ (단, C는 적분상수이다.) …… ❶

$f(3)=13$이므로 $9+18-15+C=13$ $\therefore C=1$ …… ❷

$f(x)=\frac{1}{3}x^3+2x^2-5x+1$이므로 $f(x)=0$에서

$\frac{1}{3}x^3+2x^2-5x+1=0$ $\therefore x^3+6x^2-15x+3=0$

위의 방정식의 세 근을 α, β, γ라고 하면 삼차방정식의 근과 계수의 관계에 의해

$\alpha\beta\gamma=-\frac{3}{1}=-3$ …… ❸

정답_ -3

단계	채점 기준	비율
❶	$f(x)$ 구하기	30%
❷	적분상수 C의 값 구하기	30%
❸	방정식 $f(x)=0$의 모든 근의 곱 구하기	40%

456

곡선 $y=f(x)$ 위의 임의의 점 $\mathrm{P}(x, y)$에서의 접선의 기울기가 $3x^2-12$이므로

$f'(x)=3x^2-12=3(x^2-4)=3(x+2)(x-2)$

$f'(x)=0$에서 $x=-2$ 또는 $x=2$

x	…	-2	…	2	…
$f'(x)$	+	0	−	0	+
$f(x)$	↗	극대	↘	극소	↗

이때, $f(x)=\int(3x^2-12)dx=x^3-12x+C$ (C는 적분상수)

이고 함수 $f(x)$는 $x=2$일 때 극솟값 3을 가지므로

$f(2)=8-24+C=3$ $\therefore C=19$ …… ❶

따라서 $f(x)=x^3-12x+19$이고 함수 $f(x)$는 $x=-2$일 때 극댓값을 가지므로 함수 $f(x)$의 극댓값은

$f(-2)=-8+24+19=35$ ❷

정답_ 35

단계	채점 기준	비율
❶	적분상수 C의 값 구하기	60%
❷	$f(x)$의 극댓값 구하기	40%

457

$f(x+y)=f(x)+f(y)-2xy-2$의 양변에 $x=0$, $y=0$을 대입하면

$f(0)=f(0)+f(0)-2 \quad \therefore f(0)=2$

$f(0)=2$, $f'(0)=1$이므로

$f'(0)=\lim_{h\to 0}\frac{f(0+h)-f(0)}{h}=\lim_{h\to 0}\frac{f(h)-2}{h}=1$ ❶

$$\begin{aligned}f'(x)&=\lim_{h\to 0}\frac{f(x+h)-f(x)}{h}\\&=\lim_{h\to 0}\frac{f(x)+f(h)-2xh-2-f(x)}{h}\\&=\lim_{h\to 0}\frac{f(h)-2xh-2}{h}\\&=\lim_{h\to 0}\frac{f(h)-2}{h}-2x\\&=1-2x\end{aligned}$$ ❷

$f(x)=\int(1-2x)dx=x-x^2+C$ (단, C는 적분상수이다.)

이때, $f(0)=2$이므로 $C=2$

$\therefore f(x)=-x^2+x+2$ ❸

$f(x)=0$에서 $-x^2+x+2=0 \quad \therefore x^2-x-2=0$

위의 방정식의 두 근이 α, β이므로 이차방정식의 근과 계수의 관계에 의해 $\alpha+\beta=1, \alpha\beta=-2$

$\therefore \alpha^2+\beta^2=(\alpha+\beta)^2-2\alpha\beta=1+4=5$ ❹

정답_ 5

단계	채점 기준	비율
❶	$f'(0)$의 값 구하기	20%
❷	$f'(x)$ 구하기	30%
❸	$f(x)$ 구하기	30%
❹	$\alpha^2+\beta^2$의 값 구하기	20%

458

$f'(x)=x+|x-1|=\begin{cases}2x-1 & (x\ge 1)\\ 1 & (x<1)\end{cases}$에서

$f(x)=\begin{cases}x^2-x+C_1 & (x\ge 1)\\ x+C_2 & (x<1)\end{cases}$ (단, C_1, C_2는 적분상수이다.)

❶

(i) $f(0)=0$이므로 $C_2=0$

(ii) $x=1$에서 연속이므로 $\lim_{x\to 1+}(x^2-x+C_1)=\lim_{x\to 1-}x=f(1)$

$1-1+C_1=1$

$\therefore C_1=1$ ❷

따라서 $f(x)=\begin{cases}x^2-x+1 & (x\ge 1)\\ x & (x<1)\end{cases}$이므로

$f(2)=4-2+1=3$ ❸

정답_ 3

단계	채점 기준	비율
❶	$f(x)$를 구간별로 나타내기	40%
❷	각 구간별 적분상수 구하기	40%
❸	$f(2)$의 값 구하기	20%

459

$\lim_{h\to 0}\frac{f(x+2h)-f(x)}{h}=\lim_{h\to 0}\frac{f(x+2h)-f(x)}{2h}\cdot 2$

$=2f'(x)=6x^2-8x$

$\therefore f'(x)=3x^2-4x$ ❶

$f(x)=\int(3x^2-4x)dx$

$=x^3-2x^2+C$ (단, C는 적분상수이다.) ❷

$f(x)=0$에서 $x^3-2x^2+C=0$ ……㉠

㉠의 세 근의 곱이 3이므로 삼차방정식의 근과 계수의 관계에 의해

$-C=3 \quad \therefore C=-3$

따라서 $f(x)=x^3-2x^2-3$이므로

$f(1)=1-2-3=-4$ ❸

정답_ −4

단계	채점 기준	비율
❶	$f'(x)$ 구하기	40%
❷	$f(x)$ 구하기	20%
❸	$f(1)$의 값 구하기	40%

460

ㄱ은 옳지 않다.

(반례) $f(x)=0$, $g(x)=1$일 때,

$\int f(x)g(x)dx=\int 0dx=C$ (단, C는 적분상수이다.)

$\left\{\int f(x)dx\right\}\left\{\int g(x)dx\right\}$

$=\left(\int 0dx\right)\left(\int 1dx\right)$

$=C_1(x+C_2)$ (단, C_1, C_2는 적분상수이다.)

$\therefore \int f(x)g(x)dx\ne\left\{\int f(x)dx\right\}\left\{\int g(x)dx\right\}$

ㄴ도 옳지 않다.

$\int f(x)dx$는 x에 대한 식이고, $\int f(t)dt$는 t에 대한 식이므로 $\int f(x)dx\ne\int f(t)dt$

ㄷ은 옳다.

$\int f(x)dx=\int g(x)dx$의 양변을 x에 대하여 미분하면

$$\frac{d}{dx}\left\{\int f(x)dx\right\}=\frac{d}{dx}\left\{\int g(x)dx\right\}$$

$\therefore f(x)=g(x)$

따라서 옳은 것은 ㄷ이다. 정답_②

461

$$f(x)=\int(x-2)(x+2)(x^2+4)dx$$
$$=\int(x^4-16)dx$$
$$=\frac{1}{5}x^5-16x+C \text{ (단, }C\text{는 적분상수이다.)}$$

이때, $f(0)=\frac{4}{5}$이므로 $C=\frac{4}{5}$

$f(x)=\frac{1}{5}x^5-16x+\frac{4}{5}$이므로

$f(1)=\frac{1}{5}-16+\frac{4}{5}=-15$

$f'(x)=x^4-16$이므로 $f'(1)=1-16=-15$

$$\therefore \lim_{x\to1}\frac{xf(x)-f(1)}{x^2-1}$$
$$=\lim_{x\to1}\left\{\frac{xf(x)-xf(1)+xf(1)-f(1)}{x-1}\cdot\frac{1}{x+1}\right\}$$
$$=\lim_{x\to1}\left[\frac{x\{f(x)-f(1)\}+f(1)(x-1)}{x-1}\cdot\frac{1}{x+1}\right]$$
$$=\lim_{x\to1}\left[\left\{x\cdot\frac{f(x)-f(1)}{x-1}+f(1)\right\}\cdot\frac{1}{x+1}\right]$$
$$=\frac{1}{2}\{f'(1)+f(1)\}=\frac{1}{2}\{(-15)+(-15)\}=-15$$

정답_④

462

$f'(x)=6x-12$

$$F(x)=\int(3x^2-12x+1)dx$$
$$=x^3-6x^2+x+C \text{ (단, }C\text{는 적분상수이다.)}$$

이때, $F(x)$가 $f'(x)$로 나누어떨어지므로

$F(x)=(6x-12)Q(x)$ ($Q(x)$는 몫)

로 놓으면 $F(2)=0$이다.

즉, $F(2)=8-24+2+C=0$에서 $C=14$

$\therefore F(x)=x^3-6x^2+x+14$

한편, 방정식 $F(x)=0$의 세 실근이 α, β, γ이므로 삼차방정식의 근과 계수의 관계에 의해

$\alpha+\beta+\gamma=6,\ \alpha\beta+\beta\gamma+\gamma\alpha=1,\ \alpha\beta\gamma=-14$이므로

$$\alpha^2+\beta^2+\gamma^2=(\alpha+\beta+\gamma)^2-2(\alpha\beta+\beta\gamma+\gamma\alpha)$$
$$=6^2-2\cdot1=34$$

$$\therefore \alpha^3+\beta^3+\gamma^3$$
$$=(\alpha+\beta+\gamma)(\alpha^2+\beta^2+\gamma^2-\alpha\beta-\beta\gamma-\gamma\alpha)+3\alpha\beta\gamma$$
$$=6(34-1)+3\cdot(-14)=156$$

정답_156

463

함수 $f'(x)$는 삼차함수이고

$f'(-\sqrt{2})=f'(0)=f'(\sqrt{2})=0$이므로

$$f'(x)=kx(x+\sqrt{2})(x-\sqrt{2})$$
$$=kx^3-2kx \text{ (}k\text{는 }k>0\text{인 상수)}$$

로 놓을 수 있다.

$$f(x)=\int(kx^3-2kx)dx$$
$$=\frac{k}{4}x^4-kx^2+C \text{ (단, }C\text{는 적분상수이다.)}$$

이때, $f(0)=1$이므로 $f(0)=C=1$

$f(x)=\frac{k}{4}x^4-kx^2+1$에서 $f(\sqrt{2})=-3$이므로

$f(\sqrt{2})=k-2k+1=-3\qquad \therefore k=4$

$\therefore f(x)=x^4-4x^2+1$

x		$-\sqrt{2}$		0		$\sqrt{2}$	
$f'(x)$	$-$	0	$+$	0	$-$	0	$+$
$f(x)$	↘	-3	↗	1	↘	-3	↗

함수 $y=f(x)$의 그래프는 오른쪽 그림과 같고

$f(0)=1>0$,

$f(-2)=f(2)=1>0$,

$f(-1)=f(1)=-2<0$이므로

$f(m)f(m+1)<0$을 만족시키는 정수 m은 $-2, -1, 0, 1$이다.

따라서 정수 m의 값의 합은

$(-2)+(-1)+0+1=-2$ 정답_①

464

함수 $y=f(x)$가 모든 실수에서 연속이므로

$$f'(x)=\begin{cases}-1 & (x<-1)\\ x^2 & (-1<x<1)\\ -1 & (x>1)\end{cases}\text{에서}$$

$$f(x)=\begin{cases}-x+C_1 & (x<-1)\\ \frac{1}{3}x^3+C_2 & (-1\le x\le 1)\\ -x+C_3 & (x>1)\end{cases}\text{ (단, }C_1, C_2, C_3\text{은 적분상수이다.)}$$

함수 $y=f(x)$의 그래프는 오른쪽 그림과 같다.

ㄱ은 옳다.

함수 $y=f(x)$는 $x=-1$에서 극솟값을 갖는다.

ㄴ은 옳지 않다.

y축에 대하여 대칭이 아니므로 $f(x)=f(-x)$라고 할 수 없다.

ㄷ도 옳다.

$f(1)>f(0)$이므로 $f(0)=0$이면 $f(1)>0$

따라서 옳은 것은 ㄱ, ㄷ이다. 정답_④

08 정적분

465

$\int_1^4 (t-2)(4t-2)dt$

$=\int_1^4 (4t^2-10t+4)dt=\left[\frac{4}{3}t^3-5t^2+4t\right]_1^4$

$=\left(\frac{256}{3}-80+16\right)-\left(\frac{4}{3}-5+4\right)=21$

정답_①

466

$\int_0^1 \left(\frac{x^4}{x^2+1}-\frac{1}{x^2+1}\right)dx$

$=\int_0^1 \frac{x^4-1}{x^2+1}dx=\int_0^1 \frac{(x^2+1)(x^2-1)}{x^2+1}dx$

$=\int_0^1 (x^2-1)dx=\left[\frac{1}{3}x^3-x\right]_0^1$

$=\frac{1}{3}-1=-\frac{2}{3}$

정답_②

467

$\int_0^1 (ax^2+1)dx=\left[\frac{a}{3}x^3+x\right]_0^1=\frac{a}{3}+1=6$

$\therefore a=15$

정답_⑤

468

$\int_0^1 f(x)dx=\int_0^1 (6x^2+2ax)dx=\left[2x^3+ax^2\right]_0^1=2+a$

$f(1)=6+2a$

$\int_0^1 f(x)dx=f(1)$이므로 $2+a=6+2a$ $\therefore a=-4$

정답_①

469

$\int_0^1 f(x)dx=\int_0^1 (ax+b)dx$

$=\left[\frac{1}{2}ax^2+bx\right]_0^1=\frac{1}{2}a+b=1$ ⋯⋯㉠

$\int_0^1 xf(x)dx=\int_0^1 (ax^2+bx)dx$

$=\left[\frac{1}{3}ax^3+\frac{1}{2}bx^2\right]_0^1=\frac{1}{3}a+\frac{1}{2}b=2$ ⋯⋯㉡

㉠, ㉡을 연립하여 풀면 $a=18, b=-8$

$\therefore a+b=18+(-8)=10$

정답_③

470

$y=4x^3-12x^2$의 그래프를 y축의 방향으로 k만큼 평행이동하면

$y-k=4x^3-12x^2$, $y=4x^3-12x^2+k$

$\therefore f(x)=4x^3-12x^2+k$

$\int_0^3 f(x)dx=\int_0^3 (4x^3-12x^2+k)dx$

$=\left[x^4-4x^3+kx\right]_0^3$

$=81-108+3k$

$=-27+3k=0$

$\therefore k=9$

정답_9

471

$\int_1^2 (3x^2+2ax+2)dx=\left[x^3+ax^2+2x\right]_1^2$

$=(8+4a+4)-(1+a+2)$

$=3a+9$

$3a+9>6$에서 $3a>-3$ $\therefore a>-1$

따라서 정수 a의 최솟값은 0이다.

정답_③

472

$\int_0^2 f'(x)dx=\left[f(x)\right]_0^2=f(2)-f(0)$

$=0-2=-2$

정답_①

473

$\int_{-1}^2 (x^2+1)dx-2\int_{-1}^2 (x-x^2)dx$

$=\int_{-1}^2 \{(x^2+1)-2(x-x^2)\}dx$

$=\int_{-1}^2 (3x^2-2x+1)dx=\left[x^3-x^2+x\right]_{-1}^2$

$=(8-4+2)-(-1-1-1)=9$

정답_②

474

$\int_0^6 \frac{x^3}{x-2}dx-\int_0^6 \frac{8}{x-2}dx$

$=\int_0^6 \frac{x^3-8}{x-2}dx=\int_0^6 \frac{(x-2)(x^2+2x+4)}{x-2}dx$

$=\int_0^6 (x^2+2x+4)dx=\left[\frac{1}{3}x^3+x^2+4x\right]_0^6$

$=(72+36+24)-0=132$

정답_②

475

$\int_0^a \{f(x)+g(x)\}dx+\int_0^a \{f(x)-g(x)\}dx$

$=2\int_0^a f(x)dx$

즉, $7+3=2\int_0^a f(x)dx$ $\therefore \int_0^a f(x)dx=5$

또,

$\int_0^a \{f(x)+g(x)\}dx-\int_0^a \{f(x)-g(x)\}dx$

$=2\int_0^a g(x)dx$

즉, $7-3=2\int_0^a g(x)dx$ $\therefore \int_0^a g(x)dx=2$

$\therefore \int_0^a \{3f(x)+g(x)\}dx=3\int_0^a f(x)dx+\int_0^a g(x)dx$

$=3\cdot 5+2=17$

정답_ 17

476

$\int_2^4 (x+1)(x^2-x+1)dx+\int_4^3 (x^3+1)dx$

$=\int_2^4 (x^3+1)dx+\int_4^3 (x^3+1)dx$

$=\int_2^3 (x^3+1)dx=\left[\frac{1}{4}x^4+x\right]_2^3$

$=\left(\frac{81}{4}+3\right)-(4+2)=\frac{69}{4}$

정답_ ③

477

$\int_0^a (2x-3)dx+\int_a^{2a} (2x-3)dx=\int_0^{2a} (2x-3)dx$

$=\left[x^2-3x\right]_0^{2a}=4a^2-6a$

즉, $4a^2-6a=4$, $2a^2-3a-2=0$, $(2a+1)(a-2)=0$

$\therefore a=2$ ($\because a>0$)

정답_ ④

478

$\int_1^4 f(x)dx-\int_2^4 f(x)dx+\int_{-2}^1 f(x)dx$

$=\int_{-2}^1 f(x)dx+\int_1^4 f(x)dx+\int_4^2 f(x)dx$

$=\int_{-2}^2 f(x)dx=\int_{-2}^2 (5x^4+2x)dx=\left[x^5+x^2\right]_{-2}^2$

$=(32+4)-(-32+4)=64$

정답_ ⑤

479

$\int_{-2}^0 f(x)dx=\int_{-2}^1 f(x)dx+\int_1^{10} f(x)dx-\int_0^{10} f(x)dx$

$=8+12-16=4$

$\therefore \int_{-2}^0 \{f(x)-4x^3\}dx=\int_{-2}^0 f(x)dx-\int_{-2}^0 4x^3dx$

$=4-\left[x^4\right]_{-2}^0$

$=4-(-16)=20$

정답_ 20

480

$\int_1^{-2} (3x^2+2x)dx+\int_{-2}^0 (3t^2+2t)dt$

$=\int_1^{-2} (3x^2+2x)dx+\int_{-2}^0 (3x^2+2x)dx$

$=\int_1^0 (3x^2+2x)dx=\left[x^3+x^2\right]_1^0$

$=0-(1+1)=-2$

정답_ ①

481

$\int_{-2}^{-1} (x^3-2x+1)dx+\int_{-1}^0 (y^3-2y+1)dy$

$+\int_0^1 (z^3-2z+1)dz$

$=\int_{-2}^{-1} (x^3-2x+1)dx+\int_{-1}^0 (x^3-2x+1)dx$

$+\int_0^1 (x^3-2x+1)dx$

$=\int_{-2}^1 (x^3-2x+1)dx=\left[\frac{1}{4}x^4-x^2+x\right]_{-2}^1$

$=\left(\frac{1}{4}-1+1\right)-(4-4-2)=\frac{9}{4}$

정답_ ③

482

$\int_{-2}^1 (|x|+x+1)^2dx$

$=\int_{-2}^0 (-x+x+1)^2dx+\int_0^1 (x+x+1)^2dx$

$=\int_{-2}^0 1\,dx+\int_0^1 (4x^2+4x+1)dx$

$=\left[x\right]_{-2}^0+\left[\frac{4}{3}x^3+2x^2+x\right]_0^1$

$=2+\left(\frac{4}{3}+2+1\right)=\frac{19}{3}$

정답_ ⑤

483

$0<k<6$이므로

$f(k)=\int_0^6 |x-k|dx=\int_0^k (-x+k)dx+\int_k^6 (x-k)dx$

$=\left[-\frac{1}{2}x^2+kx\right]_0^k+\left[\frac{1}{2}x^2-kx\right]_k^6$

$=\left(-\frac{1}{2}k^2+k^2\right)+\left\{(18-6k)-\left(\frac{1}{2}k^2-k^2\right)\right\}$

$=k^2-6k+18=(k-3)^2+9$

$0<k<6$에서 함수 $f(k)$의 그래프는 오른쪽 그림과 같으므로 $f(k)$의 최솟값은 $f(3)=9$

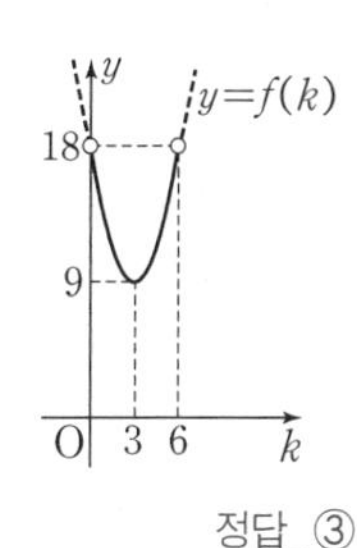

정답_ ③

484

$\int_0^2 f'(x)dx=\left[f(x)\right]_0^2=f(2)-f(0)$이므로

$\int_0^2 2|x-1|dx=f(2)-f(0)=f(2)-1$ ($\because f(0)=1$)

$\therefore f(2)=1+\int_0^2 2|x-1|dx$

$=1+\int_0^1 (2-2x)dx+\int_1^2 (2x-2)dx$

$=1+\left[2x-x^2\right]_0^1+\left[x^2-2x\right]_1^2$

$=1+(2-1)+\{(4-4)-(1-2)\}=3$

정답_ ③

485

주어진 그래프에서

$0\le x<1$일 때, $f'(x)>0$

$1<x<3$일 때 $f'(x)<0$이므로

$\int_0^3 |f'(x)|dx$

$=\int_0^1 f'(x)dx+\int_1^3\{-f'(x)\}dx$

$=\int_0^1 f'(x)dx-\int_1^3 f'(x)dx$

$=\Big[f(x)\Big]_0^1-\Big[f(x)\Big]_1^3$

$=\{f(1)-f(0)\}-\{f(3)-f(1)\}$

$=2f(1)-f(0)-f(3)$

$=2\cdot1-(-3)-(-3)=8$

정답_③

486

$\int_1^5 f(x)dx$

$=\int_1^2 f(x)dx+\int_2^5 f(x)dx$

$=\int_1^2(-x+3)dx+\int_2^5(3x-5)dx$

$=\Big[-\frac{1}{2}x^2+3x\Big]_1^2+\Big[\frac{3}{2}x^2-5x\Big]_2^5$

$=\frac{3}{2}+\frac{33}{2}=18$

정답_④

487

함수 $f(x)$가 모든 실수 x에서 미분가능하므로 $x=1$에서도 미분가능하다.

$g(x)=3x^2+2ax, h(x)=2x+b$로 놓으면

(i) $x=1$에서 연속이므로 $g(1)=h(1)$

$3+2a=2+b \quad \therefore 2a-b=-1$ ……㉠

(ii) $x=1$에서 미분계수가 존재하므로 $g'(1)=h'(1)$

이때, $g'(x)=6x+2a, h'(x)=2$이므로

$6+2a=2 \quad \therefore a=-2$

$a=-2$를 ㉠에 대입하면 $b=-3$

$\therefore f(x)=\begin{cases}3x^2-4x & (x<1)\\ 2x-3 & (x\ge1)\end{cases}$

$\therefore \int_{-1}^2 f(x)dx=\int_{-1}^1(3x^2-4x)dx+\int_1^2(2x-3)dx$

$=\Big[x^3-2x^2\Big]_{-1}^1+\Big[x^2-3x\Big]_1^2$

$=(1-2)-(-1-2)+(4-6)-(1-3)$

$=2$

정답_②

488

주어진 그래프에서

$f(x)=\begin{cases}\frac{1}{2}x+\frac{1}{2} & (x<1)\\ -x+2 & (x\ge1)\end{cases}$

이므로

$\int_0^2 xf(x)dx$

$=\int_0^1 xf(x)dx+\int_1^2 xf(x)dx$

$=\int_0^1 x\left(\frac{1}{2}x+\frac{1}{2}\right)dx+\int_1^2 x(-x+2)dx$

$=\int_0^1\left(\frac{1}{2}x^2+\frac{1}{2}x\right)dx+\int_1^2(-x^2+2x)dx$

$=\Big[\frac{1}{6}x^3+\frac{1}{4}x^2\Big]_0^1+\Big[-\frac{1}{3}x^3+x^2\Big]_1^2$

$=\frac{5}{12}+\frac{2}{3}=\frac{13}{12}$

정답_③

489

$\frac{1}{2}\le x<1$일 때, $[x]=0$

$1\le x\le\frac{3}{2}$일 때, $[x]=1$

$\therefore \int_{\frac{1}{2}}^{\frac{3}{2}}[x](x-1)dx$

$=\int_{\frac{1}{2}}^1[x](x-1)dx+\int_1^{\frac{3}{2}}[x](x-1)dx$

$=\int_{\frac{1}{2}}^1 0\cdot(x-1)dx+\int_1^{\frac{3}{2}}1\cdot(x-1)dx$

$=0+\int_1^{\frac{3}{2}}(x-1)dx$

$=\Big[\frac{1}{2}x^2-x\Big]_1^{\frac{3}{2}}=\left(\frac{9}{8}-\frac{3}{2}\right)-\left(\frac{1}{2}-1\right)=\frac{1}{8}$

정답_①

490

$\int_{-1}^0(2x^3-6x^2-3x+2)dx+\int_0^1(2t^3-6t^2-3t+2)dt$

$=\int_{-1}^0(2x^3-6x^2-3x+2)dx+\int_0^1(2x^3-6x^2-3x+2)dx$

$=\int_{-1}^1(2x^3-6x^2-3x+2)dx$

$=\int_{-1}^1(2x^3-3x)dx+\int_{-1}^1(-6x^2+2)dx$

$=0+2\int_0^1(-6x^2+2)dx$

$=2\Big[-2x^3+2x\Big]_0^1=2(-2+2)=0$

정답_③

491

$\int_{-a}^a(3x^2+2x)dx=2\int_0^a 3x^2dx=2\Big[x^3\Big]_0^a=2a^3=\frac{1}{4}$

$a^3=\frac{1}{8} \qquad \therefore a=\frac{1}{2}$

$\therefore 20a=20\cdot\frac{1}{2}=10$ 정답_ 10

492

$f(-x)=f(x)$에서 $f(x)$는 우함수이므로

$\int_0^2 f(x)dx=\int_{-2}^0 f(x)dx=6$

$\therefore \int_{-5}^5 f(x)dx$

$=2\int_0^5 f(x)dx=2\left\{\int_0^2 f(x)dx+\int_2^5 f(x)dx\right\}$

$=2(6+9)=30$ 정답_ ③

493

(i) $f(-x)=f(x)$에서 $f(x)$는 우함수이므로

$\int_{-2}^0 f(x)dx=\int_0^2 f(x)dx=2$

(ii) $g(-x)=-g(x)$에서 $g(x)$는 기함수이므로

$\int_{-2}^0 g(x)dx=-\int_0^2 g(x)dx=-3$

$\therefore \int_{-2}^0\{f(x)+g(x)\}dx=\int_{-2}^0 f(x)dx+\int_{-2}^0 g(x)dx$

$=2+(-3)=-1$ 정답_ ②

494

모든 실수 x에 대하여 $f(-x)=f(x)$이므로 함수 $f(x)$는 우함수이다. 따라서 $x^3f(x)$, $xf(x)$는 기함수이다.

$\therefore \int_{-1}^1 (x^3-x+1)f(x)dx$

$=\int_{-1}^1 x^3f(x)dx-\int_{-1}^1 xf(x)dx+\int_{-1}^1 f(x)dx$

$=0-0+\int_{-1}^1 f(x)dx=5$ 정답_ 5

495

$f(x)=f(x+3)$에서 $f(x)$는 주기가 3인 주기함수이므로

$\int_{-4}^{-1} f(x)dx=\int_{-1}^2 f(x)dx=\int_2^5 f(x)dx=2$

$\therefore \int_{-4}^5 f(x)dx=\int_{-4}^{-1} f(x)dx+\int_{-1}^2 f(x)dx+\int_2^5 f(x)dx$

$=3\cdot 2=6$ 정답_ 6

496

$f(x)=f(x+4)$에서 $f(x)$는 주기가 4인 주기함수이므로

$\int_1^2 f(x)dx=\int_{1+4n}^{2+4n} f(x)dx$ (단, n은 정수이다.)

이때, $2009=1+4\cdot 502$, $2010=2+4\cdot 502$이므로

$\int_1^2 f(x)dx=\int_{2009}^{2010} f(x)dx$ 정답_ ③

497

$-1\le x\le 1$일 때, $f(x)=1-x^2$이므로

$\int_{-1}^1 f(x)dx=\int_{-1}^1 (1-x^2)dx=2\int_0^1 (1-x^2)dx$

$=2\left[x-\frac{1}{3}x^3\right]_0^1=2\left(1-\frac{1}{3}\right)=\frac{4}{3}$

$f(x+2)=f(x)$에서 $f(x)$는 주기가 2인 주기함수이므로

$\int_{-1}^1 f(x)dx=\int_1^3 f(x)dx=\int_3^5 f(x)dx=\frac{4}{3}$

$\therefore \int_1^5 f(x)dx=\int_1^3 f(x)dx+\int_3^5 f(x)dx$

$=\frac{4}{3}+\frac{4}{3}=\frac{8}{3}$ 정답_ ④

498

$\int_0^2 f(t)dt=k$ (k는 상수)로 놓으면

$f(x)=2x+k$

$\int_0^2 f(t)dt=\int_0^2 (2t+k)dt=\left[t^2+kt\right]_0^2=4+2k=k$

$\therefore k=-4$

따라서 $f(x)=2x-4$이므로

$f(2)=4-4=0$ 정답_ ①

499

$\int_1^2 f(x)dx=a$ (a는 상수)로 놓으면

$f(x)=\frac{12}{7}x^2-2ax+a^2$이므로

$\int_1^2 f(x)dx=\int_1^2\left(\frac{12}{7}x^2-2ax+a^2\right)dx$

$=\left[\frac{4}{7}x^3-ax^2+a^2x\right]_1^2=4-3a+a^2=a$

$a^2-4a+4=0$, $(a-2)^2=0$ $\quad\therefore a=2$

$\therefore 5\int_1^2 f(x)dx=5a=5\cdot 2=10$ 정답_ ①

500

$f(x)=3x^2+\int_0^1 (2x+1)f(t)$에서

$f(x)=3x^2+(2x+1)\int_0^1 f(t)dt$

$\int_0^1 f(t)dt=a$ (a는 상수)로 놓으면

$f(x)=3x^2+2ax+a$이므로

$\int_0^1 f(t)dt=\int_0^1 (3t^2+2at+a)dt$

$=\left[t^3+at^2+at\right]_0^1=2a+1=a$

$\therefore a=-1$

따라서 $f(x)=3x^2-2x-1$이므로 $f(x)<g(x)$에서

$3x^2-2x-1<x+5$, $3x^2-3x-6<0$

$3(x+1)(x-2)<0 \quad \therefore -1<x<2$

따라서 정수 x는 0, 1로 2개이다. 정답_③

501

$f(x)=\int_1^x (4t^3-t^2+3)dt$의 양변을 x에 대하여 미분하면

$f'(x)=4x^3-x^2+3$

$\therefore f'(1)=4-1+3=6$

또, $f(1)=\int_1^1 (4t^3-t^2+3)dt=0$이므로

$f'(1)+f(1)=6+0=6$ 정답_③

502

$\int_{-1}^x f(t)dt=\frac{1}{3}x^3-\frac{1}{2}x^2-2x-\frac{7}{6}$의 양변을 x에 대하여 미분하면 $f(x)=x^2-x-2$

$f(x)=0$에서 $x=-1$ 또는 $x=2$

따라서 함수 $y=f(x)$의 그래프가 x축과 만나는 모든 점의 x좌표는 방정식 $f(x)=0$의 근과 같으므로 근과 계수의 관계에 의해 두 근의 곱은 -2 정답_①

503

$\int_1^x f(t)dt=x^3+2ax^2-ax$ ······㉠

㉠의 양변에 $x=1$을 대입하면

$0=1+2a-a \quad \therefore a=-1$

㉠의 양변을 x에 대하여 미분하면

$f(x)=3x^2+4ax-a=3x^2-4x+1$

$\therefore f(2)=12-8+1=5$ 정답_①

504

$\int_a^x f(t)dt=2x^3-5x^2+2x$ ······㉠

㉠의 양변에 $x=a$를 대입하면

$0=2a^3-5a^2+2a$, $a(2a-1)(a-2)=0$

$\therefore a=0$ 또는 $a=\frac{1}{2}$ 또는 $a=2$

그런데 a는 0이 아닌 정수이므로 $a=2$

㉠의 양변을 x에 대하여 미분하면

$f(x)=6x^2-10x+2$

$\therefore f(a)=f(2)=24-20+2=6$ 정답_②

505

$\int_1^x f(t)dt=xf(x)-3x^4+2x^2$ ······㉠

㉠의 양변에 $x=1$을 대입하면

$0=f(1)-3+2 \quad \therefore f(1)=1$

㉠의 양변을 x에 대하여 미분하면

$f(x)=f(x)+xf'(x)-12x^3+4x$

$xf'(x)=12x^3-4x \quad \therefore f'(x)=12x^2-4$

$f(x)=\int(12x^2-4)dx$

$=4x^3-4x+C$ (단, C는 적분상수이다.) ······㉡

이때, $f(1)=1$이므로 $f(1)=4-4+C=1 \quad \therefore C=1$

$f(x)=4x^3-4x+1$에서 $f(0)=C=1$ 정답_①

506

$x^2f(x)=4x^5+x^4+2\int_1^x tf(t)dt$ ······㉠

㉠의 양변에 $x=1$을 대입하면 $f(1)=4+1=5$

㉠의 양변을 x에 대하여 미분하면

$2xf(x)+x^2f'(x)=20x^4+4x^3+2xf(x)$

$x^2f'(x)=20x^4+4x^3 \quad \therefore f'(x)=20x^2+4x$

$\therefore f(x)=\int(20x^2+4x)dx$

$=\frac{20}{3}x^3+2x^2+C$ (단, C는 적분상수이다.)

이때, $f(1)=5$이므로 $\frac{20}{3}+2+C=5 \quad \therefore C=-\frac{11}{3}$

따라서 $f(x)=\frac{20}{3}x^3+2x^2-\frac{11}{3}$이므로

$3f(0)=3\cdot\left(-\frac{11}{3}\right)=-11$ 정답_①

507

$\int_0^x (x-t)f(t)dt=\frac{1}{3}x^3+\frac{1}{4}x^2$에서

$x\int_0^x f(t)dt-\int_0^x tf(t)dt=\frac{1}{3}x^3+\frac{1}{4}x^2$

위의 식의 양변을 x에 대하여 미분하면

$\int_0^x f(t)dt+xf(x)-xf(x)=x^2+\frac{1}{2}x$

$\therefore \int_0^x f(t)dt=x^2+\frac{1}{2}x$

위의 식의 양변을 다시 x에 대하여 미분하면

$f(x)=2x+\frac{1}{2} \quad \therefore f(3)=6+\frac{1}{2}=\frac{13}{2}$ 정답_④

508

$\int_0^x (x-t)f(t)dt=\frac{1}{6}x^4+\frac{2}{3}x^3+\frac{1}{2}x^2$에서

$x\int_0^x f(t)dt-\int_0^x tf(t)dt=\frac{1}{6}x^4+\frac{2}{3}x^3+\frac{1}{2}x^2$

위의 식의 양변을 x에 대하여 미분하면

$\int_0^x f(t)dt+xf(x)-xf(x)=\frac{2}{3}x^3+2x^2+x$

$\therefore \int_0^x f(t)dt=\frac{2}{3}x^3+2x^2+x$

위의 식의 양변을 다시 x에 대하여 미분하면

$f(x)=2x^2+4x+1=2(x+1)^2-1$
따라서 함수 $f(x)$는 $x=-1$일 때 최솟값 -1을 갖는다.

정답_ ③

509

$\int_{-2}^{x}(x-t)f(t)dt=x^3+ax^2-4$의 양변에 $x=-2$를 대입하면
$0=-8+4a-4 \quad \therefore a=3$
$\int_{-2}^{x}(x-t)f(t)dt=x^3+3x^2-4$에서
$x\int_{-2}^{x}f(t)dt-\int_{-2}^{x}tf(t)dt=x^3+3x^2-4$
위의 식의 양변을 x에 대하여 미분하면
$\int_{-2}^{x}f(t)dt+xf(x)-xf(x)=3x^2+6x$
$\therefore \int_{-2}^{x}f(t)dt=3x^2+6x$
위의 식의 양변을 다시 x에 대하여 미분하면
$f(x)=6x+6$
$f(2)=12+6=18=b$
$\therefore b-a=18-3=15$

정답_ ⑤

510

$G(x)=\int_{0}^{x}(x-t)f'(t)dt$
$=x\int_{0}^{x}f'(t)dt-\int_{0}^{x}tf'(t)dt$
$G'(x)=\int_{0}^{x}f'(t)dt+xf'(x)-xf'(x)$
$=\int_{0}^{x}f'(t)dt=\Big[f(t)\Big]_{0}^{x}=f(x)-f(0)$
$f(0)=2,\ f(1)=5$이므로 $G'(1)=f(1)-f(0)=5-2=3$

정답_ ④

511

$f(x)=\int_{0}^{x}(6t^2-6t-12)dt$에서
$f'(x)=6x^2-6x-12=6(x-2)(x+1)$
$f'(x)=0$에서 $x=-1$ 또는 $x=2$

x	$\cdots$	-1	$\cdots$	2	$\cdots$
$f'(x)$	$+$	0	$-$	0	$+$
$f(x)$	↗	극대	↘	극소	↗

함수 $f(x)$는 $x=2$에서 극소이므로 극솟값은
$f(2)=\int_{0}^{2}(6t^2-6t-12)dt$
$=\Big[2t^3-3t^2-12t\Big]_{0}^{2}$
$=16-12-24=-20$
따라서 $a=2,\ b=-20$이므로
$ab=2\cdot(-20)=-40$

정답_ ①

512

주어진 그래프에서 $f(x)=a(x-1)(x-4)$ $(a>0)$로 놓을 수 있다.
$g(x)=\int_{x}^{x+1}f(t)dt$의 양변을 x에 대하여 미분하면
$g'(x)=f(x+1)-f(x)$
$=ax(x-3)-a(x-1)(x-4)=2a(x-2)$
$g'(x)=0$에서 $x=2$

x	$\cdots$	2	$\cdots$
$g'(x)$	$-$	0	$+$
$g(x)$	↘	극소	↗

$a>0$이므로 $g(x)$는 $x=2$일 때 극소이면서 최소이다.
따라서 $g(x)$의 최솟값은 $g(2)$이다.

정답_ ②

513

$f(x)=\int_{x}^{x+1}|t|dt$에서 $f'(x)=|x+1|-|x|$
$\therefore \lim_{h\to 0}\frac{f(3+2h)-f(3)}{h}=\lim_{h\to 0}\frac{f(3+2h)-f(3)}{2h}\cdot 2$
$=2f'(3)$
$=2(4-3)=2$

정답_ ②

514

$f(x)=x^3-3x^2-3x-1$의 부정적분 중 하나를 $F(x)$라고 하면
$\lim_{x\to -1}\frac{1}{x^2-1}\int_{-1}^{x}f(t)dt$
$=\lim_{x\to -1}\frac{F(x)-F(-1)}{x^2-1}$
$=\lim_{x\to -1}\left\{\frac{F(x)-F(-1)}{x-(-1)}\cdot\frac{1}{x-1}\right\}$
$=-\frac{1}{2}F'(-1)=-\frac{1}{2}f(-1)$
$=-\frac{1}{2}(-1-3+3-1)=1$

정답_ ⑤

515

$f(x)=x^2+3x-2$로 놓고 $f(x)$의 한 부정적분을 $F(x)$라고 하면
$\lim_{x\to 2}\frac{1}{x^2-4}\int_{2}^{x}(t^2+3t-2)dt$
$=\lim_{x\to 2}\frac{F(x)-F(2)}{x^2-4}$
$=\lim_{x\to 2}\frac{F(x)-F(2)}{(x+2)(x-2)}$
$=\lim_{x\to 2}\left\{\frac{F(x)-F(2)}{x-2}\cdot\frac{1}{x+2}\right\}$
$=\frac{1}{4}F'(2)=\frac{1}{4}f(2)$
$=\frac{1}{4}(4+6-2)=2$

정답_ 2

516

$\{f(t)\}^2 f'(t)$의 부정적분 중 하나를 $F(t)$라고 하면

$F'(t)=\{f(t)\}^2 f'(t)$이고 $f(1)=2,\ f'(1)=3$이므로

$$\lim_{x\to1}\frac{1}{x-1}\int_1^{x^2}\{f(t)\}^2 f'(t)dt$$
$$=\lim_{x\to1}\frac{F(x^2)-F(1)}{x-1}$$
$$=\lim_{x\to1}\left\{\frac{F(x^2)-F(1)}{x^2-1}\cdot(x+1)\right\}$$
$$=2F'(1)=2\{f(1)\}^2 f'(1)$$
$$=2\cdot2^2\cdot3=24$$

정답_ ④

517

$f(x)=2x^2-a$로 놓고 $f(x)$의 부정적분 중 하나를 $F(x)$라고 하면

$$\lim_{h\to0}\frac{1}{h}\int_3^{3-2h}(2x^2-a)dx=\lim_{h\to0}\frac{F(3-2h)-F(3)}{h}$$
$$=\lim_{h\to0}\frac{F(3-2h)-F(3)}{-2h}\cdot(-2)$$
$$=-2F'(3)=-2f(3)$$
$$=-2(18-a)=2$$

따라서 $18-a=-1$이므로 $a=19$

정답_ ⑤

518

$f(x)=|x-10|$으로 놓고 $f(x)$의 부정적분 중 하나를 $F(x)$라고 하면

$$\lim_{h\to0}\frac{1}{h}\int_0^{10h}|x-10|dx=\lim_{h\to0}\frac{F(10h)-F(0)}{h}$$
$$=\lim_{h\to0}\frac{F(0+10h)-F(0)}{10h}\cdot10$$
$$=10F'(0)=10f(0)$$
$$=10\cdot10=100$$

정답_ ⑤

519

$f(x)=x^2+ax+1$로 놓고 $f(x)$의 부정적분 중 하나를 $F(x)$라고 하면

$$\lim_{h\to0}\frac{1}{h}\int_{2-h}^{2+2h}(x^2+ax+1)dx$$
$$=\lim_{h\to0}\frac{F(2+2h)-F(2-h)}{h}$$
$$=\lim_{h\to0}\frac{F(2+2h)-F(2)+F(2)-F(2-h)}{h}$$
$$=\lim_{h\to0}\left\{\frac{F(2+2h)-F(2)}{2h}\cdot2+\frac{F(2-h)-F(2)}{-h}\right\}$$
$$=3F'(2)=3f(2)$$
$$=3(4+2a+1)=21$$

따라서 $4+2a+1=7$이므로 $a=1$

정답_ ⑤

520

$f(x)$의 부정적분 중 하나를 $F(x)$라고 하면

$$\lim_{h\to0}\frac{1}{h^2+2h}\int_{1-h}^{1+2h}f(t)dt$$
$$=\lim_{h\to0}\left\{\frac{F(1+2h)-F(1-h)}{h}\cdot\frac{1}{h+2}\right\}$$
$$=\lim_{h\to0}\left[\left\{\frac{F(1+2h)-F(1)}{2h}\cdot2+\frac{F(1-h)-F(1)}{-h}\right\}\cdot\frac{1}{h+2}\right]$$
$$=\{2F'(1)+F'(1)\}\cdot\frac{1}{2}$$
$$=\frac{3}{2}f(1)$$

$$f(1)=\int_0^1(3t-1)^3dt=\left[\frac{1}{3}\cdot\frac{1}{4}(3t-1)^4\right]_0^1$$
$$=\frac{4}{3}-\frac{1}{12}=\frac{5}{4}$$

$\therefore$ (주어진 식)$=\frac{3}{2}f(1)=\frac{3}{2}\cdot\frac{5}{4}=\frac{15}{8}$

정답_ ⑤

521

$f(-1)-g(-1)=0,\ f(1)-g(1)=0,\ f(4)-g(4)=0$에서 삼차방정식 $f(x)-g(x)=0$의 세 근은 $x=-1, x=1$, $x=4$이므로

$f(x)-g(x)=a(x+1)(x-1)(x-4)$ (a는 상수)

로 놓을 수 있다.

이때, $f(0)-g(0)=4$에서 $4a=4$ $\therefore a=1$ ······ ❶

따라서 $f(x)-g(x)=(x+1)(x-1)(x-4)$이므로

$$\int_{-1}^2 f(x)dx-\int_{-1}^2 g(x)dx$$
$$=\int_{-1}^2\{f(x)-g(x)\}dx$$
$$=\int_{-1}^2(x+1)(x-1)(x-4)dx$$
$$=\int_{-1}^2(x^3-4x^2-x+4)dx$$
$$=\left[\frac{1}{4}x^4-\frac{4}{3}x^3-\frac{1}{2}x^2+4x\right]_{-1}^2$$
$$=\left(4-\frac{32}{3}-2+8\right)-\left(\frac{1}{4}+\frac{4}{3}-\frac{1}{2}-4\right)$$
$$=\frac{9}{4}$$ ······ ❷

정답_ $\frac{9}{4}$

단계	채점 기준	비율
❶	a의 값 구하기	50%
❷	주어진 정적분의 값 구하기	50%

522

$f(-x)=-f(x),\ g(-x)=-g(x)$이므로

$\therefore g(f(-x))=g(-f(x))=-g(f(x))$

따라서 $g(f(x))$는 $g(f(-x))=-g(f(x))$가 성립한다.

······ ❶

$g(f(x))$가 기함수이므로 $\int_{-\frac{a}{2}}^{\frac{a}{2}} g(f(x))dx=0$

$\therefore \int_{\frac{a}{2}}^{a} g(f(x))dx$

$=\int_{-\frac{a}{2}}^{a} g(f(x))dx-\int_{-\frac{a}{2}}^{\frac{a}{2}} g(f(x))dx=\int_{-\frac{a}{2}}^{a} g(f(x))dx-0$

$=\int_{-\frac{a}{2}}^{\frac{a}{4}} g(f(x))dx+\int_{\frac{a}{4}}^{a} g(f(x))dx=A+B$ ❷

따라서 $a=1, b=1$이므로

$a^2+b^2=1^2+1^2=2$ ❸

정답_ 2

단계	채점 기준	비율
❶	$g(f(-x))=-g(f(x))$임을 보이기	30%
❷	$\int_{\frac{a}{2}}^{a} g(f(x))dx$를 A, B에 대한 식으로 나타내기	60%
❸	a^2+b^2의 값 구하기	10%

523

$f(2+x)=f(2-x)$이므로 함수 $y=f(x)$의 그래프는 직선 $x=2$에 대하여 대칭이다. 따라서

$\int_1^2 f(x)dx=\int_2^3 f(x)dx=4$ ❶

$\int_{-1}^1 f(x)dx=\int_3^5 f(x)dx=10$ ❷

$\therefore \int_{-1}^3 f(x)dx=\int_{-1}^1 f(x)dx+\int_1^2 f(x)dx+\int_2^3 f(x)dx$

$=10+4+4=18$ ❸

정답_ 18

단계	채점 기준	비율
❶	$\int_2^3 f(x)dx$의 값 구하기	30%
❷	$\int_{-1}^1 f(x)dx$의 값 구하기	30%
❸	$\int_{-1}^3 f(x)dx$의 값 구하기	40%

524

$\int_1^x tf(t)dt=3x^4-2ax^2+3$ ……㉠

㉠의 양변에 $x=1$을 대입하면

$0=3-2a+3$ $\quad\therefore a=3$ ❶

㉠의 양변을 x에 대하여 미분하여 $a=3$을 대입하면

$xf(x)=12x^3-4ax=12x^3-12x$

$\therefore f(x)=12x^2-12$ ❷

$\therefore \int_1^3 f(t)dt=\int_1^3 (12t^2-12)dt=\Big[4t^3-12t\Big]_1^3$

$=(108-36)-(4-12)=80$ ❸

정답_ 80

단계	채점 기준	비율
❶	a의 값 구하기	20%
❷	$f(x)$ 구하기	40%
❸	주어진 정적분의 값 구하기	40%

525

$f(x)$를 $(x-1)^2$으로 나눈 몫을 $Q(x)$라고 하면 나누어떨어지므로 $f(x)=(x-1)^2Q(x)$ ……㉠

㉠의 양변을 x에 대하여 미분하면

$f'(x)=2(x-1)Q(x)+(x-1)^2Q'(x)$ ……㉡

㉠, ㉡의 양변에 $x=1$을 대입하면 $f(1)=0, f'(1)=0$ ❶

$f(x)=x^2-ax+\int_1^x g(t)dt$ ……㉢

㉢의 양변에 $x=1$을 대입하면

$f(1)=1-a$

$f(1)=0$이므로 $a=1$ ❷

㉢의 양변을 x에 대하여 미분하면

$f'(x)=2x-a+g(x)$ $\quad\therefore f'(1)=2-a+g(1)$

이때, $f'(1)=0, a=1$이므로 $0=2-1+g(1)$

따라서 다항식 $g(x)$를 $x-1$로 나눈 나머지는

$g(1)=-1$ ❸

정답_ −1

단계	채점 기준	비율
❶	$f(1)$, $f'(1)$의 값 구하기	40%
❷	a의 값 구하기	30%
❸	$g(1)$의 값 구하기	30%

526

$f(x)=x^3-4x+a$의 부정적분 중 하나를 $F(x)$라고 하면

$\lim_{x\to 1}\frac{1}{x-1}\int_1^{x^3} f(t)dt$

$=\lim_{x\to 1}\frac{F(x^3)-F(1)}{x-1}$

$=\lim_{x\to 1}\left\{\frac{F(x^3)-F(1)}{x^3-1}\cdot(x^2+x+1)\right\}$

$=3F'(1)=3f(1)$ ❶

따라서 $3f(1)=9$이므로 $3(1-4+a)=9$

$\therefore a=6$ ❷

정답_ 6

단계	채점 기준	비율
❶	$\lim_{x\to 1}\frac{1}{x-1}\int_1^{x^3} f(t)dt$ 간단히 하기	60%
❷	a의 값 구하기	40%

527

5차 이하의 모든 다항함수 $f(x)$에 대하여 주어진 등식이 성립하므로

(i) $f(x)=1$일 때도 주어진 등식이 성립한다.

$\int_{-1}^1 f(x)dx=\int_{-1}^1 1dx=\Big[x\Big]_{-1}^1=2$

$f\left(-\sqrt{\frac{3}{5}}\right)=f(0)=f\left(\sqrt{\frac{3}{5}}\right)=1$

이므로 주어진 등식은 $2=a+b+a$

$\therefore 2a+b=2$ ······㉠

(ii) $f(x)=x^2$일 때도 주어진 등식이 성립한다.

$$\int_{-1}^{1} f(x)dx=\int_{-1}^{1} x^2 dx=\left[\frac{1}{3}x^3\right]_{-1}^{1}=\frac{2}{3}$$

$$f\left(-\sqrt{\frac{3}{5}}\right)=f\left(\sqrt{\frac{3}{5}}\right)=\frac{3}{5},\ f(0)=0$$

이므로 주어진 등식은 $\frac{2}{3}=\frac{3}{5}a+0+\frac{3}{5}a$ $\therefore a=\frac{5}{9}$

$a=\frac{5}{9}$를 ㉠에 대입하면 $b=\frac{8}{9}$ 정답_②

528

ㄱ은 옳다.

삼차함수 $f(x)$의 최고차항의 계수가 양수이고 $x=0$에서 극댓값, $x=k$에서 극솟값을 가지므로 함수 $y=f(x)$의 그래프의 개형은 오른쪽 그림과 같다.

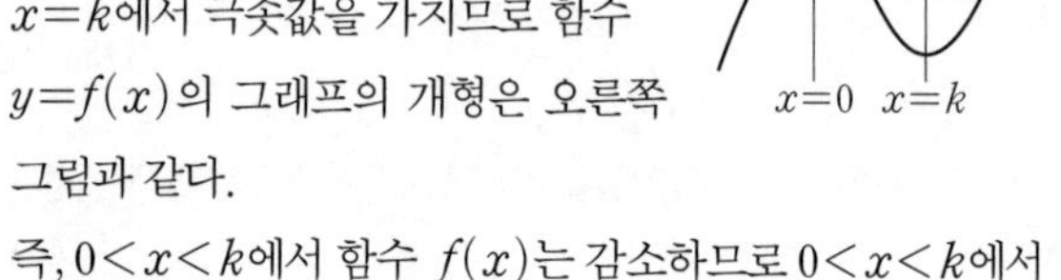

즉, $0<x<k$에서 함수 $f(x)$는 감소하므로 $0<x<k$에서 $f'(x)<0$이다.

$$\therefore \int_0^k f'(x)dx<0$$

ㄴ도 옳다.

$1<t\le k$이면 구간 $[0,\ t]$에서 함수 $f(x)$는 감소하므로 $f'(x)\le 0$이다.

$$\begin{aligned}\therefore \int_0^t |f'(x)|dx&=\int_0^t \{-f'(x)\}dx\\&=\Big[-f(x)\Big]_0^t\\&=-f(t)+f(0)\end{aligned}$$

이것을 조건 (나)에 대입하면

$-f(t)+f(0)=f(t)+f(0)$에서 $f(t)=0$

그런데 함수 $f(x)$는 삼차함수이므로 1보다 큰 모든 실수 t에 대하여 $f(t)=0$이 될 수는 없다.

즉, $0<k<t$이고 t는 1보다 큰 실수이므로 $0<k\le 1$이 성립한다.

ㄷ도 옳다.

ㄴ에서 $0<k<t$이므로 $0\le x\le k$에서 $f'(x)\le 0$, $k<x\le t$에서 $f'(x)>0$이다. 즉,

$$\begin{aligned}\int_0^t |f'(x)|dx&=\int_0^k \{-f'(x)\}dx+\int_k^t f'(x)dx\\&=\Big[-f(x)\Big]_0^k+\Big[f(x)\Big]_k^t\\&=-f(k)+f(0)+f(t)-f(k)\\&=f(t)+f(0)-2f(k)\end{aligned}$$

이것을 조건 (나)에 대입하면

$f(t)+f(0)-2f(k)=f(t)+f(0)$에서 $f(k)=0$

이때, 함수 $f(x)$는 $x=k$에서 극솟값을 가지므로 함수 $f(x)$의 극솟값은 0이다.

따라서 옳은 것은 ㄱ, ㄴ, ㄷ이다. 정답_⑤

529

$f(-x)=-f(x),\ g(-x)=g(x)$이므로

$h(-x)=f(-x)g(-x)=-f(x)g(x)=-h(x)$이므로 함수 $h(x)$는 원점에 대하여 대칭인 함수이다.

그런데 함수 $h(x)$는 두 다항함수 $f(x),\ g(x)$의 곱으로 다항함수이다. 이때, 함수 $h(x)$가 원점에 대하여 대칭이 되려면 $h(x)=a_1x+a_3x^3+\cdots$ ($a_1,\ a_3,\ \cdots$은 상수)과 같이 홀수 차수의 항들의 합으로만 나타나야 한다.

즉, $h'(x)=a_1+3a_3x^2+\cdots$이고, $xh'(x)=a_1x+3a_3x^3+\cdots$이므로 함수 $h'(x)$는 y축에 대하여 대칭인 함수이고 함수 $xh'(x)$는 원점에 대하여 대칭인 함수이다. 즉,

$$\int_{-a}^{a} h'(x)dx=2\int_0^a h'(x)dx,$$

$$\int_{-a}^{a} xh'(x)dx=0\ (\text{단, } a\text{는 상수이다.})$$

한편, 모든 실수 x에 대하여 함수 $h(x)$가 $h(-x)=-h(x)$를 만족시키므로 함수 $h(x)$의 그래프는 원점을 지난다.

따라서 $h(0)=0$이므로

$$\begin{aligned}\int_{-3}^{3} (x+5)h'(x)dx&=\int_{-3}^{3} xh'(x)dx+\int_{-3}^{3} 5h'(x)dx\\&=0+2\int_0^3 5h'(x)dx\\&=10\int_0^3 h'(x)dx=10\Big[h(x)\Big]_0^3\\&=10\{h(3)-h(0)\}=10\end{aligned}$$

$\therefore h(3)=1$ 정답_①

530

(나)에서 $\int_0^x f(t)dt=\frac{x^2}{9}\int_0^a f(t)dt$ ······㉠

㉠의 양변을 x에 대하여 미분하면 $f(x)=\frac{2x}{9}\int_0^a f(t)dt$

이때, $\int_0^a f(x)dx=k$(k는 상수)로 놓으면 $f(x)=\frac{2}{9}kx$

(가)에서 $\int_0^1 f(t)dt=\int_0^1 \frac{2}{9}kt\,dt=\left[\frac{1}{9}kt^2\right]_0^1=\frac{1}{9}k=1$

$\therefore k=9$ $\therefore f(x)=2x$ ······㉡

㉠의 양변에 $x=a$를 대입하면

$$\int_0^a f(t)dt=\frac{a^2}{9}\int_0^a f(t)dt$$

$\frac{a^2}{9}=1,\ a^2=9$ $\therefore a=3\ (\because a>0)$ ······㉢

㉡, ㉢에서 $f(a)=f(3)=2\cdot 3=6$ 정답_②

09 정적분의 활용

531

$y=6(x+1)(x-3)$의 그래프가 오른쪽 그림과 같으므로 구하는 넓이는

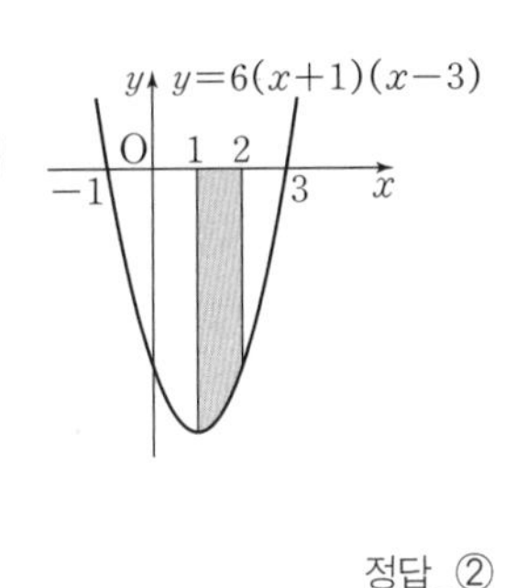

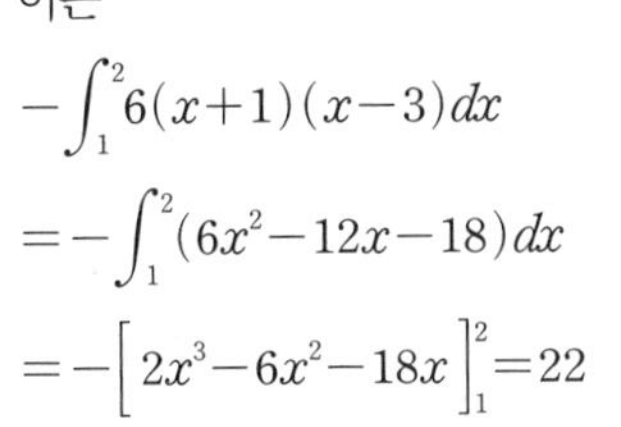

$$-\int_1^2 6(x+1)(x-3)dx$$
$$=-\int_1^2 (6x^2-12x-18)dx$$
$$=-\Big[2x^3-6x^2-18x\Big]_1^2=22$$

정답_ ②

532

$f(x)=\begin{cases} -x^2+2x & (x\le1) \\ -x+2 & (x\ge1) \end{cases}$의 그래프가 오른쪽 그림과 같으므로 구하는 넓이는

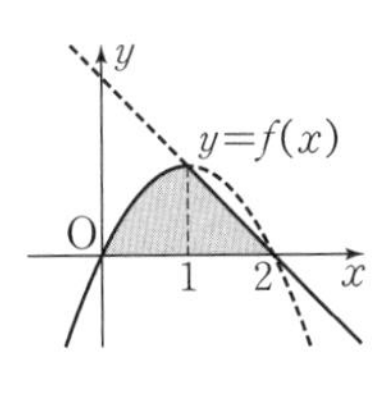

$$\int_0^1(-x^2+2x)dx+\int_1^2(-x+2)dx$$
$$=\Big[-\frac{1}{3}x^3+x^2\Big]_0^1+\Big[-\frac{1}{2}x^2+2x\Big]_1^2$$
$$=\frac{2}{3}+\frac{1}{2}=\frac{7}{6}$$

따라서 $p=6$, $q=7$이므로 $p+q=6+7=13$

정답_ ③

533

$y=x^2(x-1)$의 그래프가 오른쪽 그림과 같으므로 구하는 넓이 S는

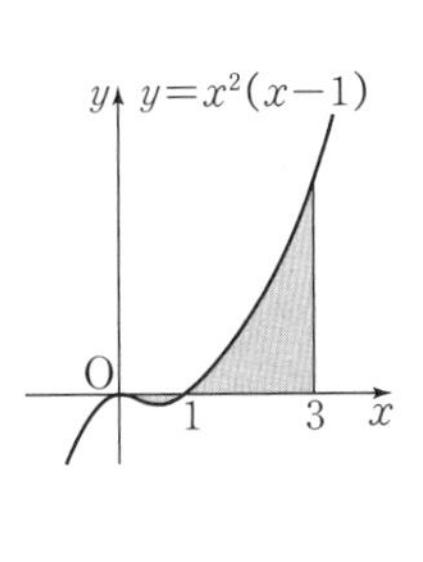

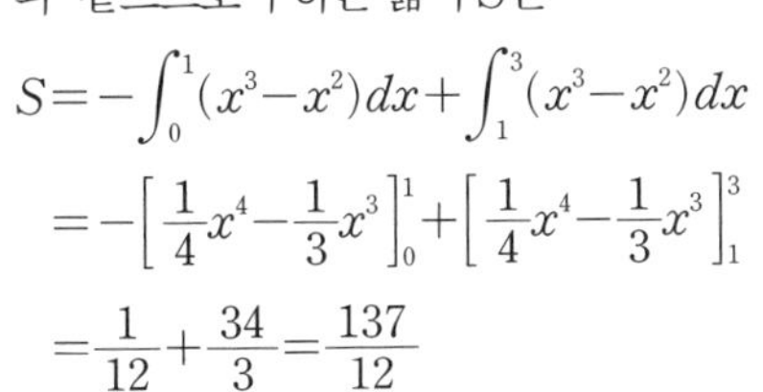

$$S=-\int_0^1(x^3-x^2)dx+\int_1^3(x^3-x^2)dx$$
$$=-\Big[\frac{1}{4}x^4-\frac{1}{3}x^3\Big]_0^1+\Big[\frac{1}{4}x^4-\frac{1}{3}x^3\Big]_1^3$$
$$=\frac{1}{12}+\frac{34}{3}=\frac{137}{12}$$

$\therefore 12S=12\cdot\frac{137}{12}=137$

정답_ ④

534

$f(x)=x^3-9x=x(x+3)(x-3)$의 그래프는 오른쪽 그림과 같으므로 구하는 넓이는

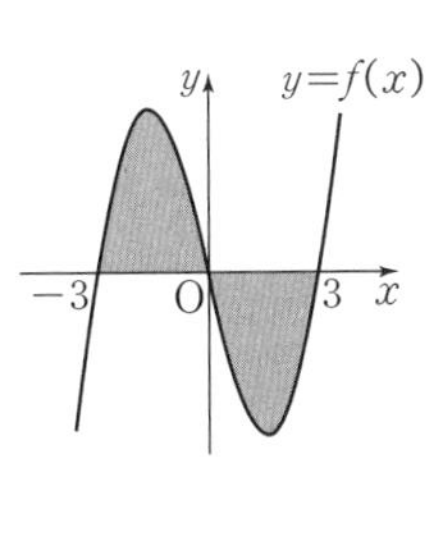

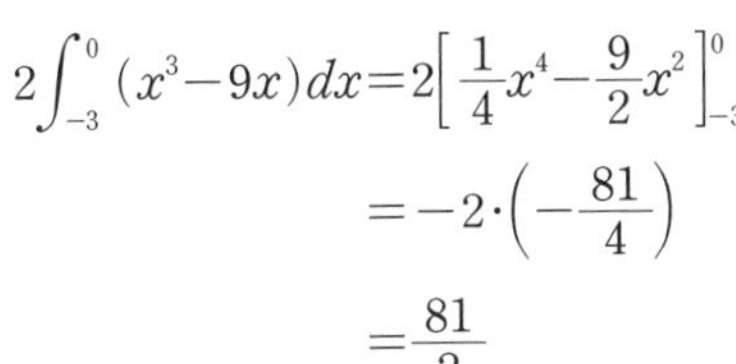

$$2\int_{-3}^0(x^3-9x)dx=2\Big[\frac{1}{4}x^4-\frac{9}{2}x^2\Big]_{-3}^0$$
$$=-2\cdot\left(-\frac{81}{4}\right)$$
$$=\frac{81}{2}$$

정답_ ⑤

535

$f(x)=\int(x^2-1)dx=\frac{1}{3}x^3-x+C$ (단, C는 적분상수이다.)

이때, $f(0)=0$이므로 $C=0$

$\therefore f(x)=\frac{1}{3}x^3-x$

함수 $y=f(x)$의 그래프가 x축과 만나는 점의 x좌표는

$f(x)=\frac{1}{3}x^3-x=0$에서 $x^3-3x=0$

$x(x+\sqrt{3})(x-\sqrt{3})=0$

$\therefore x=-\sqrt{3}$ 또는 $x=0$ 또는 $x=\sqrt{3}$

따라서 $y=f(x)$의 그래프는 오른쪽 그림과 같으므로 구하는 넓이는

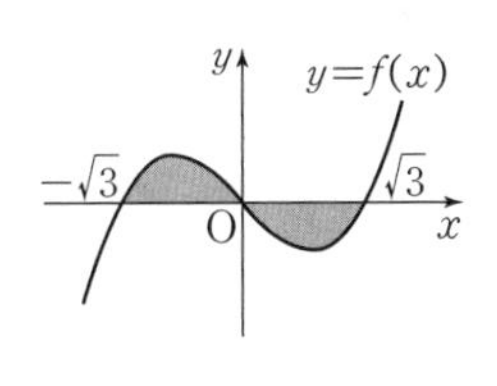

$$2\int_{-\sqrt{3}}^0\left(\frac{1}{3}x^3-x\right)dx$$
$$=2\Big[\frac{1}{12}x^4-\frac{1}{2}x^2\Big]_{-\sqrt{3}}^0$$
$$=2\cdot\frac{3}{4}=\frac{3}{2}$$

정답_ ④

536

$y=\sqrt{4-ax}$의 그래프는 오른쪽 그림과 같다.

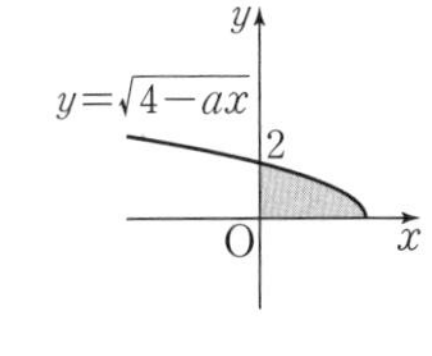

$y=\sqrt{4-ax}$에서 $y^2=4-ax$

$\therefore x=\frac{4-y^2}{a}$

이때, 색칠한 부분의 넓이가 $\frac{1}{3}$이므로

$$\int_0^2\frac{4-y^2}{a}dy=\frac{1}{a}\int_0^2(4-y^2)dy$$
$$=\frac{1}{a}\Big[4y-\frac{1}{3}y^3\Big]_0^2=\frac{16}{3a}=\frac{1}{3}$$

$\therefore a=16$

정답_ ③

537

$y=\sqrt{x}+1$의 그래프는 오른쪽 그림과 같고, 구하는 넓이는 S_1이므로 직사각형의 넓이에서 S_2를 빼면 된다.

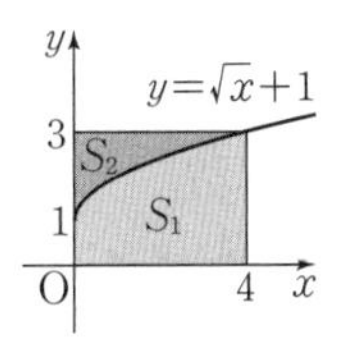

$y=\sqrt{x}+1$에서 $y-1=\sqrt{x}$

$\therefore x=(y-1)^2$

$\therefore S_2=\int_1^3(y-1)^2dy=\Big[\frac{1}{3}(y-1)^3\Big]_1^3=\frac{8}{3}$

따라서 구하는 넓이는

$S_1=3\cdot4-S_2=12-\frac{8}{3}=\frac{28}{3}$

정답_ ③

538

두 곡선 $y=x^3-2x$, $y=-x^2$의 교점의 x좌표는 $x^3-2x=-x^2$에서

$x^3+x^2-2x=0$, $x(x+2)(x-1)=0$

$\therefore x=-2$ 또는 $x=0$ 또는 $x=1$

따라서 구하는 넓이는

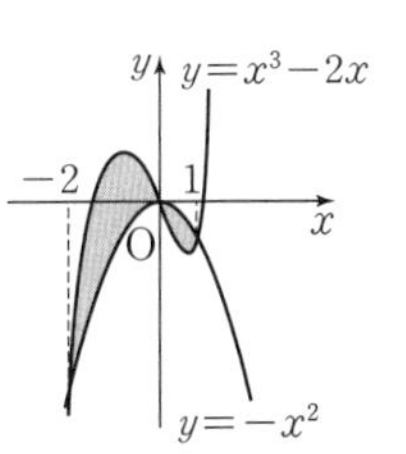

$$\int_{-2}^{0}\{(x^3-2x)-(-x^2)\}dx+\int_{0}^{1}\{-x^2-(x^3-2x)\}dx$$
$$=\int_{-2}^{0}(x^3+x^2-2x)dx+\int_{0}^{1}(-x^3-x^2+2x)dx$$
$$=\left[\frac{1}{4}x^4+\frac{1}{3}x^3-x^2\right]_{-2}^{0}+\left[-\frac{1}{4}x^4-\frac{1}{3}x^3+x^2\right]_{0}^{1}=\frac{37}{12}$$

정답_ ④

539

$f(x)=x^3+4$에서 $f'(x)=3x^2$

두 함수 $f(x)=x^3+4$, $f'(x)=3x^2$의 그래프의 교점의 x좌표는 $x^3+4=3x^2$에서 $x^3-3x^2+4=0$

$(x+1)(x-2)^2=0$ $\quad\therefore x=-1$ 또는 $x=2$

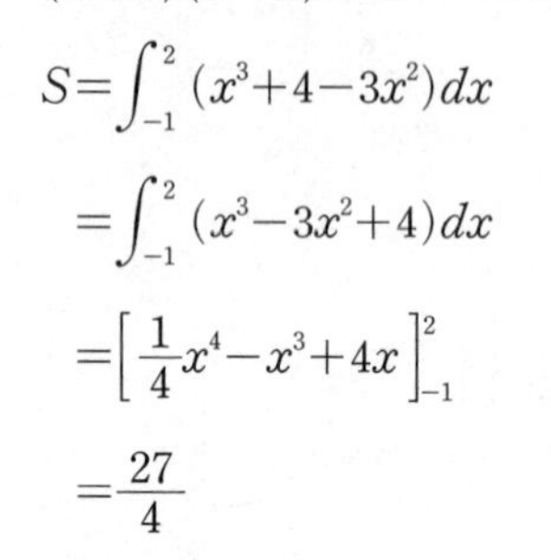

$$S=\int_{-1}^{2}(x^3+4-3x^2)dx$$
$$=\int_{-1}^{2}(x^3-3x^2+4)dx$$
$$=\left[\frac{1}{4}x^4-x^3+4x\right]_{-1}^{2}$$
$$=\frac{27}{4}$$

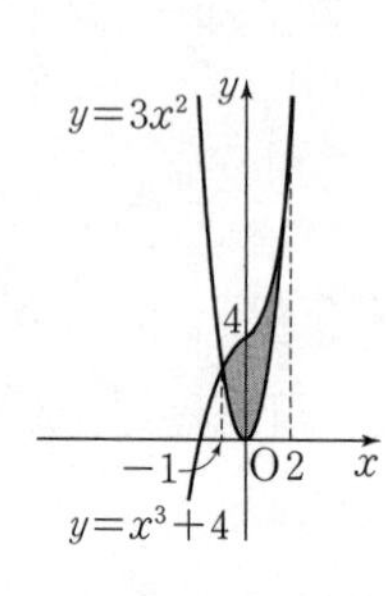

따라서 $p=4$, $q=27$이므로

$p+q=4+27=31$

정답_ 31

540

$\sqrt{x}+2=2\sqrt{x}$에서 $\sqrt{x}=2$ $\quad\therefore x=4$

따라서 두 곡선 $y=\sqrt{x}+2$, $y=2\sqrt{x}$와 y축으로 둘러싸인 부분은 오른쪽 그림과 같다.

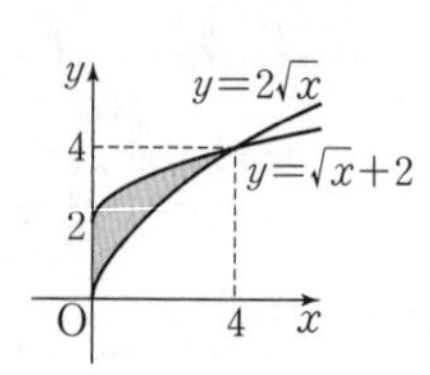

$y=\sqrt{x}+2$, $y=2\sqrt{x}$에서

$x=(y-2)^2$, $x=\frac{1}{4}y^2$이므로 구하는 넓이는

$$\int_{0}^{4}\frac{1}{4}y^2dy-\int_{2}^{4}(y-2)^2dy$$
$$=\left[\frac{1}{12}y^3\right]_{0}^{4}-\left[\frac{1}{3}(y-2)^3\right]_{2}^{4}=\frac{8}{3}$$

정답_ ④

541

$y=x^3$에서 $y'=3x^2$

점 $(-1,\ -1)$에서의 접선의 기울기는 3이므로 접선의 방정식은

$y+1=3(x+1)$ $\quad\therefore y=3x+2$

$x^3=3x+2$에서 $x^3-3x-2=0$

$(x+1)^2(x-2)=0$ $\quad\therefore x=-1$ 또는 $x=2$

오른쪽 그림에서 구하는 넓이는

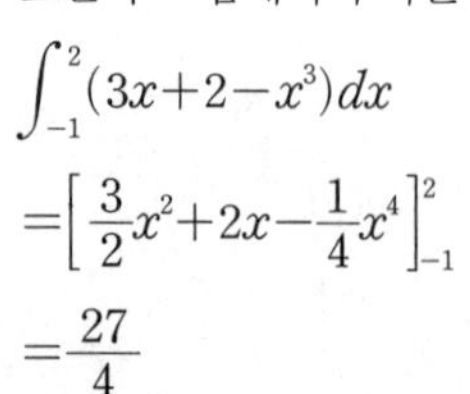

$$\int_{-1}^{2}(3x+2-x^3)dx$$
$$=\left[\frac{3}{2}x^2+2x-\frac{1}{4}x^4\right]_{-1}^{2}$$
$$=\frac{27}{4}$$

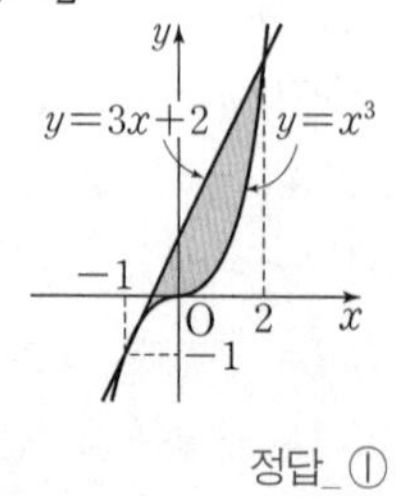

정답_ ①

542

$y=x^2-4x+3$에서

$y'=2x-4$

(i) 점 $(0,\ 3)$에서의 접선의 기울기는 -4이므로 접선의 방정식은

$y-3=-4(x-0)$ $\quad\therefore y=-4x+3$

(ii) 점 $(4,\ 3)$에서의 접선의 기울기는 4이므로 접선의 방정식은

$y-3=4(x-4)$ $\quad\therefore y=4x-13$

$4x-13=-4x+3$에서

$8x=16$ $\quad\therefore x=2$

오른쪽 그림에서 색칠한 부분은 직선 $x=2$에 대하여 대칭이므로 구하는 넓이는

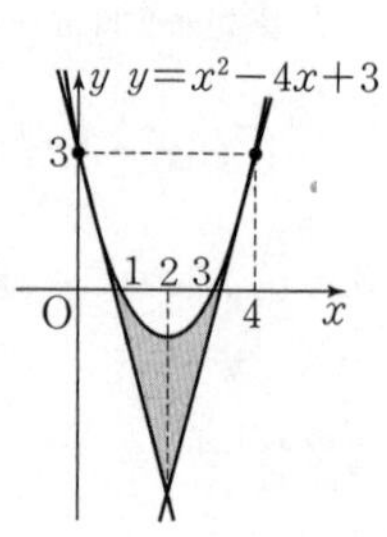

$$2\int_{0}^{2}\{(x^2-4x+3)-(-4x+3)\}dx$$
$$=2\int_{0}^{2}x^2dx$$
$$=2\left[\frac{1}{3}x^3\right]_{0}^{2}$$
$$=\frac{16}{3}$$

정답_ ⑤

543

$$y=|x^2-2x|=\begin{cases}x^2-2x & (x<0\text{ 또는 }x>2)\\-x^2+2x & (0\le x\le 2)\end{cases}$$

따라서 구하는 넓이는

$$\int_{0}^{2}(-x^2+2x)dx+\int_{2}^{3}(x^2-2x)dx$$
$$=\left[-\frac{1}{3}x^3+x^2\right]_{0}^{2}+\left[\frac{1}{3}x^3-x^2\right]_{2}^{3}$$
$$=\frac{4}{3}+\frac{4}{3}=\frac{8}{3}$$

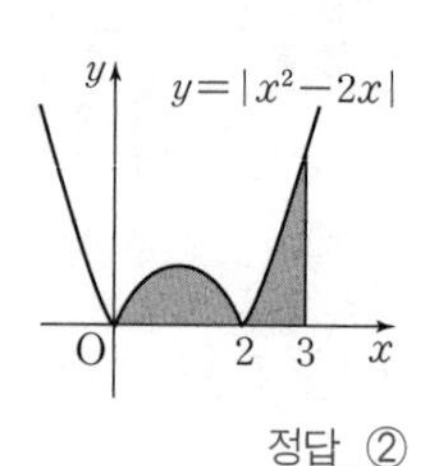

정답_ ②

544

$y=|x|=\begin{cases}x & (x\ge 0)\\-x & (x<0)\end{cases}$이므로 두 함수 $y=|x|$, $y=-x^2+2$의 그래프의 교점의 x좌표는

(i) $x\ge 0$일 때, $x=-x^2+2$에서 $x^2+x-2=0$

$(x+2)(x-1)=0$ $\quad\therefore x=1\ (\because x\ge 0)$

(ii) $x<0$일 때, $-x=-x^2+2$에서 $x^2-x-2=0$

$(x+1)(x-2)=0$ $\quad\therefore x=-1\ (\because x<0)$

오른쪽 그림에서 색칠한 부분은 y축에 대하여 대칭이므로 구하는 넓이는

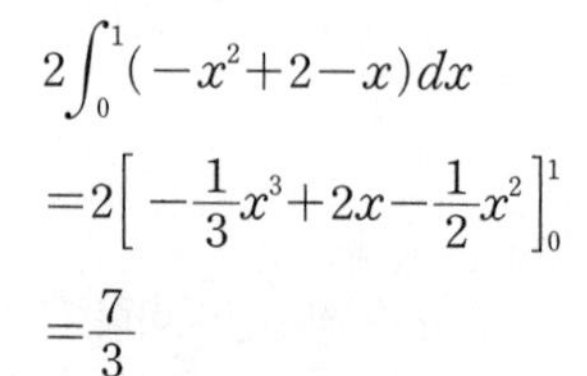

$$2\int_{0}^{1}(-x^2+2-x)dx$$
$$=2\left[-\frac{1}{3}x^3+2x-\frac{1}{2}x^2\right]_{0}^{1}$$
$$=\frac{7}{3}$$

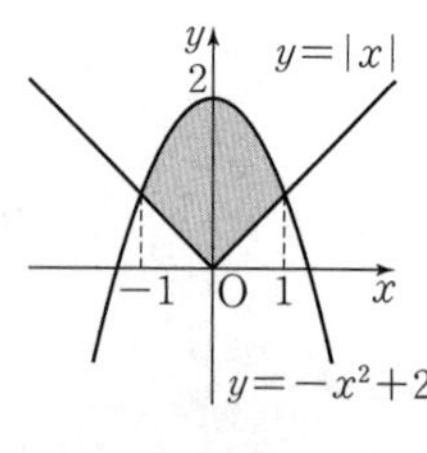

정답_ ④

545

$n=4$이므로 구하는 넓이는 구간 $[0,\ 4]$에서 두 곡선 $y=x^2$, $y=\frac{1}{4}x^2$으로 둘러싸인 부분의 넓이와 같다.

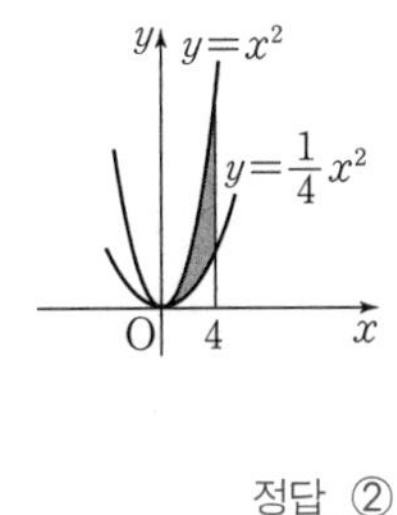

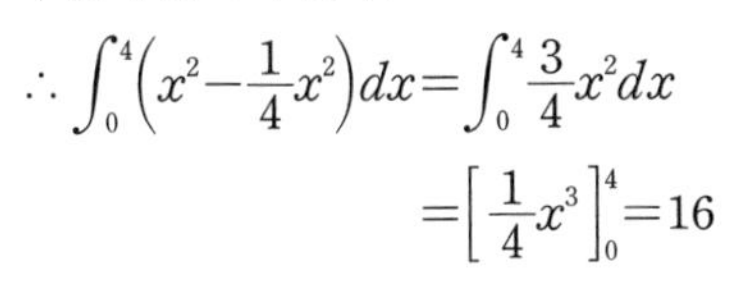

$$\therefore \int_0^4\left(x^2-\frac{1}{4}x^2\right)dx=\int_0^4\frac{3}{4}x^2dx$$
$$=\left[\frac{1}{4}x^3\right]_0^4=16$$

정답_②

546

주어진 그림에서 A, B의 넓이가 서로 같으므로

$$\int_{-1}^{k}(2x^2-2)dx=\left[\frac{2}{3}x^3-2x\right]_{-1}^{k}$$
$$=\frac{2}{3}k^3-2k-\frac{4}{3}=0$$

$(k+1)^2(k-2)=0 \qquad \therefore k=2\ (\because k>1)$

정답_④

547

곡선 $f(x)=x^2(x-1)(x-a)$와 x축으로 둘러싸인 두 부분은 오른쪽 그림과 같다.

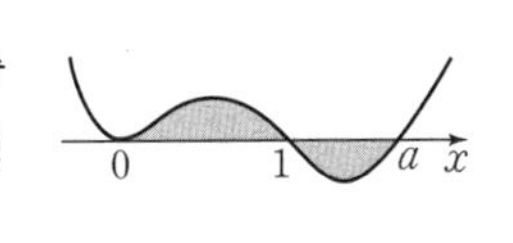

이때, 색칠한 두 부분의 넓이가 같으므로

$$\int_0^a x^2(x-1)(x-a)dx$$
$$=\int_0^a\{x^4-(a+1)x^3+ax^2\}dx$$
$$=\left[\frac{1}{5}x^5-\frac{1}{4}(a+1)x^4+\frac{1}{3}ax^3\right]_0^a$$
$$=-\frac{1}{20}a^5+\frac{1}{12}a^4=0$$

$3a^5-5a^4=0,\ a^4(3a-5)=0 \qquad \therefore a=\frac{5}{3}\ (\because a>1)$

따라서 $f(x)=x^2(x-1)\left(x-\frac{5}{3}\right)$이므로

$f(-1)=1\cdot(-2)\cdot\left(-\frac{8}{3}\right)=\frac{16}{3}$

정답_③

548

곡선 $y=x(x-a)(x-a-3)$의 x절편은 $0, a, a+3$이고, $a>0$이므로 $\ 0<a<a+3$

이 곡선과 x축으로 둘러싸인 부분의 넓이가 같으려면 x절편의 간격이 같아야 하므로

$a-0=(a+3)-a \qquad \therefore a=3$

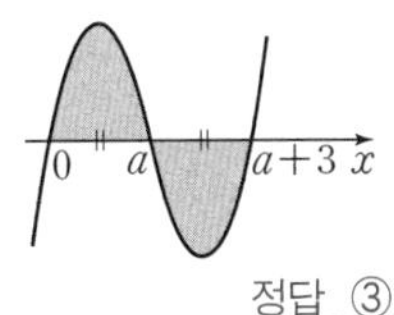

정답_③

다른 풀이

곡선 $y=x(x-a)(x-a-3)$과 x축으로 둘러싸인 두 부분의 넓이가 같으므로

$$\int_0^{a+3}x(x-a)(x-a-3)dx$$
$$=\int_0^{a+3}\{x^3-(2a+3)x^2+a(a+3)x\}dx$$
$$=\left[\frac{1}{4}x^4-\frac{1}{3}(2a+3)x^3+\frac{1}{2}a(a+3)x^2\right]_0^{a+3}$$
$$=\frac{1}{4}(a+3)^4-\frac{1}{3}(2a+3)(a+3)^3+\frac{1}{2}a(a+3)^3$$
$$=\frac{1}{12}(a+3)^3\{3(a+3)-4(2a+3)+6a\}$$
$$=\frac{1}{12}(a+3)^3(a-3)=0$$

$\therefore a=3\ (\because a>0)$

549

$y=x^2-4x+a$의 그래프는 직선 $x=2$에 대하여 대칭이고, A, B의 넓이의 비가 $1:2$이므로 오른쪽 그림에서 빗금친 부분의 넓이는 A의 넓이와 같다.

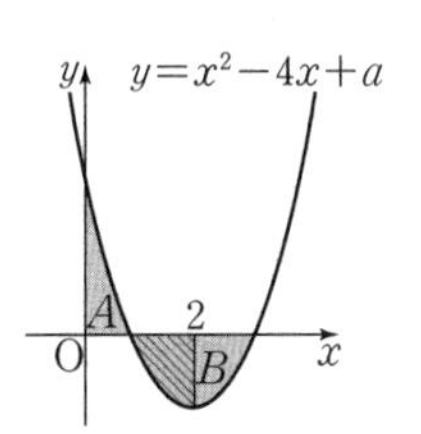

따라서 $y=x^2-4x+a$의 그래프와 x축, y축 및 직선 $x=2$로 둘러싸인 두 부분의 넓이가 같으므로

$$\int_0^2(x^2-4x+a)dx=\left[\frac{1}{3}x^3-2x^2+ax\right]_0^2=-\frac{16}{3}+2a=0$$

$\therefore a=\frac{8}{3}$

정답_③

550

S_1+S_2의 값은 곡선 $y=-x^2+4$와 x축으로 둘러싸인 부분의 넓이이므로

$$\int_{-2}^{2}(-x^2+4)dx=2\int_0^2(-x^2+4)dx$$
$$=2\left[-\frac{1}{3}x^3+4x\right]_0^2$$
$$=\frac{32}{3}$$

이때, $S_1:S_2=1:3$이므로 $\ S_1=\frac{32}{3}\times\frac{1}{4}=\frac{8}{3}$

두 곡선 $y=x^2+2a$, $y=-x^2+4$의 교점의 x좌표는

$x^2+2a=-x^2+4$에서

$2x^2=4-2a \qquad \therefore x=\pm\sqrt{2-a}$

$$S_1=\int_{-\sqrt{2-a}}^{\sqrt{2-a}}\{(-x^2+4)-(x^2+2a)\}dx$$
$$=\int_{-\sqrt{2-a}}^{\sqrt{2-a}}(-2x^2+4-2a)dx$$
$$=2\int_0^{\sqrt{2-a}}(-2x^2+4-2a)dx$$
$$=2\left[-\frac{2}{3}x^3+(4-2a)x\right]_0^{\sqrt{2-a}}$$
$$=\frac{8}{3}(\sqrt{2-a})^3=\frac{8}{3}$$

$(\sqrt{2-a})^3=1 \qquad \therefore a=1$

정답_1

551

포물선 $y=x^2-4x+3$과 직선 $y=3$의 교점의 x좌표를 구하면

$x^2-4x+3=3$

$x^2-4x=0, x(x-4)=0$

$\therefore x=0$ 또는 $x=4$

따라서 구하는 넓이는

$$\int_0^4 \{3-(x^2-4x+3)\}dx=\int_0^4 (-x^2+4x)dx$$

$$=\left[-\frac{1}{3}x^3+2x^2\right]_0^4=\frac{32}{3}$$

정답_ ③

552

포물선과 x축의 교점의 x좌표는

$x(a-x)=0$에서

$x=0$ 또는 $x=a$

포물선과 x축의 교점의 x좌표가 0, a이므로 곡선과 x축으로 둘러싸인 부분의 넓이가 36이려면

$$\int_0^a \{x(a-x)\}dx=\int_0^a (ax-x^2)dx=\left[\frac{a}{2}x^2-\frac{1}{3}x^3\right]_0^a$$

$$=\frac{1}{6}a^3=36$$

$a^3=216 \quad \therefore a=6$

정답_ ②

553

포물선과 직선의 교점의 x좌표는

$x^2+x-a=ax$에서

$x^2-(a-1)x-a=0$

$(x+1)(x-a)=0 \quad \therefore x=-1$ 또는 $x=a$

포물선과 직선의 교점의 x좌표가 -1, a이므로

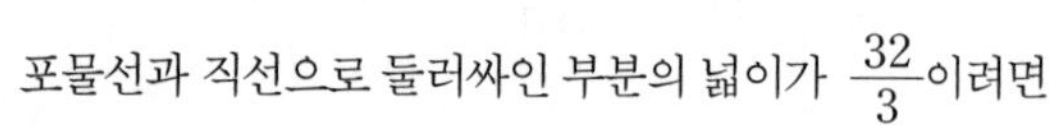

포물선과 직선으로 둘러싸인 부분의 넓이가 $\frac{32}{3}$이려면

$$\int_{-1}^a \{ax-(x^2+x-a)\}dx=\int_{-1}^a \{-x^2+(a-1)x+a)\}dx$$

$$=\left[-\frac{1}{3}x^3+\frac{a-1}{2}x^2+ax\right]_{-1}^a$$

$$=\frac{1}{6}(a+1)^3=\frac{32}{3}$$

$(a+1)^3=64, a+1=4 \quad \therefore a=3$

정답_ ①

554

포물선과 두 직선의 교점의 x좌표가 각각 $a-3$, $a+3$이므로 두 점 A, B의 좌표는

$\mathrm{A}(a-3,\ 2a^2-9a+10)$, $\mathrm{B}(a+3,\ 2a^2+9a+10)$

이고 직선 AB는

$y-(2a^2-9a+10)=\frac{18}{6}a\{x-(a-3)\}$

$\therefore y=3ax-a^2+10$

따라서 구하는 넓이는

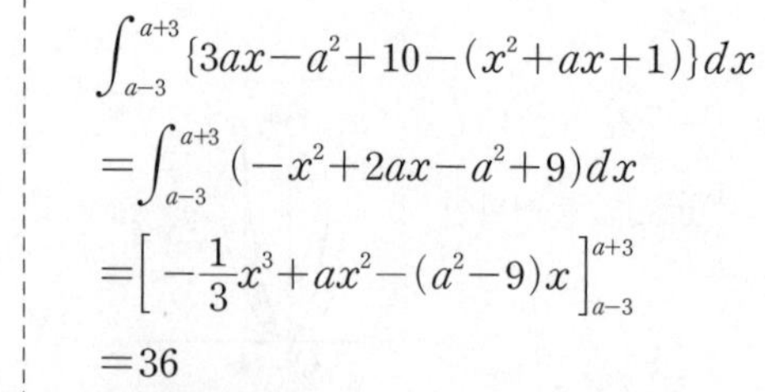

$$\int_{a-3}^{a+3} \{3ax-a^2+10-(x^2+ax+1)\}dx$$

$$=\int_{a-3}^{a+3} (-x^2+2ax-a^2+9)dx$$

$$=\left[-\frac{1}{3}x^3+ax^2-(a^2-9)x\right]_{a-3}^{a+3}$$

$=36$

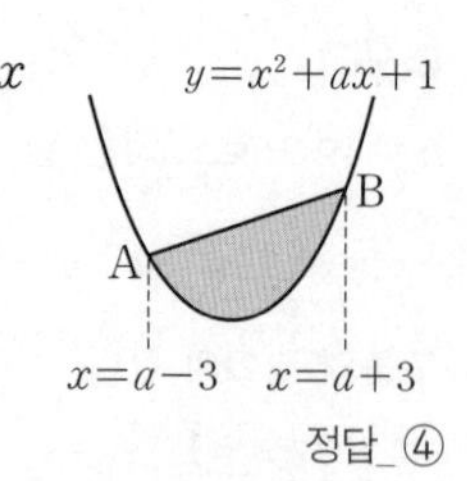

정답_ ④

다른 풀이

포물선의 이차항의 계수가 1이고, 포물선과 직선 AB의 교점의 x좌표가 $a-3$, $a+3$이므로 구하는 넓이는

$\frac{1}{6}\{(a+3)-(a-3)\}^3=\frac{1}{6}\cdot 6^3=36$

555

$y=x^2+1$에서 $\quad y'=2x$

점 $\mathrm{P}(a, a^2+1)$에서의 접선의 기울기는 $2a$이므로 접선의 방정식은

$y-(a^2+1)=2a(x-a) \qquad \therefore y=2ax-a^2+1$

포물선 $y=x^2$과 직선 $y=2ax-a^2+1$의 교점의 x좌표를 구하면

$x^2=2ax-a^2+1$에서 $\quad x^2-2ax+(a-1)(a+1)=0$

$\{x-(a-1)\}\{x-(a+1)\}=0 \qquad \therefore x=a-1$ 또는 $x=a+1$

포물선과 직선의 교점의 x좌표가 $a-1$, $a+1$이므로 구하는 넓이는

$$\int_{a-1}^{a+1} (2ax-a^2+1-x^2)dx=\left[-\frac{1}{3}x^3+ax^2-(a^2-1)x\right]_{a-1}^{a+1}$$

$$=\frac{4}{3}$$

정답_ ④

556

$x^2+2=ax+3$에서 $\quad x^2-ax-1=0 \qquad \cdots\cdots$ ㉠

이차방정식 ㉠의 두 근을 α, β $(\alpha<\beta)$라고 하면 포물선과 직선으로 둘러싸인 부분의 넓이는 $\frac{1}{6}(\beta-\alpha)^3$

이차방정식 ㉠에서 근과 계수의 관계에 의해

$\alpha+\beta=a, \alpha\beta=-1$

$\therefore \beta-\alpha=\sqrt{(\alpha+\beta)^2-4\alpha\beta}=\sqrt{a^2+4}$

$\therefore \frac{1}{6}(\beta-\alpha)^3=\frac{1}{6}(\sqrt{a^2+4})^3$

따라서 구하는 최솟값은 $a=0$일 때

$\frac{1}{6}(\sqrt{4})^3=\frac{1}{6}\cdot 2^3=\frac{4}{3}$

정답_ ④

557

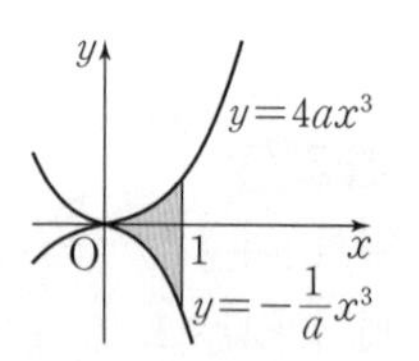

오른쪽 그림에서 두 곡선 $y=4ax^3$, $y=-\frac{1}{a}x^3$과 직선 $x=1$로 둘러싸인 부분의 넓이는

$$\int_0^1\left\{4ax^3-\left(-\frac{1}{a}x^3\right)\right\}dx$$
$$=\left(4a+\frac{1}{a}\right)\int_0^1 x^3dx=\left(4a+\frac{1}{a}\right)\left[\frac{1}{4}x^4\right]_0^1$$
$$=\frac{1}{4}\left(4a+\frac{1}{a}\right)=a+\frac{1}{4a}$$

$a>0$이므로 산술평균과 기하평균의 관계에 의해

$$a+\frac{1}{4a}\geq 2\sqrt{a\cdot\frac{1}{4a}}=2\sqrt{\frac{1}{4}}=1$$

$\left(\text{단, 등호는 } a=\frac{1}{4a}\text{일 때 성립}\right)$

따라서 $a=\frac{1}{4a}$, 즉 $a=\frac{1}{2}$일 때 최솟값 1을 갖는다. 정답_②

558

함수 $f(x)=x^3+2x+2$의 역함수가 $g(x)$이므로 $y=f(x)$의 그래프와 $y=g(x)$의 그래프는 직선 $y=x$에 대하여 대칭이다.

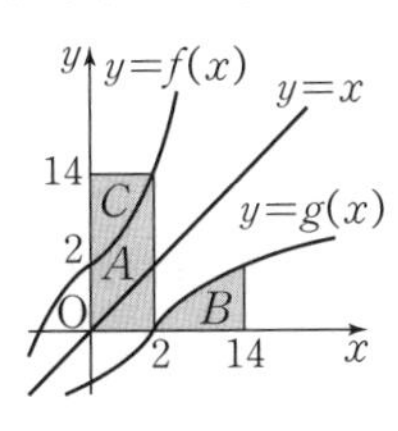

오른쪽 그림에서 $A=\int_0^2 f(x)dx$,

$B=\int_2^{14} g(x)dx$이고, $B=C$이므로

$$\int_0^2 f(x)dx+\int_2^{14} g(x)dx$$
$$=A+B=A+C$$
$$=2\cdot 14=28$$

정답_⑤

559

두 곡선 $y=f(x)$, $y=g(x)$는 직선 $y=x$에 대하여 대칭이므로 두 곡선으로 둘러싸인 부분의 넓이는 곡선 $y=f(x)$와 직선 $y=x$로 둘러싸인 부분의 넓이의 2배와 같다.

곡선 $y=x^3-2x^2+2x$와 직선 $y=x$의 교점의 x좌표는

$x^3-2x^2+2x=x$에서 $\quad x^3-2x^2+x=0$

$x(x-1)^2=0 \qquad \therefore x=0$ 또는 $x=1$

따라서 구하는 넓이는

$$2\int_0^1\{(x^3-2x^2+2x)-x\}dx$$
$$=2\int_0^1(x^3-2x^2+x)dx$$
$$=2\left[\frac{1}{4}x^4-\frac{2}{3}x^3+\frac{1}{2}x^2\right]_0^1$$
$$=2\cdot\frac{1}{12}=\frac{1}{6}$$

정답_①

560

$f(x)=y$일 때, $x=g(y)$이므로 $y=1$, $y=9$일 때, x의 값을 각각 구하면

$x^3+x-1=1$에서 $\quad (x-1)(x^2+x+2)=0 \qquad \therefore x=1$

$x^3+x-1=9$에서 $\quad (x-2)(x^2+2x+5)=0 \qquad \therefore x=2$

즉, 함수 $f(x)$의 그래프는 두 점 $(1,\ 1)$, $(2,\ 9)$를 지나므로 함수 $g(x)$의 그래프는 두 점 $(1,\ 1)$, $(9,\ 2)$를 지난다.

함수 $f(x)$와 역함수 $g(x)$의 그래프는 직선 $y=x$에 대하여 대칭이므로 오른쪽 그림과 같다.

따라서 $A=B$이므로

$$\int_1^9 g(x)dx$$
$$=2\times 9-1\times 1-\int_1^2(x^3+x-1)dx$$
$$=17-\left[\frac{1}{4}x^4+\frac{1}{2}x^2-x\right]_1^2$$
$$=17-\frac{17}{4}=\frac{51}{4}$$

정답_③

561

함수 $f(x)$의 역함수가 $g(x)$이므로 $y=f(x)$와 $y=g(x)$의 그래프는 직선 $y=x$에 대하여 대칭이다.

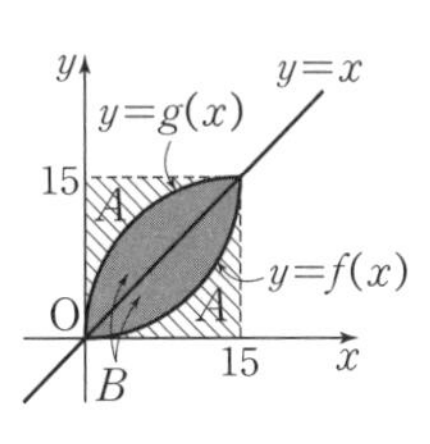

오른쪽 그림과 같이 빗금 친 부분과 색칠한 부분의 넓이의 $\frac{1}{2}$을 각각 A, B라고 하면

(i) 빗금 친 부분과 어두운 부분의 넓이의 비가 2 : 3이므로

$A : B=2 : 3 \qquad \therefore 3A=2B$ ……㉠

(ii) 정사각형의 넓이는 $15^2=225$이므로

$2A+2B=225$ ……㉡

㉠, ㉡을 연립하여 풀면 $\quad A=45,\ B=\frac{135}{2}$

$$\therefore \int_0^{15} f(x)dx=A=45$$

정답_④

562

$t=1$에서 $t=2$까지 점 P의 위치의 변화량은

$$\int_1^2 v(t)dt=\int_1^2(3t^2-4t)dt=\left[t^3-2t^2\right]_1^2=1$$

정답_④

563

지면에서 똑바로 위로 던진 물체가 6초 후에 지면에 도착하였으므로 위치는 0 m이다.

즉, $\int_0^6(v_0-10t)dt=0$이므로

$$\left[v_0t-5t^2\right]_0^6=6v_0-180=0$$

$\therefore v_0=30$(m/초)

물체가 최고 높이에 도달할 때의 속도는 0 m/초이므로

$30-10t=0$에서 $\quad t=3$

따라서 물체는 3초 후에 최고 높이에 도달하므로 물체의 최고 높이는

$$0+\int_0^3(30-10t)dt=\left[30t-5t^2\right]_0^3=45\text{(m)}$$

정답_③

564

두 점 P, Q가 시각 $t=a$에서 처음으로 다시 만났으므로 $t=a$에서의 위치가 같다.

즉, $0+\int_0^a f(t)dt=0+\int_0^a g(t)dt$이므로

$\int_0^a (t^2-2t)dt=\int_0^a 2tdt$

$\left[\frac{1}{3}t^3-t^2\right]_0^a=\left[t^2\right]_0^a$

$\frac{1}{3}a^3-a^2=a^2,\ a^3-6a^2=0$

$a^2(a-6)=0 \quad \therefore a=6\ (a>0)$

정답_ 6

565

처음에 지면에 정지해 있었으므로 $t=45$일 때의 열기구의 높이는

$$\begin{aligned}(\text{처음 높이})+\int_0^{45}v(t)dt&=0+\int_0^{30}t\,dt+\int_{30}^{45}(90-2t)dt\\&=\left[\frac{1}{2}t^2\right]_0^{30}+\left[90t-t^2\right]_{30}^{45}\\&=450+225=675(\text{m})\end{aligned}$$

정답_ ③

566

3 km를 달리는 데 걸린 시간을 x분이라고 하면

$$\begin{aligned}\int_0^x v(t)dt&=\int_0^x\left(\frac{3}{4}t^2+\frac{1}{2}t\right)dt\\&=\left[\frac{1}{4}t^3+\frac{1}{4}t^2\right]_0^x\\&=\frac{1}{4}x^3+\frac{1}{4}x^2\\&=3\end{aligned}$$

$x^3+x^2-12=0$

$(x-2)(x^2+3x+6)=0$

$\therefore x=2(\text{분})\ (\because x^2+3x+6>0)$

즉, 3 km를 달리는 데 2분이 걸리므로 그 이후로는 2분일 때의 속력 $v(2)=\frac{3}{4}\cdot 2^2+\frac{1}{2}\cdot 2=4(\text{km/분})$을 유지하며 일정하게 달린다.

따라서 나머지 3분 동안 열차가 달린 거리는 $4\times 3=12(\text{km})$이므로 5분 동안 열차가 달린 총 거리는 $3+12=15(\text{km})$ 정답_ ③

567

시각 $t=0$에서 시각 $t=6$까지 점 P가 움직인 거리는 함수 $v(t)$의 그래프와 t축으로 둘러싸인 부분의 넓이와 같으므로

$$\begin{aligned}\int_0^6|v(t)|dt&=\int_0^4 v(t)dt+\int_4^6\{-v(t)\}dt\\&=\frac{1}{2}\cdot 1\cdot 1+\frac{1}{2}\cdot(1+2)\cdot 2+\frac{1}{2}\cdot 1\cdot 2+\frac{1}{2}\cdot 2\cdot 1\\&=\frac{11}{2}\end{aligned}$$

정답_ ⑤

568

원점을 출발하였으므로 물체가 다시 원점을 통과하는 것은 위치의 변화량이 0일 때이다. 그런데

$$\begin{aligned}\int_0^{12}v(t)dt&=\int_0^6 v(t)dt+\int_6^{12}v(t)dt\\&=\frac{1}{2}\cdot 6\cdot 4-\frac{1}{2}\cdot 6\cdot 4=0\end{aligned}$$

이므로 $t=0$에서 $t=12$까지 점 P의 위치의 변화량이 0이다.

따라서 물체가 다시 원점을 통과하는 것은 12초 후이다.

정답_ ③

569

ㄱ은 옳지 않다.

1초 동안 $v(t)=0$인 적은 없다.

ㄴ은 옳다.

$t=4$와 $t=6$에서 속도의 부호가 바뀌므로 운동 방향이 바뀐다.

즉, 점 P는 움직이는 동안 방향을 2번 바꿨다.

ㄷ도 옳지 않다.

$t=4$일 때 점 P의 위치는

$\int_0^4 v(t)dt=\frac{1}{2}\cdot(2+4)\cdot 2=6$

이므로 원점이 아니다.

따라서 옳은 것은 ㄴ이다. 정답_ ②

570

ㄱ은 옳다.

$t=0$에서 $t=100$까지 속도가 양수이므로 로켓은 상승하고,

$t=100$에서 $t=200$까지 속도가 음수이므로 로켓은 하강한다.

즉, 로켓은 $t=100$일 때부터 떨어지기 시작한다.

ㄴ은 옳지 않다.

최고 높이는 상승하는 동안의 위치의 변화량이다. 그런데 $t=0$에서 $t=100$까지 속도의 그래프와 x축으로 둘러싸인 부분의 넓이가 $\frac{1}{2}\cdot 100\cdot 1000=50000$이므로 최고 높이는 50000이다.

ㄷ도 옳다.

최고점에 도달했을 때에는 $t=100$일 때이고, 최저점에 도달했을 때에는 $t=200$일 때이므로 속력은 0으로 같다.

따라서 옳은 것은 ㄱ, ㄷ이다. 정답_ ④

571

곡선 $y=x^2$을 x축에 대하여 대칭이동하면

$-y=x^2 \quad \therefore y=-x^2$ ······㉠

······························ ❶

㉠을 x축의 방향으로 4만큼, y축의 방향으로 26만큼 평행이동하면

$y-26=-(x-4)^2 \quad \therefore g(x)=-x^2+8x+10$ ··········· ❷

두 곡선 $y=x^2$, $g(x)=-x^2+8x+10$의 교점의 x좌표를 구하면

$x^2=-x^2+8x+10$, $2(x+1)(x-5)=0$

$\therefore x=-1$ 또는 $x=5$ ❸

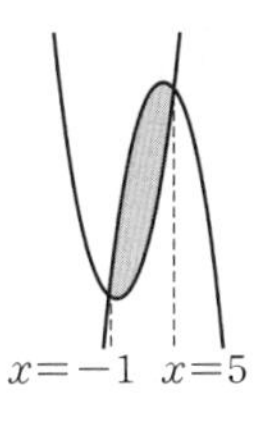

오른쪽 그림에서 구하는 넓이는

$$\int_{-1}^{5}\{(-x^2+8x+10)-x^2\}dx$$

$$=\int_{-1}^{5}(-2x^2+8x+10)dx$$

$$=\left[-\frac{2}{3}x^3+4x^2+10x\right]_{-1}^{5}=72$$ ❹

정답_ 72

단계	채점 기준	비율
❶	주어진 곡선을 대칭이동한 곡선 구하기	20%
❷	대칭이동한 곡선을 평행이동한 곡선 구하기	20%
❸	두 곡선 $y=x^2$, $y=g(x)$의 교점의 x좌표 구하기	20%
❹	두 곡선으로 둘러싸인 부분의 넓이 구하기	40%

572

$f(x)=x^3-x$로 놓으면

$f'(x)=3x^2-1$ $\therefore f'(0)=-1$

따라서 점 O에서의 접선 l에 수직인 직선 m의 방정식은 $y=x$이다. ❶

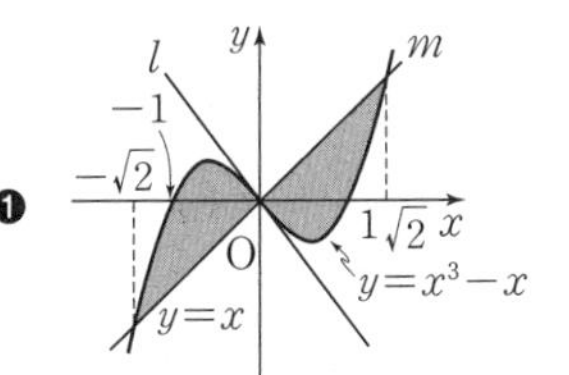

이때, 직선 m과 곡선 $y=x^3-x$의 교점의 x좌표는 $x=x^3-x$에서

$x^3-2x=0$, $x(x^2-2)=0$

$\therefore x=-\sqrt{2}$ 또는 $x=0$ 또는 $x=\sqrt{2}$ ❷

따라서 구하는 넓이는

$$2\int_{0}^{\sqrt{2}}\{x-(x^3-x)\}dx=2\int_{0}^{\sqrt{2}}(-x^3+2x)dx$$

$$=2\left[-\frac{1}{4}x^4+x^2\right]_{0}^{\sqrt{2}}=2\cdot1=2$$ ❸

정답_ 2

단계	채점 기준	비율
❶	직선 m의 방정식 구하기	20%
❷	직선 m과 곡선의 교점의 x좌표 구하기	40%
❸	직선 m과 곡선으로 둘러싸인 부분의 넓이 구하기	40%

573

$f(x)=ax^2-bx$에서 $f'(x)=2ax-b$

$f(x)=ax^2-bx$가 $x=\frac{1}{2}$에서 극대이므로 $a<0$이고

$f'\left(\frac{1}{2}\right)=a-b=0$ $\therefore a=b$ ❶

$f(x)=ax^2-ax$의 그래프의 x절편은 $ax^2-ax=0$에서

$ax(x-1)=0$ $\therefore x=0$ 또는 $x=1$ ❷

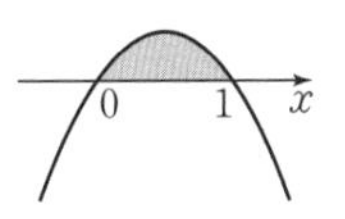

이차항의 계수가 a이고, 이 그래프의 x절편이 0, 1이므로 오른쪽 그림에서 이 그래프와 x축으로 둘러싸인 부분의 넓이가 $\frac{1}{6}$이 되려면

$$\frac{|a|}{6}(1-0)^3=\frac{1}{6},\ |a|=1$$

$\therefore a=-1$ ($\because a<0$)

따라서 $a=-1$, $b=-1$이므로

$a+b=(-1)+(-1)=-2$ ❸

정답_ −2

단계	채점 기준	비율
❶	a, b 사이의 관계식 구하기	30%
❷	함수 $f(x)$의 그래프의 x절편 구하기	20%
❸	$a+b$의 값 구하기	50%

574

기울기가 m이고 점 A(1, 2)를 지나는 직선 l의 방정식은

$y-2=m(x-1)$ $\therefore y=mx-m+2$ ❶

$x^2-3x=mx-m+2$에서

$x^2-(m+3)x+m-2=0$ ······㉠

이차방정식 ㉠의 두 근을 α, β $(\alpha<\beta)$라고 하면 포물선과 직선으로 둘러싸인 부분의 넓이 $S(m)$은

$$S(m)=\frac{1}{6}(\beta-\alpha)^3$$ ❷

이차방정식 ㉠에서 근과 계수의 관계에 의해

$\alpha+\beta=m+3$, $\alpha\beta=m-2$

$$\therefore \beta-\alpha=\sqrt{(\alpha+\beta)^2-4\alpha\beta}=\sqrt{(m+3)^2-4(m-2)}$$

$$=\sqrt{m^2+2m+17}=\sqrt{(m+1)^2+16}$$

따라서 $S(m)=\frac{1}{6}(\beta-\alpha)^3=\frac{1}{6}\{\sqrt{(m+1)^2+16}\}^3$ ❸

구하는 최솟값은 $m=-1$일 때

$$\frac{1}{6}(\sqrt{16})^3=\frac{1}{6}\cdot4^3=\frac{32}{3}$$ ❹

정답_ $\frac{32}{3}$

단계	채점 기준	비율
❶	기울기가 m이고 점 (1, 2)를 지나는 직선의 방정식 구하기	10%
❷	공식을 이용하여 $S(m)$을 α, β에 대한 식으로 나타내기	30%
❸	$S(m)$을 m에 대한 식으로 나타내기	30%
❹	$S(m)$의 최솟값 구하기	30%

575

두 함수 $y=x^2-2x$ $(x\geq0)$와 $x=y^2-2y$ $(y\geq0)$의 그래프는 직선 $y=x$에 대하여 대칭이다.

곡선 $y=x^2-2x$와 직선 $y=x$의 교점의 x좌표는

$x^2-2x=x$에서 $x^2-3x=0$, $x(x-3)=0$

$\therefore x=0$ 또는 $x=3$ ❶

이때, 두 곡선 $y=x^2-2x$ $(x\geq0)$와 $x=y^2-2y$ $(y\geq0)$로 둘러싸인 부분의 넓이는 직선 $y=x$와 곡선 $y=x^2-2x$로 둘러싸인 부분의 넓이의 2배와 같다.

따라서 구하는 넓이는

$$2\int_0^3\{x-(x^2-2x)\}dx=2\int_0^3(-x^2+3x)dx$$
$$=2\left[-\frac{1}{3}x^3+\frac{3}{2}x^2\right]_0^3$$
$$=2\cdot\frac{9}{2}=9 \quad \cdots\cdots ❷$$

정답_ 9

단계	채점 기준	비율
❶	곡선과 직선의 교점의 x좌표 구하기	40%
❷	두 곡선으로 둘러싸인 부분의 넓이 구하기	60%

576

가속도를 $a(t)$라고 하면 처음 속도가 v_0이므로 시각 t에서의 속도는

$$(\text{처음 속도})+\int_0^t a(t)dt=v_0+\int_0^t(-9.8)dt$$
$$=v_0-9.8t(\text{m/초}) \quad \cdots\cdots ❶$$

처음 높이는 지면이므로 $t=2$에서의 높이는

$$(\text{처음 높이})+\int_0^2 v(t)dt=0+\int_0^2(v_0-9.8t)dt$$
$$=\left[v_0t-4.9t^2\right]_0^2$$
$$=2v_0-19.6(\text{m}) \quad \cdots\cdots ❷$$

$t=2$에서 높이가 5 m가 되어야 하므로

$2v_0-19.6=5,\ 2v_0=24.6$

$\therefore v_0=12.3(\text{m/초}) \quad \cdots\cdots ❸$

정답_ 12.3 m/초

단계	채점 기준	비율
❶	시각 t에서의 속도 구하기	40%
❷	$t=2$에서의 높이 구하기	40%
❸	처음 속도 구하기	20%

577

$$S_1=\int_{-a}^0 x^2dx=\left[\frac{1}{3}x^3\right]_{-a}^0=\frac{1}{3}a^3$$
$$S_2=3\cdot9-a\cdot a^2-\int_a^3 x^2dx=27-a^3-\left[\frac{1}{3}x^3\right]_a^3$$
$$=27-a^3-\frac{1}{3}(27-a^3)=18-\frac{2}{3}a^3$$
$$\therefore 2S_1+S_2=\frac{2}{3}a^3+\left(18-\frac{2}{3}a^3\right)=18$$

정답_ ⑤

578

점 $\text{O}, \text{A}(t,\ 0), \text{B}(t,\ t^2)$은 원 C 위의 점이고 $\angle\text{OAB}=90°$이므로 $\overline{\text{OB}}$는 원의 지름이다. 즉, $\overline{\text{OB}}$의 중점이 원 C의 중심이다.

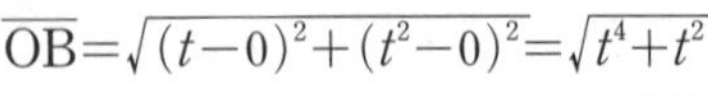

$\overline{\text{OB}}=\sqrt{(t-0)^2+(t^2-0)^2}=\sqrt{t^4+t^2}$

이므로 원 C의 반지름의 길이는 $\dfrac{\sqrt{t^4+t^2}}{2}$이다.

이때, 직선 OB와 곡선 $y=x^2$으로 둘러싸인 부분의 넓이를 T라고 하면 T는 직각삼각형 OAB의 넓이에서 곡선 $y=x^2$과 x축 및 직선 $x=t$로 둘러싸인 부분의 넓이를 빼면 되므로

$$T=\triangle\text{OAB}-\int_0^t x^2dx$$
$$=\frac{1}{2}\times t\times t^2-\left[\frac{1}{3}x^3\right]_0^t$$
$$=\frac{1}{2}t^3-\frac{1}{3}t^3=\frac{1}{6}t^3$$

따라서 $S(t)$는 반원의 넓이에서 T를 빼면 되므로

$$S(t)=\frac{1}{2}\times\pi\times\left(\frac{\sqrt{t^4+t^2}}{2}\right)^2-\frac{1}{6}t^3=\frac{t^4+t^2}{8}\pi-\frac{1}{6}t^3$$
$$S'(t)=\frac{1}{8}(4t^3+2t)\pi-\frac{1}{2}t^2=\frac{1}{4}(2t^3+t)\pi-\frac{1}{2}t^2$$
$$S'(1)=\frac{1}{4}\cdot3\pi-\frac{1}{2}\cdot1=\frac{3\pi-2}{4}$$

따라서 $p=3, q=-2$이므로

$p^2+q^2=3^2+(-2)^2=13$

정답_ 13

579

오른쪽 그림과 같이 $\overline{\text{BC}}$를 지나는 직선을 x축, $\overline{\text{BC}}$의 중점을 지나고 $\overline{\text{BC}}$에 수직인 직선을 y축으로 정하자.

포물선의 방정식을 $y=ax^2\ (a\neq0)$으로 놓으면 점 $\text{D}(2,\ 4)$를 지나므로 $4=a\cdot2^2$에서 $a=1 \quad \therefore y=x^2$

두 점 P, Q의 x좌표를 각각 $\alpha, \beta\ (\alpha<\beta)$라고 하면 $\overline{\text{PQ}}=3\sqrt{2}$이고, 직선 PQ가 x축의 양의 방향과 이루는 각의 크기가 45°이므로

$$\beta-\alpha=\overline{\text{PQ}}\cos45°=3\sqrt{2}\cdot\frac{1}{\sqrt{2}}=3$$

따라서 구하는 넓이는

$$\frac{1}{6}(\beta-\alpha)^3=\frac{1}{6}\cdot3^3=\frac{9}{2}$$

정답_ ④

580

함수 $y=f(x)$와 그 역함수 $y=f^{-1}(x)$의 그래프는 직선 $y=x$에 대하여 대칭이다.

(i) $\int_0^6\{f(x)-x\}dx=6$은 $y=f(x)$의 그래프와 직선 $y=x$ 사이의 넓이이므로 [그림 1]의 색칠한 부분의 넓이와 같다.

(ii) $\int_0^6\{6-f^{-1}(x)\}dx$는 직선 $y=6$과 $y=f^{-1}(x)$의 그래프 사이의 넓이이므로 [그림 2]의 색칠한 부분의 넓이와 같다.

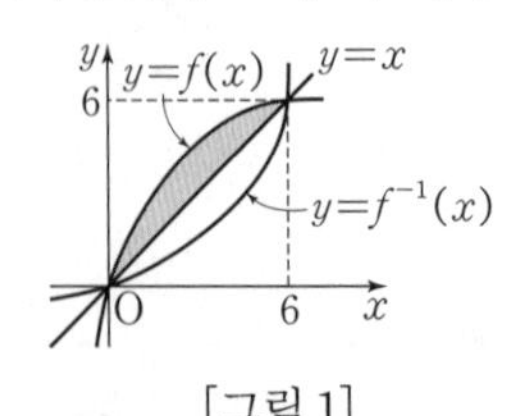

[그림 1]

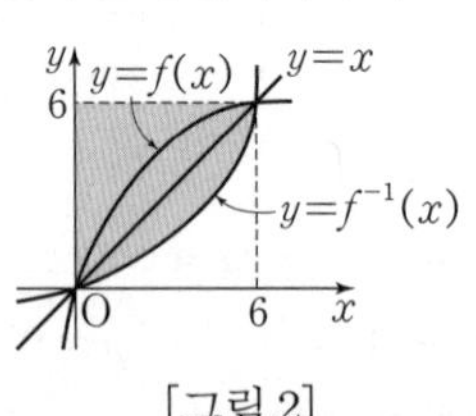

[그림 2]

$$\therefore \int_0^6\{6-f^{-1}(x)\}dx=\frac{1}{2}\cdot6\cdot6+6=24$$

정답_ ④

581

두 곡선 $y=x^4-x^3$, $y=-x^4+x$로 둘러싸인 부분의 넓이는

$$\int_0^1\{(-x^4+x)-(x^4-x^3)\}dx$$
$$=\int_0^1(-2x^4+x^3+x)dx$$
$$=\left[-\frac{2}{5}x^5+\frac{1}{4}x^4+\frac{1}{2}x^2\right]_0^1$$
$$=-\frac{2}{5}+\frac{1}{4}+\frac{1}{2}=\frac{7}{20}$$

이때, 두 곡선 $y=x^4-x^3$, $y=-x^4+x$로 둘러싸인 부분의 넓이가 곡선 $y=ax(1-x)$에 의해 이등분되므로 두 곡선 $y=-x^4+x$, $y=ax(1-x)$로 둘러싸인 도형의 넓이는

$$\int_0^1\{(-x^4+x)-ax(1-x)\}dx$$
$$=\int_0^1\{-x^4+ax^2+(-a+1)x\}dx$$
$$=\left[-\frac{1}{5}x^5+\frac{a}{3}x^3+\frac{1}{2}(-a+1)x^2\right]_0^1$$
$$=-\frac{1}{5}+\frac{a}{3}-\frac{a}{2}+\frac{1}{2}$$
$$=-\frac{a}{6}+\frac{3}{10}=\frac{7}{40}$$
$$\therefore a=\frac{3}{4}$$

정답_④

582

시속 72 km를 초속으로 바꾸면

$72(\text{km/시})=72\times\frac{1000}{3600}(\text{m/초})=20(\text{m/초})$

브레이크를 작동하는 순간부터 매초 4 m/초씩 속력이 감소하므로 t초 후의 차의 속력은

$v(t)=20-4t(\text{m/초})$

$v(t)=20-4t=0$에서 $t=5$이므로 자동차가 정지하는 시각은 브레이크를 작동한 뒤 5초 후이다.

따라서 구하는 거리 s는 $t=0$에서 $t=5$까지 움직인 거리이므로

$$s=\int_0^5 v(t)dt=\int_0^5(20-4t)dt$$
$$=\left[20t-2t^2\right]_0^5=50(\text{m})$$

정답_①

583

ㄱ은 옳다.

'가' 지점에서 '나' 지점까지의 거리를 s라고 하면 A와 C의 평균 속도는 $\frac{(\text{위치의 변화량})}{(\text{걸린 시간})}=\frac{s}{40}$로 같다.

ㄴ도 옳다.

속도의 그래프에서 가속도는 접선의 기울기이다.

B의 그래프에서 접선의 기울기가 0인 순간은 한 번, C의 그래프에서 접선의 기울기가 0인 순간은 세 번 있다.

ㄷ도 옳다.

A, B, C 속도의 그래프와 t축으로 둘러싸인 부분의 넓이는 $\int_0^t|v|dt=\int_0^t v\,dt$이므로 위치의 변화량을 나타낸다. 그런데 A, B, C 모두 '가' 지점에서 출발하여 '나' 지점에 도착했으므로 위치의 변화량은 모두 같다.

따라서 옳은 것은 ㄱ, ㄴ, ㄷ이다.

정답_⑤

584

직사각형 OPQR와 겹쳐지는 부분이 최초로 직사각형이 되는 것은 오른쪽 그림과 같이 점 Q가 삼각형의 빗변 위에 있을 때이다.

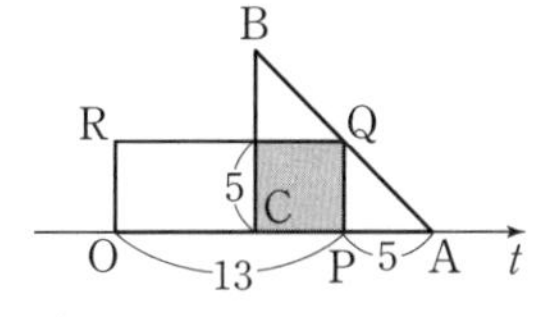

이때, 점 A의 위치는 18이므로 이때까지 걸린 시간을 x라고 하면

$$\int_0^x v(t)dt=\int_0^x(3t^2-2t)dt$$
$$=\left[t^3-t^2\right]_0^x=x^3-x^2=18$$

$x^3-x^2-18=0$, $(x-3)(x^2+2x+6)=0$

$\therefore x=3$

따라서 구하는 t의 값은 3이다.

정답_④

MEMO

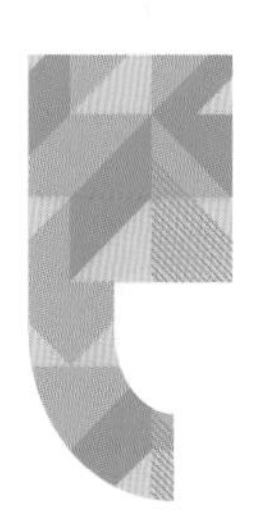

엄선된 유형을 **한 권**에 **가득!**

풍산자 필수유형